4 この地図帳の凡例

凡例を地図と一緒に見よう

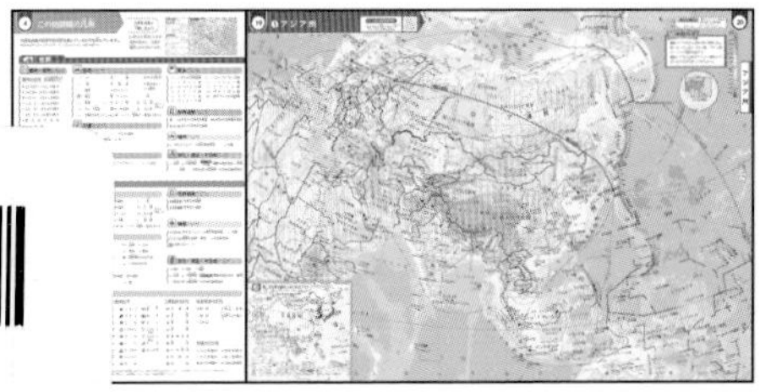

凡例は地図の記号や色が何を表しているのかを示していま

都市の記号の人口10～20万人とは，人口10万人以上20万人未満の意味です。

JN081146

世界

都市・境界の記号

都市の記号 記号の横の数字は都市標高を示す。

- 人口300万人以上の都市
- 人口100～300万人の都市
- 人口 50～100万人の都市
- 人口 20～ 50万人の都市
- 人口 10～ 20万人の都市
- 人口 10万人未満の都市
- 都市内の地名
- 首都
- 市街地

境界の記号

- 大州界
- 国の境界および領地界
- 州および省界など
- 未確定・係争中の国の境界

自然の記号

- 川
- 滝
- 湿地
- 湖沼（標高(m) 水深）
- 塩湖
- ダム・人造湖
- 位置の定まっていない湖
- 砂漠
- 氷雪地
- かれ川（ワジ）
- 堆（バンク）
- サンゴ礁
- 運河・用水路
- 流氷の限界
- 年間氷結している範囲
- 峠
- 8848 山頂
- 5895 火山頂 ［数字は標高(m)］
- -10920 海溝の一番深い所(m)

交通の記号

- おもな鉄道
- おもな道路
- 横浜←6282→ホノルル 距離(km) おもな航路
- 港

産業の記号

- 炭田
- 油田とパイプライン
- ガス田
- すず 鉱山・産物

領土の記号

- (ア) アメリカ合衆国領
- (イ) イギリス領
- (オー) オーストラリア領
- (オ) オランダ領
- (ス) スペイン領
- (デ) デンマーク領
- (ニュー) ニュージーランド領
- (ノ) ノルウェー領
- (フ) フランス領
- (ポ) ポルトガル領
- (南ア) 南アフリカ共和国領

世界遺産の記号

- バイカル湖 おもな世界自然遺産
- 泰山 おもな世界複合遺産
- 万里の長城 おもな世界文化遺産

環境の記号

- おもなラムサール条約登録湿地
- 名勝

文化・歴史・その他の記号

- 史跡
- 古戦場跡
- サラエボ事件 ヤルタ会談 重要な歴史地名・事項
- 城壁
- 特色のある建造物・その他の重要地点

日本

都市・境界の記号

都市の記号 記号は市町村役場の位置を示す。

- 人口300万人以上の市
- 人口100～300万人の市
- 人口 50～100万人の市
- 人口 20～ 50万人の市
- 人口 10～ 20万人の市
- 人口 10万人未満の市
- 町
- 村
- おもな字・旧市町村
- 都道府県庁所在地
- 北海道の振興局所在地
- 都道府県庁 ［400万分の1～100万分の1の地図を除く］

境界の記号

- 外国との境界
- 都道府県界
- 北海道の振興局界
- 市町村界 ［都市図のみ］
- 区界

［河川などと重なる場合は，黒の線を省略しているところもあります。］

都市図の記号

- 市役所
- 区役所・町村役場
- おもな大学
- 高等学校
- 史跡・名勝
- おもな施設・建物など

自然の記号

- 川
- 滝
- 湿地
- 湖沼（標高 水深）
- ダム・人造湖
- 砂浜海岸
- 岩石海岸
- 堆（バンク）
- サンゴ礁
- 用水路（地下）
- 峠
- 3193 山頂
- 3776 火山頂 ［数字は標高(m)］
- 温泉
- -9550 海溝の一番深い所(m)

交通の記号

- 新幹線（駅 トンネル 建設中）
- JR線（駅 トンネル 建設中）
- その他の鉄道線（駅 トンネル 建設中）
- 地下鉄（駅 地上 建設中）
- 高速道路（インターチェンジ トンネル 建設中）
- おもな自動車専用道路・有料道路（トンネル 建設中）
- おもな道路（<372> 国道番号 トンネル 建設中）
- 東京へ 航路
- 灯台
- 商港
- 漁港
- 国際便のある空港
- その他の空港
- 橋

世界遺産の記号

- 小笠原諸島 世界自然遺産
- 原爆ドーム 世界文化遺産

環境の記号

- 琵琶湖 おもなラムサール条約登録湿地
- 名勝
- ハクチョウ 貴重な動物・植物
- 天然記念物
- 世界ジオパーク

文化・歴史・その他の記号

- 神社
- 寺院
- 城跡
- 史跡
- 古戦場跡
- 桶狭間の戦い 重要な歴史地名・事項
- 特色のある建造物・その他の重要地点

産業の記号

農業・林業・水産業の産物記号

米	トマト	りんご	乳牛
さつまいも	ピーマン	ぶどう	肉牛
とうもろこし	はくさい	もも	ぶた
じゃがいも	ねぎ	日本なし	にわとり（肉用）
きゅうり	たまねぎ	かき	にわとり（卵用）
かぼちゃ	だいこん	くり	かき
すいか	にんじん	さくらんぼ	ほたて貝
メロン	いちご	しいたけ	
なす	みかん	木材	

工業製品の記号

- 自動車
- 造船
- 製鉄
- 鉄鋼
- IC 集積回路
- 製油
- 化学製品
- 医薬品
- 食品

鉱産資源の記号

- 炭田
- 油田
- ガス田
- 鉱山・産物（石灰石）
- 閉山した鉱山（明延）

発電所の記号

- 火力発電所
- 地熱発電所
- 水力発電所
- 風力発電所
- 原子力発電所
- 太陽光発電所

地図帳の使用にあたって　国名は，一部を除いて通称国名を用いています。ドイツなどの赤文字は独立国，西サハラなど黒文字は非独立国を示しています。正式国名については，p.167～169を参照ください。原則として中国の統計には，台湾は含んでいません。統計の凡例では，中間段階の"以上・未満"の表現は省略しています。イギリスは2020年にEUより離脱しましたが，統計の年次によってはEUに含まれています。

地図帳の使い方(1)

二次元コードの使い方はp.6の右下に示しています。

① 小学校で学習した地図の約束

①方位

地図はふつう北を上にしてかかれています。
地図では方位を東・西・南・北の４方位で表します。
さらに間の北東・南東・南西・北西を加えた８方位で表すこともあります。

②地図記号

建物や土地のようすを地図に表すときには，地図記号を使うとわかりやすくなります。

③縮尺

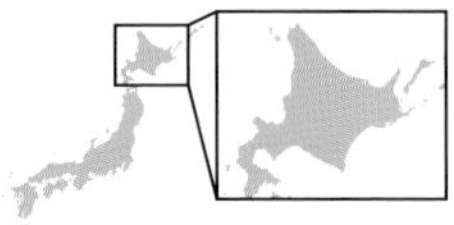

地図は，実際の距離を縮めてかかれており，その縮めた割合を縮尺といいます。地図によってどのくらい縮めたのかが違います。

② 地図帳を開けたらまず確認しよう

❶タイトルと縮尺
タイトルはこの地図がどの国や地域かを示しています。
地図を見る目的に合わせて，縮尺を確認するようにしましょう。

❷凡例
凡例は地図の記号や色が何を表しているのかを示しています。
p.4にない記号や色については，ページごとに示しています。

❸位置図
この地図の範囲が，地球上でどのあたりにあたるのかを示しています。

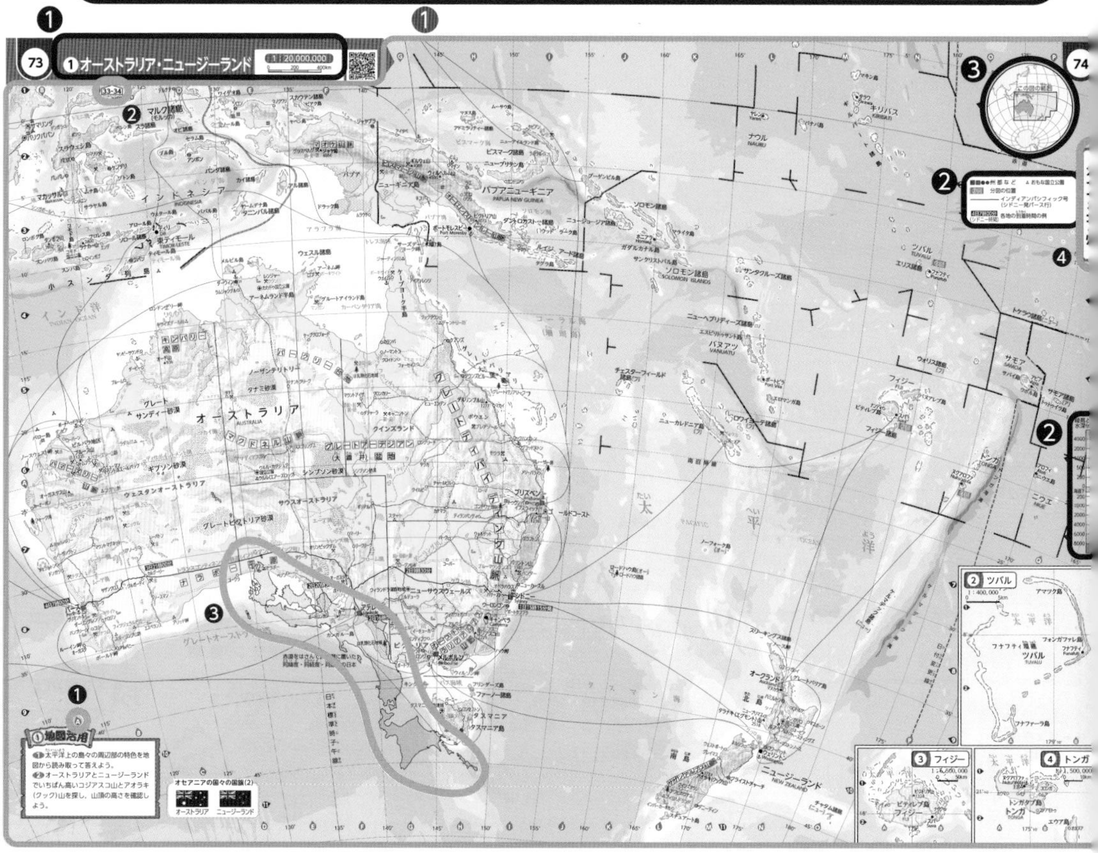

そのほかの構成紹介

❶さくいん記号
❶　Ⓐ
地名を探すときの手がかりになります。

❷接続ページ
33-34
何ページに続きの地図があるかを示しています。

❸同緯度・同経度・同縮尺の日本
この地図と同じ縮尺で，同じ緯度・同じ経度に置いたときの日本の位置と形を示しています。日本と位置や大きさを比較できます。
※他のページは「同緯度・同縮尺」となっています。

❹インデックス
世界・日本・資料図・統計・さくいんの五つに色分けしています。
世界は六つの州とおもな地域，日本は八つの地方に分けて掲載しています。

地図の要素

地図の要素（記号）には，面・点・線・文字の要素があり，これらを重ね合わせて地図になります。

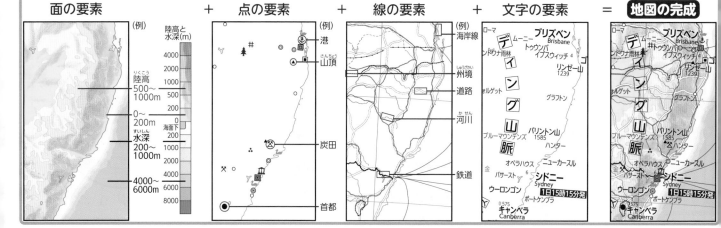

面の要素　＋　点の要素　＋　線の要素　＋　文字の要素　＝　**地図の完成**

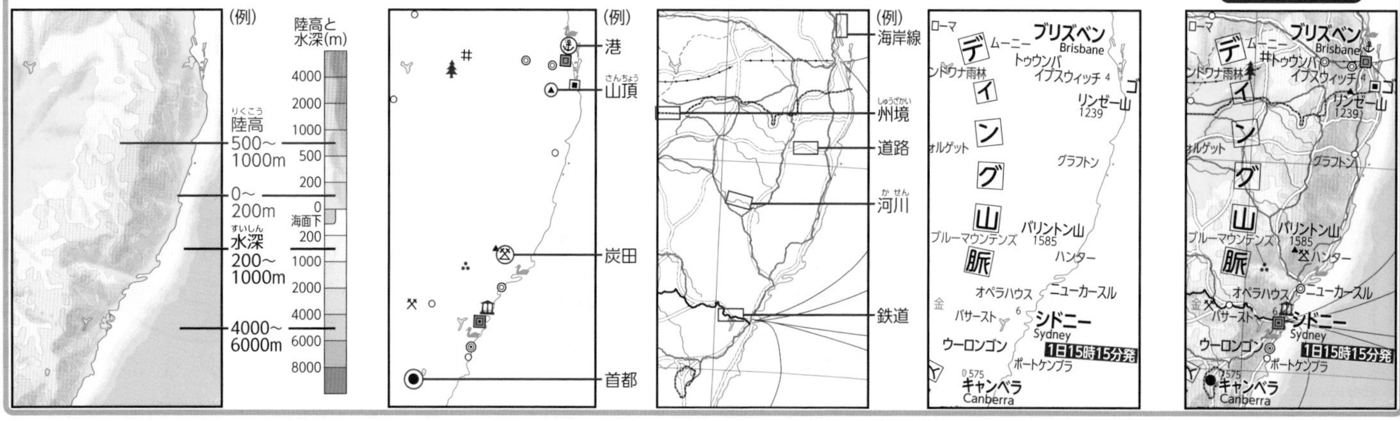

3 いろいろな地図を使いこなそう

❶一般図

各地のことを知るための基礎となる大切な図です。
国や都市の正確な位置，国の範囲，鉄道や道路がどこを走っているかなどがわかります。
また，陸の高さや海の深さ，地形のようすなどもわかります。

❷鳥瞰図

地形などを立体的に絵で表した図です。
鳥瞰図からは，ななめ上の空から見た景色や地形のようすが読み取れます。
また，イラストからは，産物や名所，動物，独自の文化，町並みなどを知ることができます。距離や面積は正確ではないので，注意が必要です。

❸資料図

自然，農業，工業，人口，交通，歴史などのテーマでそれぞれの地域の特徴をつかめるようにした図です。
違うテーマの資料図と比べてみると，その国や地域の特徴をより深く理解できます。

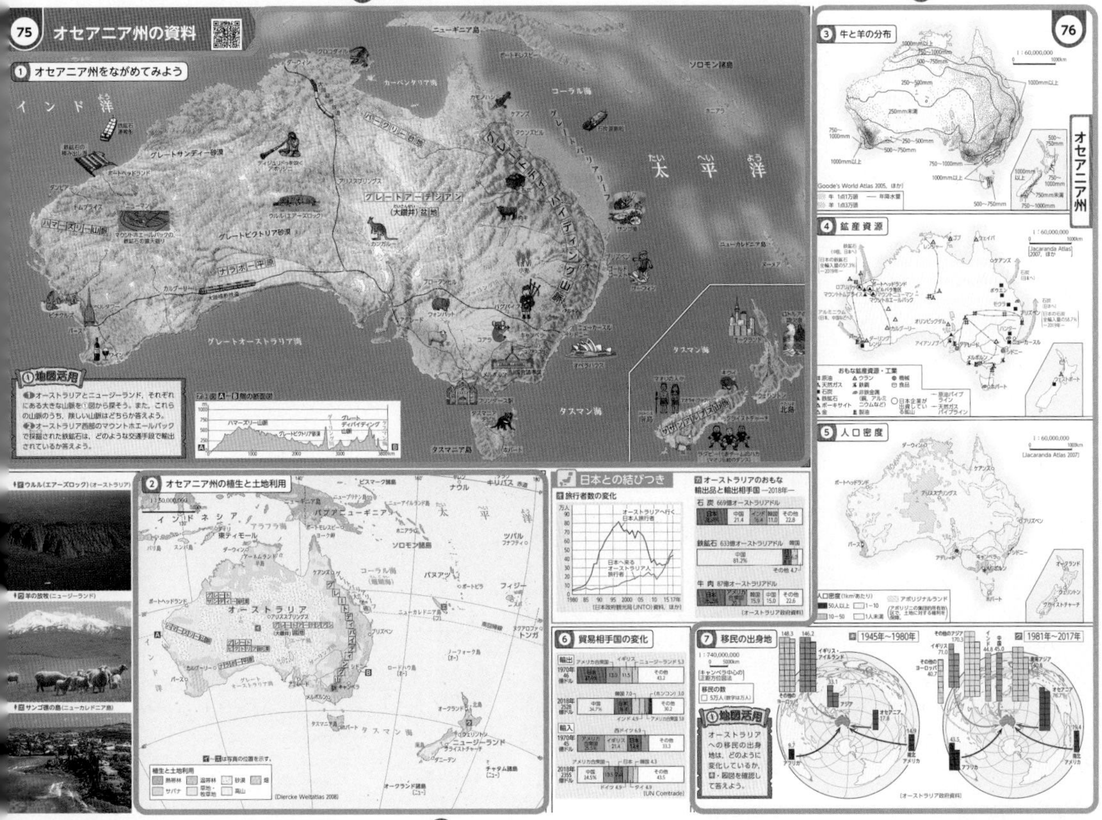

各所に配置されたマークについて

プラチナ ➡p.44 カ
別のページにある，関連性の深い内容を示しています。

地図活用
地図活用の技能を身につけるための問いかけです。

防災
防災に関する資料図には，このマークがついています。
※防災については，まとめて取り扱っているページもあります(p.149-150)。

環境
環境に関する資料図には，このマークがついています。

日本との結びつき
各ページで扱っている国や地域と，日本とのつながりを取り上げた資料図には，このマークがついています。

? 学習課題
資料図のページで扱ったテーマに対して，図を見るときに着目する点を示しています。

地図帳の使い方

4 地図帳を使いこなそう

❶さくいん (p.174～185)

場所を確認したい国や都市を，地図帳から探す時などに使います。何ページのどこに載っているか示しています。
さくいんの地名は五十音順に並んでいます。

→p.175 さくいん

◉キャンベラ……73 H 9 N

示している内容
(青文字はキャンベラの場合)
記号や文字の色[首都]
ページ[73ページ]
列[経線と経線の間のHの列]
行[緯線と緯線の間の9の行]
枠の中での位置[北寄りにある地名はN(North)，南寄りにある地名はS(South)，中央付近にある地名はN・Sなし]

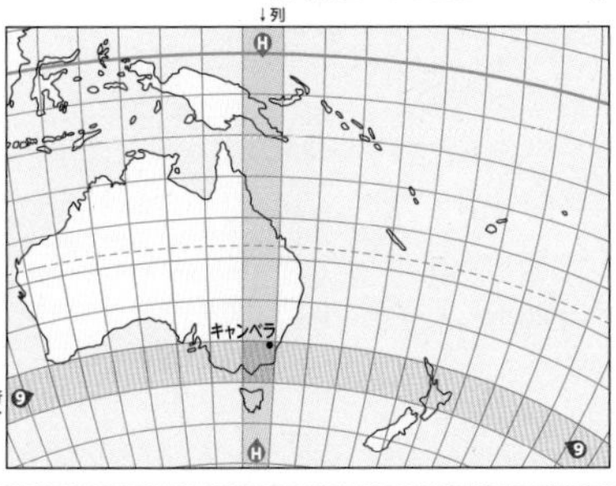

都市や山などの地点を示す地名のさくいんは，その記号がある位置を示しています。

山脈や平野などの広い範囲を示す地名のさくいんは，文字がマス目にかかっている範囲を示しています。

❷統計 (p.165～173)

国や地域の詳しい数値や情報が載っています。正式国名，人口や面積，輸出額や輸入額，月別の気温や降水量などを知ることができます。
統計を見るときには，数値の単位や何年の数値なのかを確認するようにしましょう。

正式国名	首都	人口 (万人) 2018年	面積 (万km²) 2018年	人口密度 (人/km²) 2018年
ジャマイカ	キングストン	272	1	248
セントクリストファー・ネービス	バセテール	15) 5	0.03	196
ボリビア多民族国	ラパス	1,130	110	10
オーストラリア連邦	キャンベラ	2,499	769	3
キリバス共和国	タラワ	15) 11	0.07	152
クック諸島	アバルア	16) 1	0.02	74
サモア独立国	アピア	19	0.3	70

↑p.169 統計

❸資料図ページ (p.9～18，145～164)

世界全体，日本全体の資料図を集めたページです。世界全体と比べてみることで，国や地域間の違いがわかります。

地図活用をやってみよう

この地図帳には，地図活用の技能を身につけるためのコーナー「地図活用」を各所に設けています。
地図の読図や比較を通して，地図からわかることを整理したり，説明したりできるようになりましょう。
右の二次元コードを読み取ると，「地図活用」の解答が確認できます。

地図活用
オーストラリアへの移民の出身地は，どのように変化しているか，キ・ク図を確認して答えよう。

二次元コードを使おう

ページタイトルの横にある二次元コードをタブレットパソコンなどで読み取ると，学習を深める資料やクイズなどのコンテンツを見ることができます。
※二次元コードをタブレットパソコンなどで読み取り，表示されたインターネットのサイトにアクセスした際には通信料がかかる場合があります。
※下のアドレスを入れてコンテンツメニューを見ることもできます。

https://ict.teikokushoin.co.jp/d-text_03jh/chizu/index.html

5 色の意味を確認しよう

ここではp.83-84の九州地方を例に紹介しています。

❶土地利用

土地がどのように使われているのかを，色や模様でわかるようにしています。

	市街地
	田
	畑
	果樹園
	その他

❷陸高

陸の高さについては，陸高の凡例を設けています。
陸高の凡例では，陸の高い所と低い所を，高さごとに茶色の濃さを変えて表し，陸高が色でわかるようにしています。

陸高
1400m
600m
0m

❸水深

海の深さについては，水深の凡例を設けています。
水深の凡例では，海の深い所と浅い所を，深さごとに水色の濃さを変えて表し，水深が色でわかるようにしています。

水深
0m
200m
1000m
2000m

6 記号の意味を確認しよう

❶p.4の「記号凡例」を見よう

この地図帳で使われている記号が何を表しているのかをp.4の「この地図帳の凡例」で紹介しています。

❷記号を読み取ろう

記号に注目すると，それぞれの市町村のおおよその人口や，どこでどのような産業がさかんなのかといった特徴がわかります。

都市の記号
市町村の記号は，市役所や町村役場のある位置に置いています。市の記号は人口に応じて形が異なります。

農産物の記号
野菜や果物などの農産物の記号は，全国的にみて生産量が多い市町村の産地に置いています。畜産物や水産物も同じです。

工業の記号
工業製品の記号は，従業員数などの基準に基づき規模の大きなものを，その工場がある位置に置いています。

7 テーマを決めて地図を見てみよう

p.5でも見たように，地図はさまざまな要素が重なってできています。
テーマを決めて，それに関係する要素を取り出してみると，それまで気づかなかったことを読み取ることができます。

テーマ❶ 自然

取り出した要素	わかったこと
・おもな河川 ・山頂 ・陸高	・川の流れる方向 ・山が多い所 ・土地の高さや低さ

テーマ❷ 農業

取り出した要素	わかったこと
・おもな河川 ・土地利用(田，畑，果樹園) ・陸高 ・農産物・林産物の記号	・川沿いの平野や盆地で稲作がさかん ・陸高をいかした農業や林業を営んでいる

テーマ❸ 工業

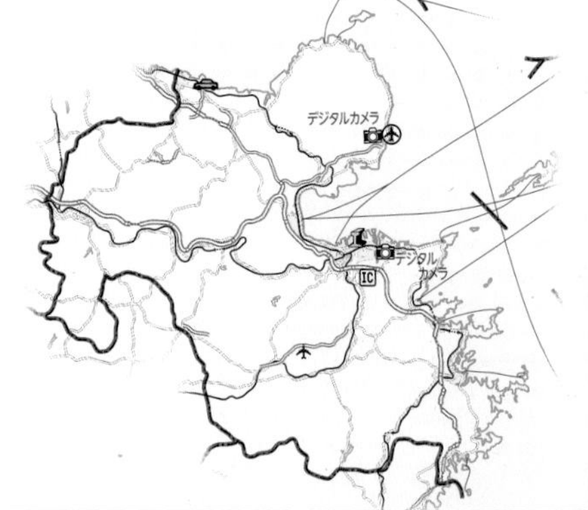

取り出した要素	わかったこと
・土地利用(市街地のみ) ・工業の記号 ・交通	・市街地を結ぶように交通網が発達している ・交通網が発達している地域は工業がさかん

形図って何だろう？

等高線で土地の高さを表したり，記号で
土地のようすや建物を示したりした地図を
地形図といいます。
地形図は国の機関である国土地理院が全国
各地を統一(とういつ)した基準(きじゅん)で作成・発行している
日本の基準となる地図です。この地図帳も
この情報を元につくられています。
地理院地図では，国土地理院の
地形図の電子版(ばん)などをウェブサ
イトで見ることができます。

地理院地図 検索

① 地形図のおもな記号

◎	市役所 東京都の区役所
○	町村役場 指定都市の区役所
	官公署
	裁判所
	消防署
	警察署
	交番
	小・中学校
	高等学校
	病院
	博物館
	図書館
	老人ホーム
	電波塔
	神社
	寺院
	煙突
	風車
	灯台
	温泉
	城跡
	史跡・名勝・天然記念物
	港湾
	漁港
	記念碑
	発電所・変電所
△74.8	電子基準点
△52.6	三角点
	普通建物
	堅ろう建物
	高層建物
	立体交差
	墓地
	田
	畑
	果樹園
	広葉樹林
	針葉樹林
	荒地
	都府県界
	市区町村界
254	国道及び国道番号
	都道府県道
	2車線幅員13m以上
	1車線道路
単線 駅 複線以上 （JR線） 側線 地下駅 トンネル	普通鉄道
	路面の鉄道
	索道（リフト等）

函館(はこだて)地図散歩

スタートの函館(はこだて)駅

スタートして少しすると
見えてきた大きな建物

函館山(はこだてやま)のふもとと山頂(さんちょう)を
結ぶぐロープウェイ

函館山(はこだてやま)の山頂(さんちょう)からの眺(なが)め

八幡坂(はちまんざか)から見えた摩周丸(ましゅうまる)

カ 倉庫群(そうこぐん)のある位置から見えた
函館山(はこだてやま)

② 函館市(はこだてし)

キ ゴールの摩周丸(ましゅうまる)

1：25,000
0 250 500m

2万5千分の1地形図「函館」平成30年11月調製

地形図の縮尺(しゅくしゃく)とは

この地形図の縮尺1：25000とは，実際(じっさい)の距離(きょり)を2万5千分の1に縮(ちぢ)めたという意味です。
つまり地形図上の1cmの実際の距離は，1cm×25000＝25000cm
＝ 250m
となります。

地図活用

左の写真をヒントに，地形図から読み取ろう。

❶ イの大きな建物は何か答えよう。
❷ ロープウェイのふもとから山頂(さんちょう)までの標高差を三角点から求めよう。
❸ 八幡坂(はちまんざか)から見て，摩周丸(ましゅうまる)はどの方位にあるか答えよう。
❹ エの函館山(はこだてやま)の山頂からキのゴールまでの直線距離(きょり)を縮尺(しゅくしゃく)から求めよう。

地図活用

①図から，ユーラシア大陸，南アメリカ大陸を探し，それぞれの大陸で6000m以上の山々が連なる山脈を一つずつ答えよう。

② 世界の造山帯と地震

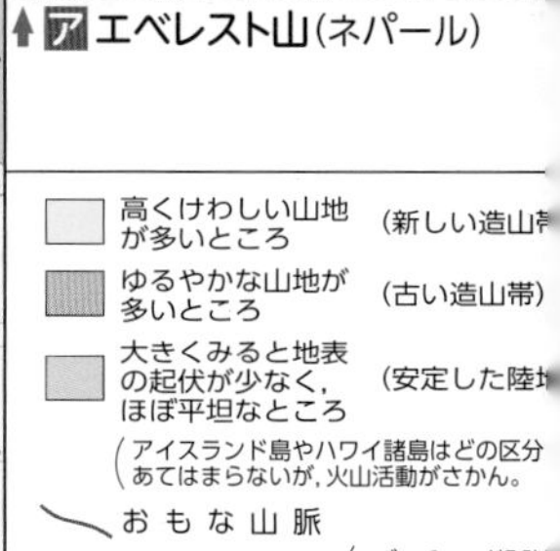

ア エベレスト山（ネパール）

高くけわしい山地が多いところ	(新しい造山帯)
ゆるやかな山地が多いところ	(古い造山帯)
大きくみると地表の起伏が少なく，ほぼ平坦なところ	(安定した陸地)

(アイスランド島やハワイ諸島はどの区分もあてはまらないが，火山活動がさかん。)

- おもな山脈
- おもな地震の震源（マグニチュード7.5以上 1900年～2018年）
- プレートの境界

世界の地形

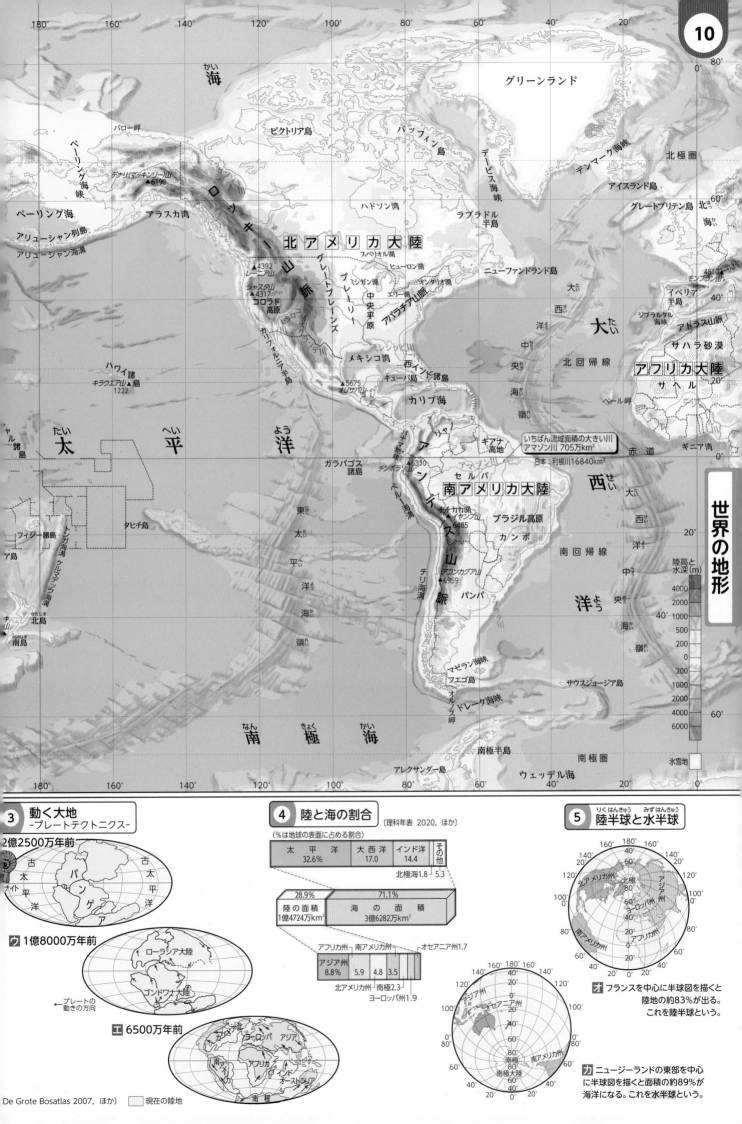

3 動く大地 -プレートテクトニクス-

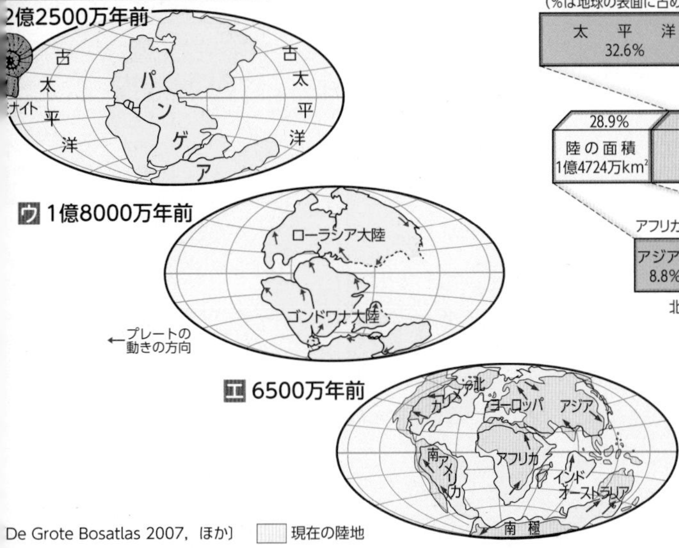

〔De Grote Bosatlas 2007，ほか〕 現在の陸地

4 陸と海の割合

〔理科年表 2020，ほか〕

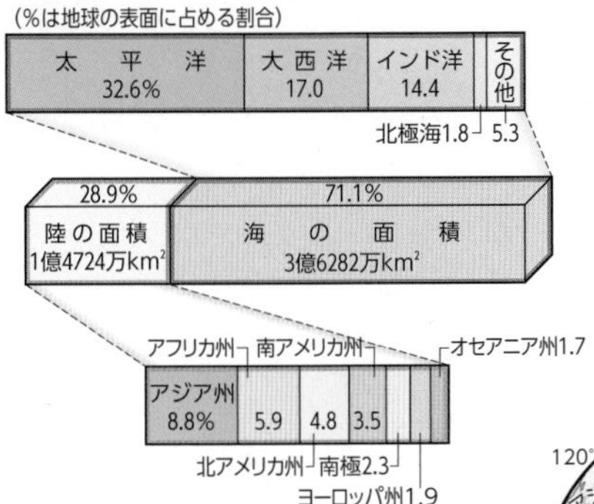

5 陸半球と水半球

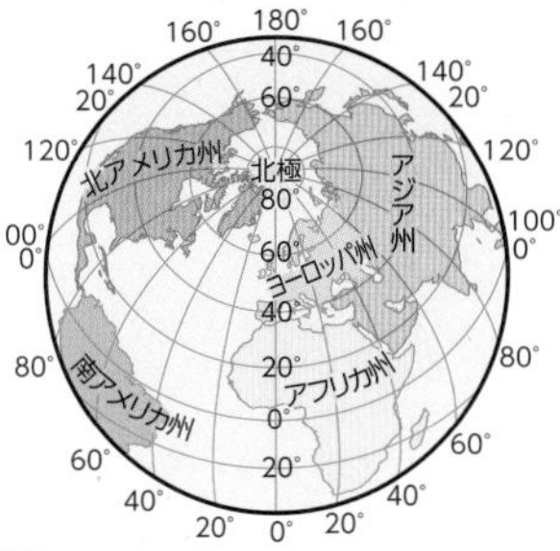

オ フランスを中心に半球図を描くと陸地の約83%が出る。これを陸半球という。

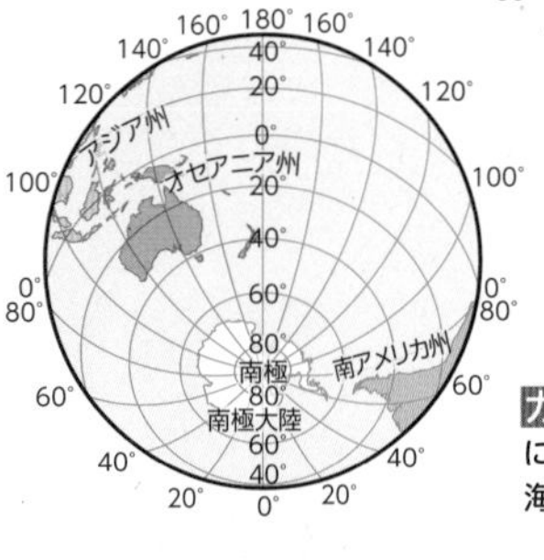

カ ニュージーランドの東部を中心に半球図を描くと面積の約89%が海洋になる。これを水半球という。

世界の気候

1 世界のさまざまな気候

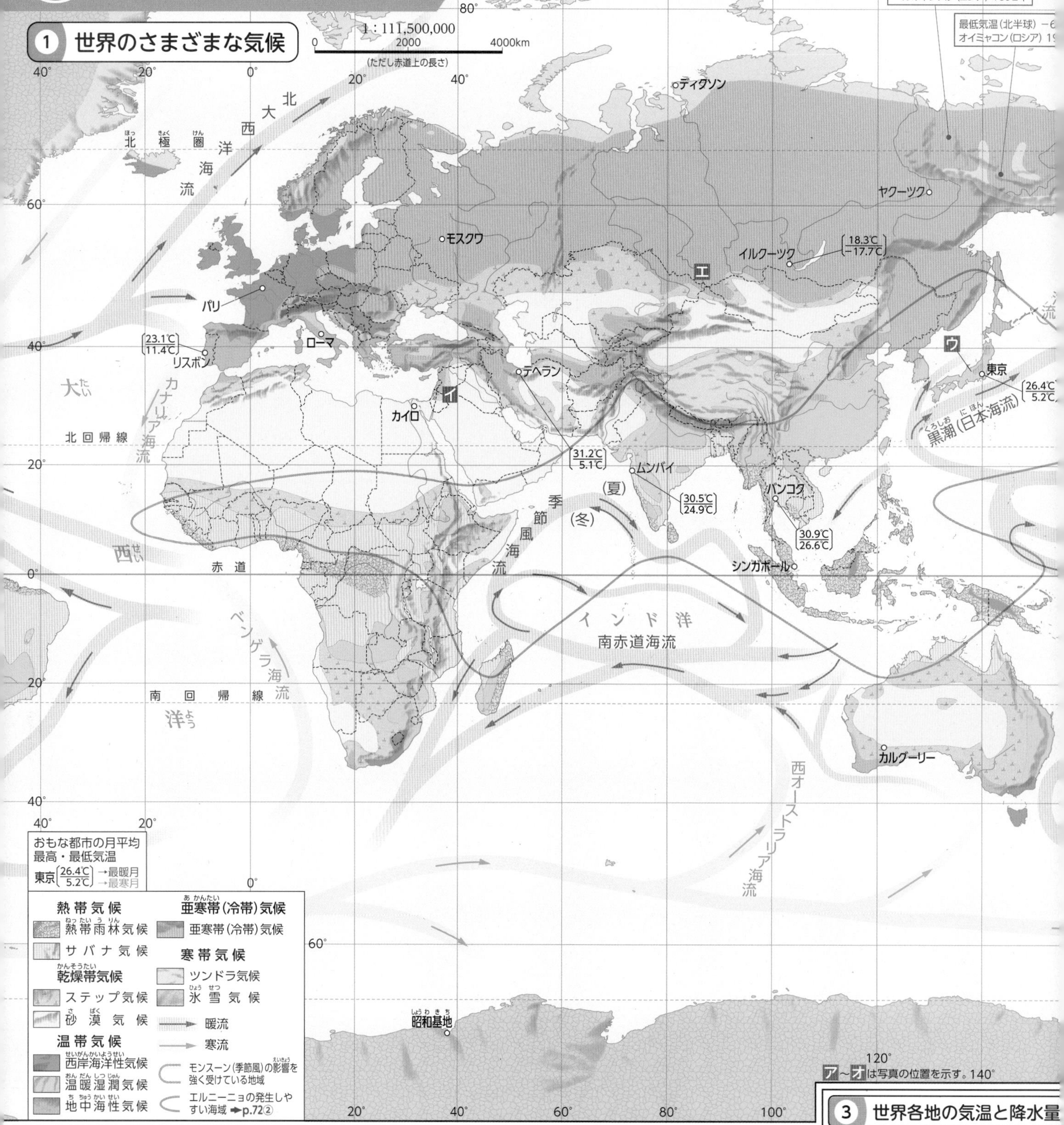

2 1年間の降水量

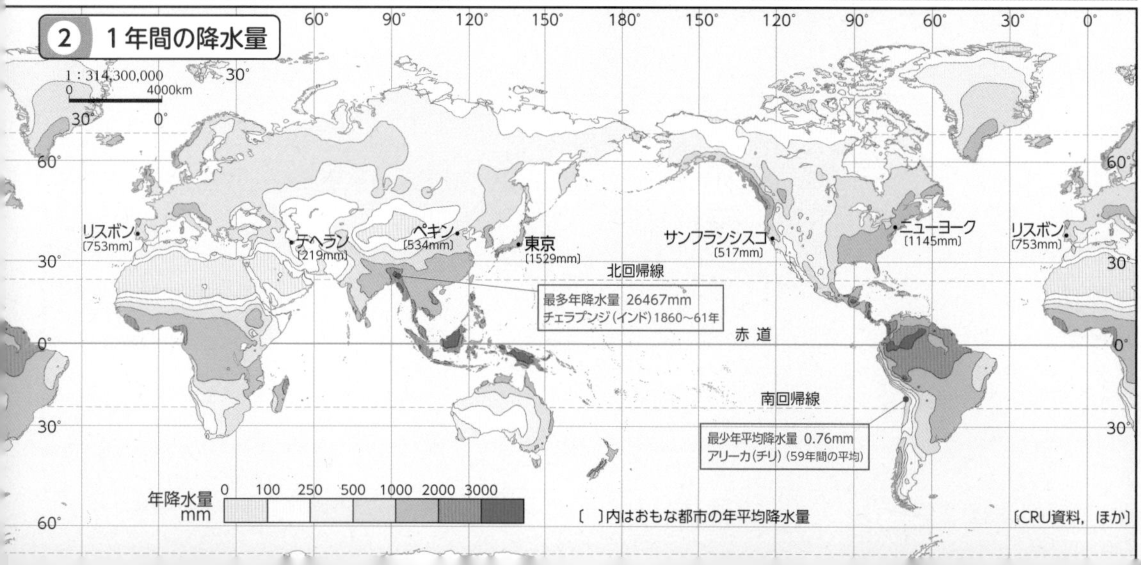

〔 〕内はおもな都市の年平均降水量

〔CRU資料，ほか〕

3 世界各地の気温と降水量

〔理科年表 2020，ほか〕 T：年平均気温 P：年降水量

気温と降水量のグラフの読み方

折れ線グラフ……月ごとの平均気温を表
左側の目もりで読みま
棒グラフ……月ごとの降水量の合計を表
右側の目もりで読みます。

熱帯 一年中気温が高く雨が多い地域で，
熱帯雨林が広がっています。(プラ

ア

世界の気候

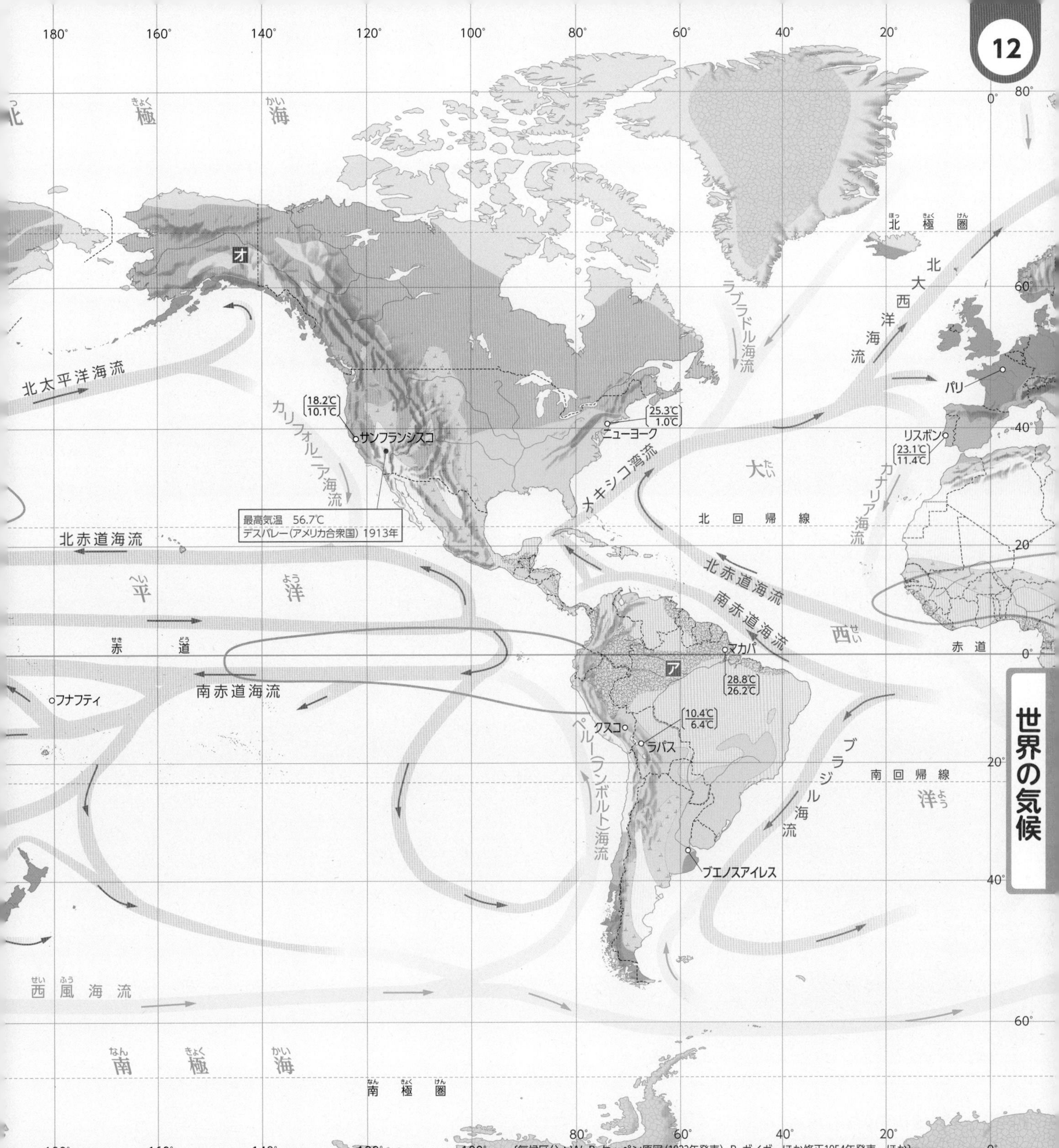

〔気候区分：W. P. ケッペン原図(1923年発表)，R. ガイガーほか修正1954年発表，ほか〕

温帯	熱帯		乾燥帯		温帯			亜寒帯〈冷帯〉	寒帯	
東京	シンガポール	バンコク	カルグーリー	カイロ	ローマ	ブエノスアイレス	パリ	モスクワ	ディクソン	昭和基地
(温暖湿潤気候)	(熱帯雨林気候)	(サバナ気候)	(ステップ気候)	(砂漠気候)	(地中海性気候)	(温暖湿潤気候)	(西岸海洋性気候)	(亜寒帯〈冷帯〉気候)	(ツンドラ気候)	(氷雪気候)
T：15.4℃ P：1529mm	T：27.6℃ P：2199mm	T：28.9℃ P：1653mm	T：18.5℃ P：283mm	T：21.7℃ P：34.6mm	T：15.6℃ P：717mm	T：17.8℃ P：1273mm	T：11.7℃ P：613mm	T：5.8℃ P：707mm	T：−11.1℃ P：384mm	T：−10.4℃ (降水量は観測していない)

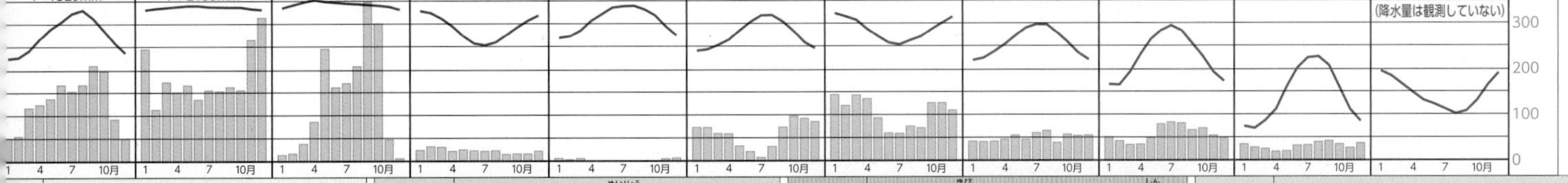

燥帯　雨がきわめて少なく乾燥していて，植物が育たず砂漠になっています。(ヨルダン)

温帯　温暖で四季の変化が明瞭で，季節ごとに風景が大きく変わります。(日本)

亜寒帯(冷帯)　冬の寒さが厳しく，タイガとよばれる針葉樹の森が広がっています。(ロシア)

寒帯　短い夏に生えるこけ類が大地をおおっています。(アメリカ合衆国)

13 世界の環境問題

? 学習課題 〉 持続可能な社会を実現するために，どのような取り組みが行われているだろうか。

1 世界のおもな環境問題

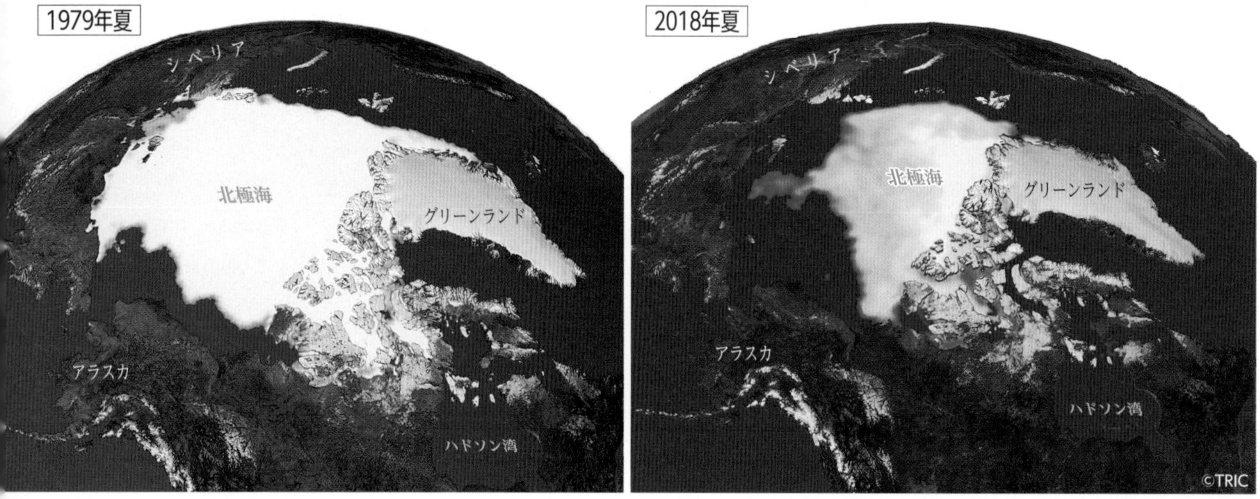

おもな環境問題
地球温暖化…
温室効果ガスの放出かえ，地球全体の気温が上し始める現象
砂 漠 化…
気候変動などで草木が育なくなること
大 気 汚 染…
工場や車などから排出さる硫黄酸化物などにより気が汚れること

◀ ア 北極海の結氷範囲の
北極海の氷は，夏には少けて氷の面積が縮小し近年は氷のとける量がなってきています。

▼ イ 水没の危機にある島国（モルディブ マレ）―2018年―
モルディブはサンゴ礁の島々からなる国で，最高地点が1.8mあまりしかないため，温暖化で海面が1m上昇すると国土の80%が水没するといわれています。

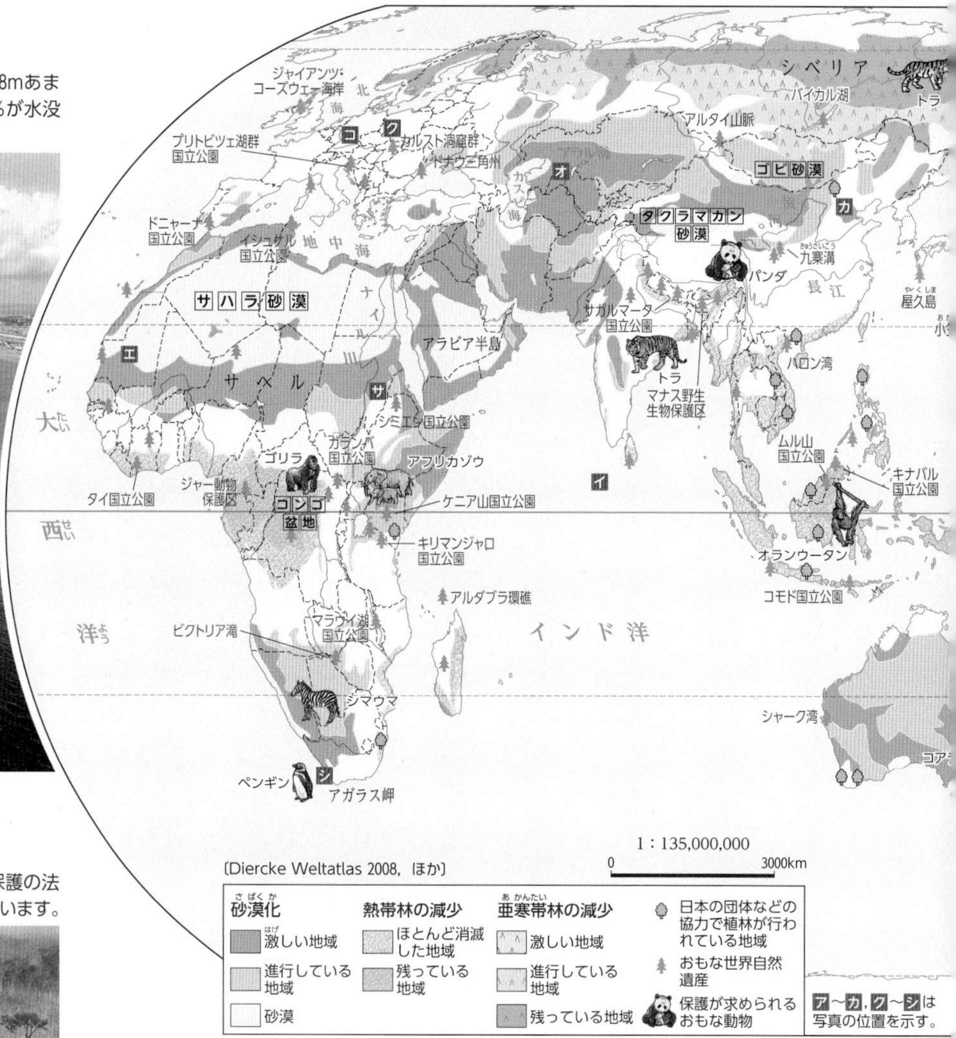

▼ ウ 破壊される熱帯林（ブラジル）―2014年―
アマゾン盆地では広大な畑や牧場などをつくるため，森林保護の法律に反して森林が大規模に焼き払われたり，伐採されたりしています。

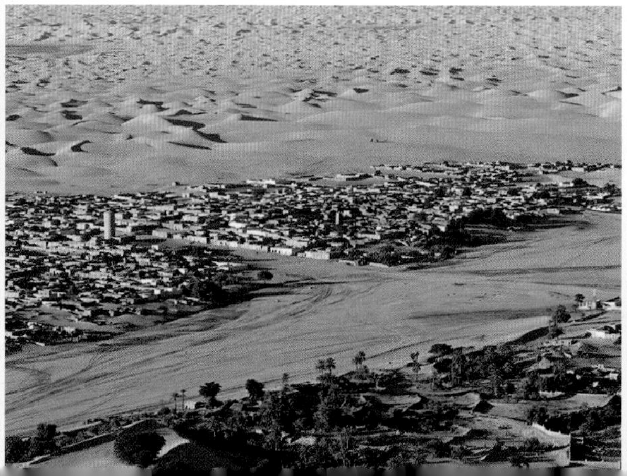

◀▼ エ 街にせまる砂漠と砂にのみ込まれる家（モーリタニア）―2008年―
干ばつなどで砂漠が拡大して砂が街に押し寄せています。時には砂嵐で家が埋まってしまうこともあります。

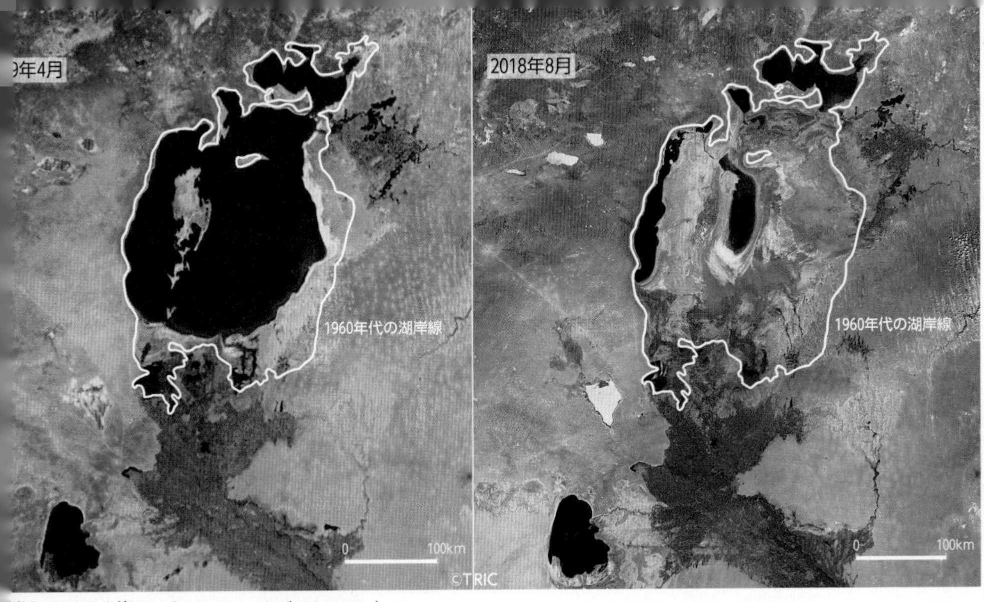

消えるアラル海（カザフスタン・ウズベキスタン）
流れ込む川の水を都市の生活用水や畑の灌漑用水に利用してきたため，1950年代以降湖は次第に小さくなりました。湖これ以上小さくなるのを防ぐための努力が続けられています。

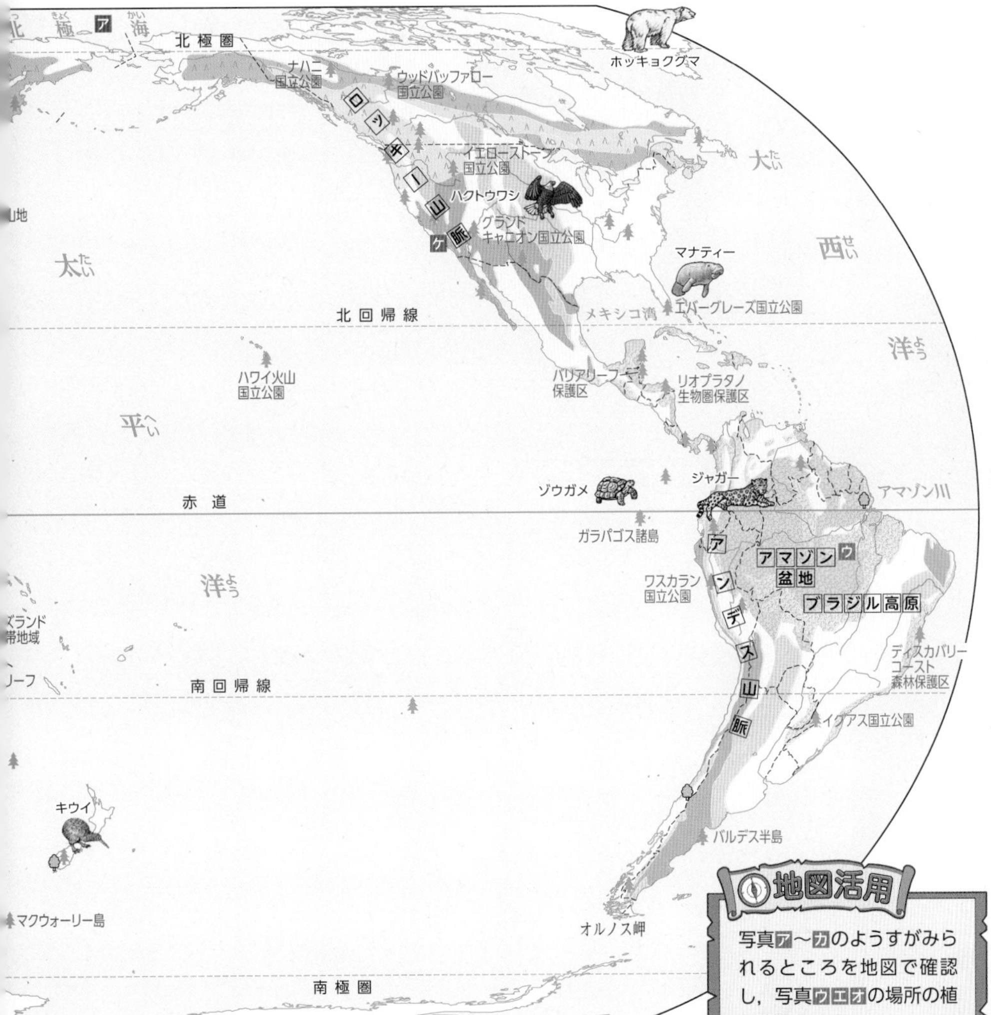

地図活用
写真ア〜カのようすがみられるところを地図で確認し，写真ウエオの場所の植生を答えよう。

カ スモッグにおおわれる都市（中国 ペキン）―2015年―
工場や車などからの排気ガスで，冬から春にかけて厚いスモッグにおおわれる日が多くなり，汚染された大気が近隣の国々にも広がっています。（キ参照）

キ 越境する大気汚染物質（2019年2月予測）

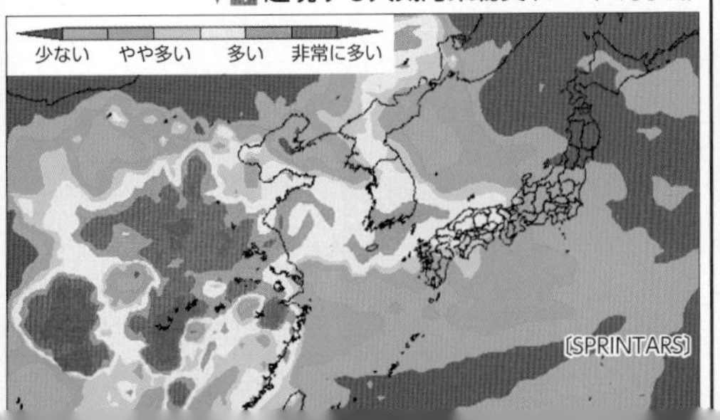

2 持続可能な社会への取り組み

ク 気候変動枠組条約締結国会議（ポーランド）
―2018年―
地球温暖化の原因の一つといわれる二酸化炭素の排出量の規制など，国際的な取り組みについて世界各地で話し合っています。

ケ 風力と太陽光での発電（アメリカ合衆国）
―2017年―
発電時に大気汚染物質を出さないで発電する大規模な施設が各地に建設されています。

コ 環境に配慮した自動車（ドイツ）
―2018年―
電気や水素で走る自動車が増え，充電設備や水素ステーションが多くなってきました。

サ 植林活動（スーダン）―2017年―
樹木の伐採や干ばつで広く植生が失われましたが，植林で緑を復活させる努力がなされています。

シ 動物との共生（南アフリカ共和国）―2017年―
20世紀末頃からペンギンが街の海岸に住みつくようになりました。街では海岸に遊歩道をつくるなど，ペンギンとの共存を工夫しています。

15 世界の生活・文化(1)

学習課題 世界の人々の住居・衣装・食事とその分布には，どのような特徴があるだろうか。

➡ア 動物の毛でつくられた家(モンゴル)
羊毛のフェルトを使ったゲルという遊牧民の移動式テントです。

➡イ 石づくりの家(ギリシャ)
小さな窓で夏の強い日ざしや熱気を防いでいます。

➡ウ 土でつくられた家(エジプト)
泥を乾燥させ固めた，日干しれんがを積み上げた家です。

➡エ 木造の高床式の家(カンボジア)
風通しがよく，暑さや湿気をやわらげる高床式の家です。

1 特色ある住居と衣装

〔The Human Mosaic，ほ

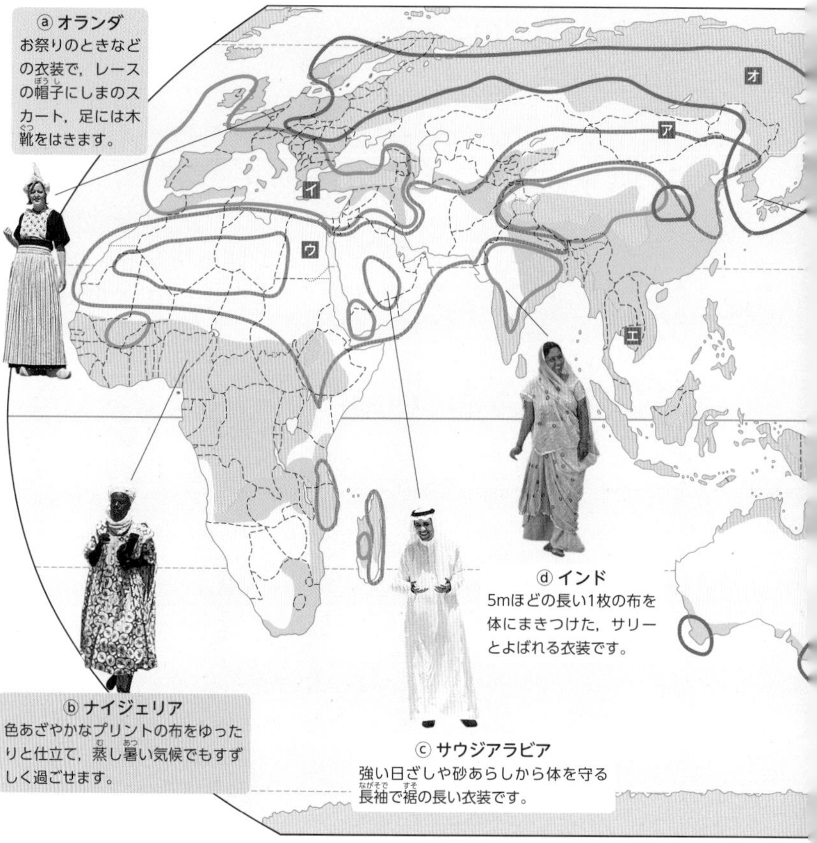

➡ケ イタリア
小麦粉を練ってつくったパスタ料理を，フォークを使って食べます。

➡コ アラブ首長国連邦
炒めた野菜や肉を，炊いた米などと一緒に右手で食べます。

2 特色ある料理と食事

⬇サ マラウイ
とうもろこしの粉を練ったシマ(ウガリ)を手にとって食べます。

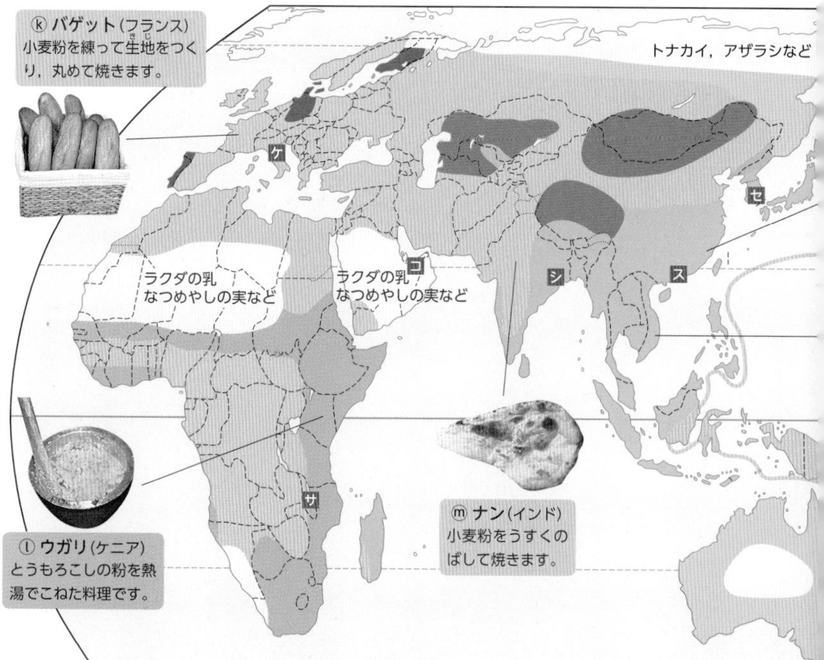

⬇シ インド
香辛料を使ったカレーを，炊いた米やナンなどと一緒に右手で食べます。

3 主食となる作物

米	小麦	とうもろこし	タロいも	ヤムいも
原産地は中国南部という説が有力です。	原産地は西アジア一帯です。	原産地はアメリカ大陸です。	原産地はアジアの熱帯地域です。	原産地は中国南部の高原地帯です。

地図活用

写真ア～タのようすがみられるところを地図で確認しよう。また，地図上で写真ア～クの記号が示されているところの気候帯を，凡例を見て答えよう。

ア～クは写真の位置を示す。

ⓖ アメリカ合衆国（アラスカ州）
厳しい寒さから身を守るため，アザラシなどの毛皮を着ます。

ⓕ 日本
着物は，現在では晴れ着として着るのが一般的です。

ⓔ 大韓民国
チョゴリとよばれる昔の貴族の正装で，りときの晴れ着として着ます。

ⓗ アメリカ合衆国
ジーンズはもとは労働者の作業着でしたが，活動しやすいじょうぶなふだん着として世界中に広まりました。

ⓘ フィジー
飾りのついたゆったりとしたスカートをはいています。

ⓙ ペルー
高地で紫外線が強いため，帽子や頭巾をかぶります。

◀オ 鉄筋コンクリートの高床式の家（ロシア）
地下の永久凍土の層を溶かさないために高床式になっています。

◀カ 丸太づくりの家（カナダ）
針葉樹の豊富な木材を利用した丸太づくりの家です。

◀キ 風通しのよい家（サモア）
やしなどの葉でふいた屋根と柱でつくられた壁のない家です。

◀ク 草でつくられた家（ペルー）
トトラとよばれるあしの一種でつくられた家です。

世界の生活・文化

ケ～タは写真の位置を示す。

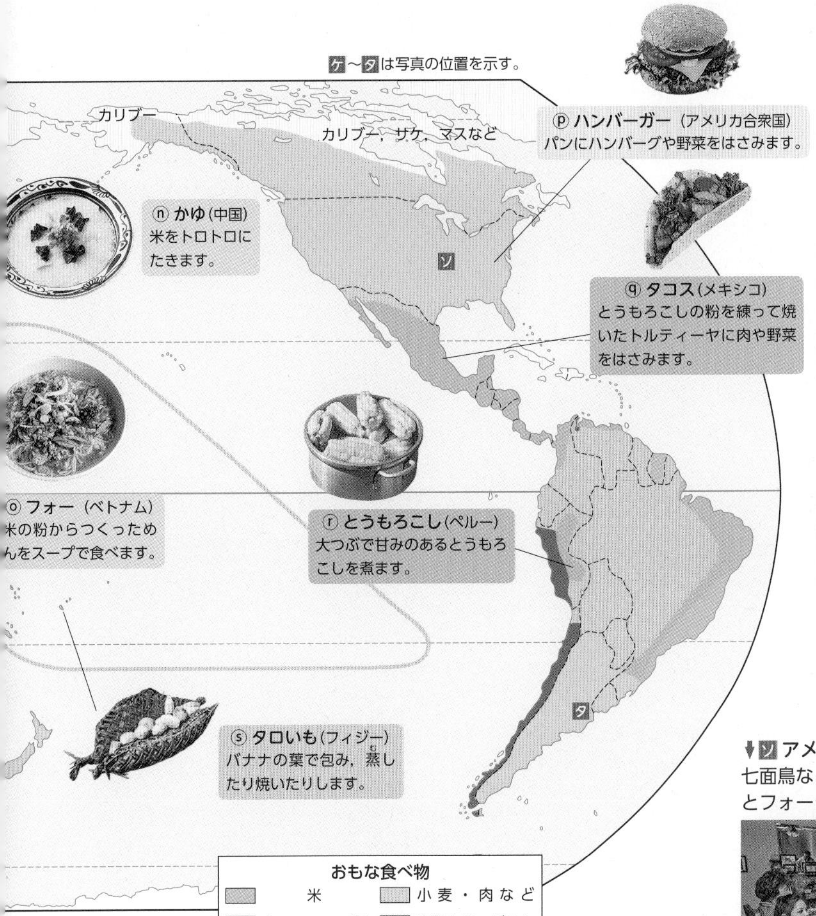

ⓟ ハンバーガー（アメリカ合衆国）
パンにハンバーグや野菜をはさみます。

ⓝ かゆ（中国）
米をトロトロにたきます。

ⓠ タコス（メキシコ）
とうもろこしの粉を練って焼いたトルティーヤに肉や野菜をはさみます。

ⓞ フォー（ベトナム）
米の粉からつくっため んをスープで食べます。

ⓡ とうもろこし（ペルー）
大つぶで甘みのあるとうもろこしを煮ます。

ⓢ タロいも（フィジー）
バナナの葉で包み，蒸したり焼いたりします。

日百科　世界の食べもの，ほか）

◀ス 中華人民共和国
大ざらに盛られたいろいろな料理を，はしを使って食べます。

◀セ 大韓民国
炊いた米とキムチなどたくさんのおかずを，金属製のはしとスプーンで食べます。

▼ソ アメリカ合衆国
七面鳥など感謝祭のごちそうを，ナイフとフォークとスプーンで食べます。

▼タ アルゼンチン
肉を丸ごとたき火で焼き，切り分けて食べます。

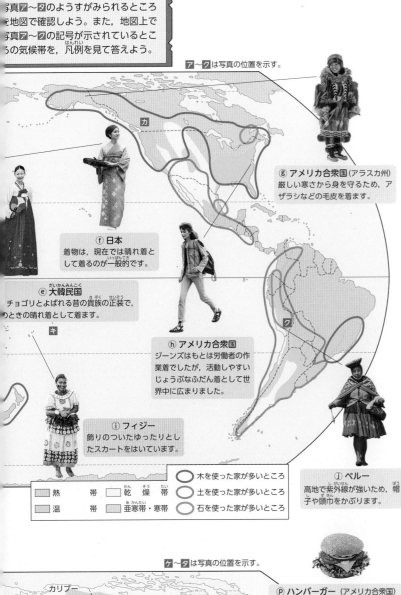

17 世界の生活・文化(2)

学習課題 〉 世界の言語と宗教の分布には，どのような特徴(とくちょう)があるだろうか。

各国語のあいさつの例

➡ウ イスラム教
(パキスタン)
1日5回，聖地メッカの方向に向かって祈(いの)ります。

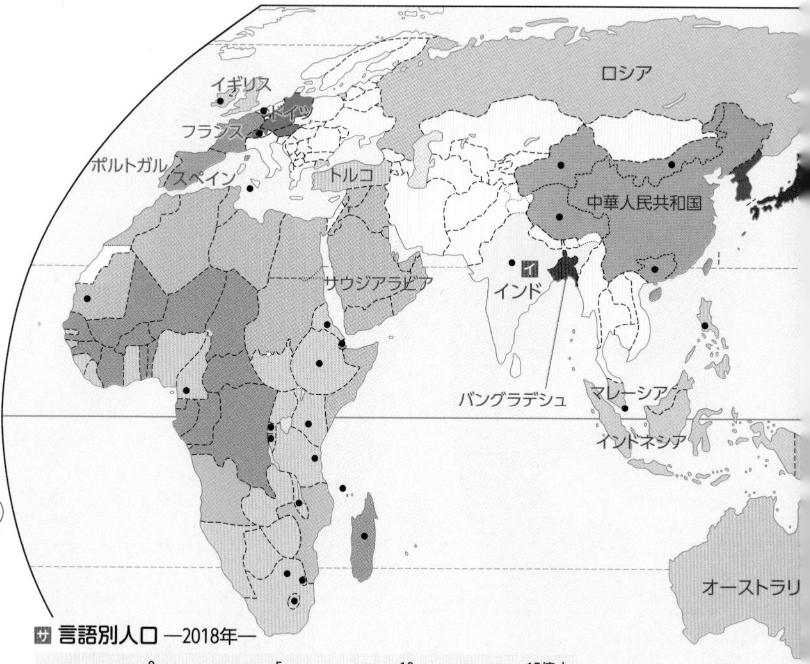

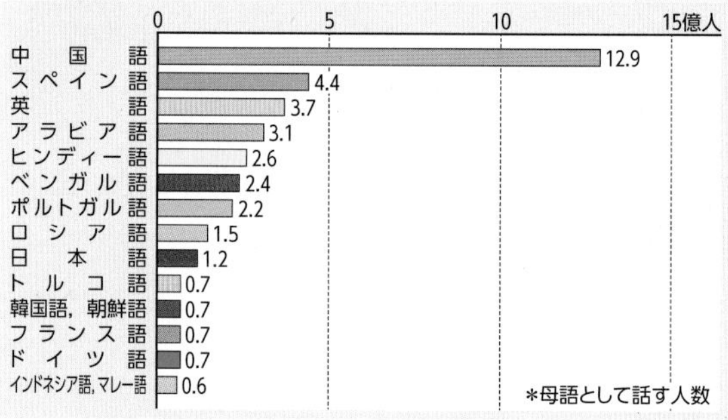

➡エ 仏教
(ミャンマー)
寺院では，お坊さんと一緒に一般の人が祈(いの)りをささげています。

➡オ ヒンドゥー教
(インド)
ガンジス川で沐浴(もくよく)して身を清め祈(いの)ります。

➡カ その他の宗教
(ベナン)
樹木や石などに精霊(せいれい)が宿ると考え，それらを畏(おそ)れ敬い信仰(しんこう)する地域があります。

1 さまざまな言語(公用語)

サ 言語別人口 —2018年—

〔The World Almanac 2019，ほ

2 さまざまな宗教

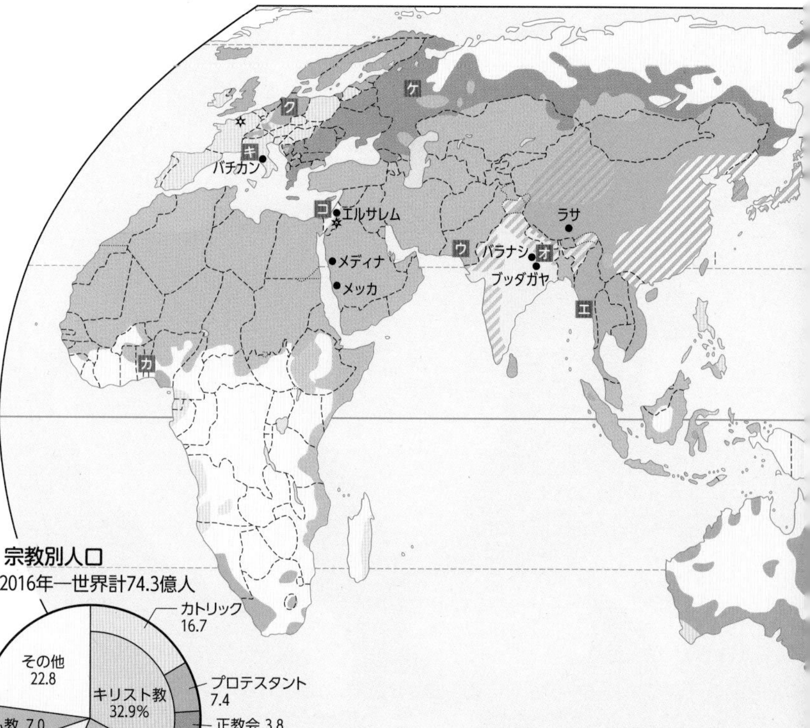

シ 宗教別人口
—2016年—世界計74.3億人

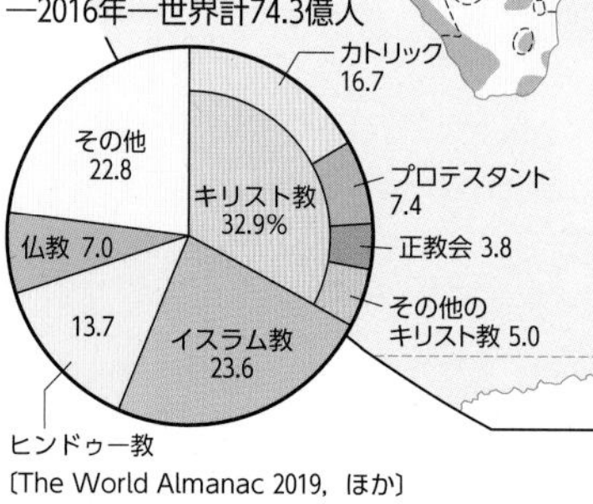

〔The World Almanac 2019，ほか〕

(注) 斜線(しゃせん)の地域は，複数の宗教が混在していま

〔Alexander Kombiatlas 2003，ほ

地図活用

公用語として多くの国・地域で使われている言語を四つ答えよう。

ア～イは写真の位置を示す。

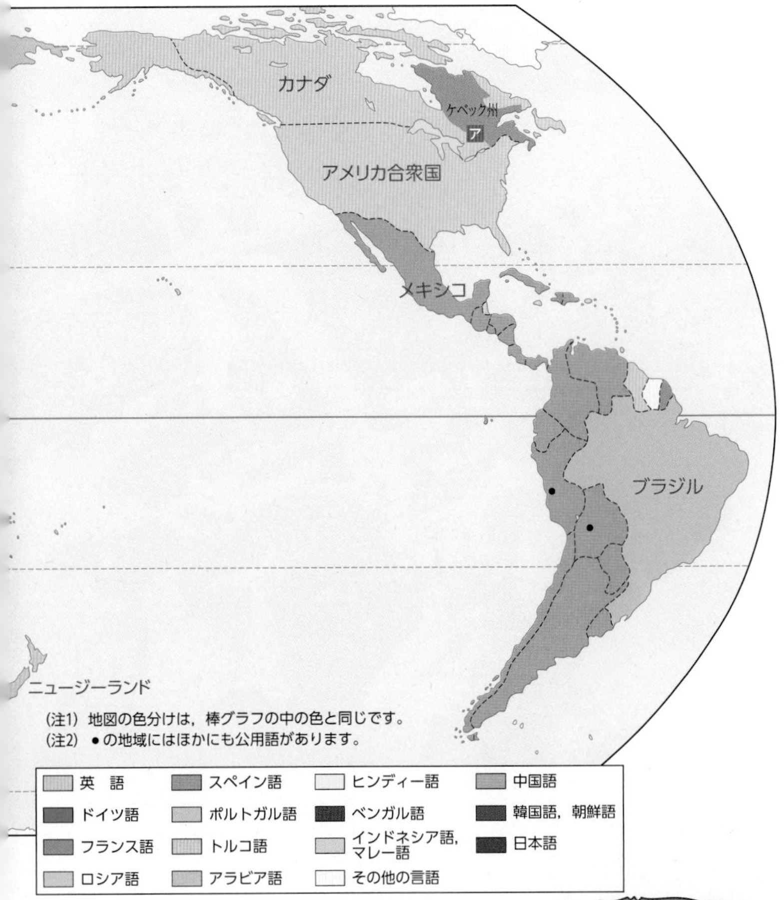

(注1) 地図の色分けは，棒グラフの中の色と同じです。
(注2) ●の地域にはほかにも公用語があります。

複数の言語がある国々

ア 英語とフランス語で書かれた標識（カナダ）
カナダには英語とフランス語の二つの公用語があり，交通標識も2か国語で書かれています。

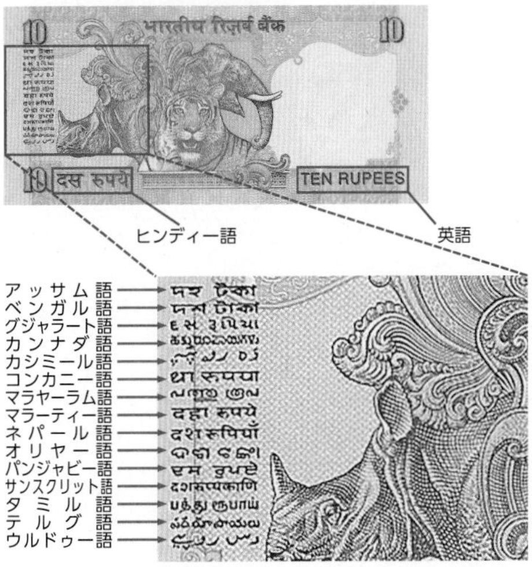

イ さまざまな言語で書かれている紙幣（インド）
インドでは全国的な公用語はヒンディー語と英語ですが，多くの言語が使われています。そのため紙幣には，主要な17の言語が書かれています。

地図活用

アフリカ州の北部と南アメリカ州のそれぞれで広く信仰されている宗教を答えよう。

ウ～コは写真の位置を示す。

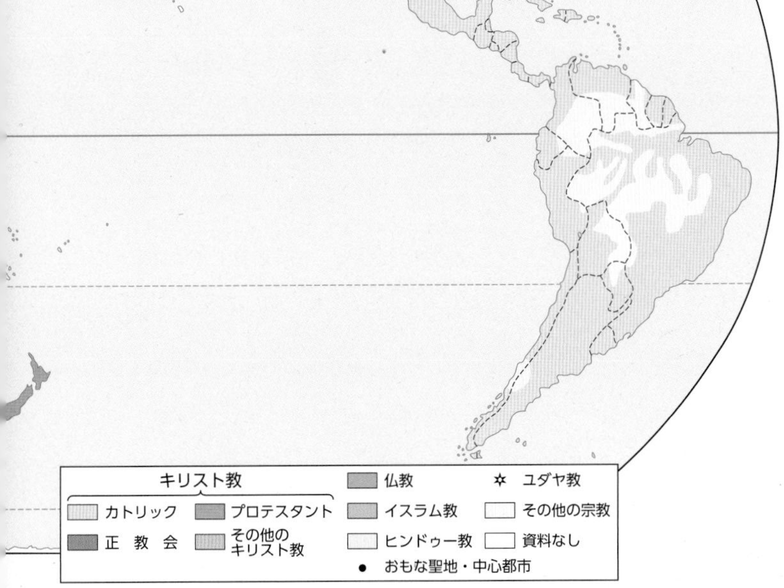

キ カトリック（バチカン市国）
カトリックの中心であるサンピエトロ寺院で法王がミサを行っています。

ク プロテスタント（ドイツ）
16世紀にカトリックから分かれた宗派で，聖書の朗読や牧師の話が中心の礼拝を行います。

ケ 正教会（ロシア）
さまざまな聖人が描かれた，イコンとよばれる聖像画に向かって，祈りをささげています。

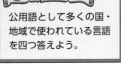

コ 三つの宗教の聖地になっているエルサレム（イスラエル）
エルサレムは三つの宗教にとっての聖地で1000年以上にわたり，共存してきました。

1：40,000,000
0 500 1000km
ランベルト正積方位図法

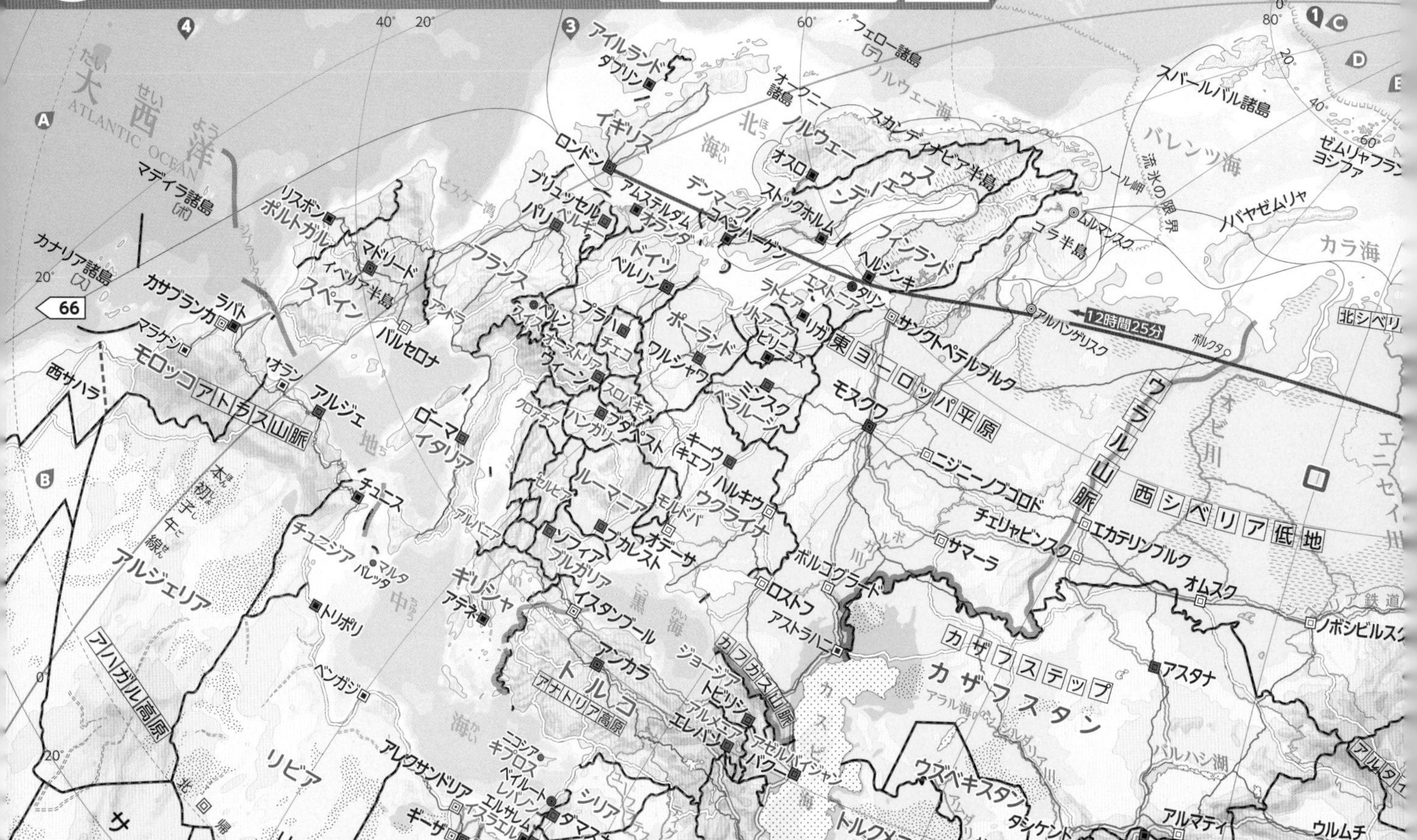

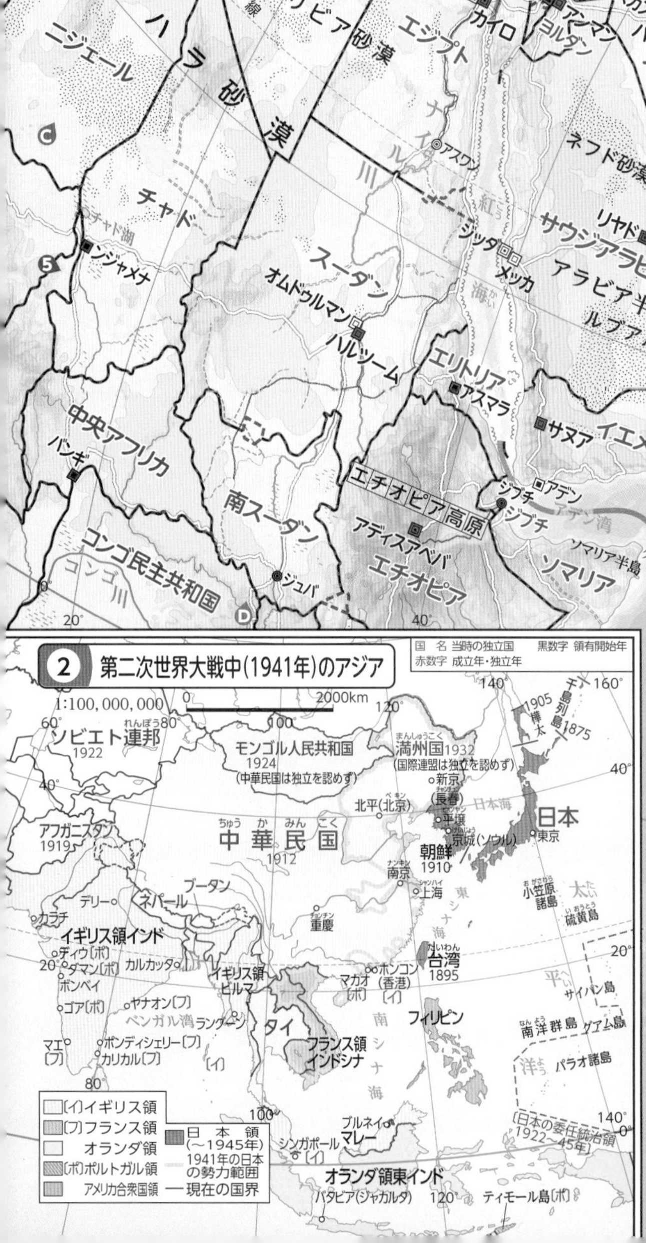

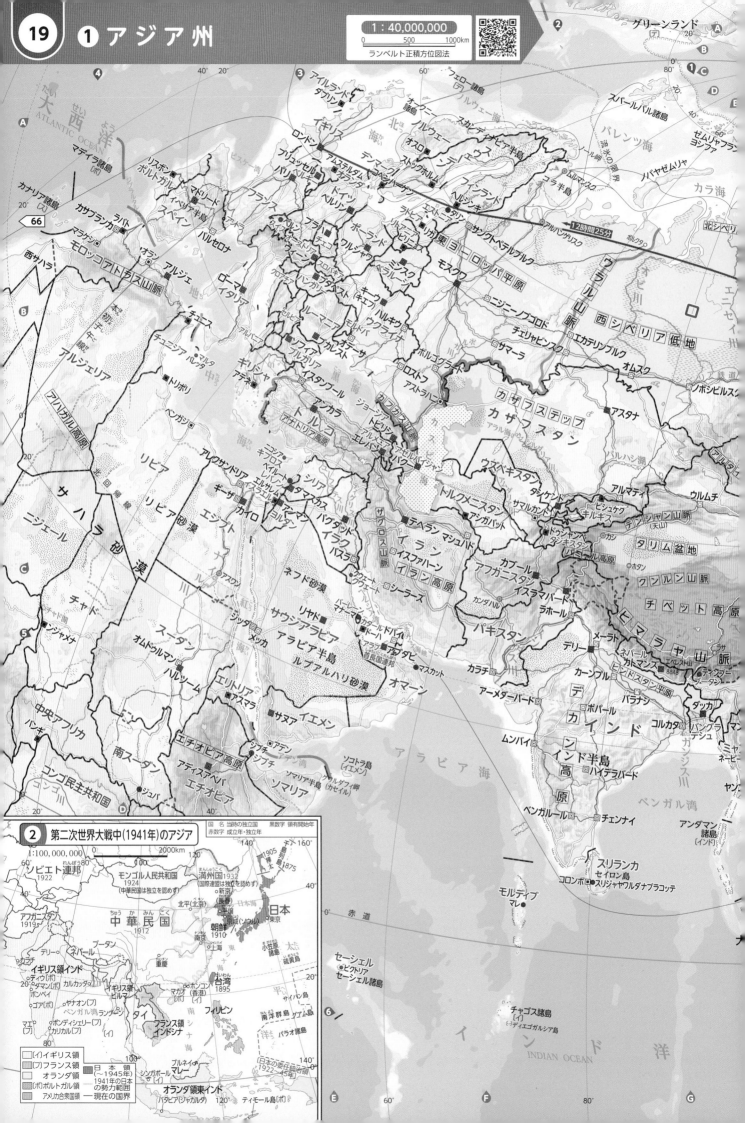

地図活用

❶ アジア州の大州界（州の境界）の一部になっているウラル山脈，アデン湾，ベーリング海峡を探そう。

❷ ヒマラヤ山脈やチベット高原から流れ出す大河川を三つ答えよう。

21 アジア州の資料（1）

⬆ア 大草原での遊牧（モンゴル）

⬆イ シベリアで遊牧をする人（ロシア）

2 アジア州の地域区分

1 植生と土地利用

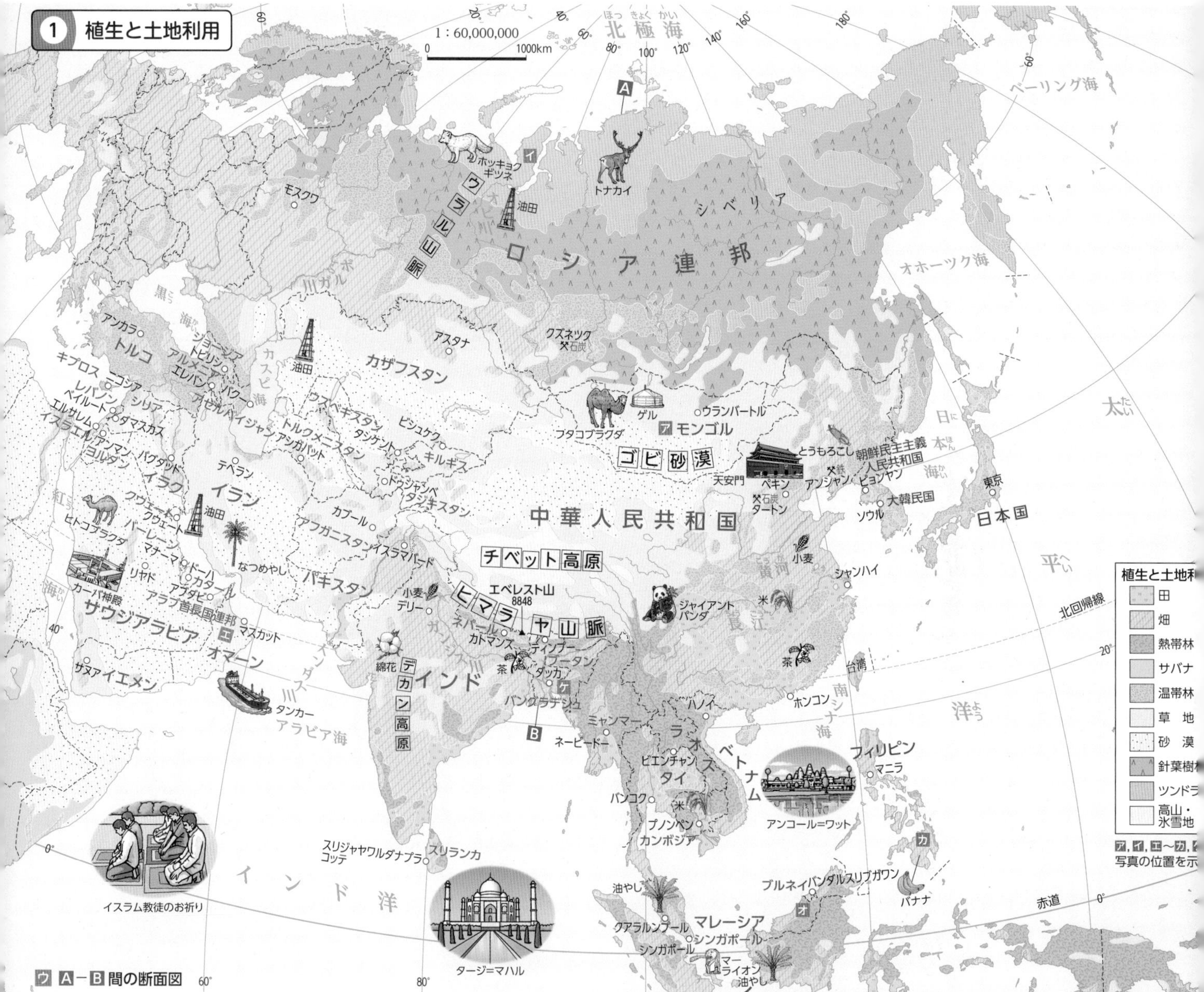

ウ A－B 間の断面図

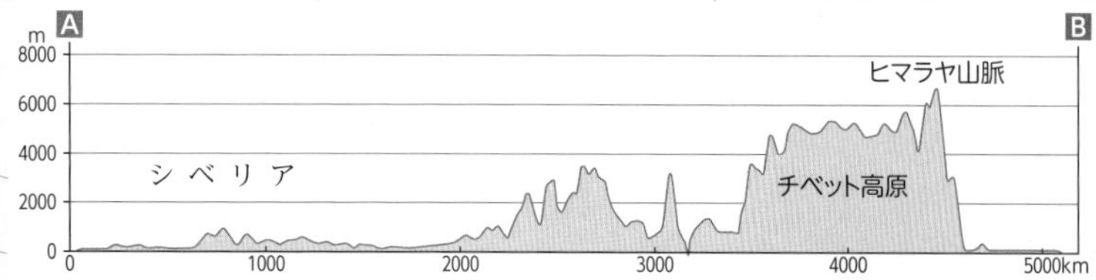

〔Diercke Weltatlas 2008，ほか〕

⬇エ オアシス（オマーン）

⬇オ 熱帯林と高床式の家（マレーシア）

⬇カ 湿潤な気候を生かした稲作（フィリピン）

気温と降水量

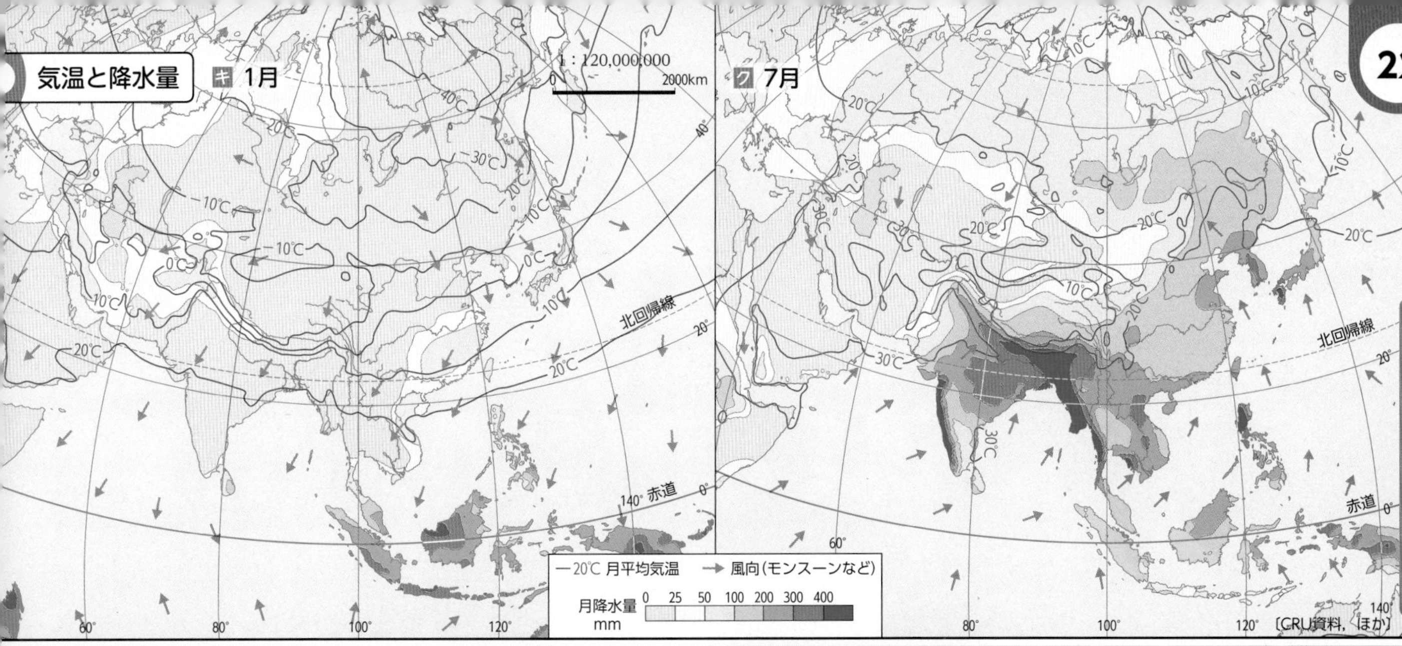

言語

民族学博物館資料，ほか〕 （注）語族とは，同じ系統の言語のあつまりのこと

5 宗教

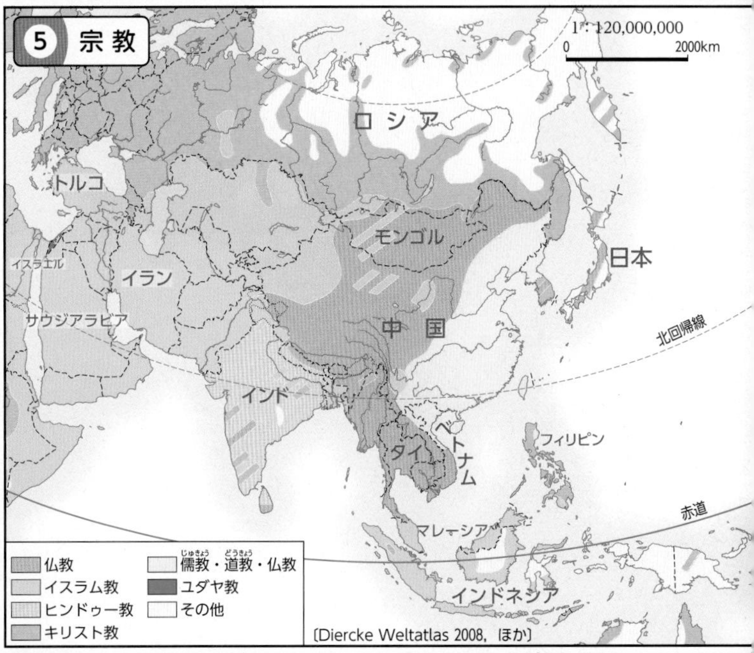

〔Diercke Weltatlas 2008，ほか〕

人口密度

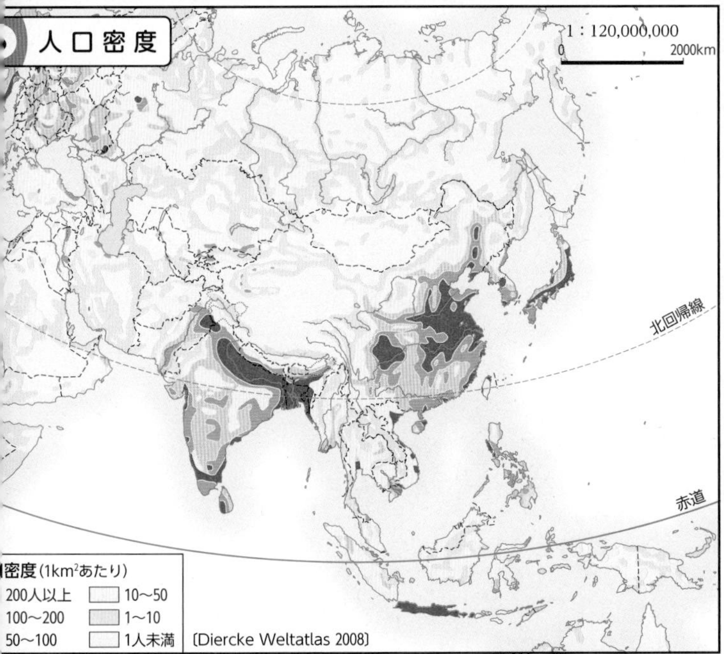

〔Diercke Weltatlas 2008〕

7 人口増加率

〔Demographic Yearbook 2017〕

多くの人口がいるダッカ（バングラデシュ）

地図活用

❶ ⑥図で，人口密度の高い地域を二つ答えよう。
❷ コのグラフで，中国とインドの人口が今後どのように推移すると予測されているか答えよう。

コ おもな国の人口の推移

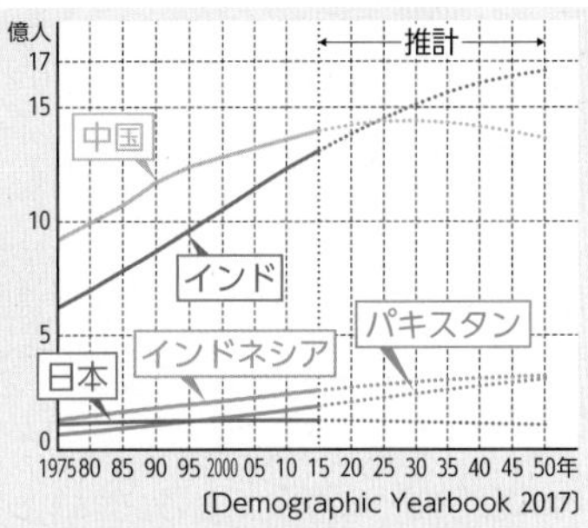

〔Demographic Yearbook 2017〕

サ 日本と中国の人口構成

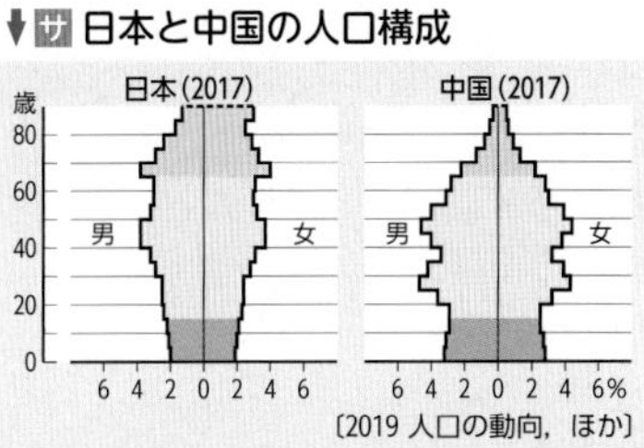

〔2019 人口の動向，ほか〕

① 東アジア

1：16,000,000
0 200 400km
正距円錐図法

地図活用

東アジアの範囲をp.21②図で確認し，東アジアにある国と首都を答えよう。また，それぞれの首都の位置をさくいん記号で表そう（日本の例：東京…24N5S）。

※図中のABはp.26アの断面図に対応しています。

25 アジア州の資料（2）

1 中国とそのまわりをながめてみよう

地図活用

中国を西から東に横断すると，陸高は徐々に高くなるか，それとも低くなるか，ア図や p.23～24 ①図に着目して答えよう。

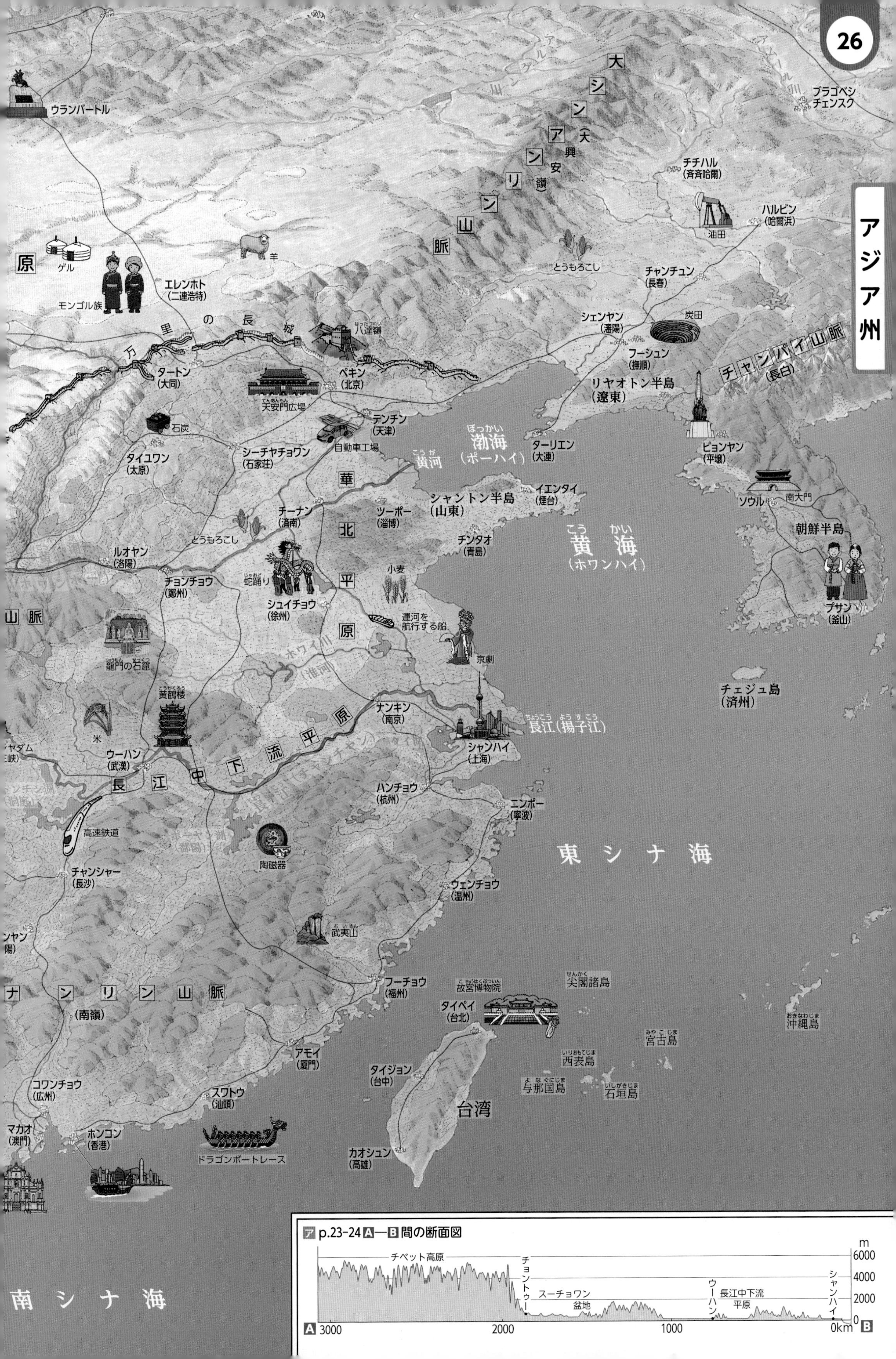
ウランバートル
ブラゴベシチェンスク
アムール川
シルカ川
大シンアンリン山脈
(大興安嶺)
チチハル
(斉斉哈爾)
ハルビン
(哈爾浜)
油田
原
ゲル
羊
とうもろこし
エレンホト
(二連浩特)
モンゴル族
チャンチュン
(長春)
万里の長城
八達嶺
シェンヤン
(瀋陽)
炭田
フーシュン
(撫順)
チャンパイ山脈
(長白)
タートン
(大同)
ペキン
(北京)
天安門広場
リヤオトン半島
(遼東)
石炭
テンチン
(天津)
自動車工場
渤海
(ポーハイ)
ターリエン
(大連)
ピョンヤン
(平壌)
タイユワン
(太原)
シーチヤチョワン
(石家荘)
黄河
華北平原
シャントン半島
(山東)
イエンタイ
(煙台)
ソウル
南大門
チーナン
(済南)
ツーボー
(淄博)
とうもろこし
チンタオ
(青島)
黄海
(ホワンハイ)
朝鮮半島
ルオヤン
(洛陽)
チョンチョウ
(鄭州)
蛇踊り
小麦
山脈
シュイチョウ
(徐州)
運河を航行する船
プサン
(釜山)
龍門の石窟
ホワイ川
(淮河)
京劇
チェジュ島
(済州)
黄鶴楼
ナンキン
(南京)
長江(揚子江)
米
ウーハン
(武漢)
長江中下流平原
シャンハイ
(上海)
ハンチョウ
(杭州)
エンポー
(寧波)
高速鉄道
陶磁器
東シナ海
チャンシャー
(長沙)
ウェンチョウ
(温州)
武夷山
ナンリン山脈
(南嶺)
フーチョウ
(福州)
故宮博物院
尖閣諸島
タイペイ
(台北)
沖縄島
宮古島
アモイ
(厦門)
西表島
タイジョン
(台中)
与那国島
石垣島
コワンチョウ
(広州)
スワトウ
(汕頭)
台湾
マカオ
(澳門)
ホンコン
(香港)
ドラゴンボートレース
カオシュン
(高雄)
南シナ海
ア p.23-24 A―B 間の断面図
チベット高原
チョントゥー
スーチョワン盆地
ウーハン
長江中下流平原
シャンハイ
m
6000
4000
2000
0
A 3000
2000
1000
0km B

27 中国の資料

1 気温と降水量

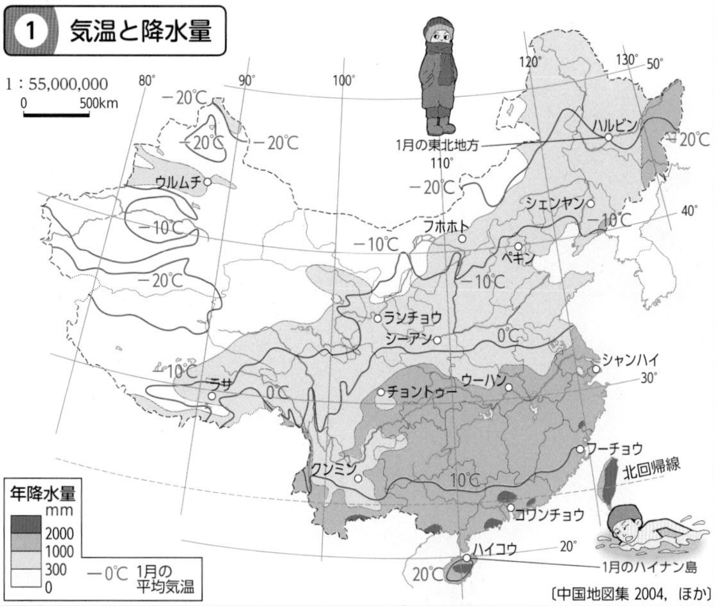

〔中国地図集 2004，ほか〕

2 農業の分布

ア 日本に輸出されるおもな農水産品

〔中学教師地図集，

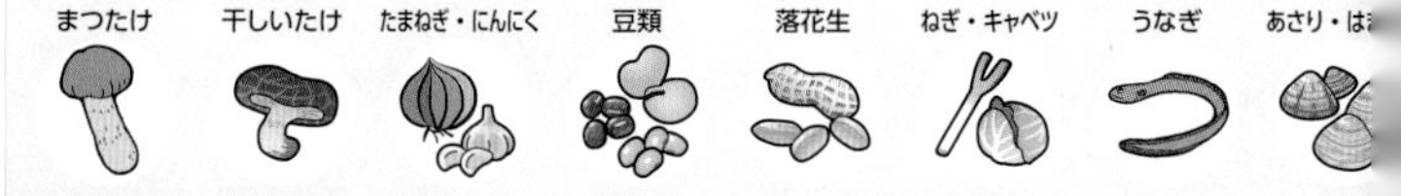

3 人口密度

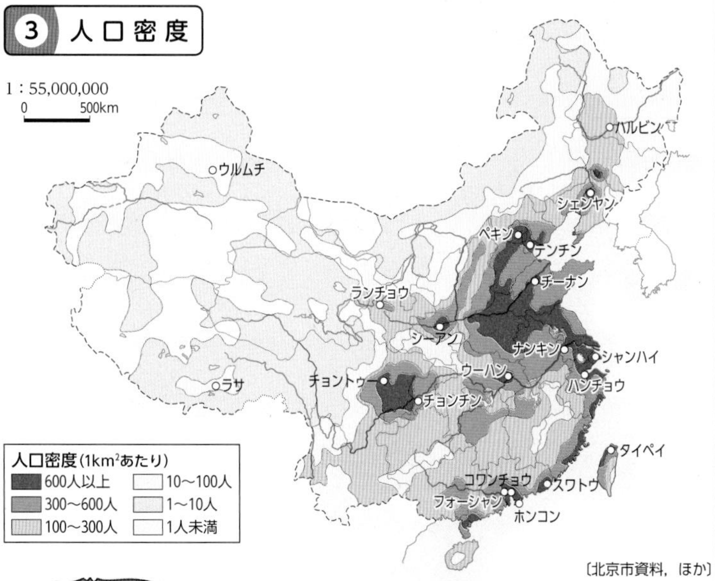

〔北京市資料，ほか〕

地図活用

人口密度が高い地域に多く暮らす民族は何か，⑤図で確認しよう。

イ 都市人口の変化

〔中国統計年鑑 2019〕

4 穀物の生産

ウ 米と小麦の生産

〔中国統計年鑑 2019〕

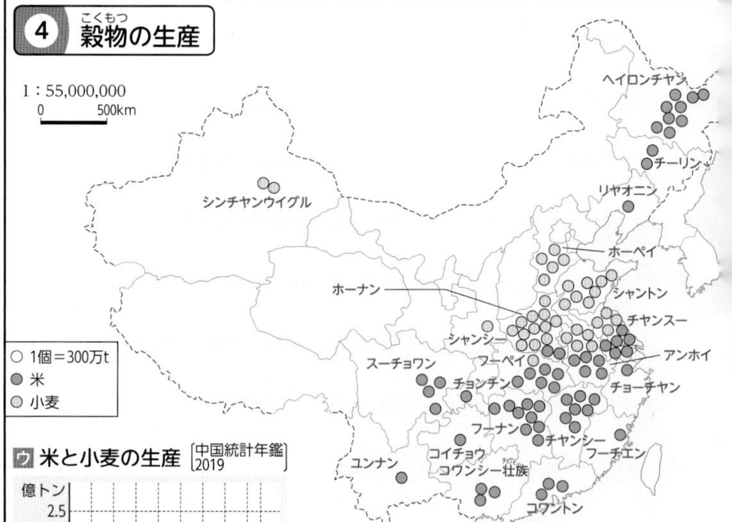

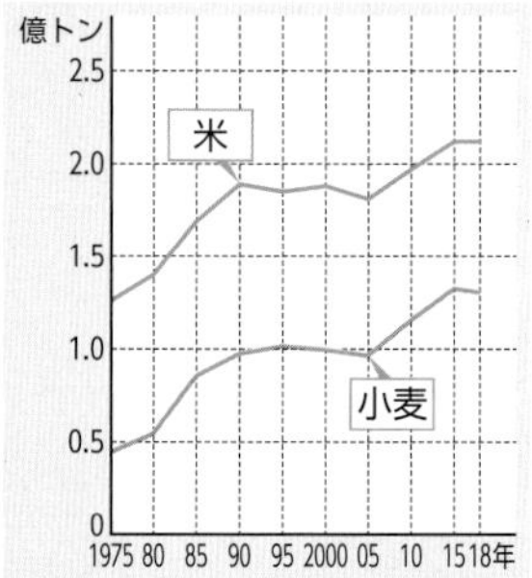

エ 米の収穫（チョーチャン省）

〔中国統計年鑑 2

5 民族

オ 民族の割合 ―2010年―

〔中国地図集 2004，ほか〕

6 おもな伝統料理

➡p.15-16②

〔木村春子，ほ

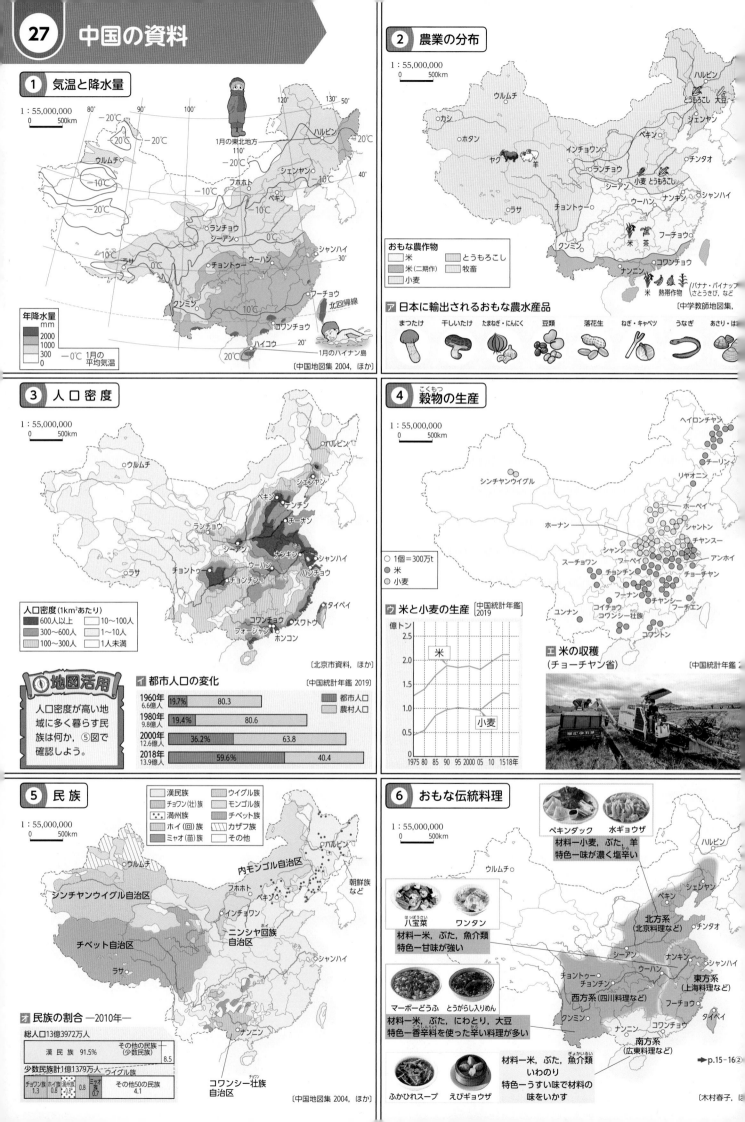

おもな鉱産資源

レアメタル*の埋蔵量

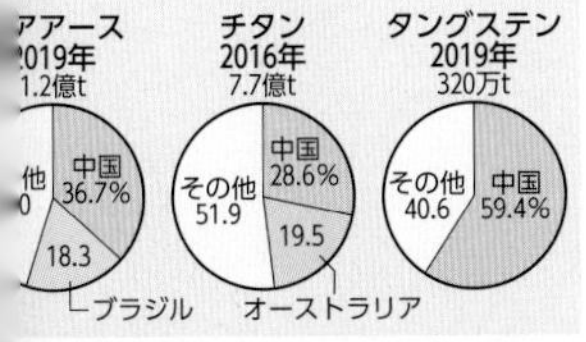

〔地図見証 2008，ほか〕

*産出量がごく少ない金属のことをレアメタルといい，自動車産業や先端産業などに重要。レアアースもその一種。

8 おもな工業

キ 中国の自動車生産の変化

〔中国統計年鑑 2018，ほか〕

9 経済格差と人の移動

〔中国統計年鑑 2018，ほか〕

1人あたりの地域別総生産－2017年－	人口移動 －2005～2010年－
150万円以上	100万人以上
100～150	45～100万人
70～100	
70万円未満	

地図活用

中国国内で，他の省から人々が多く移動してくるのは，内陸部・沿海部のどちらか答えよう。また，その理由を説明しよう。

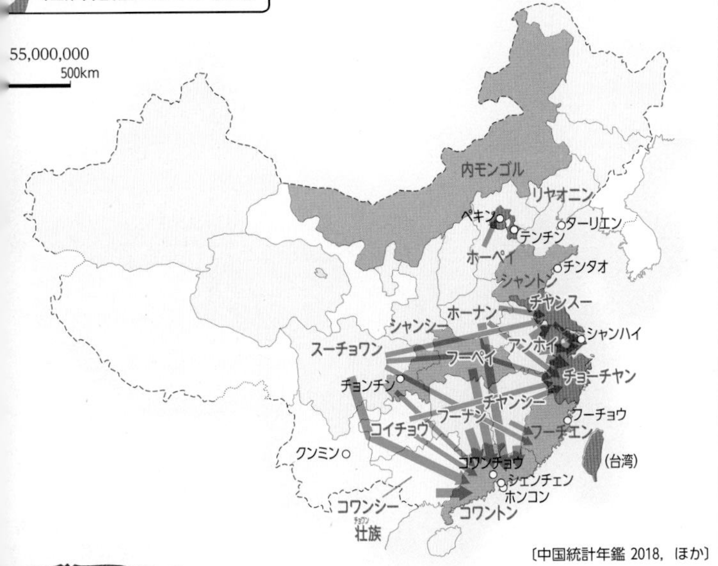

環境 10 大気汚染

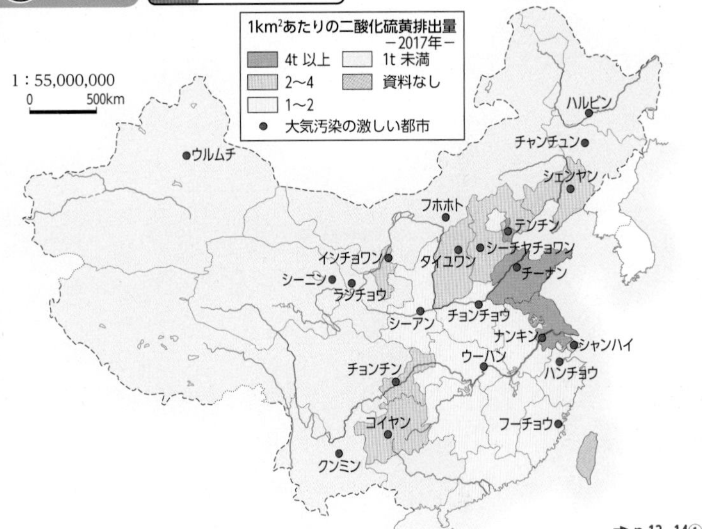

➡p.13-14①

〔中国統計年鑑 2018，ほか〕

ク 中国のエネルギー消費の変化

＊水力・風力・原子力の合計

〔中国統計年鑑 2018〕

11 世界中に輸出される中国の製品

ケ 中国の輸出先とおもな輸出品目

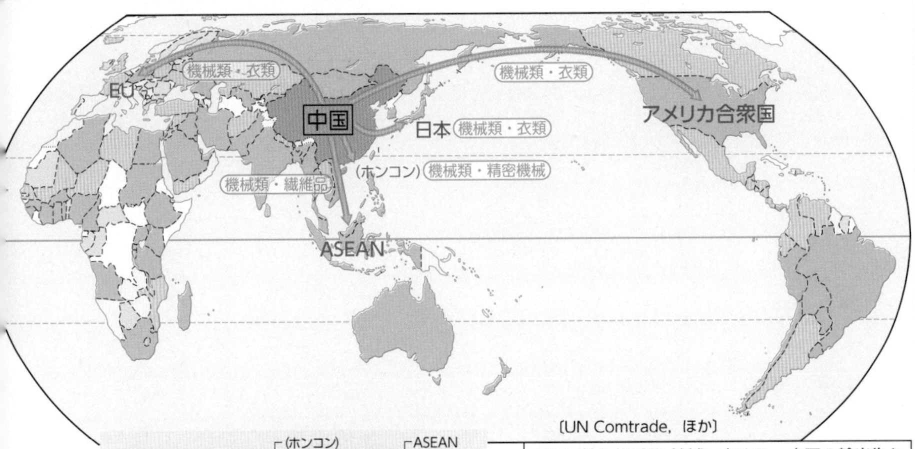

〔UN Comtrade，ほか〕

中国の輸出先の変化

〔UN Comtrade〕

各国の輸入相手国・地域に占める中国の順位 －2018年－

- 1位
- 2位
- 3位
- 4位以下
- 資料なし

中国の輸出先とおもな輸出品目

- 機械類

日本との結びつき

サ 中国と日本の貿易額の変化

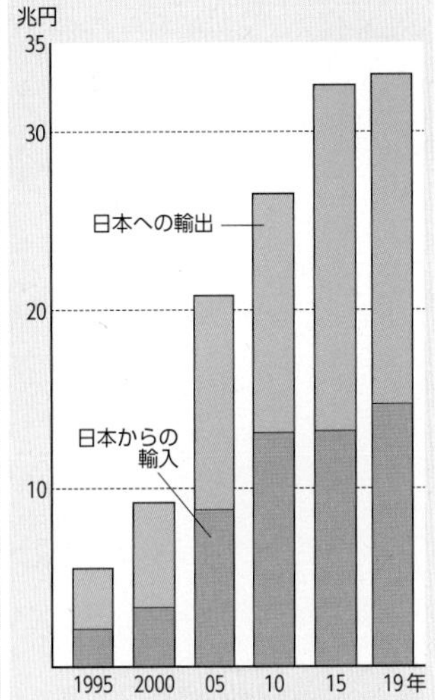

〔財務省貿易統計，ほか〕

シ 日本のおもな製品・産物の輸入先 —2019年—

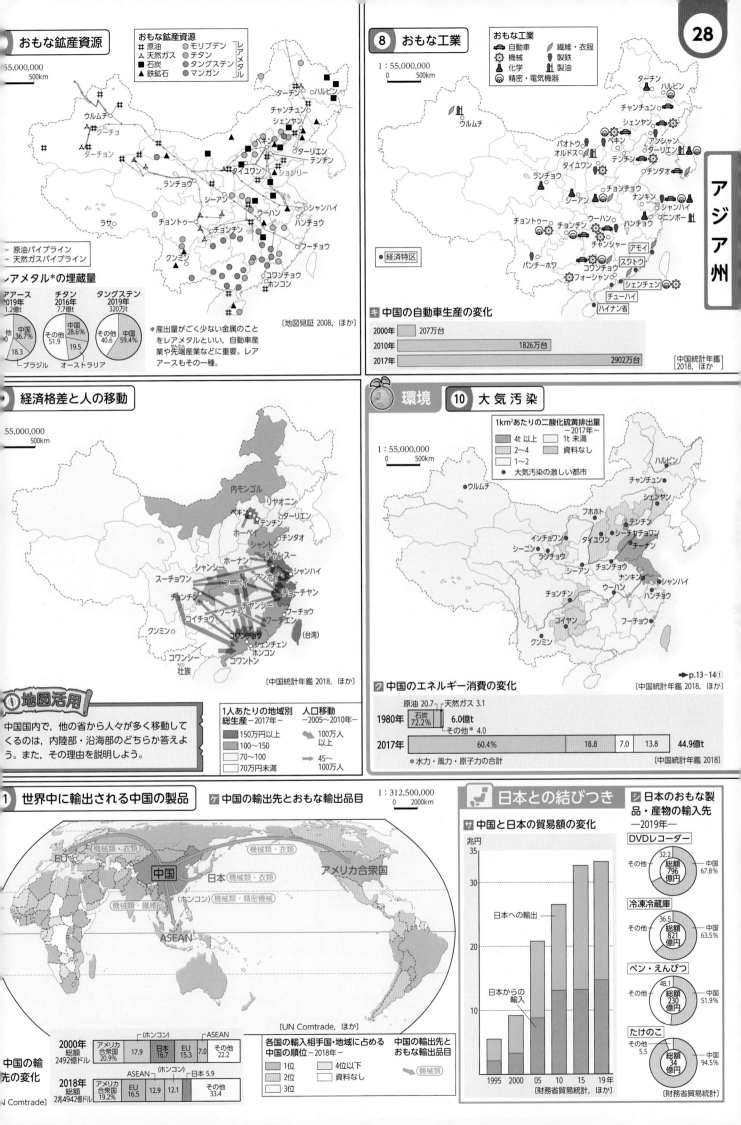

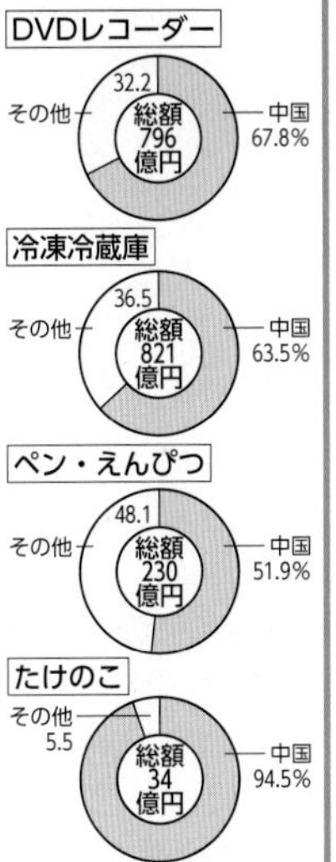

〔財務省貿易統計〕

❶ 朝鮮半島

1：3,000,000

0 25 50km

正距円錐図法

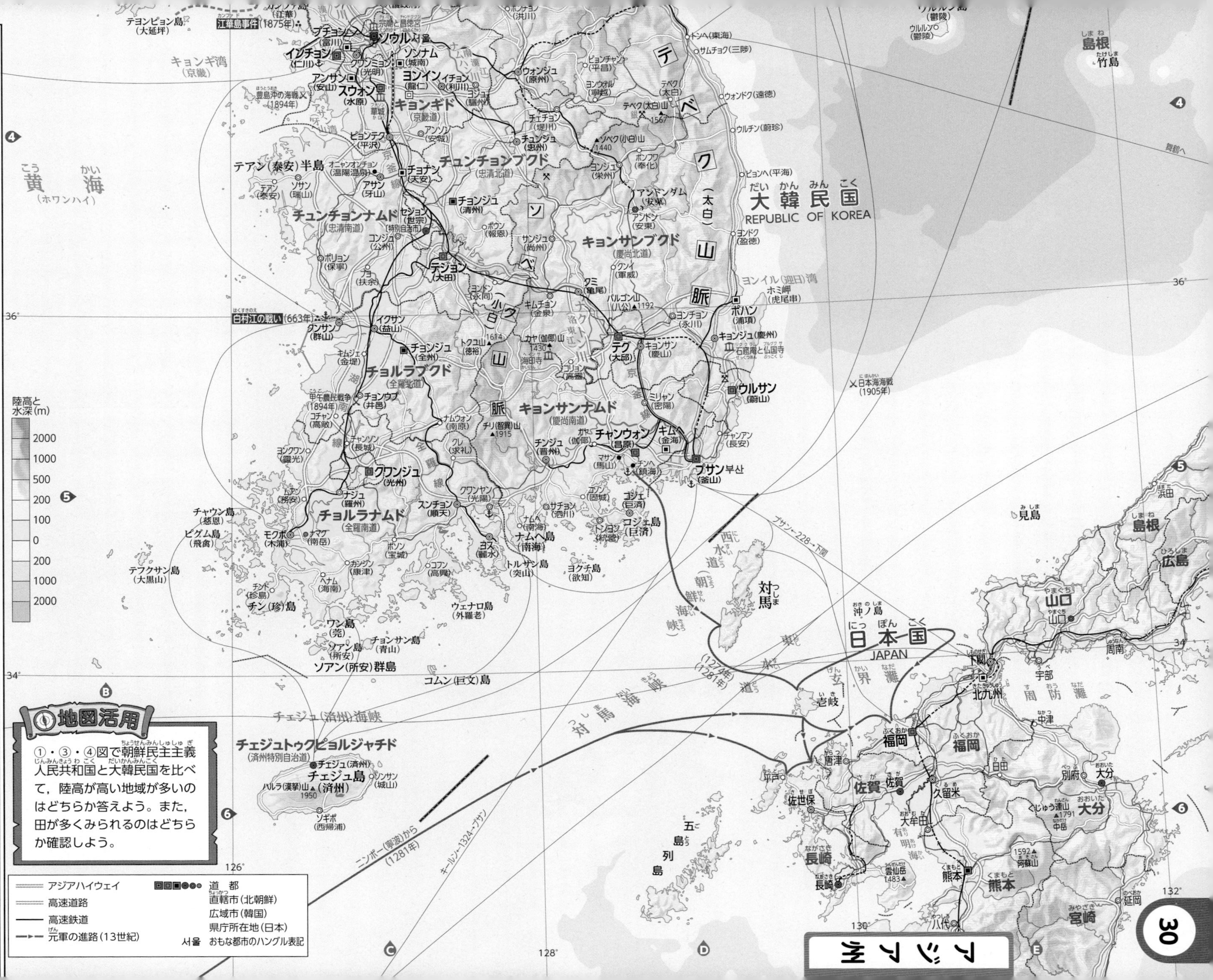

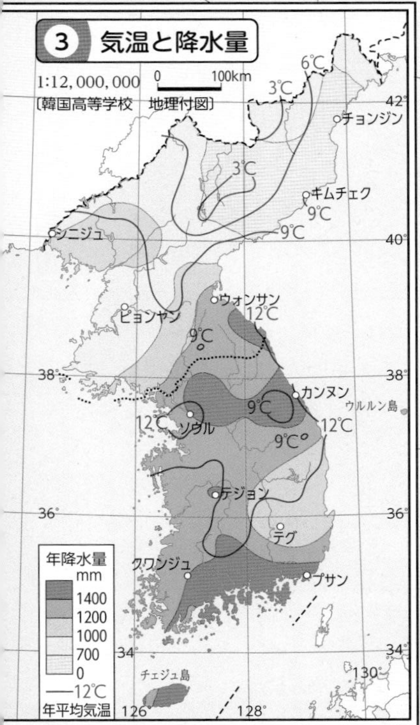

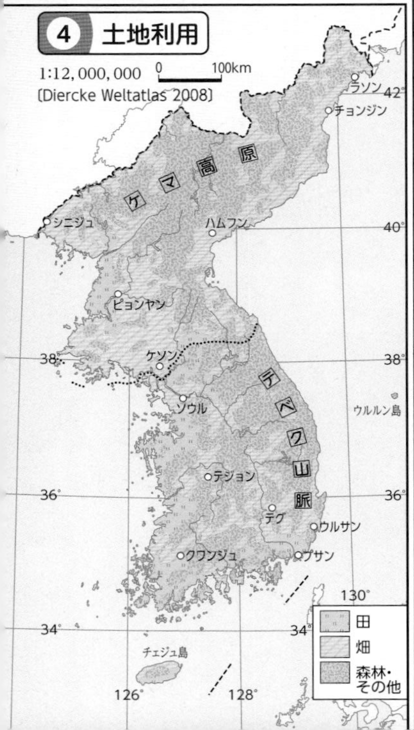

陸高と水深(m)
2000
1000
500
200
100
0
200
1000
2000

地図活用

①・③・④図で朝鮮民主主義人民共和国と大韓民国を比べて，陸高が高い地域が多いのはどちらか答えよう。また，田が多くみられるのはどちらか確認しよう。

アジアハイウェイ	道　都
高速道路	直轄市(北朝鮮)
高速鉄道	広域市(韓国)
元軍の進路(13世紀)	県庁所在地(日本)
	서울　おもな都市のハングル表記

❶東アジアと日本の交流の歴史－大陸から見た日本－

地図活用

東アジアと日本のおもな交流ルートを指でたどり，交流に大きな役割を果たした海を三つ以上答えよう。

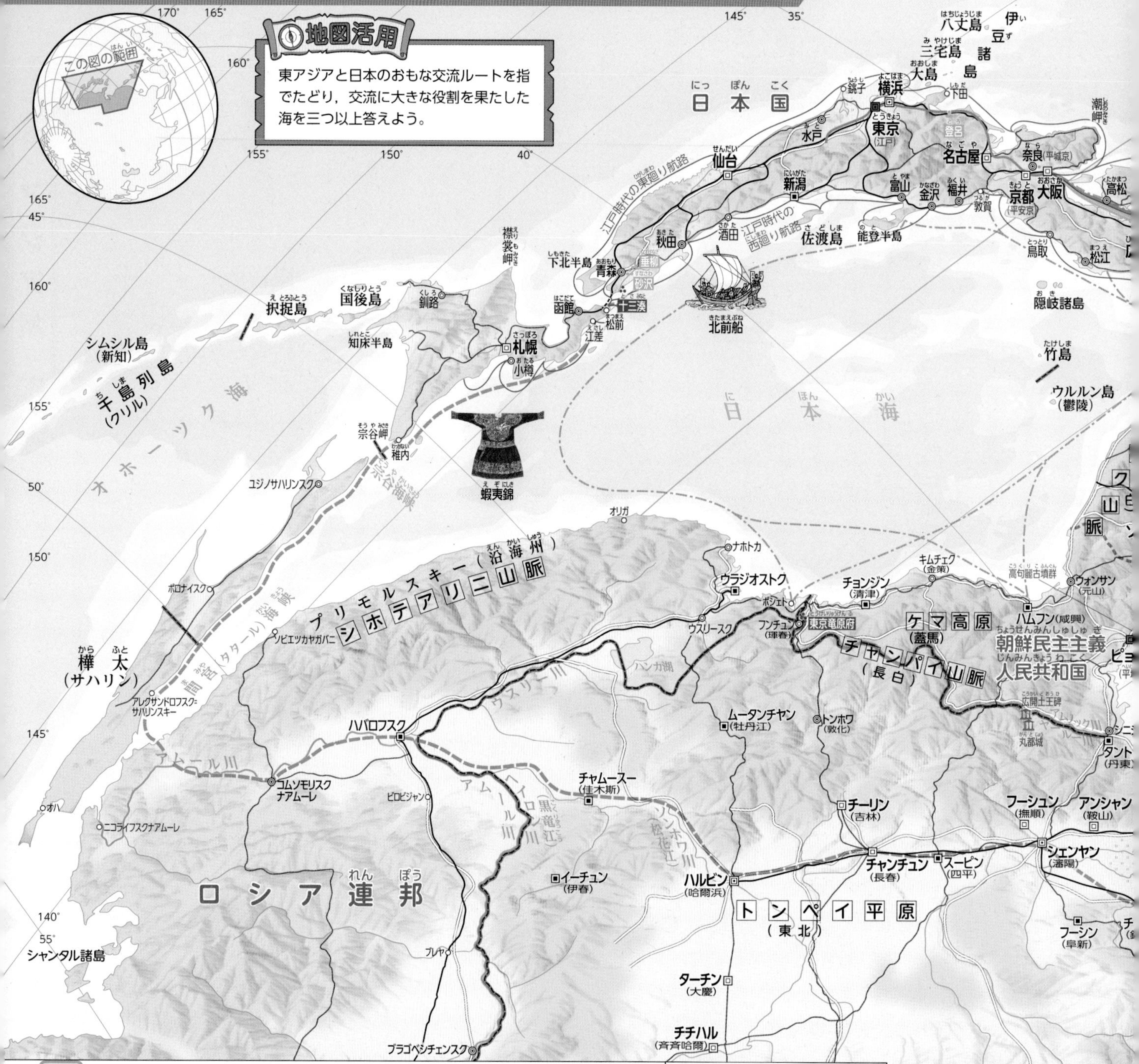

日本との結びつき

❷ 現代の大陸との交流

歴史地名・史跡

- (大都) かつての地名
- 白村江 日本と大陸にかかわる史跡
- 菜畑 稲作にかかわる史跡

おもな交流ルート

- 遣唐使(7～9世紀)
- 鑑真の渡海路(8世紀)
- 渤海使(8～10世紀)
- 蝦夷錦の伝播経路(16世紀～)
- 琉球王国時代の交易路(15～16世紀)
- 南蛮船(16～17世紀)
- 朝鮮通信使(18世紀)
- おもな高速・幹線鉄道

土地利用

- 田
- 畑
- 遊牧地
- 森林・その他

中国から日本にもたらされた宝物(7～9世紀)

ア 書道の練習(中国 シャントン(山

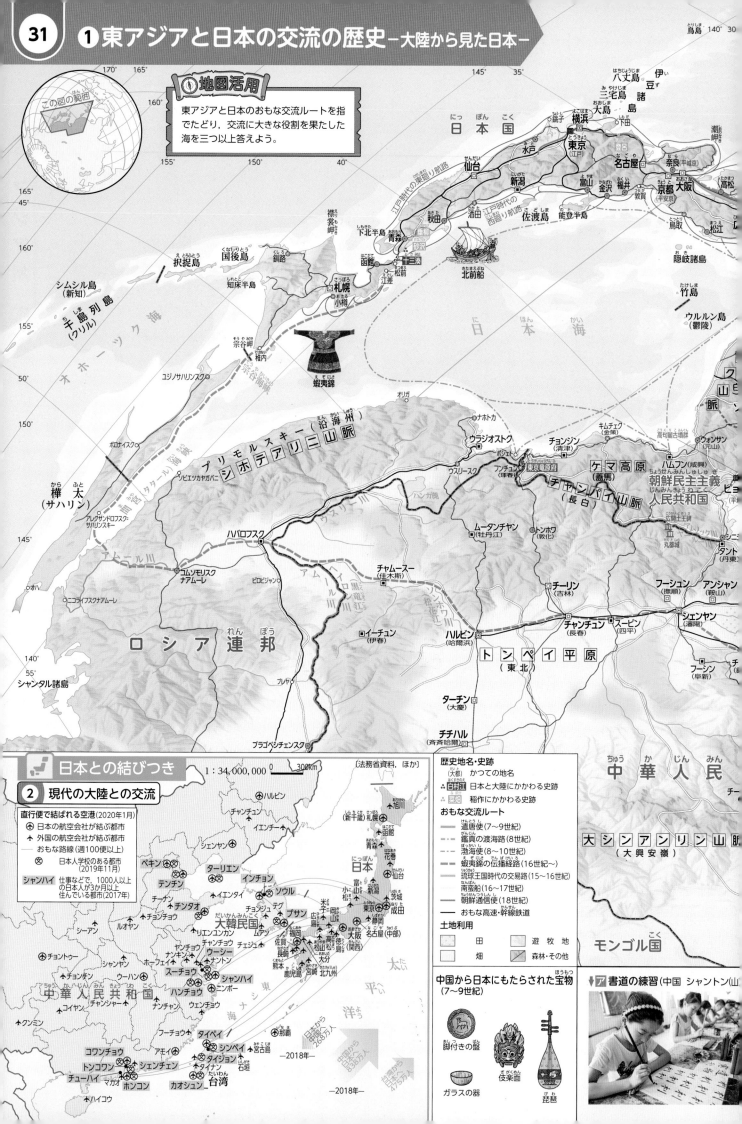

日本標準時子午線
太平洋
PACIFIC OCEAN
大東諸島
沖大東島
北大東島
南大東島
南西諸島
北回帰線
大島（奄美大島）
種子島
屋久島
沖縄島
那覇（首里）
琉球諸島
宮古島
石垣島
西表島
与那国島
尖閣諸島
鹿児島
宮崎
坊ノ岬
鑑真の船
長崎
大宰府
板付
菜畑
福岡
平戸島
壱岐
対馬海峡
対馬
プサン（釜山）
チェジュ島（済州）
海印寺
クワンジュ（光州）
テジョン（大田）
チン島（珍）
白村江
大韓民国
東シナ海
琉球の交易船
台湾
タイペイ（台北）
シンペイ（新北）
タイジョン（台中）
カオシュン（高雄）
台湾海峡
バシー海峡
ルソン海峡
南シナ海
フィリピン海
フィリピン諸島
フィリピン
ミンダナオ島
ダバオ
カガヤンデオロ
サマル島
セブ
コルディレラの棚田
ルソン島
バギオ
黄海（ホワンハイ）
遣唐使船
チョウシャン群島（舟山）
ニンポー（寧波）
河姆渡
テンタイ山（天台）
長江（揚子江）
シャンハイ（上海）
スーチョウ（蘇州）
ハンチョウ（杭州）
良渚
タイ湖
ウェンチョウ（温州）
フーチョウ（福州）
アモイ（厦門）
スワトウ（汕頭）
武夷山
ホワンカン山（黄崗）
ホワン山（黄）
黄山
チントーチェン（景徳鎮）
仙人洞
吊桶環
ヤンチョウ（揚州）
ナンキン（南京）
ホンコン（香港）
マカオ
チュー川（珠江）
コワンチョウ（広州）
ナンチャン（南昌）
ポーヤン湖（鄱陽）
廬山国立公園
ルー山（廬）
チーアン（吉安）
シャオコワン（韶関）
ナンリン山脈
シャントン半島（山東）
チンタオ（青島）
イエンタイ（煙台）
ポンライ（蓬莱）
リエンユンカン（連雲港）
ホンツォー湖（洪沢）
ホーフェイ（合肥）
スーチエン（宿遷）
ホワイナン（淮南）
ホワイ河（淮河）
ターリエン（大連）
リュイシュン（旅順）
大運河
シュイチョウ（徐州）
ウーハン（武漢）
チャンシャー（長沙）
アジアハイウェイ
ホンヤン（衡陽）
玉蟾岩
渤海（ポーハイ）
ツーポー（淄博）
泰山
タイ山（泰山）
孔子廟
黄河（ホワンホー）
チーニン（済寧）
華北平原
ユエヤン（岳陽）
トンチン湖（洞庭）
彭頭山
桂林
コイリン（桂林）
シャンハイコワン（山海関）
チーナン（済南）
シンヤン（信陽）
タンシャン（唐山）
テンチン（天津）
ター（大）運河
カイフォン（開封）
イーチャン（宜昌）
武陵源
ハンタン（邯鄲）
殷墟
チョンチョウ（鄭州）
シャンヤン（襄陽）
ハン川（漢水）
サンシヤダム（三峡）
ペキン（北京）
大都
故宮
周口店（ペキン原人出土地）
ルオヤン（洛陽）
洛陽
龍門石窟
武当山
万里の長城
八達嶺
シーチヤチョワン（石家荘）
タイハン（太行）山脈
仰韶
白帝城
サンメンシヤ（三門峡）
函谷関
チャンチヤコウ（張家口）
タイユワン（太原）
長江（チャンチャン）
チョンチン（重慶）
タートン（大同）
雲崗石窟
大雁塔
秦始皇帝陵
シーアン（西安）
長安
ウランチャブ（烏蘭察布）
雲崗の石仏
ホワンツー（黄土）高原
イエンアン（延安）
ナンチョン（南充）
大足石刻
フホホト（呼和浩特）
五丈原
パオチー（宝鶏）
スーチョワン盆地（四川）

もち米を使った料理

⬇イ 赤飯（日本）

⬇ウ ヤッパ（朝鮮半島）

似ている競技

⬇エ すもう（日本）

⬇オ シルム（朝鮮半島）

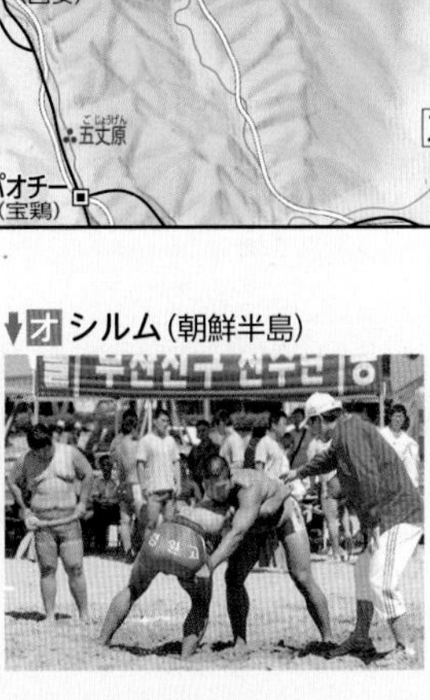

⬇カ ブフ（モンゴル）

① 東南アジア

1：20,000,000
ランベルト正積方位図法

地図活用

❶ 東南アジアにある大きな半島と島をそれぞれ二つ答えよう。

❷ 太平洋戦争のおもな戦場を❶～❼の年代順に確認しよう。

[Diercke Weltatlas 2008, ほか]

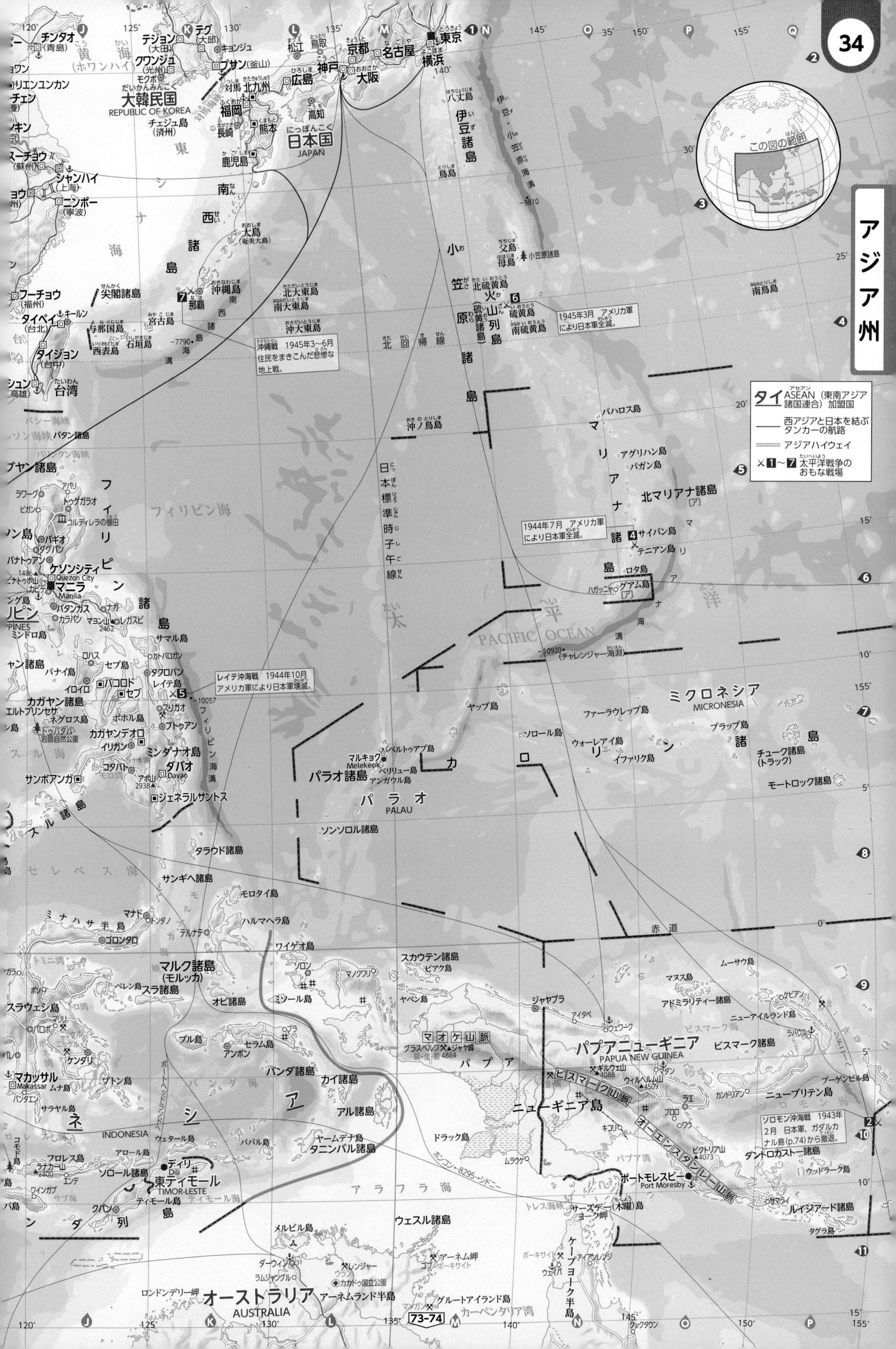

チンタオ（青島）
テジョン（大田）
テグ（大邱）
キョンジュ
黄海（ホワンハイ）
クワンジュ（光州）
プサン（釜山）
モクポ
大韓民国
REPUBLIC OF KOREA
チェジュ島（済州）
対馬
北九州
福岡
長崎
熊本
松江
鳥取
京都
名古屋
東京
横浜
神戸
大阪
広島
高知
日本国
JAPAN
鹿児島
東シナ海
スーチョウ（蘇州）
シャンハイ（上海）
ニンポー（寧波）
南西諸島
大島（奄美大島）
沖縄島
那覇
尖閣諸島
フーチョウ（福州）
タイペイ（台北）
キールン
与那国島
西表島
石垣島
宮古島
タイジョン（台中）
台湾
沖縄戦 1945年3～6月 住民をまきこんだ悲惨な地上戦。
八丈島
伊豆諸島
鳥島
伊豆・小笠原海溝
-9810
小笠原諸島
父島
母島
北硫黄島
火山列島（硫黄諸島）
硫黄島
南硫黄島
1945年3月 アメリカ軍により日本軍全滅。
北大東島
南大東島
沖大東島
北回帰線
沖ノ鳥島
日本標準時子午線
南鳥島
バシー海峡
バタン諸島
バブヤン諸島
フィリピン諸島
フィリピン海
コルディレラの棚田
ケソンシティ
Quezon City
マニラ
Manila
バタンガス
レガスピ
ミンドロ島
サマル島
セブ島
レイテ島
タクロバン
パナイ島
イロイロ
バコロド
セブ
ネグロス島
ボホール島
カガヤンデオロ
イリガン
ミンダナオ島
ダバオ
Davao
2938
ジェネラルサントス
サンボアンガ
スールー諸島
フィリピン海溝
-10057
レイテ沖海戦 1944年10月 アメリカ軍により日本軍壊滅。
マリアナ諸島
パハロス島
アグリハン島
パガン島
北マリアナ諸島［ア］
1944年7月 アメリカ軍により日本軍全滅。
サイパン島
テニアン島
ロタ島
グアム島［ア］
ハガッニャ
マリアナ海溝
-10920（チャレンジャー海淵）
太平洋
PACIFIC OCEAN
ミクロネシア
MICRONESIA
ヤップ島
ファーラウレップ島
ソロール島
ウォーレアイ島
イファリク島
カロリン諸島
プラップ島
チューク諸島（トラック）
モートロック諸島
マルキョク
Melekeok
バベルトゥアプ島
ペリリュー島
アンガウル島
パラオ諸島
パラオ
PALAU
ソンソロル諸島
タラウド諸島
サンギヘ諸島
セレベス海
モロタイ島
ミナハサ半島
マナド
ゴロンタロ
ハルマヘラ島
ワイゲオ島
マルク諸島（モルッカ）
スラ諸島
オビ諸島
ミソール島
スラウェシ島
マカッサル
Makassar
ブル島
セラム島
アンボン
バンダ諸島
バンダ海
カイ諸島
アル諸島
インドネシア
INDONESIA
フロレス島
ソロール諸島
ディリ
Dili
東ティモール
TIMOR-LESTE
ティモール島
ヤームデナ島
タニンバル諸島
小スンダ列島
赤道
スカウテン諸島
ビアク島
ジャヤプラ
ムーサウ島
マヌス島
アドミラルティー諸島
ニューアイルランド島
ビスマーク諸島
パプアニューギニア
PAPUA NEW GUINEA
マオケ山脈
グラスベルグ
ジャヤ峰
4884
ウィルヘルム山
4509
ビスマーク山脈
ニューギニア島
オーエンスタンレー山脈
ニューブリテン島
ブーゲンビル島
ソロモン海
ソロモン海戦 1943年2月 日本軍，ガダルカナル島(p.74)から撤退。
ダントルカストー諸島
ウッドラーク島
ルイジアード諸島
ポートモレスビー
Port Moresby
ドラック島
パプア湾
トレス海峡
サーズデー（木曜）島
ヨーク岬
ケープヨーク半島
アラフラ海
ウェスル諸島
メルビル島
ダーウィン
アーネム岬
アーネムランド半島
グルートアイランド島
カーペンタリア湾
ロンドンデリー岬
オーストラリア
AUSTRALIA
ホンコン←8295→シドニー
タイ ASEAN（東南アジア諸国連合）加盟国
西アジアと日本を結ぶタンカーの航路
アジアハイウェイ
1～7 太平洋戦争のおもな戦場
この図の範囲
73-74

東南アジアの資料

1 農業

➡p.21①

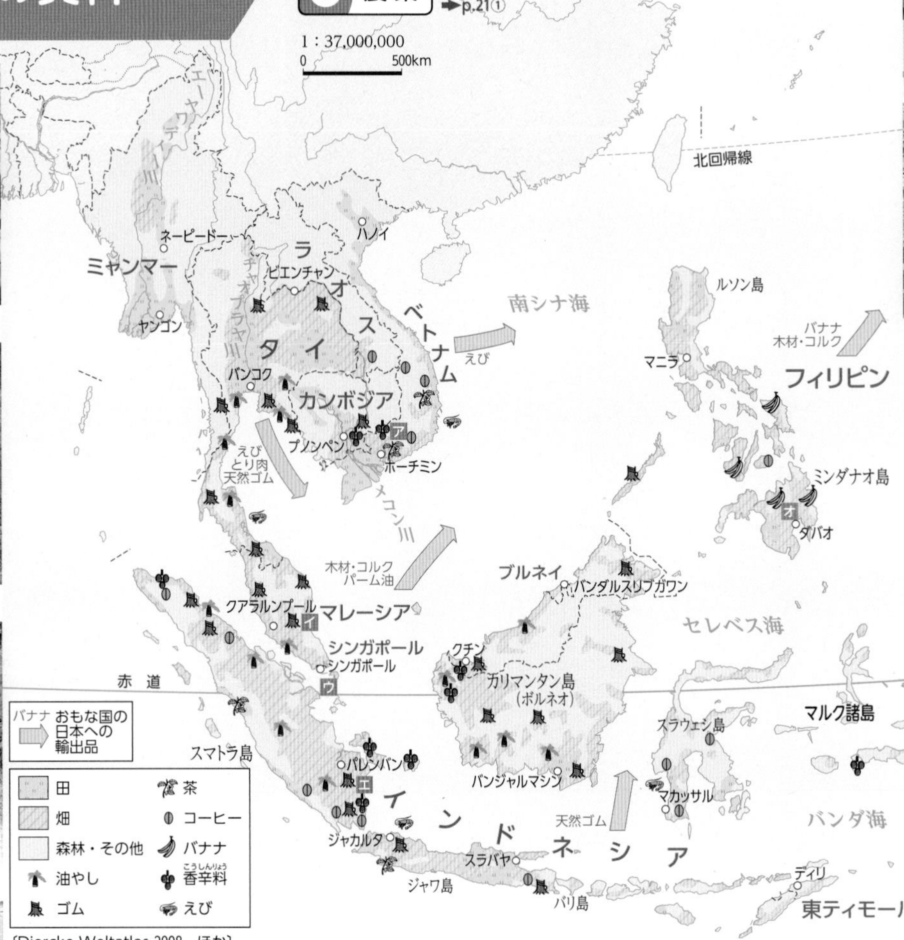

〔Diercke Weltatlas 2008，ほか〕

ア コーヒーの栽培（ベトナム）

イ ゴムの栽培（マレーシア）

ウ 油やしの栽培（インドネシア）

エ えびの養殖場（インドネシア）

オ バナナの栽培（フィリピン）

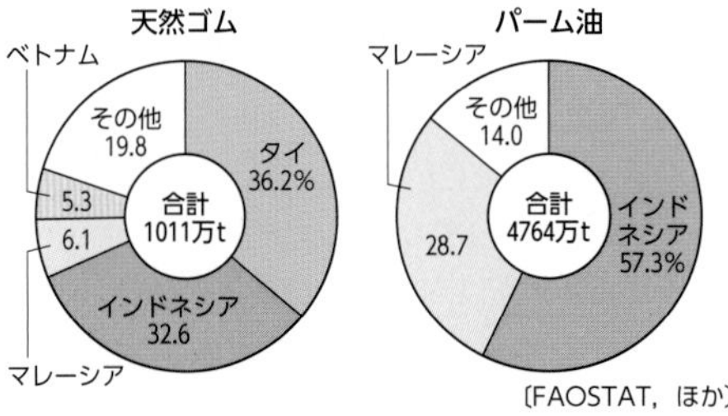

カ 世界の輸出のなかで東南アジアが多い農産物 ―2017年―

〔FAOSTAT，ほか〕

地図活用

インドネシアのカリマンタン島，スラウェシ島，スマトラ島のうち，畑が最も多く広がっている島を答えよう。また，その理由を③図から考えて，説明しよう。

2 東南アジア・南アジアの稲作

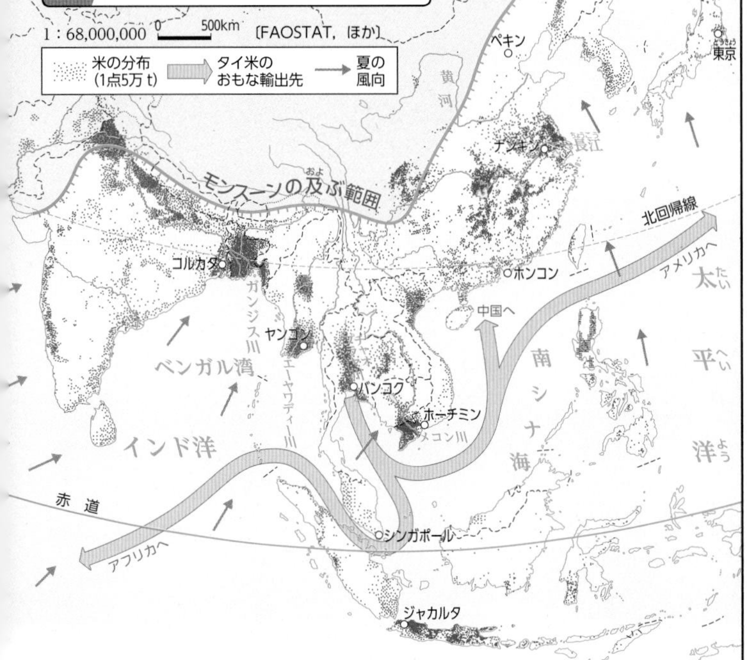

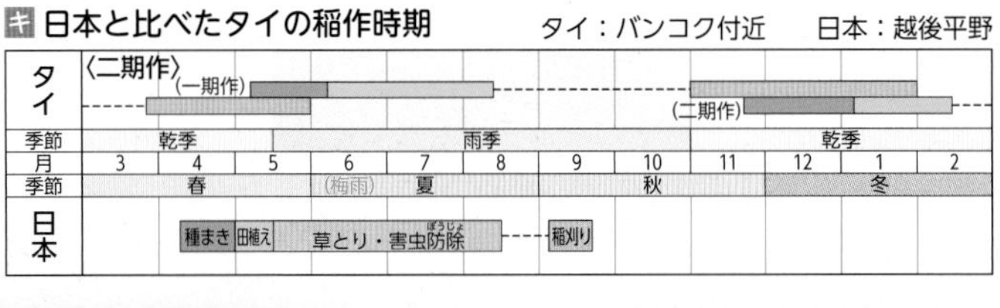

キ 日本と比べたタイの稲作時期
タイ：バンコク付近 日本：越後平野
タイ
〈二期作〉
(一期作)
(二期作)
季節 乾季 雨季 乾季
月 3 4 5 6 7 8 9 10 11 12 1 2
季節 春 (梅雨) 夏 秋 冬
日本
種まき 田植え 草とり・害虫防除 稲刈り

環境 3 森林の変化 -スマトラ島（インドネシア）-

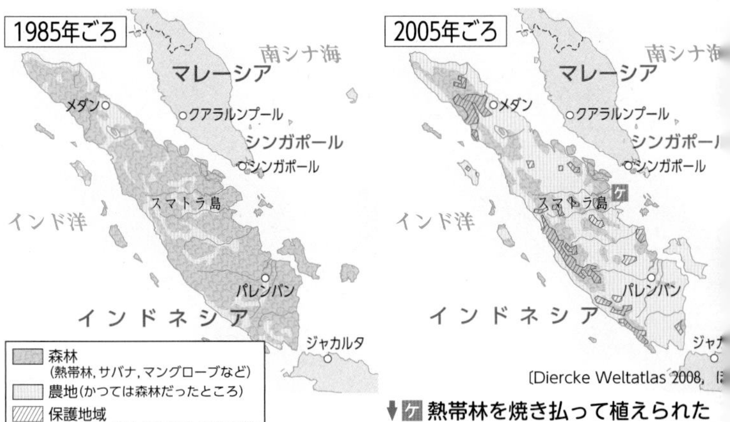

〔Diercke Weltatlas 2008，ほか〕

ケ 熱帯林を焼き払って植えられた油やし（スマトラ島）

ク おもな油やし（パーム油）の用途

鉱工業

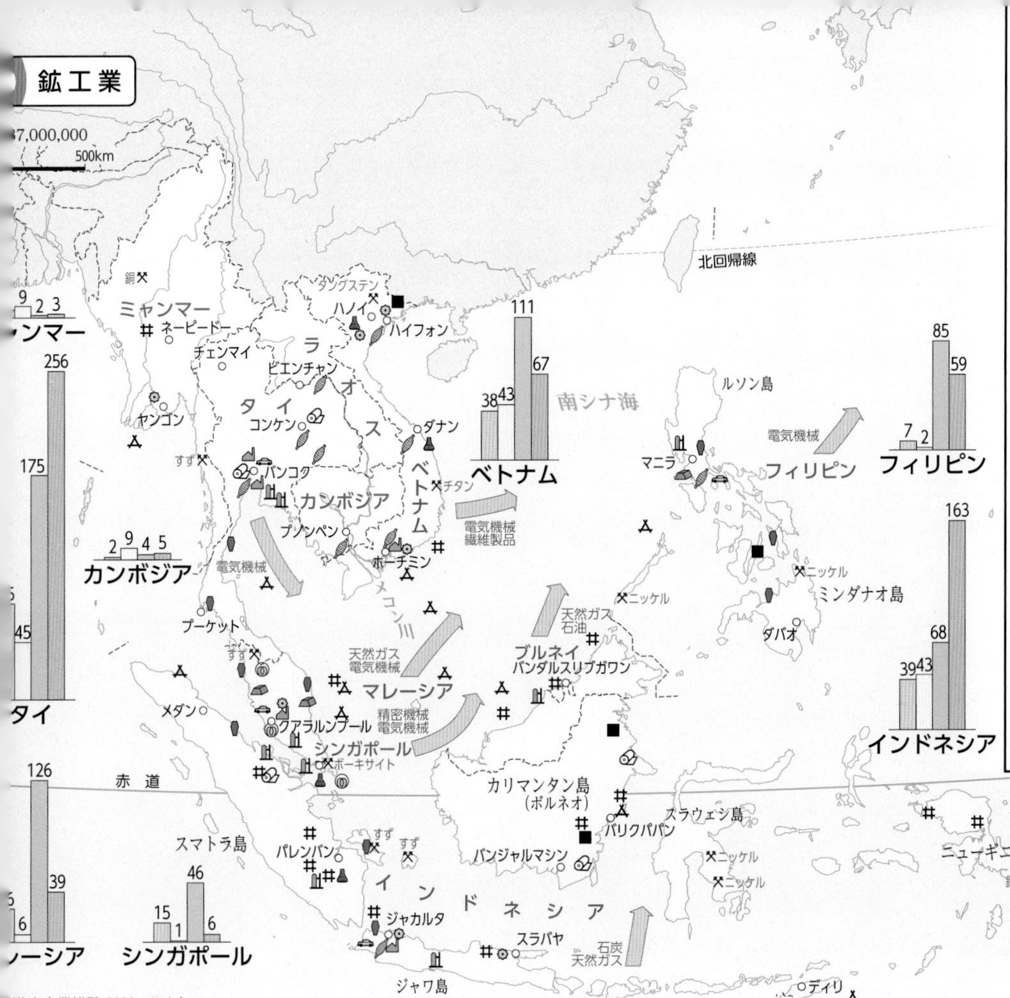

〔海外進出企業総覧 2020，ほか〕

5 タイ国内におけるバンコクへの人口集中

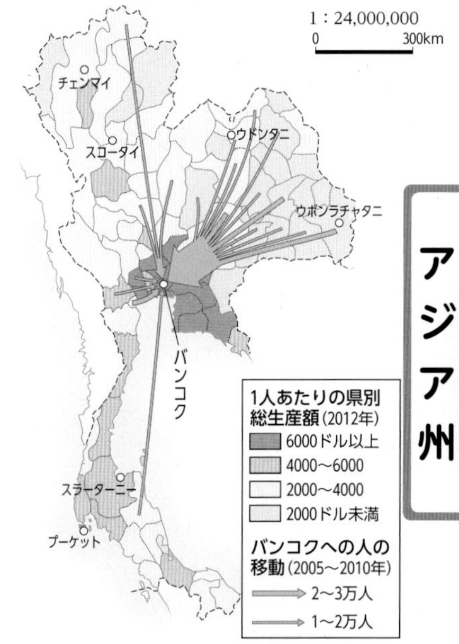

〔Gross Regional and Provincial Product 2012，ほか〕

おもな国の輸出品目の変化

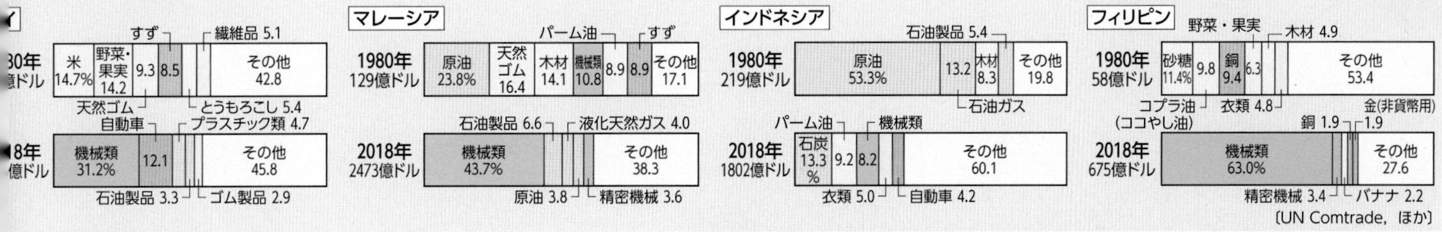

〔UN Comtrade，ほか〕

各国の宗教と華人(かじん)の人口

修行(しゅぎょう)を行う少年僧(しょうねんそう)（タイ）

〔中国年鑑 2018，ほか〕

7 経済発展と結びつき

＊ASEANの1980年は，カンボジアを含まない数値
＊EUの1980年はEC12か国の数値

〔世界銀行資料，ほか〕

シ おもな国の1人あたりの国内総生産の変化

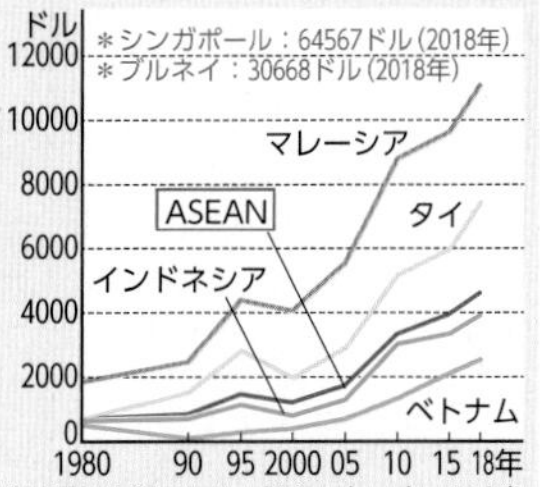

〔ASEAN Statistical Yearbook，ほか〕

日本との結びつき

ス おもな産物・製品の日本への輸出国 ―2019年―

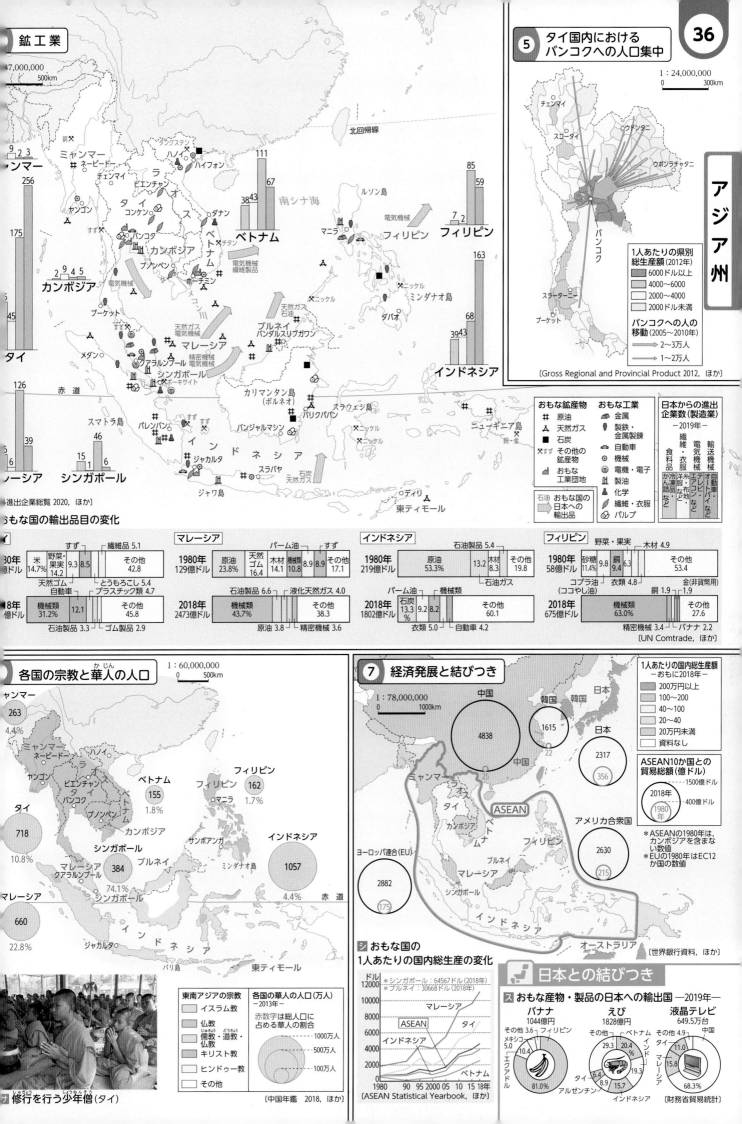

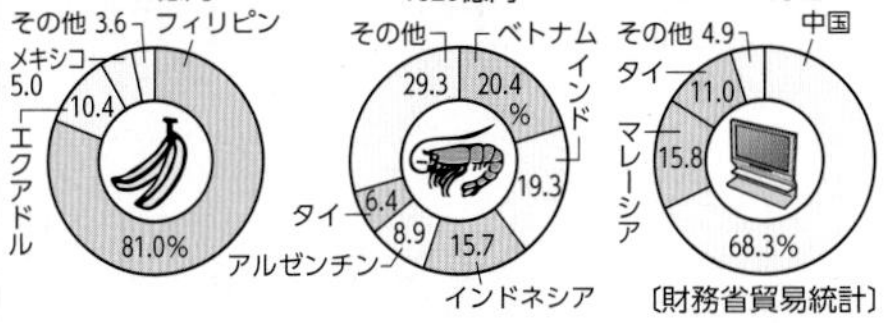

〔財務省貿易統計〕

①南・西・中央アジア

1：20,000,000
0 200 400km
ランベルト正積方位図法

※イスラエルは，エルサレムを首都として宣言していますが，国際的な承認は得ていません。
ヨルダン川西岸のおもなパレスチナ自治区

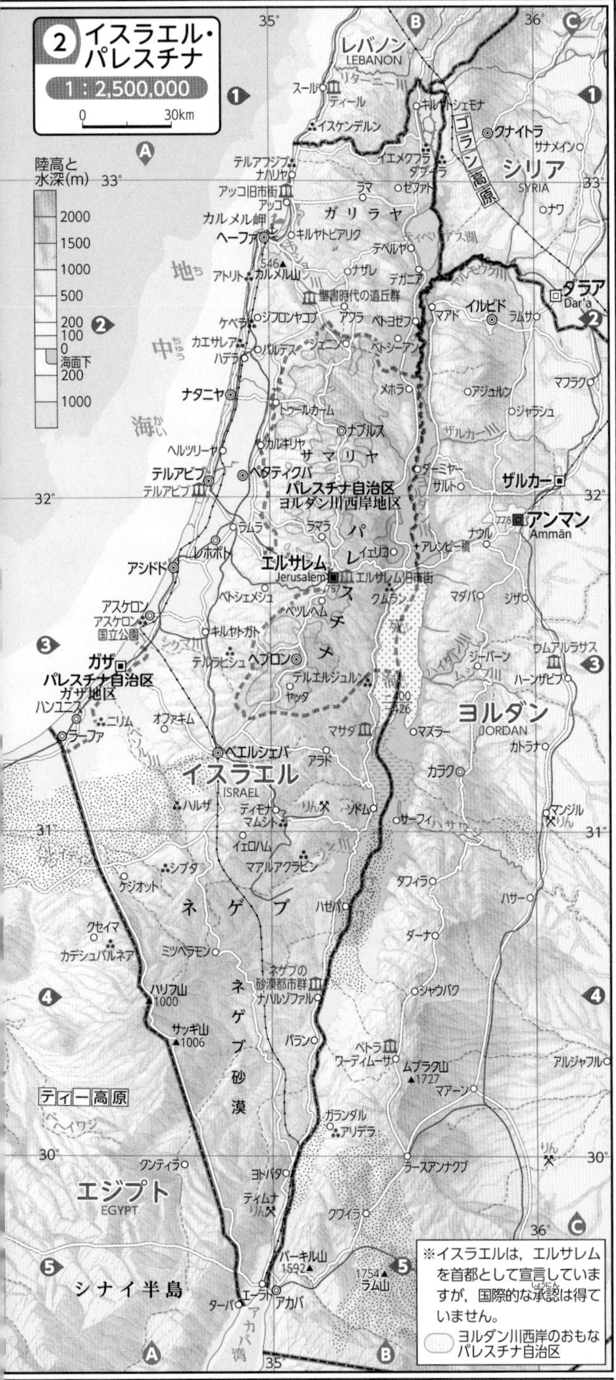

地図活用

❶ペルシア湾に数多く分布する鉱産資源を答えよう。

❷p.37～38，33～34で，クウェートから日本に向かうタンカーの航路を指でたどりながら，通過する海洋や海峡を答えよう。

アジアの国々の国旗(3)

カザフステップ
カザフスタン
KAZAKHSTAN
カザフ高原
アスタナ
Astana
カラガンダ
オレンブルク
オルスク
アクトベ
エンバ
1967年の
アラル海
アラル海
アラリスク
バイコヌール宇宙基地
シルダリア川
クズルオルダ
セメイ
(セミパラチンスク)
ウスチカメノゴルスク
パブロダール
ルブツォフスク
ベルーハ山
4506
コクペクトゥイ
ザイサン湖
ウスペンスキー
バルハシ湖
バルハシ
タルドゥコルガン
アルタイ山脈
ハンガイ山脈
モンゴル
MONGOLIA
モンゴル高原
ゴビ砂漠
ホブド
オリヤスタイ
タルバガタイ
ターチョン
カラマイ
ジュンガル盆地
ウルムチ
バーコール
ハミ
トゥルファン
トゥルファン盆地
イーニン
アルマティ
Almaty
ビシュケク
Bishkek
キルギス
KYRGYZ
ハンテングリ山
6995
テンシャン(天山)山脈
イシク湖
コルラ
クーチョ
タリム川
アコスー
タリム盆地
タクラマカン砂漠
ロプ湖
(ロプノール)
楼蘭
トンホワン
(敦煌)
玉門関
陽関
莫高窟
ユイメン
(玉門)
チウチュワン
チャイダム盆地
チャイダム
ゴルムド
トゥーラン
チエモー
ホータン
ソーチョ
カシ
クンルン(崑崙)山脈
中華人民共和国
PEOPLE'S REPUBLIC OF CHINA
チベット高原
ユイシュー
チャムド
ナム湖
ポタラ宮
ラサ
ニンチー
シガツェ
ヤルンツァンポ川
マクマホンライン
ツァイダー
タシケント
Tashkent
ウズベキスタン
UZBEKISTAN
コーカンド
フェルガナ
ホジェント
サマルカンド
ブハラ
ブハラ歴史地区
ヌクス
クングラード
ダシャウズ
ウルゲンチ
イチャンカラ
キジルクーム砂漠
トゥラン低地
シムケント
タラス
トルクメニスタン
TURKMENISTAN
カラクーム砂漠
カラクーム運河
アシガバット
Ashgabat
マリー
テルメズ
カルシ
ドゥシャンベ
Dushanbe
タジキスタン
TAJIKISTAN
パミール高原
ヒンドゥークシュ山脈
カラコルム山脈
K2(ゴッドウィンオースティン山)
8611(チョゴリ山)
ギルギット
チトラル
マシュハド
Mashhad
ネイシャーブール
ホラサーン
マザーリシャリーフ
メイマネ
バーミアーン
カブール
Kābul
ペシャーワル
Peshāwar
アフガニスタン
AFGHANISTAN
ヘラート
ガズニー
カンダハル
イスラマバード
Islāmābād
ラワルピンディ
Rāwalpindi
カシミール
スリナガル
Srinagar
ジャムン
ヒマラヤ山脈
アムリットサル
Amritsar
ファイサラーバード
Faisalabad
ラホール
Lahore
パンジャブ
ムルターン
Multān
スライマン山脈
クエッタ
ボラーン峠
ザーヘダーン
ケルマーン
バルーチスタン
シカールプル
モヘンジョダロ
サッカル
パキスタン
PAKISTAN
ハイデラバード
Hyderābād
カラチ
Karāchi
タッタのシンドの歴史的建造物
インダス川
タール砂漠
マクラン
チャーバハール
グワーダル
オマーン湾
マスカット
Muscat
ハッド岬
スール
マシーラ島
北回帰線
デリー
Delhi
メーラト
Meerut
グルグラム
ジャイプル
Jaipur
アグラ
Agra
ジョドプル
Jodhpur
ラージャスターン
アジメール
グワリオル
Gwalior
ジャーンシ
カーンプル
Kānpur
ラクナウ
Lucknow
バレーリ
アラハバード
Allahābād
バラナシ
(ベナレス)
Vārānasi
ブッダガヤ
パトナ
Patna
ガヤ
ビハール
ネパール
NEPAL
カトマンズ
Kathmandu
アンナプルナ山
8091
エベレスト山
(チョモランマ)
(サガルマータ)
8848
カンチェンジュンガ山
8586
ブータン
BHUTAN
ティンプー
Thimphu
シリグリ
ダージリン
ヒンドスタン平原
ガンジス川
アッサム
シロン
インパール
ダッカ
Dhaka
バングラデシュ
BANGLADESH
チッタゴン
Chittagong
アサンソル
ドゥルガプル
ラーンチ
Rānchi
ジャムシェドプル
ハウラー
Haora
コルカタ
(カルカッタ)
Kolkata
インド
INDIA
ウダイプル
アーメダーバード
Ahamadabad
ヴィンディア山脈
ボパール
Bhopal
ジャバルプル
Jabalpur
インドール
Indore
バドーダラ
Vadodara
ラージコト
Rajkot
カチャワール半島
スーラト
Surat
ナーグプル
Nāgpur
ライプル
Raipur
サンバルプル
カタック
オディシャ
プリ
コナーラクの太陽神寺院
デカン高原
インド半島
アムラーバティ
チャンドラプル
オーランガバード
Aurangabad
ムンバイ
(ボンベイ)
Mumbai
エレファンタ石窟群
プネ
Pune
西ガーツ山脈
東ガーツ山脈
ショラープル
ハイデラバード
ワランガル
ビシャーカパトナム
Vishākhapatnam
ラージャムンドリ
ビジャヤワーダ
Vijayawāda
グントゥル
ゴダバリ川
クリシュナ川
カラブラギ
コールハープル
フッバッリダルワル
ゴア
パナジ
バッラーリ
ネロール
カルナータカ
ベンガルール
(バンガロール)
Bengaluru
チェンナイ(マドラス)
Chennai
マンガルール
マイスール
ポンディシェリー
コインバトール
Coimbatore
セーラム
コジコーデ
(カリカット)
タンジャーブル
ティルチラパッリ
コーチ
マドゥライ
Madurai
ティルバナンタプラム
コモリン岬
マンナール湾
ポーク海峡
ジャフナ
セイロン島
スリランカ
SRI LANKA
キャンディ
コロンボ
スリジャヤワルダナプラコッテ
Sri Jayewardenepura Kotte
2243
アダムス山
ゴール
ドンドラ岬
ラッカディブ諸島
(インド)
モルディブ諸島
モルディブ
MALDIVES
マレ
Male
アラビア海
インド洋
INDIAN OCEAN
ベンガル湾
ミャンマー
(ビルマ)
MYANMAR
マンダレー
Mandalay
ネーピードー
Nay Pyi Taw
ヤンゴン
Yangon
パテイン
ラムリー島
シットウェー
ミッチーナ
パトカイ山脈
アラカン山脈
ネグレイス岬
エーヤワディー川
アンダマン諸島
(インド)
北アンダマン島
中アンダマン島
南アンダマン島
ポートブレア
テンデグリー海峡
ニコバル諸島
(インド)
赤道
日本へ約19日
ポートルイスへ
西アジアと日本を
結ぶタンカーの航路
アジアハイウェイ
シルクロード
この図の範囲
55-56
23-24
33-34

① 南アジアの農業

➡p.21①

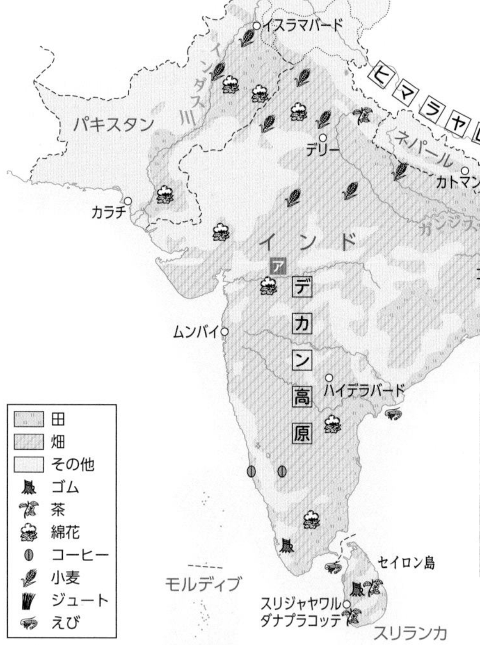

⬆ア 綿花の栽培（インド）

〔Diercke Weltatlas 2008，ほか〕

② 南アジアの米と小麦の生産

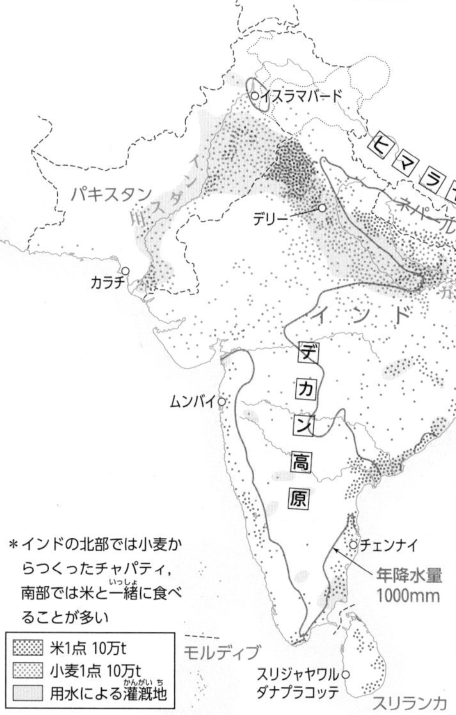

＊インドの北部では小麦からつくったチャパティ，南部では米と一緒に食べることが多い

⬆イ インド南部のカレー

〔FAOSTAT，

③ 南アジアの人口密度

地図活用

バングラデシュ，インド，パキスタンのうち，人口密度がいちばん高い国を答えよう。③図から予想したあと，p.167の統計で確認しよう。

〔世界の地理　南アジア，ほか〕

④ 南アジアの宗教

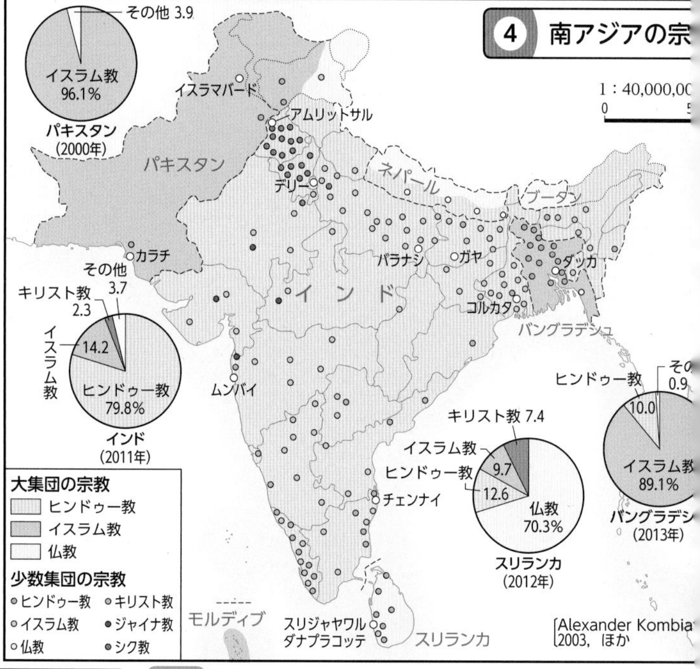

〔Alexander Kombia 2003，ほか〕

⑤ 南アジアの鉱工業

〔Diercke Weltatlas 2008，ほか〕

⬆ウ インドの街なかを走る，日系企業で生産された自動車

日本との結びつき

エ 南アジアのおもな国の日本への輸出 ―2019年―

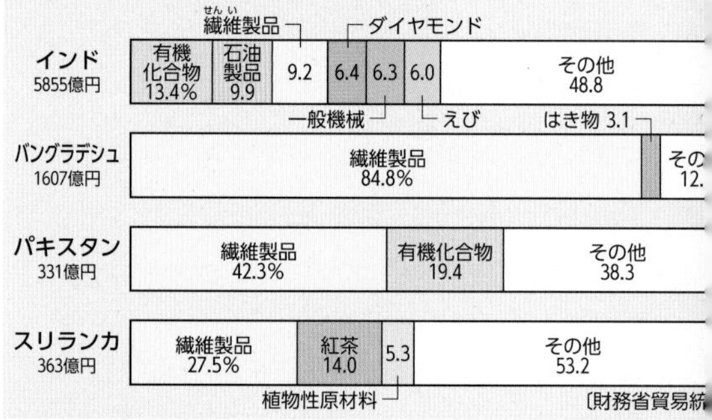
繊維製品
ダイヤモンド
インド 5855億円
有機化合物 13.4%
石油製品 9.9
9.2
6.4
6.3
6.0
その他 48.8
一般機械
えび
はき物 3.1
バングラデシュ 1607億円
繊維製品 84.8%
その他 12.
パキスタン 331億円
繊維製品 42.3%
有機化合物 19.4
その他 38.3
スリランカ 363億円
繊維製品 27.5%
紅茶 14.0
5.3
その他 53.2
植物性原材料

〔財務省貿易統計

⬆オ スリランカの茶摘み

⬆カ バングラデシュの縫製

イスラム教徒の多い国 -アジア・アフリカ-

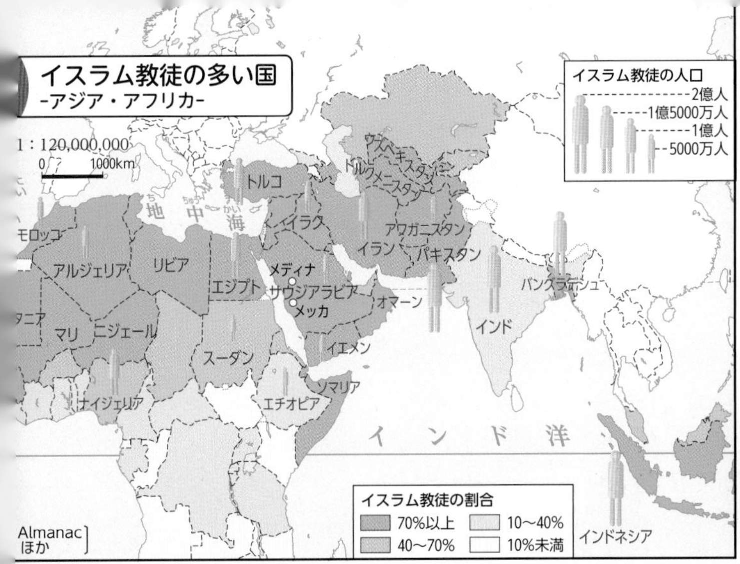

7 西アジアの砂漠のくらし

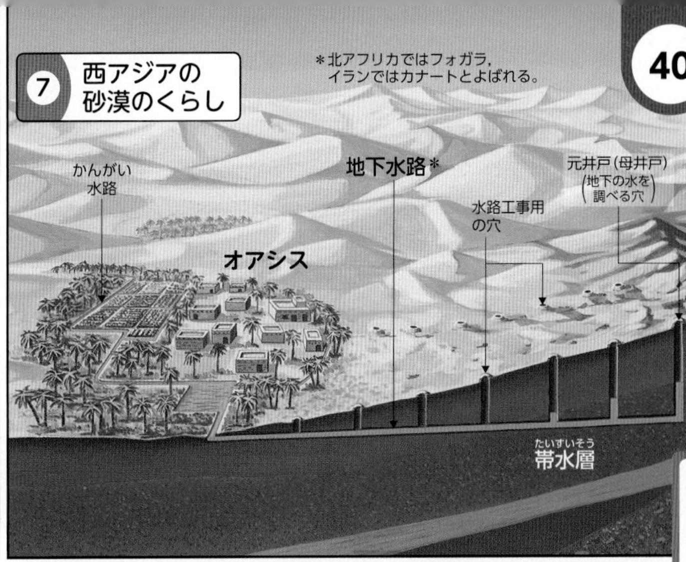

中央アジア・西アジア・北アフリカの産油国

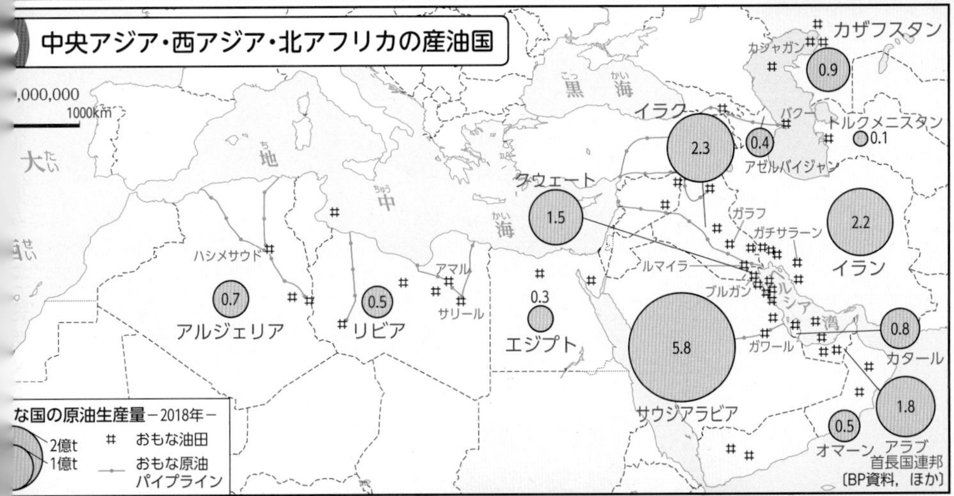

9 ペルシア湾岸の油田地帯

砂漠の大都市 ドバイ -ダウンタウンドバイ地区-

日本との結びつき

キ 西アジアのおもな国の原油の輸出先 —2017年—

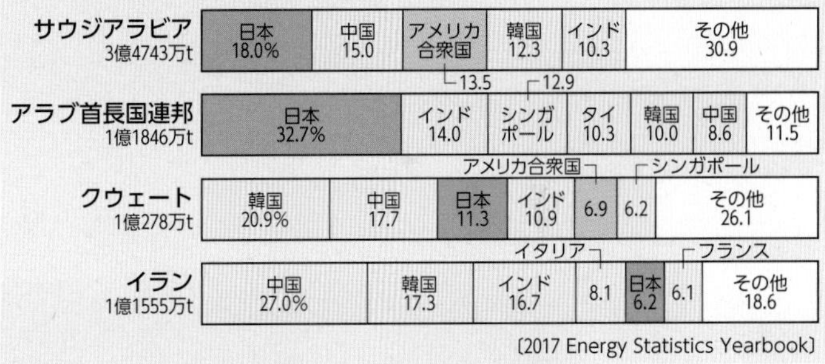

◀ク サウジアラビアにある石油精製施設

南アジアと西アジアの労働者の結びつき

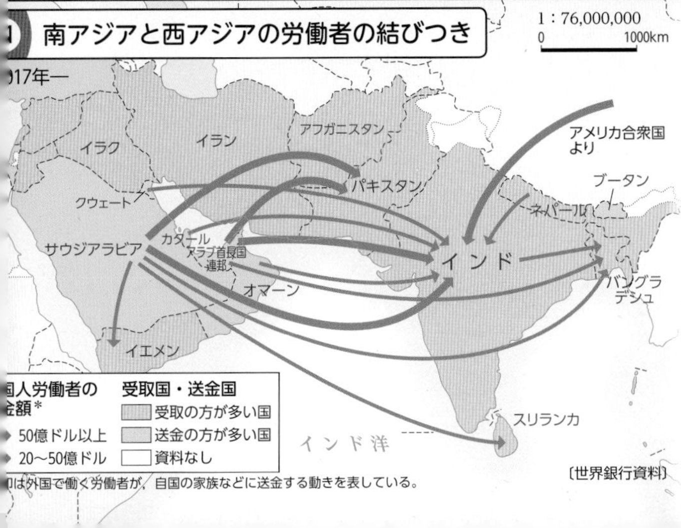

ケ おもな国の外国人労働者の出身地 —2013年—

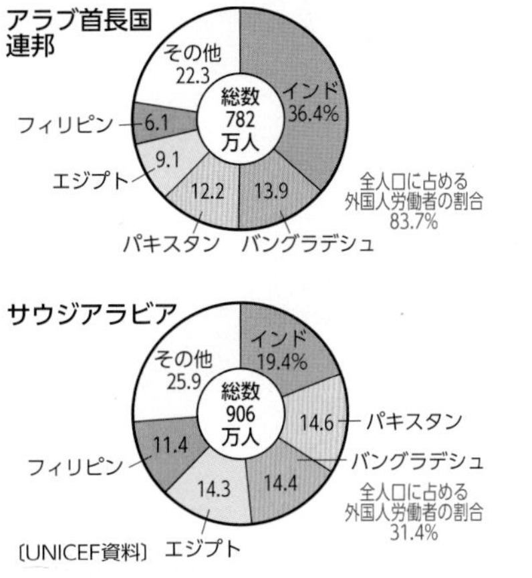

↓コ ドバイの建設現場で働く外国人労働者（アラブ首長国連邦）

地図活用

⑪図を見て，外国人労働者の送金が多い国を答えよう。また，西アジアで働く外国人労働者の出身地で多いのはどの国か答えよう。

①アフリカ州

1：35,000,000
0 500 1000km
ランベルト正積方位図法

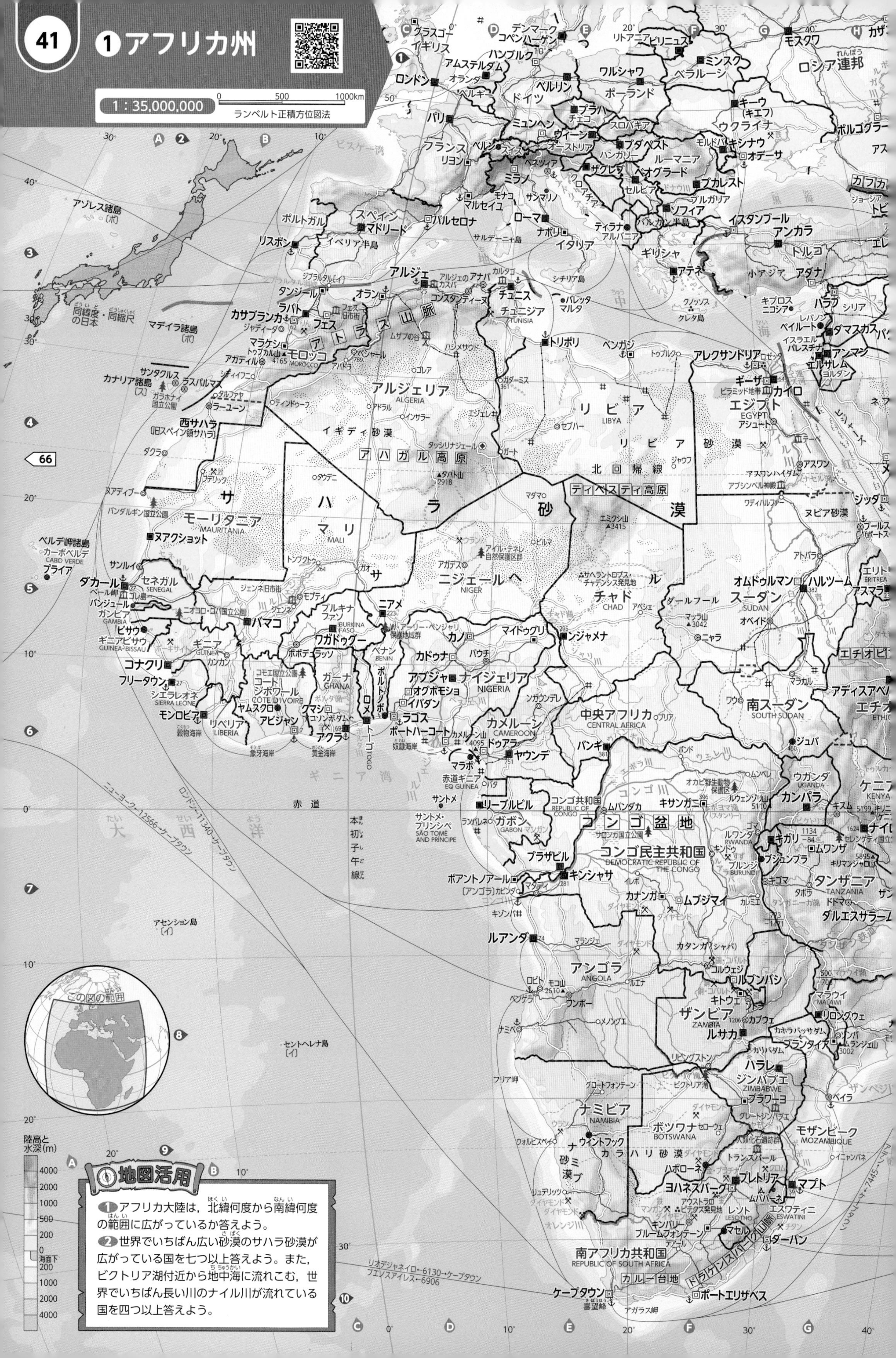

地図活用

❶アフリカ大陸は，北緯何度から南緯何度の範囲に広がっているか答えよう。
❷世界でいちばん広い砂漠のサハラ砂漠が広がっている国を七つ以上答えよう。また，ビクトリア湖付近から地中海に流れこむ，世界でいちばん長い川のナイル川が流れている国を四つ以上答えよう。

2 植生と土地利用

ア サハラ砂漠のらくだをつれた人(モロッコ)

イ キリマンジャロ山と野生動物(ケニア)

3 気温と降水量

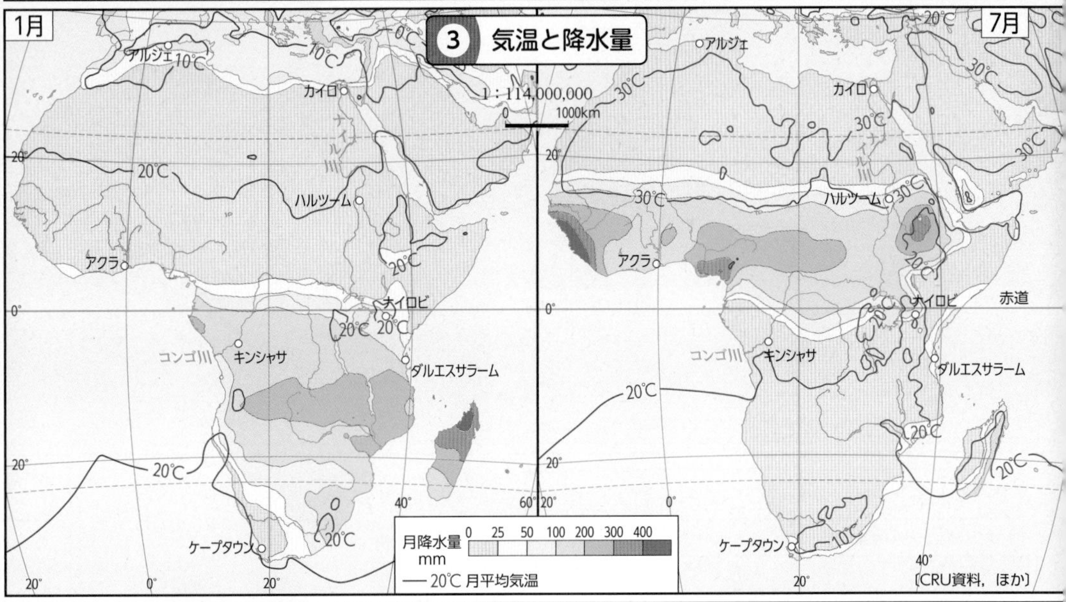

アフリカの国々の国旗

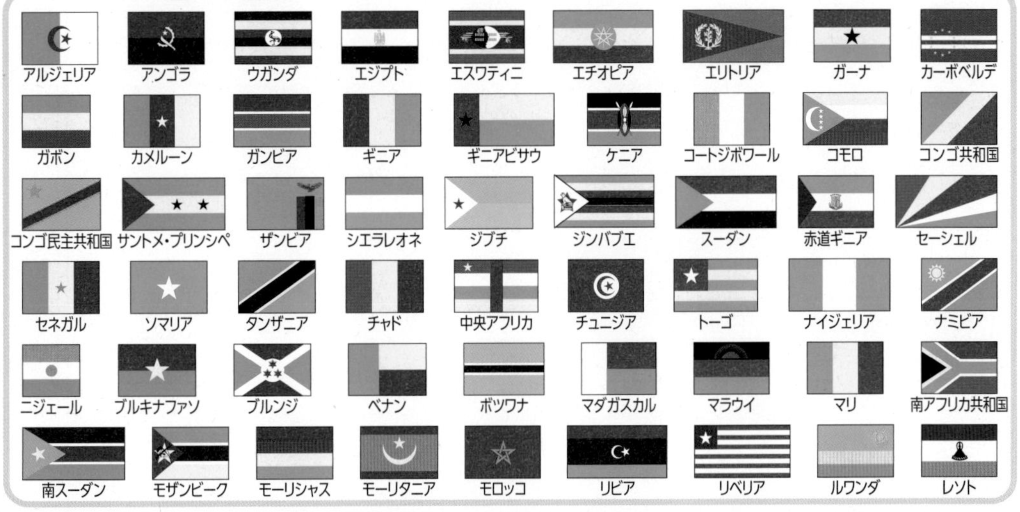

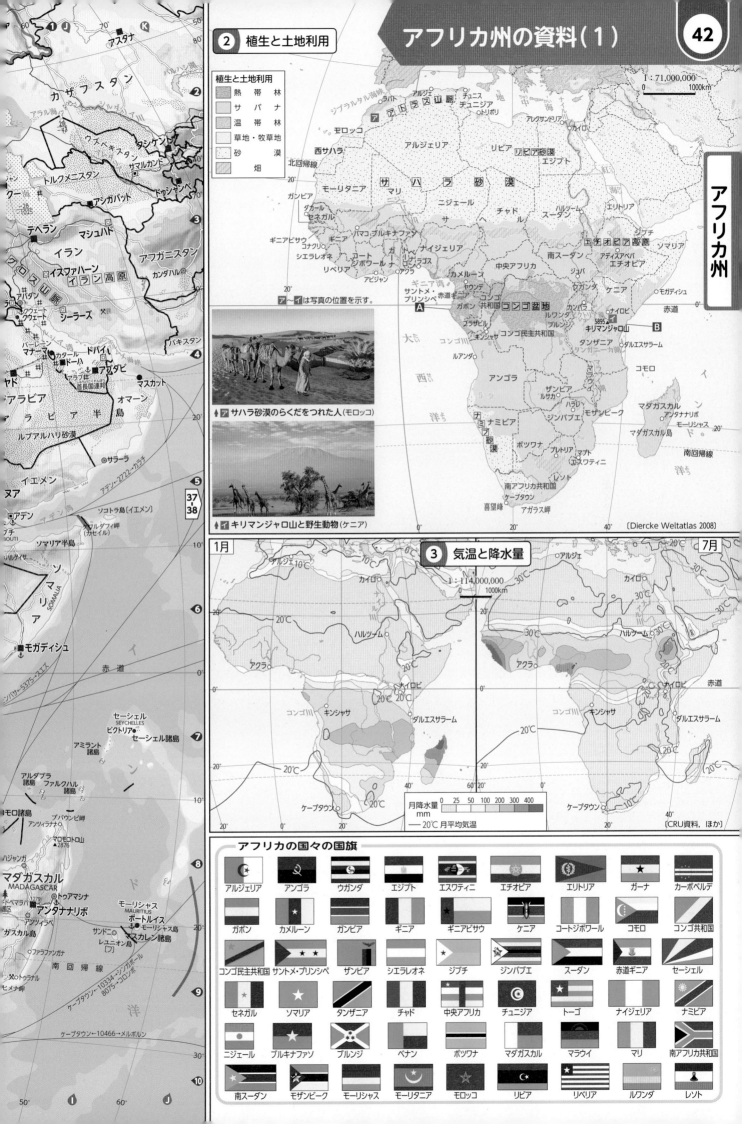

アフリカ州の資料(2)

1 アフリカ州をながめてみよう

地図活用

①図に示された らくだ やゴリラ, ライオンがいるところの植生を, p.42 ②図で確認して答えよう。

ア p.42② A－B 間の断面図

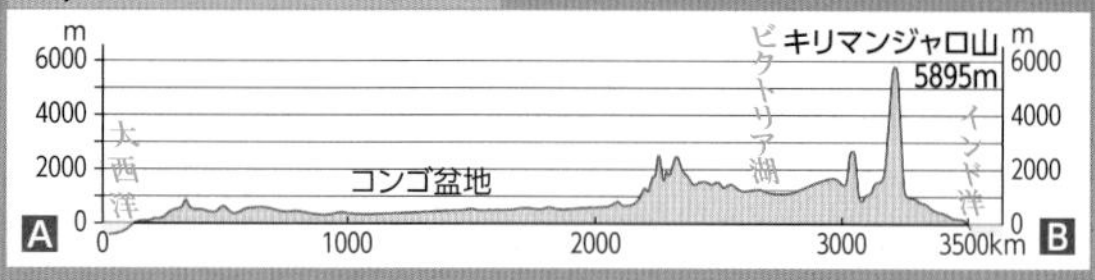

2 砂漠化が進むサヘルと都市への人口集中

イ サヘル周辺の砂漠化

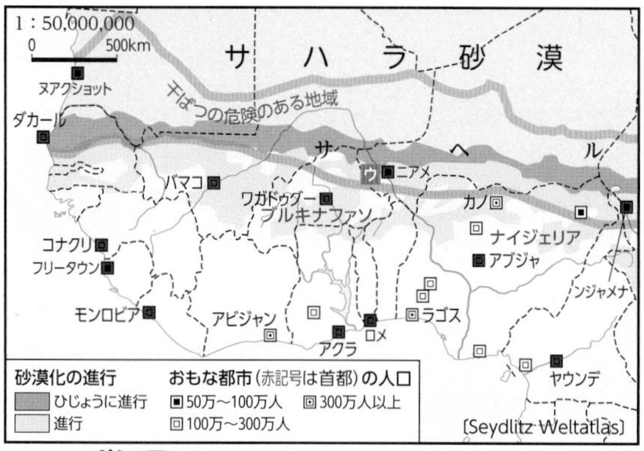

地図活用

世界各地で進行している砂漠化は, 地球規模の気候の変化と, その地域に暮らす人々の生活の両方に原因があると考えられている。サヘルでは, 人々のどのような営みや変化が砂漠化に影響を与えているか, ウエから考えて答えよう。

ウ サヘルのようす(ニジェール) —2012年—
人口増加にともなう やぎ などの家畜の増加も砂漠化の原因の一つとなっている。

エ 都市に住む人々の割合の変化

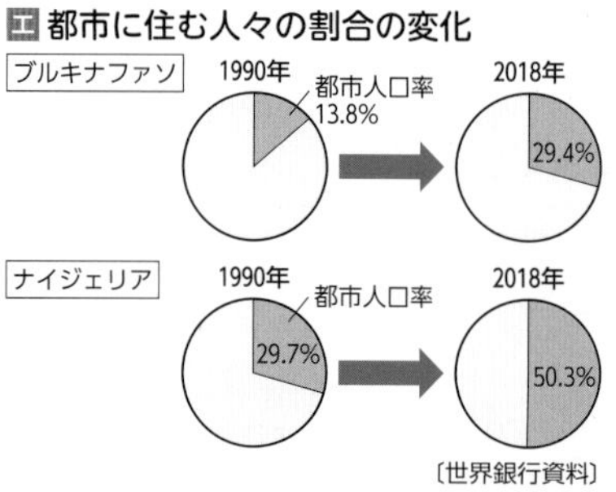

3 人口密度

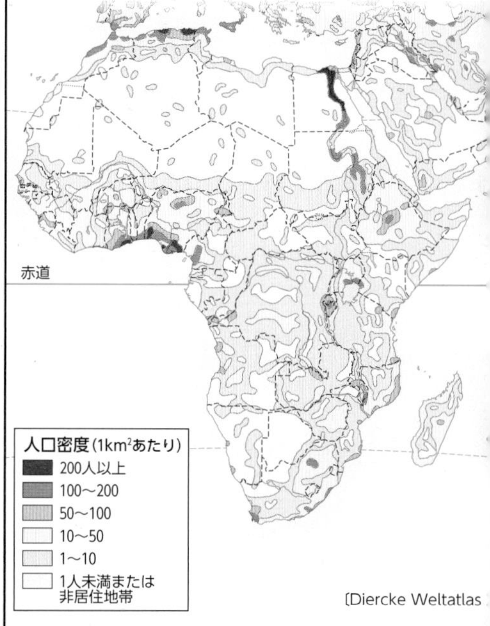

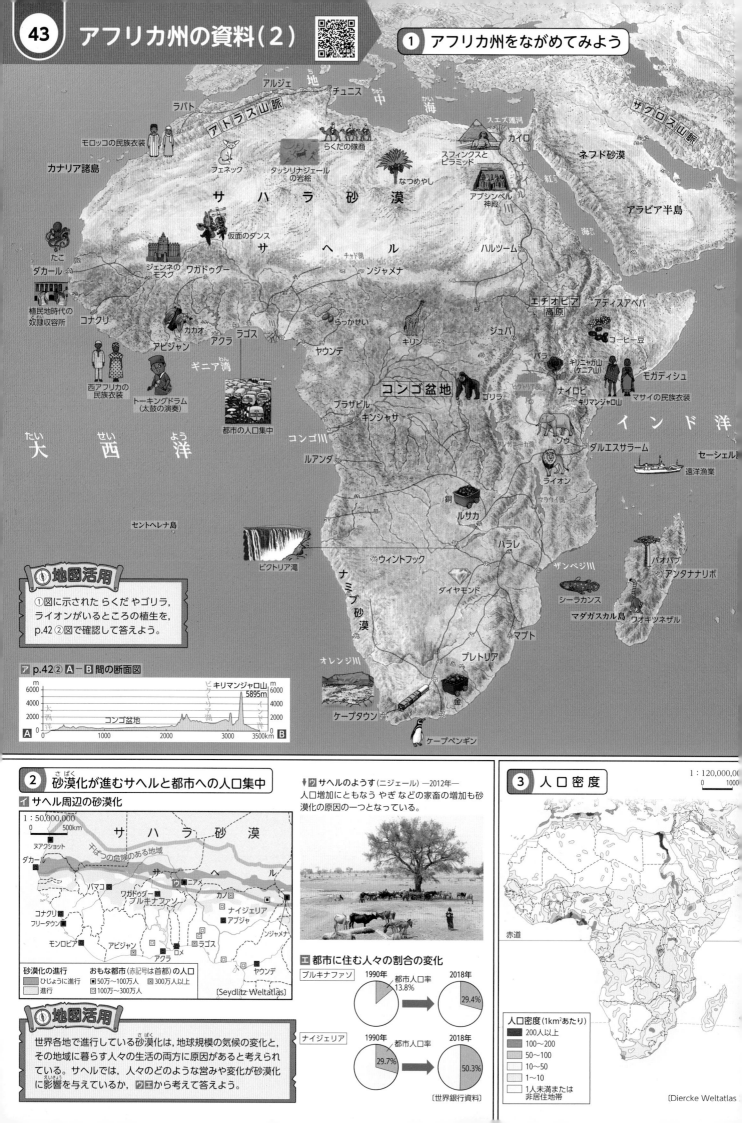

植民地から独立国へ

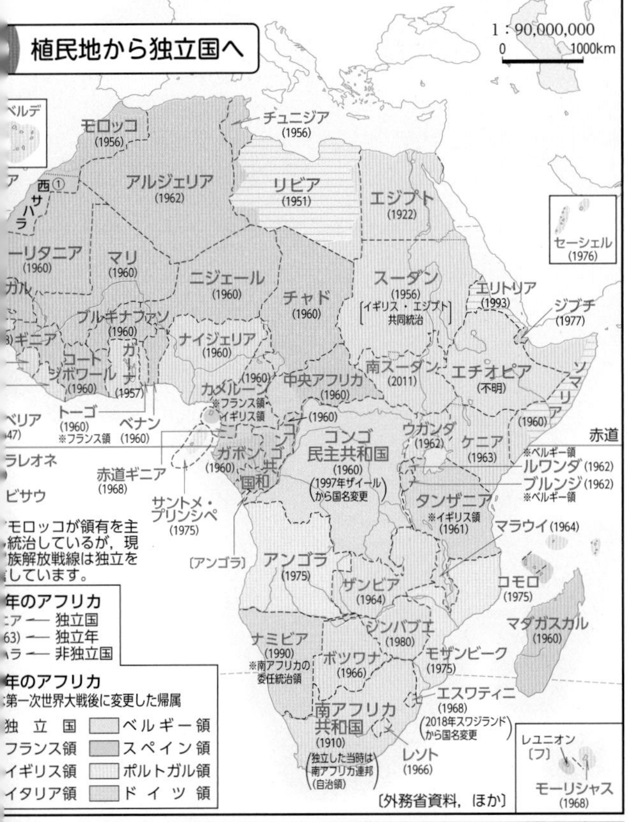

〔外務省資料，ほか〕

5 言語分布と紛争

オ 多民族の国ナイジェリア

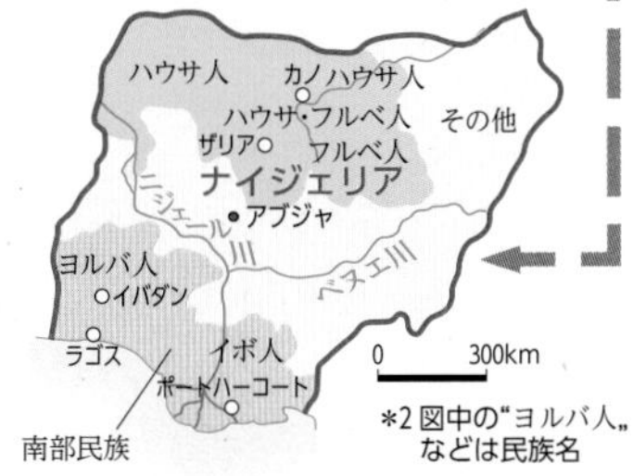

*2 図中の"ヨルバ人"などは民族名

〔ナイジェリア地理教科書〕

〔国立民族学博物館資料，ほか〕

モノカルチャー経済*

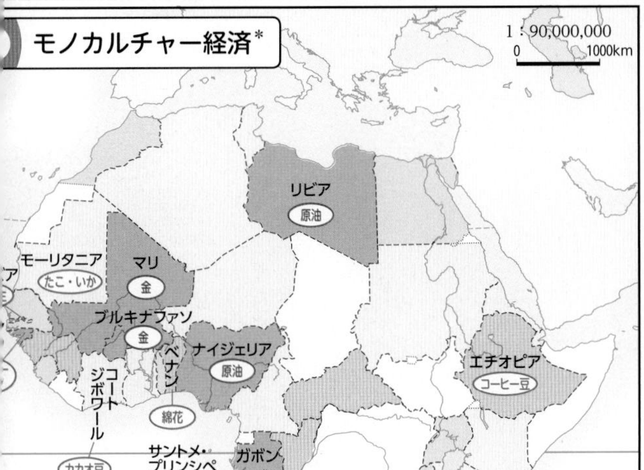

*わずかな種類の農水産物・鉱産資源の輸出だけに頼っている経済状態。

〔UN Comtrade〕

7 鉱工業

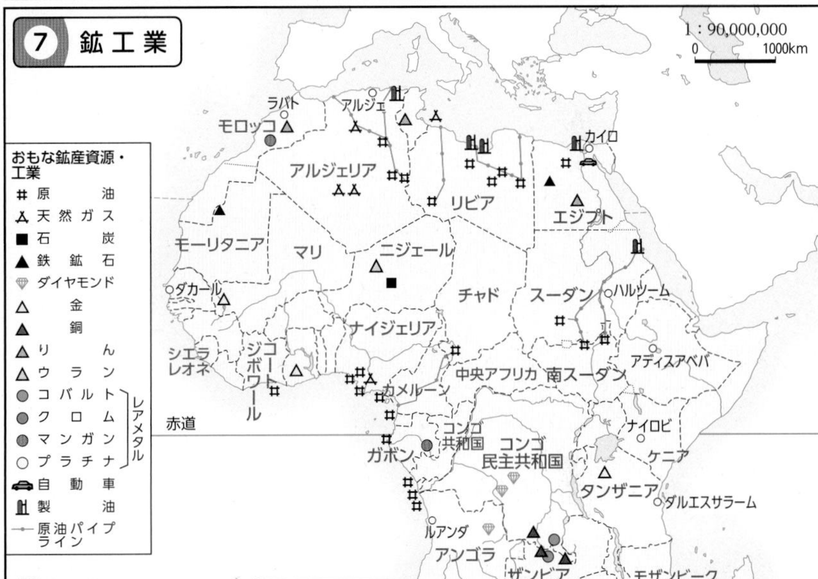

カ おもなレアメタルの産出国 ダイヤモンド ➡p.170④

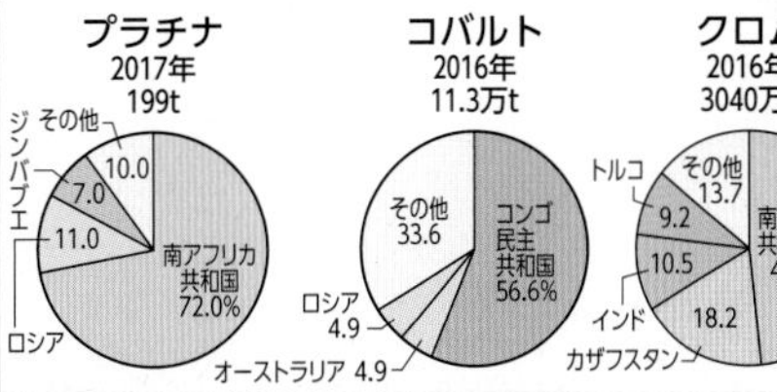

〔Diercke Weltatlas 2008，ほか〕

日本との結びつき

おもな国の日本への輸出 ―2019年―

国（輸出額）	品目・割合
ジプト 3億円	石油製品 26.8%，液化天然ガス 22.8，その他 50.4
ジェリア 0億円	原油 59.2%，石油製品 33.4，その他 7.4
リタニア 3億円	たこ 50.0%，鉄鉱石 49.3，その他 0.7
オピア 0億円	コーヒー豆 71.9%，ごま 16.8，その他 11.3
ケニア 78億円	紅茶 13.9%，バラ 12.3，銅くず 11.2，コーヒー豆 8.3，果実 7.3，その他 47.0
ザンビア 155億円	銅 74.6%，コバルト 15.6，その他 9.8
南アフリカ共和国 5591億円	パラジウム 23.0%，プラチナ 15.2，ロジウム 11.5，自動車 8.9，鉄鋼 5.9，その他 35.5
コートジボワール 13億円	カカオ豆 40.8%，ココアペースト 35.8，まぐろ 18.3，その他 5.1

〔財務省貿易統計〕

8 貧困率と栄養不足の人口

ク 1日1.90ドル*以下で生活する人の割合

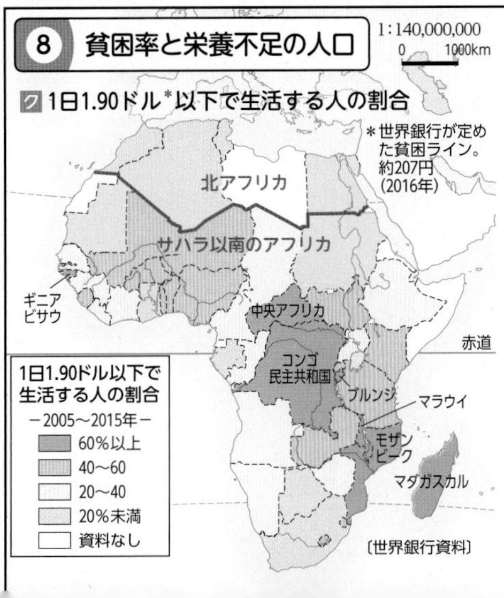

*世界銀行が定めた貧困ライン。約207円(2016年)

〔世界銀行資料〕

ケ 地域別栄養不足人口の割合の変化

〔世界銀行資料〕

地図活用

1日1.90ドル以下で生活する人の割合が高い国は，どのような国だろう。⑦図の鉱産資源に注目して考えてみよう。

①ヨーロッパ州

1：16,000,000　0　200　400km　正距円錐図法

地図活用

❶日本の東北地方北部や北海道地方にあたる，北緯40～45度の範囲に位置するヨーロッパ州の国を五つ以上答えよう。

❷面積が北海道と同じくらいに見える大きさの国を三つ挙げ，実際の面積をp.168の統計で確認しよう。

ヨーロッパの国々の国旗

（　はEU加盟－2023年－）

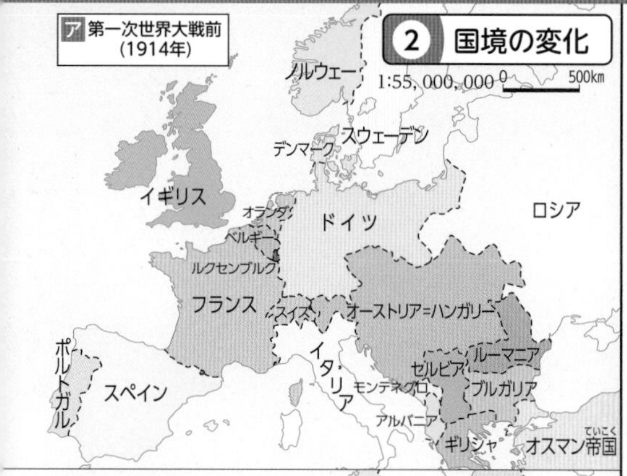

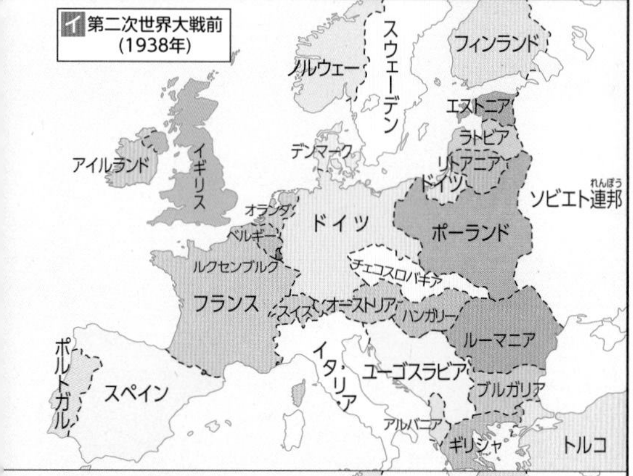

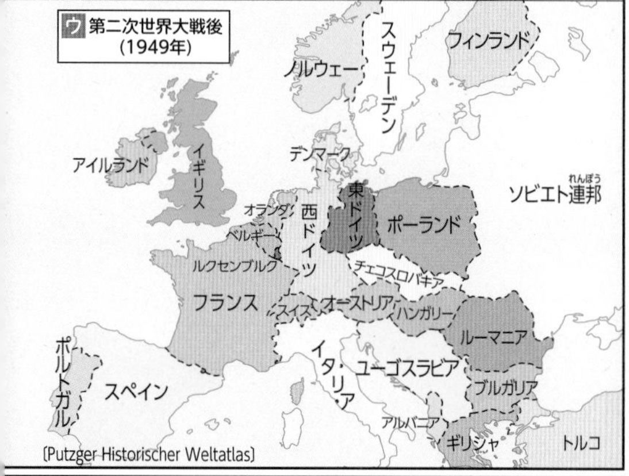

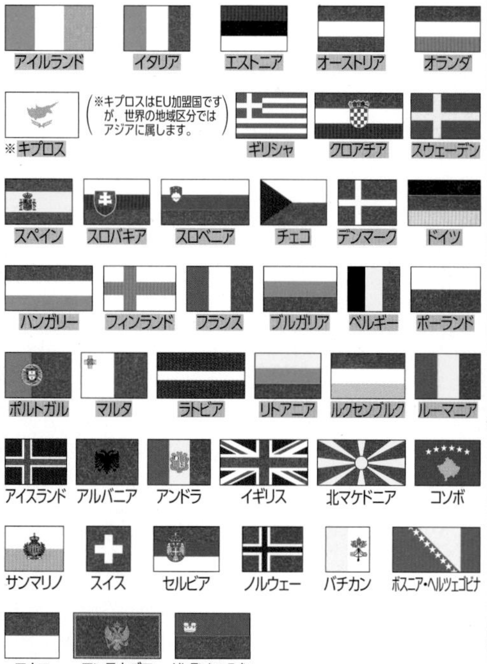

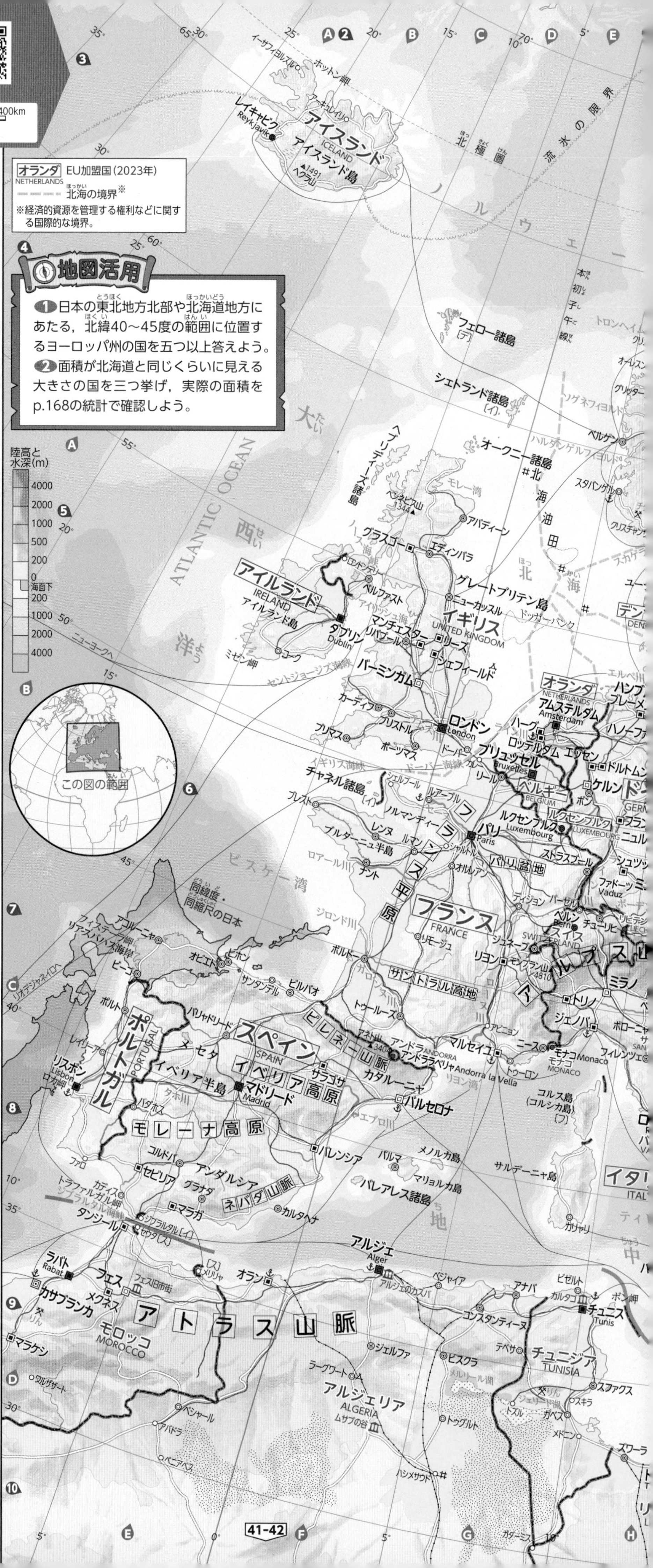

バレンツ海
コルグエフ島
カニン半島
コラ半島
ムルマンスク
キーロフスク
カンダラクシャ
カレリア
白海
アルハンゲリスク
ベロモルスク
オネガ
北ドビナ川
ノール岬
ハンメルフェスト
ベステローレン諸島
ロフォーテン諸島
ナルビク
キルナ
ラップランド
イェリバレ
ルレオ
ケミ
オウル
フィンランド
FINLAND
スカンディナビア半島
ノルウェー
スウェーデン
SWEDEN
ボスニア湾
ウメオ
スンツバル
タンペレ
ヘルシンキ
Helsinki
トゥルク
ウプサラ
ストックホルム
Stockholm
エーレブルー
ノルチェーピン
イェーテボリ
ゴトランド島
カルマール
バルト海
リガ湾
タリン
Tallinn
エストニア
ESTONIA
ペイプス湖
リガ
Riga
ラトビア
LATVIA
リエパーヤ
リトアニア
LITHUANIA
ビリニュス
Vilnius
カリーニングラード
ロシア(飛地)
ボルンホルム島
コペンハーゲン
マルメ
グダンスク
シュチェチン
ビドゴシュチュ
ポズナン
ウーチ
ワルシャワ
Warszawa
ポーランド
POLAND
ルブリン
ブロツワフ
カトビツェ
クラクフ
チェコ
CZECH REPUBLIC
ブルノ
スロバキア
SLOVAKIA
ウィーン
Wien
ブラチスラバ
Bratislava
オーストリア
AUSTRIA
グラーツ
ブダペスト
Budapest
デブレツェン
ハンガリー平原
ハンガリー
HUNGARY
セゲド
スロベニア
SLOVENIA
ザグレブ
Zagreb
クロアチア
CROATIA
ボスニア・ヘルツェゴビナ
BOSNIA AND HERZEGOVINA
サラエボ
Sarajevo
セルビア
SERBIA
ベオグラード
Beograd
ディナルアルプス山脈
スプリット
モンテネグロ
MONTENEGRO
ポドゴリツァ
Podgorica
プリシュティナ
Pristina
コソボ
KOSOVO
スコピエ
Skopje
北マケドニア
NORTH MACEDONIA
ティラナ
Tirane
アルバニア
ALBANIA
バルカン半島
ソフィア
Sofia
ブルガリア
BULGARIA
スターラ山脈
プロブディフ
ルーマニア
ROMANIA
クルージュナポカ
ティミショアラ
トランシルバニア山脈
カルパティア山脈
ブラショフ
ブカレスト
Bucharest
ルーマニア平原
ガラツィ
ドナウ川
コンスタンツァ
バルナ
モルドバ
MOLDOVA
キシナウ
Chisinau
オデーサ
ウクライナ
UKRAINE
キーウ(キエフ)
Kyiv
チョルノービリ
ハルキウ
ポルタバ
ドニプロ
ザポリッジャ
ドネツク
ルハンスク
ドネツ丘陵
クリビーリフ
マリウポリ
ヘルソン
黒海沿岸低地
クリム(クリミア)半島
シンフェロポリ
セバストーポリ
ヤルタ
ヤルタ会談(1945年)
ケルチ
アゾフ海
黒海
ベラルーシ
BELARUS
ミンスク
Minsk
ブレスト
ホメリ
東ヨーロッパ平原
サンクトペテルブルク
ラドガ湖
オネガ湖
ペトロザボーツク
ノブゴロド
プスコフ
バルダイ丘陵
トベリ
モスクワ
Moskva
スモレンスク
ビツェブスク
ブリャンスク
トゥーラ
中央ロシア高地
オリョール
クルスク
リペツク
ボロネジ
タンボフ
リャザニ
ヤロスラブリ
イワノボ
ボログダ
ニジニーノブゴロド
カザニ
ロシア
RUSSIAN FEDERATION
ロシア連邦
ウリヤノフスク
サマーラ
ペンザ
サラトフ
プリボルガ高地
ボルゴグラード
ボルガ川
アストラハニ
カスピ海沿岸低地
エリスタ
ロストフ
クラスノダール
スタブロポリ
ノボロシースク
ソチ
エルブルース山 5642
カフカス山脈
グロズヌイ
マハチカラ
ウラディカフカス
北ウバルイ丘陵
キーロフ
コトラス
シクティフカル
ペルミ
イジェフスク
ウファ
マグニトゴルスク
オレンブルク
オルスク
チェリャビンスク
エカテリンブルク
ウラル山脈
ウラル川
ニジニータギル
チュメニ
クルガン
西シベリア低地
チュメニ油田
スルグト
トボリスク
ペチョラ
ナロドナヤ山 1895
ボルクタ
カザフステップ
カザフスタン
KAZAKHSTAN
アクトベ
オラル
アティラウ
カスピ海
ウスチウルト台地
フォルトシェフチェンコ
ジョージア
GEORGIA
トビリシ
T'bilisi
バトゥミ
アルメニア
ARMENIA
エレバン
Yerevan
アゼルバイジャン
AZERBAIJAN
バクー
Baku
ギャンジャ
アゼルバイジャン(飛地)
トルコ
TURKEY
イスタンブール
コンスタンティノープル
ボスポラス海峡
ダーダネルス海峡
ブルサ
エスキシェヒル
アンカラ
Ankara
アナトリア高原
カイセリ
小アジア
コンヤ
トロス山脈
アダナ
メルシン
アンタルヤ
イズミル
トラブゾン
サムスン
エルズルム
ディヤルバクル
マラティヤ
ガジアンテップ
アンタキヤ
ワン湖
ビュユックアール山 5165
タブリーズ
イラン
IRAN
テヘラン
ハマダーン
ケルマンシャー
ラシュト
アルダビール
ウルミエ湖
モスル
キルクーク
メソポタミア
ユーフラテス川
ティグリス川
イラク
IRAQ
バグダッド
Baghdad
カルバラー
バビロン
サマーワ
バスラ
シリア
SYRIA
ハラブ
ハマー
ラージキーヤ
パルミラ
シリア砂漠
ダマスカス
Damascus
レバノン
LEBANON
ベイルート
Beirut
ゴラン高原
キプロス
CYPRUS
キプロス島
ニコシア
Nicosia
イスラエル
ISRAEL
パレスチナ
エルサレム
Jerusalem
ヘーファ
アンマン
Amman
ヨルダン
JORDAN
死海
アカバ
ジョウフ
サウジアラビア
SAUDI ARABIA
エジプト
EGYPT
カイロ
Cairo
ギーザ
アレクサンドリア
ポートサイド
スエズ
スエズ運河
ベンガジ
スルト湾
ミスラータ
ギリシャ
GREECE
アテネ
Athina
パルテノン神殿
アクロポリス
ピレウス
テッサロニキ
オリンポス山 2917
ピンドス山脈
ペロポネソス半島
キクラデス諸島
デロス島
ミロス島
クレタ島
イラクリオン
ロードス島
ティーラ(サントリーニ)島
エーゲ海
イオニア海
ミケーネ
オリンピア遺跡
エフェソス
トロイ
マルタ
マルタ会談(1989年)
カタニア
レッジョディカラブリア
ターラント
バーリ
ベスビオ山 1281
アドリア海
55-56

❶ヨーロッパ中央部

1：8,000,000
0 100 200km
正距円錐図法

地図活用

❶国際河川のライン川とドナウ川を指でたどり，通過する国または首都をそれぞれ三つ以上答えよう。
❷ヨーロッパの高速鉄道網の発達のようすを，パリからロンドン，ベルリン，マドリード，ローマまでの路線を指でたどって確認しよう。

フィンランド
FINLAND
ヘルシンキ
Helsinki
フィンランド湾
オーランド諸島
スウェーデン
SWEDEN
ストックホルム
Stockholm
ドロットニングホルムの王領地
ウプサラ
ゴトランド島
エーランド島
ボルンホルム島
バルト海
ロシア革命
サンクトペテルブルク
Sankt Peterburg
サンクトペテルブルク歴史地区
タリン
Tallinn
エストニア
ESTONIA
ヒーウマー島
サーレマー島
ラトビア
LATVIA
リガ
Riga
リガ歴史地区
リガ湾
リトアニア
LITHUANIA
ビリニュス
Vilnius
ビリニュス歴史地区
カウナス
ロシア連邦(飛地)
カリーニングラード
バルチック艦隊の出航地(1904年)
ロシア連邦
RUSSIAN FEDERATION
モスクワ
Moskva
クレムリンと赤の広場
バルダイ丘陵
ノブゴロド
プスコフ
トベリ
スモレンスク
ブリャンスク
オリョール
ヨーロッパ平原
ベラルーシ
BELARUS
ミンスク
Minsk
ホメリ
ブレスト
フロドナ
ポーランド
POLAND
ワルシャワ
Warszawa
ワルシャワ歴史地区
クラクフ
アウシュビッツ強制収容所
グダンスク
ポズナン
ウーチ
ブロツワフ
ポメルン
シロンスク
東ヨーロッパ平原
ポツダム宣言(1945年)
ベルリン
Berlin
ベルリンの壁
ドレスデン
プラハ
Praha
チェコ
CZECH REPUBLIC
ボヘミア盆地
エルツ山脈
スデーティ山脈
モラバ丘陵
ブルノ
オストラバ
スロバキア
SLOVAKIA
ブラチスラバ
Bratislava
コシツェ
ウィーン
Wien
ウィーン歴史地区
シェーンブルン宮殿
オーストリア
AUSTRIA
ザルツブルク
グラーツ
グロスグロックナー山 3798
アルプス山脈
ハンガリー
HUNGARY
ブダペスト
Budapest
ハンガリー平原
バラトン湖
デブレツェン
セゲド
スロベニア
SLOVENIA
リュブリャナ
Ljubljana
クロアチア
CROATIA
ザグレブ
Zagreb
ボスニア・ヘルツェゴビナ
BOSNIA AND HERZEGOVINA
サラエボ事件(1914年)
サラエボ
Sarajevo
ディナルアルプス山脈
スプリット
ドゥブロブニク
ドゥブロブニク旧市街
モンテネグロ
MONTENEGRO
ポドゴリツァ
Podgorica
セルビア
SERBIA
ベオグラード
Beograd
ノビサド
ニシュ
コソボ
KOSOVO
プリシュティナ
バルカン半島
北マケドニア
NORTH MACEDONIA
スコピエ
Skopje
アルバニア
ALBANIA
ティラナ
Tirane
ギリシャ
GREECE
テッサロニキ
エーゲ海
ブルガリア
BULGARIA
ソフィア
Sofia
スターラ山脈
ロドピ山脈
ブルガス
バルナ
プロブディフ
ルーマニア
ROMANIA
ブカレスト
Bucharest
ルーマニア平原
トランシルバニア山脈
カルパティア山脈
クルージュナポカ
コンスタンツァ
ドナウ川(ダニューブ川)
モルドバ
MOLDOVA
キシナウ(キシニョフ)
Chisinau
ウクライナ
UKRAINE
キーウ(キエフ)
Kyiv
聖ソフィア大聖堂
チェルノブイリ
リビウ(リボフ)
オデーサ
Odesa
ハルキウ
ドニプロ川
クリミア半島(クリミア)
黒海沿岸低地
黒海
同緯度・同縮尺の日本
トルコ
TURKEY
イスタンブール
Istanbul
イスタンブール歴史地区
コンスタンティノープル(ビザンティウム)
ボスポラス海峡
マルマラ海
ダーダネルス海峡
ブルサ
Bursa
エスキシェヒル
イタリア半島
ローマ帝国
ローマ
Roma
ローマ歴史地区
サンマリノ
San Marino
ナポリ
アドリア海
カンパーニャ
ベネツィア(ベニス)
トリエステ
イーストラ半島
コペンハーゲン
マルメ
スコーネ
ダーラルナ
イェーテボリ
リューゲン島
シュチェチン

ヨーロッパ州の資料(1)

1 ヨーロッパ州をながめてみよう

地図活用

ヨーロッパを南北に分ける大きな山脈を探そう。また，その山脈が東西にはしる国を，p.47 ～ 48 の地図で確認して答えよう。

ア ②図 A－B 間の断面図

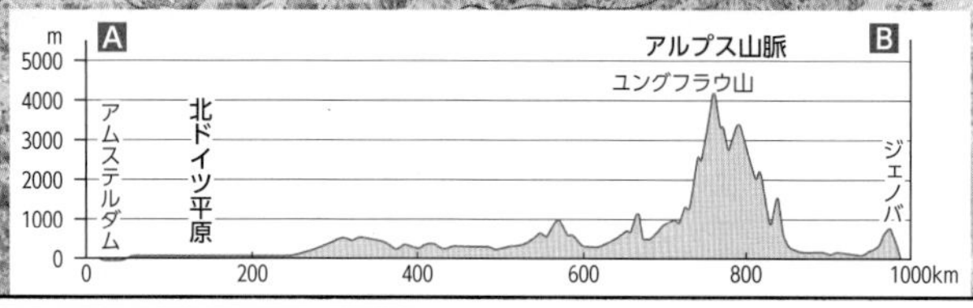

2 植生と土地利用

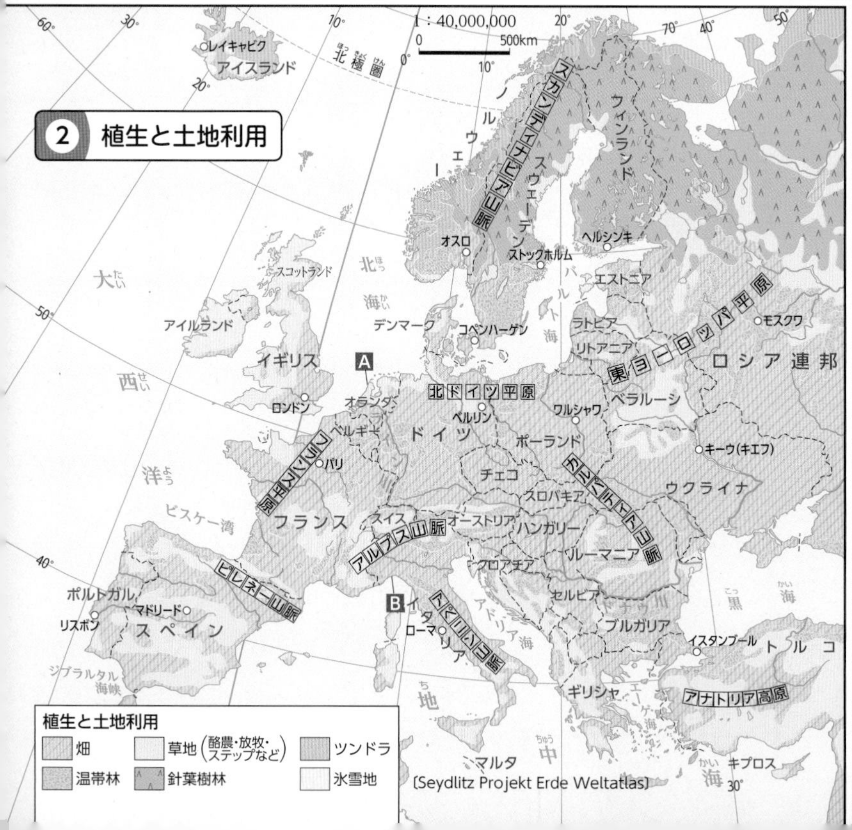

3 EU加盟国の変化

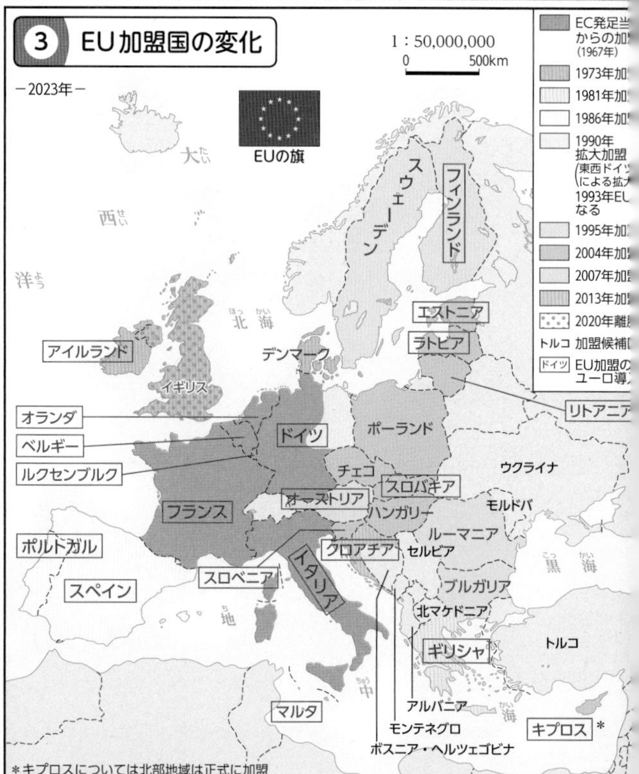

＊キプロスについては北部地域は正式に加盟していないが，一国として扱っている。

ノバヤゼムリャ
オーロラ
サーミ人の民族衣装
ムルマンスク
ヘルシンキ
ノーベル賞
フホルム
タリン
サンクトペテルブルク
モスクワ
(ロシア)
マトリョーシカ人形
リガ
ト海
カリーニングラード
東ヨーロッパ平原
ボルゴグラード
ワルシャワ
(ポーランド)
キーウ(キエフ)
(ウクライナ)
ドニプロ川
(ドニエプル川)
ドニプロ
ヒマワリ畑
カルパティア山脈
ブダペスト
(ハンガリー)
ルーマニアの民族衣装
クリム半島
(クリミア)
ヤルタ
ビーチ
ソチ
カフカス山脈
ブカレスト
(ルーマニア)
黒海
ザグレブ
ベオグラード
ドナウ川
(ダニューブ川)
ビーチ
ディナルアルプス山脈
ボスポラス海峡
ソフィア
ポドゴリツァ
スコピエ
イスタンブール
ドゥブロブニク
ア
海
バルカン半島
アンカラ
(トルコ)
カッパドキア
テッサロニキ
エーゲ海
アナトリア高原
ギリシャの民族衣装
イズミル
パムッカレ
トロス山脈
アテネ
(ギリシャ)
白い家
ミコノス島
イオニア海
キプロス島
ベイルート
ゴラン高原
客船
クレタ島
中
海
コンテナ船
アンマン
スエズ運河
エルサレム
死海で浮かぶ人
アレクサンドリア
ギーザ
カイロ
リビア高地
スエズ湾
リビア砂漠
ピラミッドとスフィンクス

4 人口密度

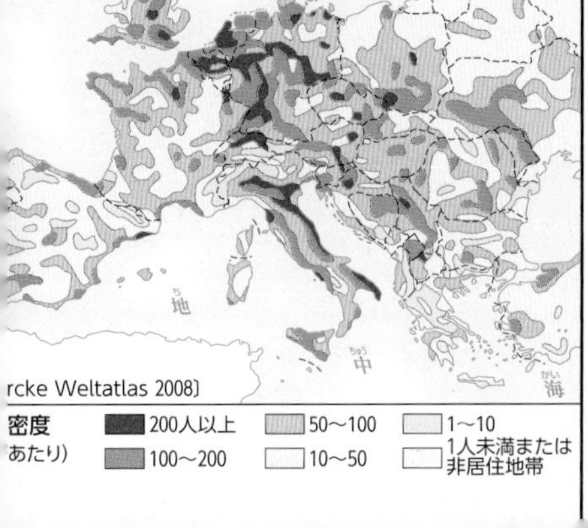
1：57,000,000
0 500km
大西洋
北海
地
中
海
rcke Weltatlas 2008〕
密度
あたり)
200人以上
100〜200
50〜100
10〜50
1〜10
1人未満または非居住地帯

5 言語

1：57,000,000
0 500km
アイスランド語
ジェンクーイェン
Dziękuję
ダンケ
Danke
ノルウェー語
スウェーデン語
フィンランド語
サンキュー
Thank you
ゲール語
北海
エストニア語
ロシア語
アイルランド語
デンマーク語
ラトビア語
英語
オランダ語
リトアニア語
ウェールズ語
ジェクユ ヴァーム
Děkuju vám
ポーランド語
ベラルーシ語
ドイツ語
ブルトン語
グラシアス
チェコ語
ウクライナ語
Gracias
モルドバ語
フランス語
ハンガリー語
ルーマニア語
バスク語
セルビア語
ポルトガル語
ブルガリア語
スペイン語
イタリア語
クロアチア語
黒海
メルシー
Merci
地
ギリシャ語
トルコ語
グラーツィエ
Grazie
中
海
〔国立民族学博物館資料，ほか〕
ゲルマン系言語
ラテン系言語
アジア系言語
その他の言語
スラブ系言語(赤文字はおもな言語)
各言語の「ありがとう」

6 宗教

1：57,000,000
0 500km
ウェストミンスター寺院
聖ワシリー寺院
大西洋
北海
バルト海
モスクワ
ロンドン
ベルリン
パリ
キーウ
(キエフ)
マドリード
黒海
ローマ
(バチカン)
イスタンブール
サンピエトロ大聖堂
地
中
海
キリスト教
カトリック
プロテスタント
正教会
イスラム教
〔De Grote Bosatlas 2007，ほか〕

① 農業地域

〔Seydlitz Projekt Erde，ほか〕

② 気温と降水量

〔CRU資料，

③ 農業生産額

〔EUROSTAT，ほか〕

④ ドイツの混合農業 -ハノーファー近郊-

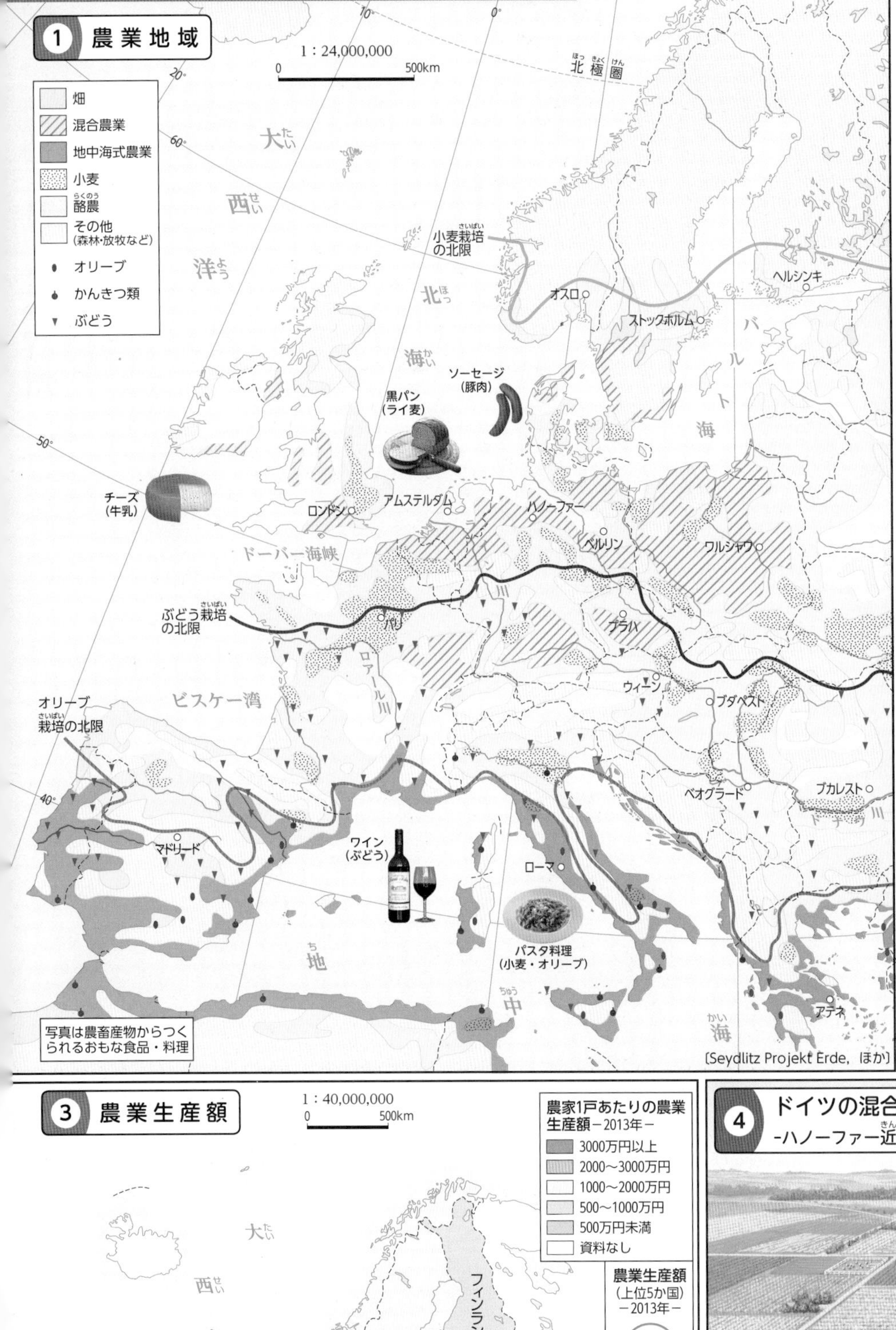

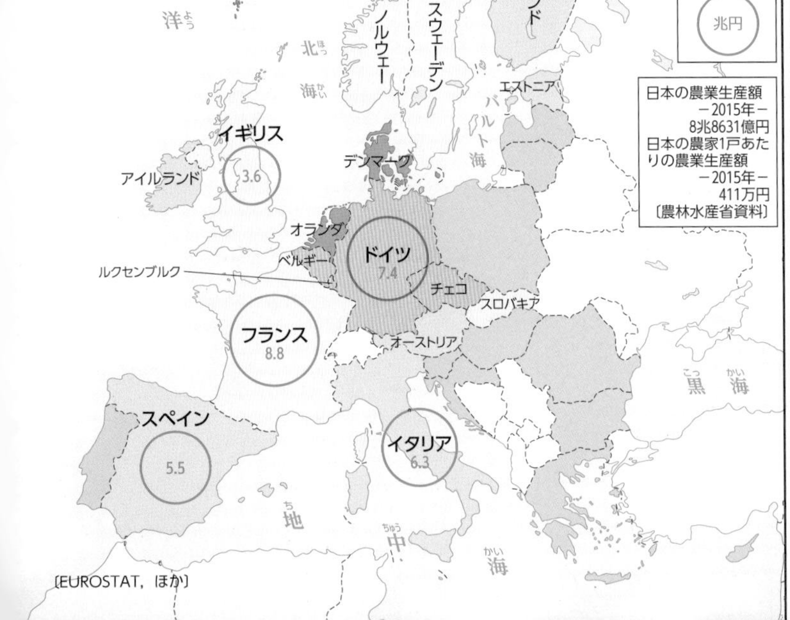

地図活用

④図のような混合農業がさかんな地域はヨーロッパのどの国に多くみられるか，①図を確認して答えよう。

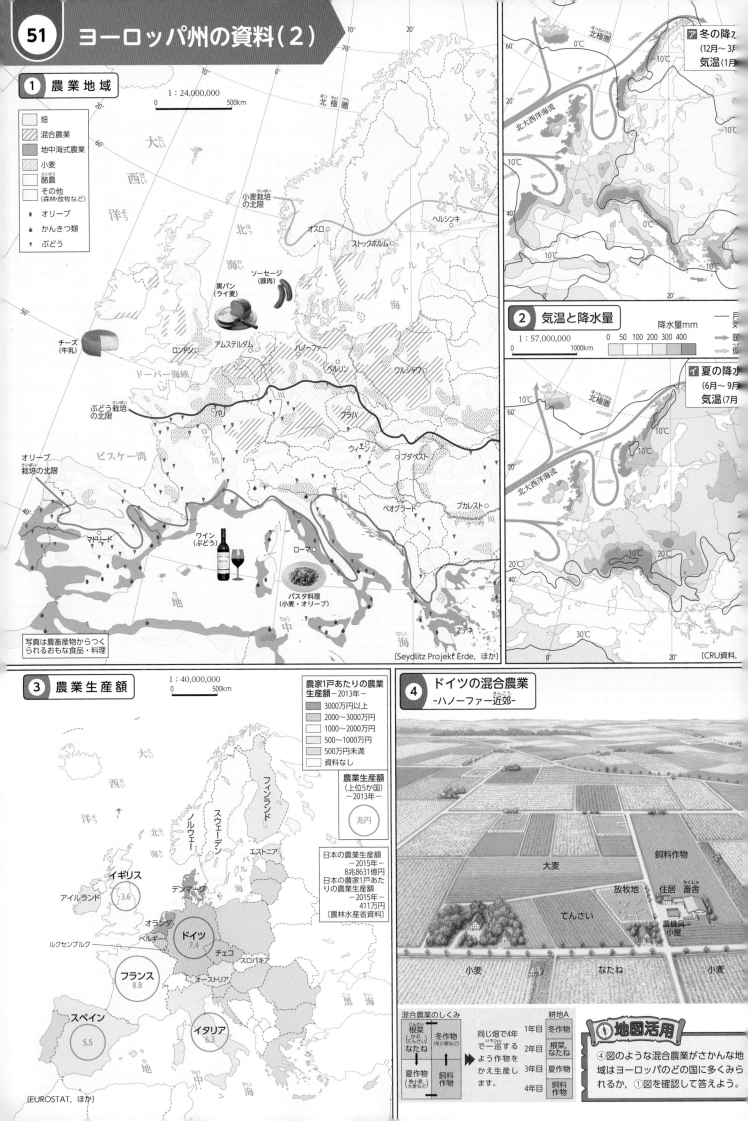

ユーロポートに広がる工業地域（オランダ）

ライン川沿いのルール工業地域（ドイツ デュースブルク）

5 鉱工業

おもな工業
鉄鋼
電気機械
製油
自動車
化学
エアバス社の分業体制の例
組み立て
胴体
つばさなど
その他
おもな鉱産資源
原油
鉄鉱石
天然ガス
石炭
おもな資源の移動
石油の移動
鉄鉱石の移動
原油パイプライン
天然ガスパイプライン
1：24,000,000
0
500km
レイキャビク
アイスランド
ナルビク
キルナ
マルムベリェト（イェリバレ）
ルレオ
フィンランド
大西洋
北海
ノルウェー
スウェーデン
オスロ
ストックホルム
ヘルシンキ
バルト海
グラスゴー
イギリス
北海油田
デンマーク
イェーテボリ
ダブリン
アイルランド
ニューカッスル
コペンハーゲン
リトアニア
バーミンガム
オランダ
ロッテルダム
ハンブルク
カーディフ
ロンドン
ユーロポート
ベルリン
ポーランド
ドーバー海峡
デュースブルク
ドイツ
エッセン
ワルシャワ
ルール工業地域
ドレスデン
カナダから
ルアーブル
パリ
フランクフルト
クラクフ
ナント
シュツットガルト
プラハ
リビウ
ブラジルから
ミュンヘン
ウィーン
ブラチスラバ
ウクライナ
フランス
リンツ
バーゼル
ビスケー湾
ボルドー
リヨン
ブダペスト
ミラノ
トリノ
ベネツィア
ハンガリー
ルーマニア
ビルバオ
トゥールーズ
フォス
ジェノバ
ベオグラード
ポルトガル
マルセイユ
リスボン
マドリード
バルセロナ
イタリア
ソフィア
ローマ
ブルガリア
スペイン
ナポリ
タラント
地中海
西アジアから
ギリシャ
アテネ
マルタ
〔Diercke Weltatlas 2008，ほか〕

おもな国の発電量の内訳 ―2017年―

➡p.154⑤

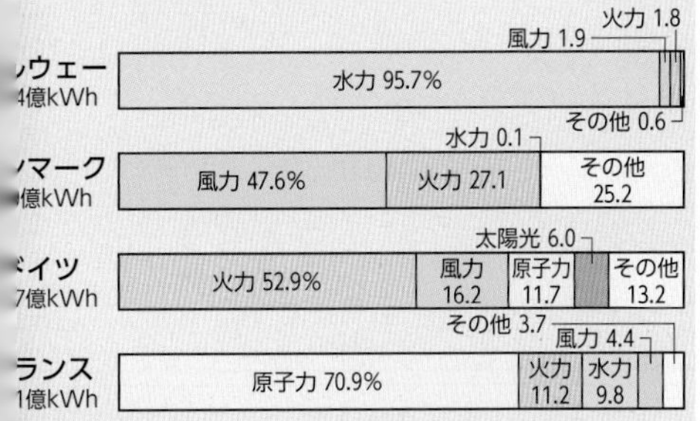
ノルウェー
億kWh
水力 95.7%
風力 1.9
火力 1.8
その他 0.6
デンマーク
億kWh
風力 47.6%
火力 27.1
水力 0.1
その他 25.2
ドイツ
億kWh
火力 52.9%
風力 16.2
原子力 11.7
太陽光 6.0
その他 13.2
フランス
億kWh
原子力 70.9%
火力 11.2
水力 9.8
その他 3.7
風力 4.4

〔World Energy Statistics 2019〕

日本との結びつき

日本がヨーロッパから多く輸入する製品 ―2019年―

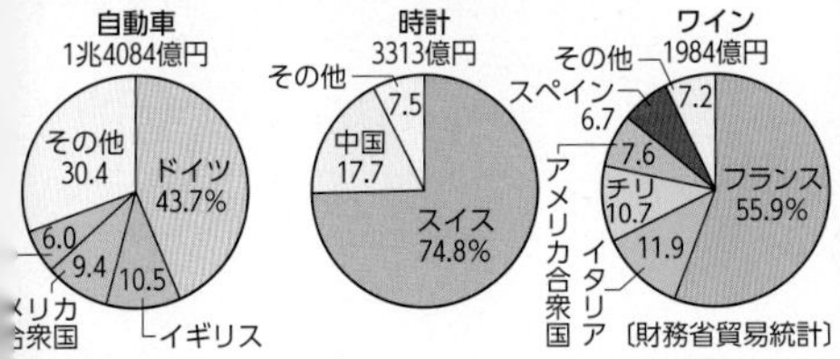
自動車
1兆4084億円
ドイツ 43.7%
その他 30.4
10.5
9.4
6.0
イギリス
アメリカ合衆国
時計
3313億円
スイス 74.8%
中国 17.7
その他 7.5
ワイン
1984億円
フランス 55.9%
イタリア 11.9
チリ 10.7
アメリカ合衆国 7.6
スペイン 6.7
その他 7.2

〔財務省貿易統計〕

6 工業生産額

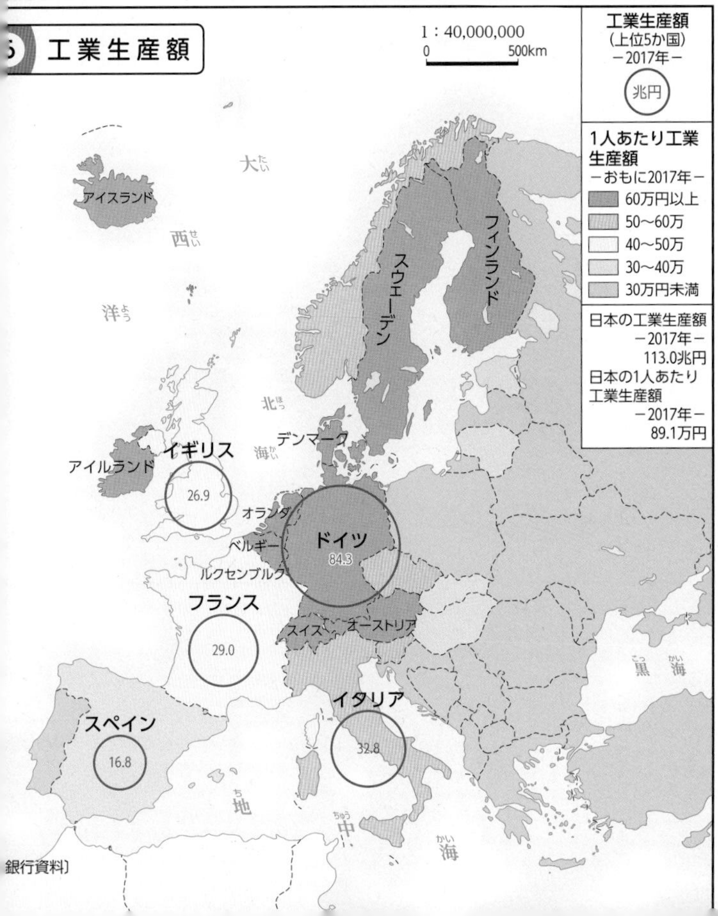
1：40,000,000
0
500km
工業生産額（上位5か国）―2017年―
兆円
1人あたり工業生産額 ―おもに2017年―
60万円以上
50～60万
40～50万
30～40万
30万円未満
日本の工業生産額 ―2017年― 113.0兆円
日本の1人あたり工業生産額 ―2017年― 89.1万円
アイスランド
大西洋
北海
スウェーデン
フィンランド
イギリス
26.9
アイルランド
デンマーク
オランダ
ベルギー
ドイツ
84.3
ルクセンブルク
フランス
29.0
スイス
オーストリア
黒海
イタリア
32.8
スペイン
16.8
地中海
銀行資料〕

7 貿易

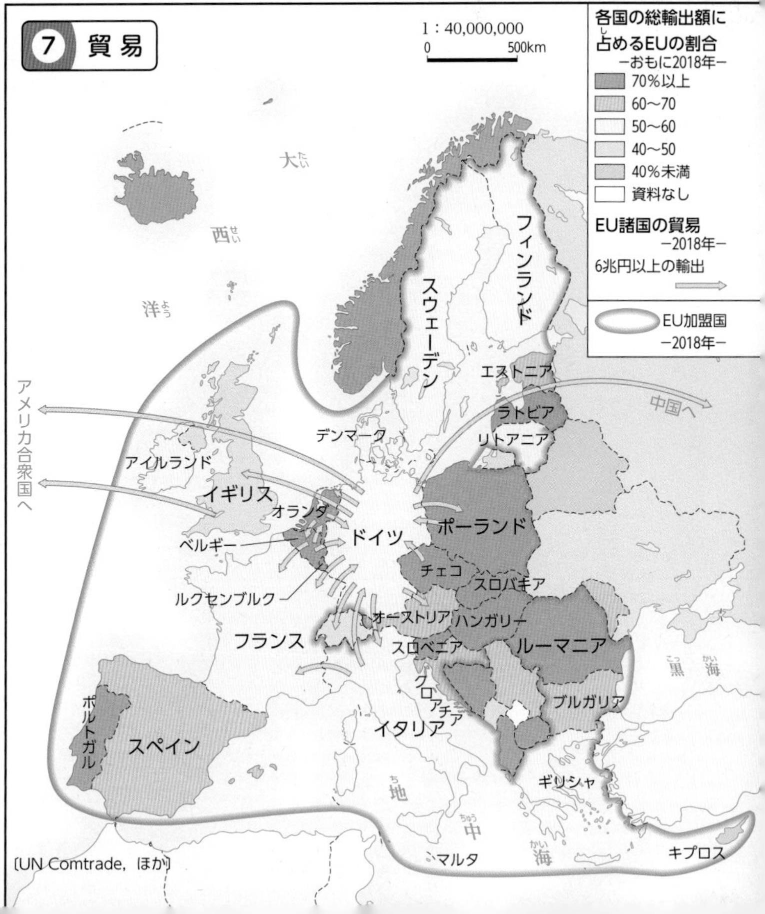
1：40,000,000
0
500km
各国の総輸出額に占めるEUの割合 ―おもに2018年―
70%以上
60～70
50～60
40～50
40%未満
資料なし
EU諸国の貿易 ―2018年―
6兆円以上の輸出
EU加盟国 ―2018年―
大西洋
スウェーデン
フィンランド
エストニア
ラトビア
中国へ
リトアニア
デンマーク
アイルランド
アメリカ合衆国へ
イギリス
オランダ
ドイツ
ポーランド
ベルギー
チェコ
スロバキア
ルクセンブルク
オーストリア
ハンガリー
フランス
スロベニア
ルーマニア
黒海
クロアチア
ブルガリア
ポルトガル
スペイン
イタリア
ギリシャ
地中海
マルタ
キプロス
〔UN Comtrade，ほか〕

53 ヨーロッパ州の資料(3)

1 国際的な観光客の移動

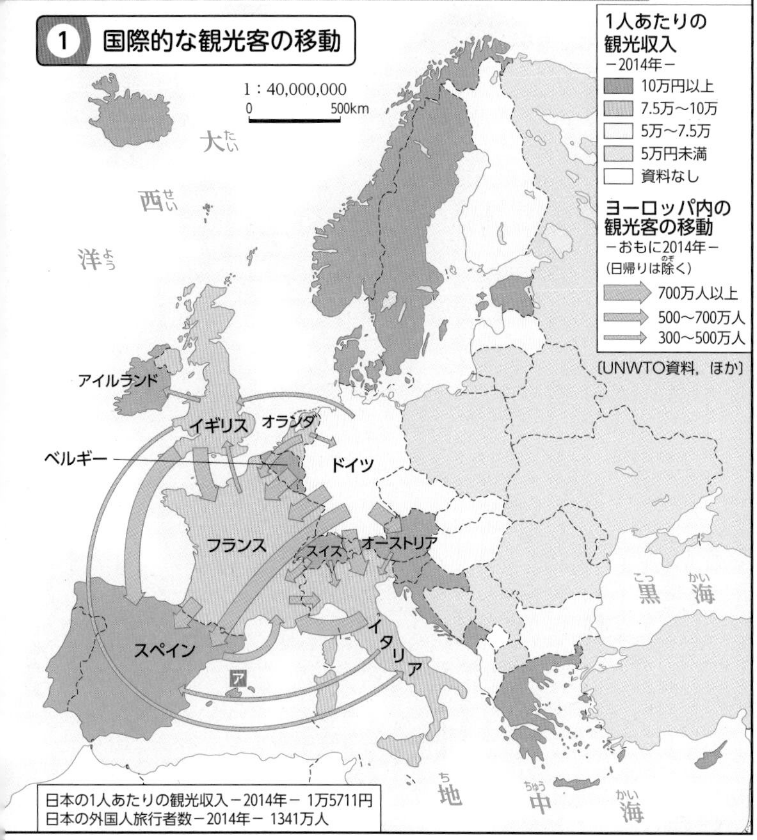

↑ア 観光客の多いビーチ(スペイン マリョルカ島)

↑イ コロッセオ(イタリア ローマ)

2 ローマ中心部

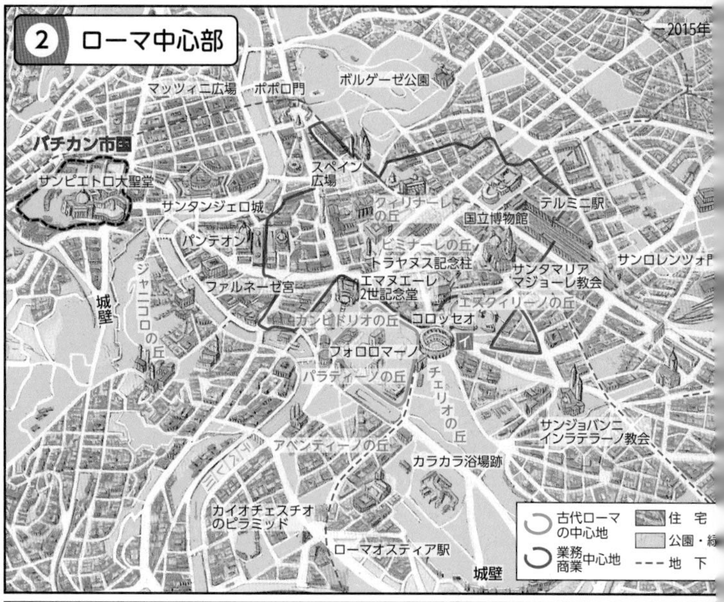

3 域内の地域格差とEU予算

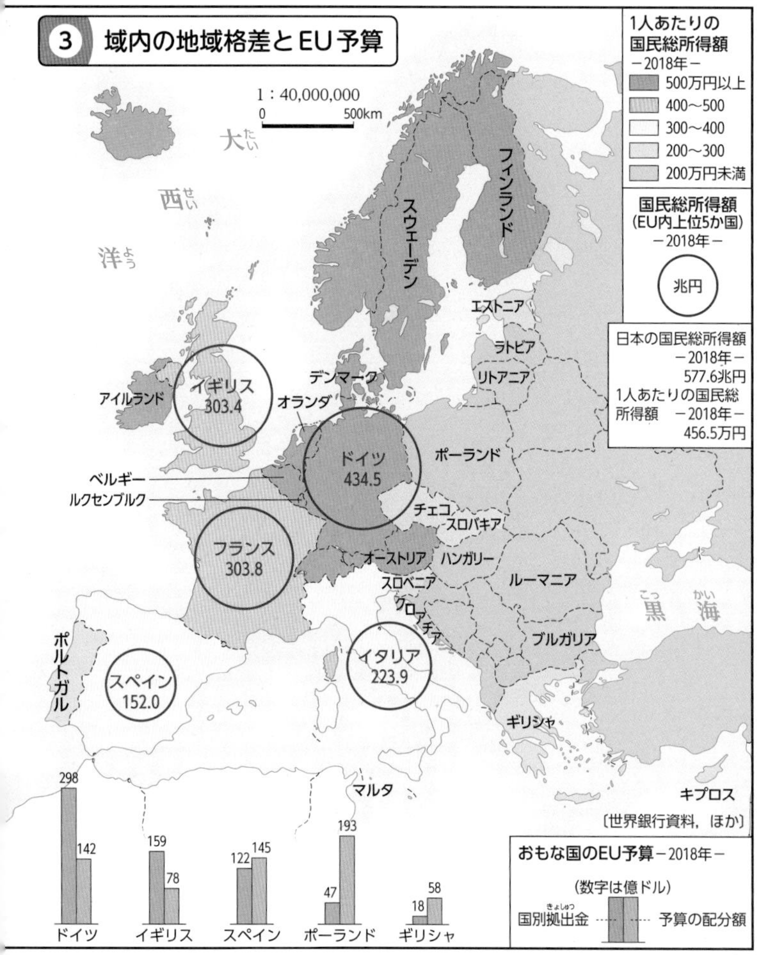

4 外国人の移動

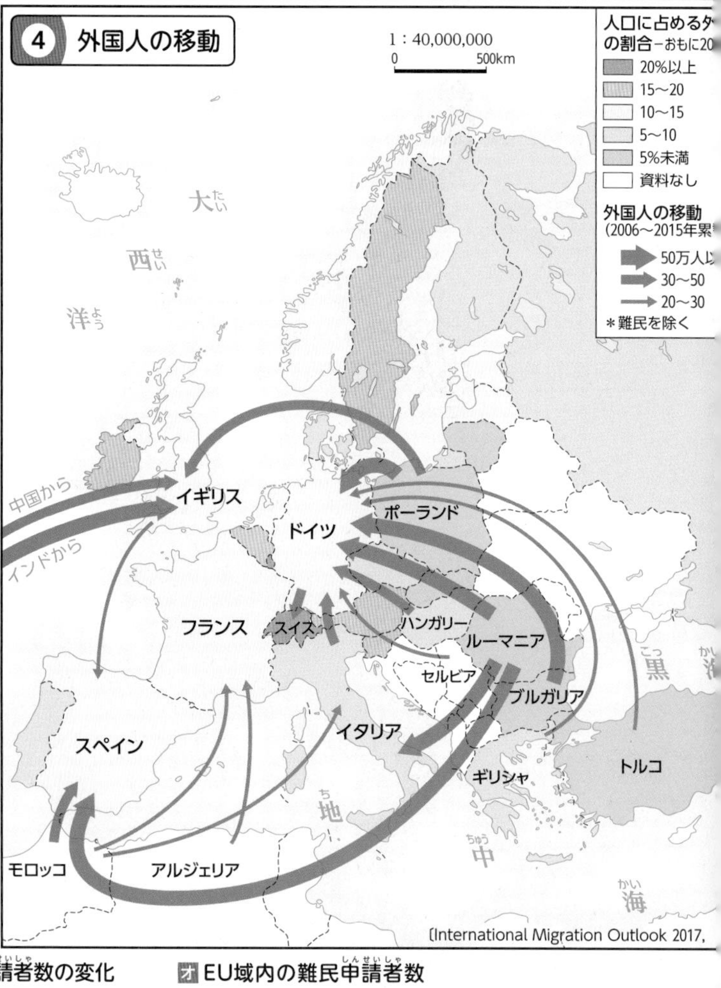

ウ 若年層(15〜24歳)の失業率 —2018年—

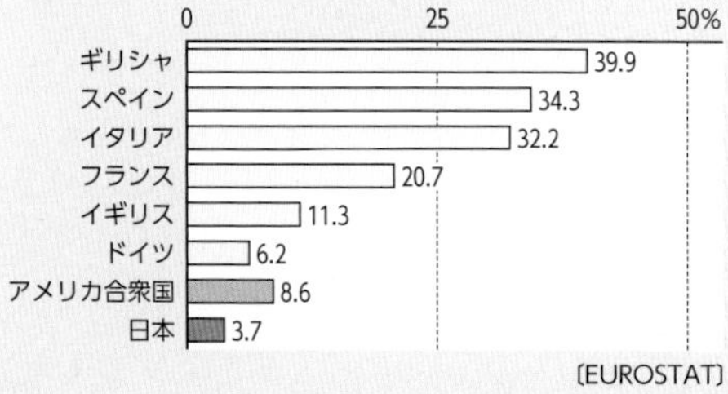

エ EUに流入する難民申請者数の変化

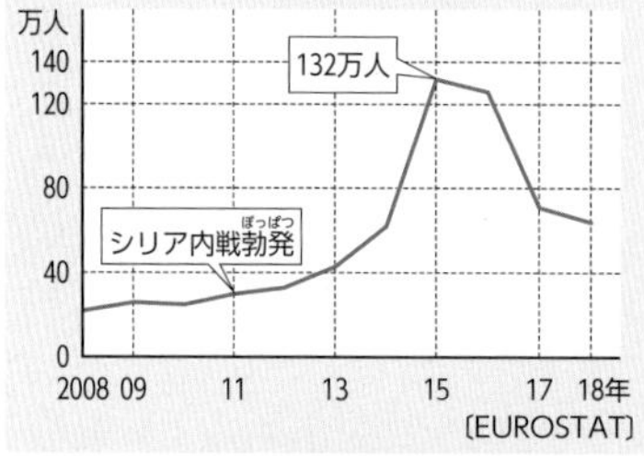

オ EU域内の難民申請者数の内訳 —2018年—

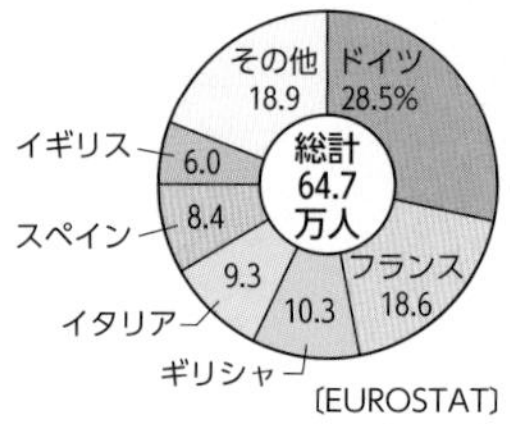

地図活用

④図を見て，東ヨーロッパから移動してくる外国人が多い国を三つ以上答えよう。また，その理由を考えて説明しよう。

1 農業地域

黒土地帯	耕地(小麦)	牛・羊などの放牧
現在の農業の北限	耕地(その他)	森林
ライ麦	酪農(らくのう)	非農業地域
	トナカイの放牧	

〔Diercke Weltatlas 2008, ほか〕

2 1月の気温

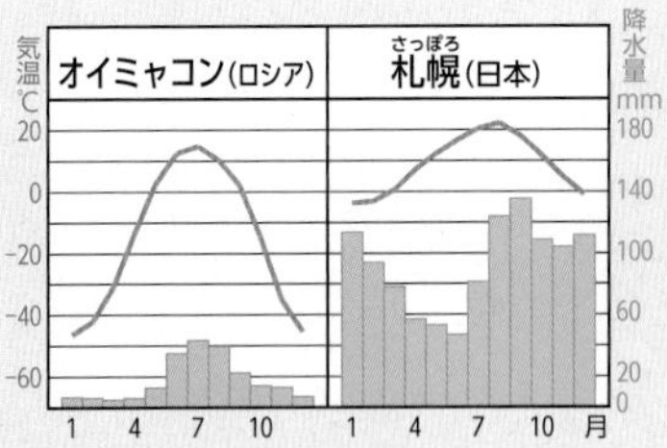

ア オイミャコンと札幌(さっぽろ)の気温と降水量

〔理科年表 2020, ほか〕

3 さまざまな民族からなる国々

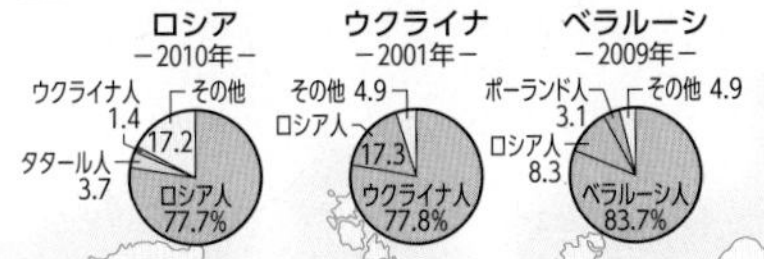

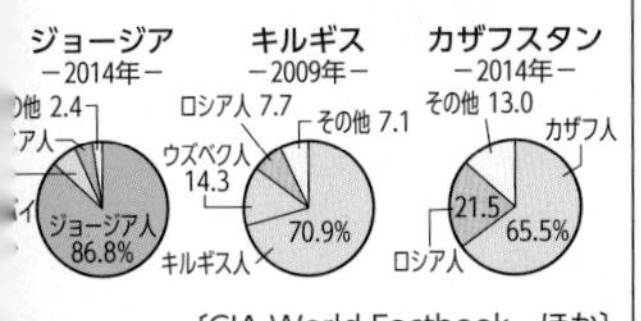

インド・ヨーロッパ系	**アルタイ系**
スラブ系民族 ロシア人 ベラルーシ人 ウクライナ人	トルコ系民族 カザフ人 ヤクート人 ウズベク人 アゼルバイジャン人など
ラテン系民族 モルドバ人など	モンゴル系民族 ブリヤート人
イラン系民族 タジク人など	その他のアルタイ系民族
その他の民族 アルメニア人など	
フィン・ウゴル系	その他のアジア系民族
カレリア人など	無人または,ほとんど人が住んでいない地域
カフカス系	ソビエト連邦の範囲(はんい)(1922−1991年)
ジョージア人など	おもな紛争地

〔CIA World Factbook, ほか〕

4 宗教

〔世界全地図ライブアトラス〕

キリスト教 正教会(ロシア正教など)	イスラム教
キリスト教 カトリック	ユダヤ教
キリスト教 その他のキリスト教	その他の宗教

↑ウ 正教会の祝日のパレード(ロシア モスクワ)

地図活用
③図のスラブ系民族と分布の傾向(けいこう)が似ている宗教を答えよう。また,トルコ系民族の場合も答えよう。

5 鉱工業

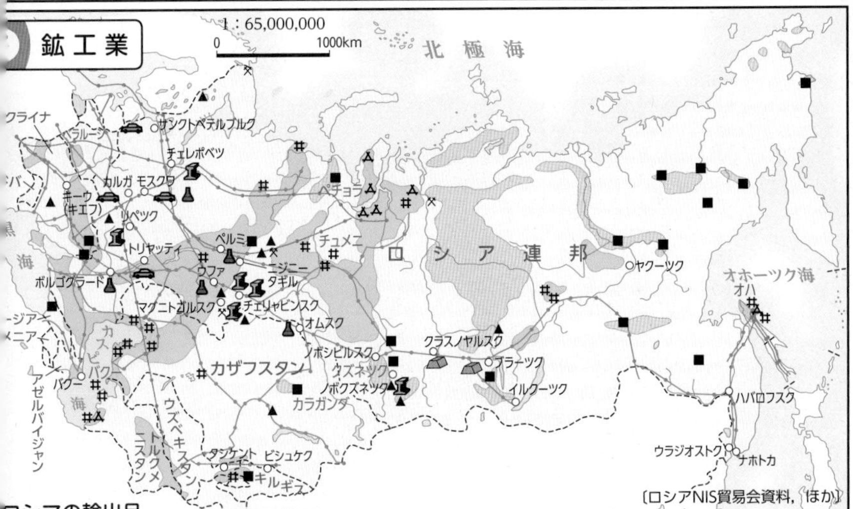

おもな工業	おもな鉱産資源	
自動車	油田・ガス田	石炭
鉄鋼	炭田	鉄鉱石
金属	原油	ニッケル
石油化学	天然ガス	原油パイプライン
		天然ガスパイプライン

エ ロシアの輸出品

2017年 3592億ドル

原油	石油製品	天然ガス	鉄鋼	石炭	その他
26.0%	16.2	10.8	5.5	4.0	37.5

〔UN Comtrade〕

日本との結びつき

オ 極東ロシアの資源開発

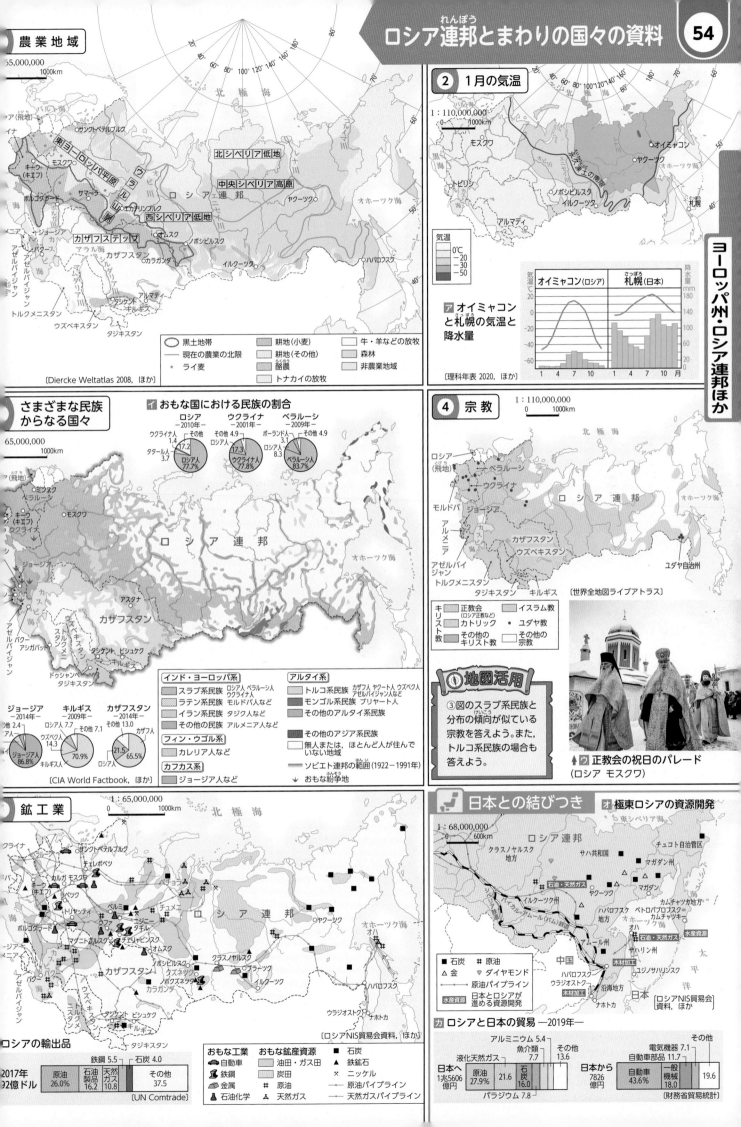

石炭	原油
金	ダイヤモンド
原油パイプライン	
水産資源	日本とロシアが進める資源開発

〔ロシアNIS貿易会資料,ほか〕

カ ロシアと日本の貿易 —2019年—

日本へ 1兆5606億円

原油	液化天然ガス	石炭	パラジウム	魚介類	アルミニウム	その他
27.9%	21.6	16.0	7.8	7.7	5.4	13.6

日本から 7826億円

自動車	一般機械	自動車部品	電気機器	その他
43.6%	18.0	11.7	7.1	19.6

〔財務省貿易統計〕

①ロシア連邦とまわりの国々

1：20,000,000
0 100 200 300 400 500km
ランベルト正積方位図法

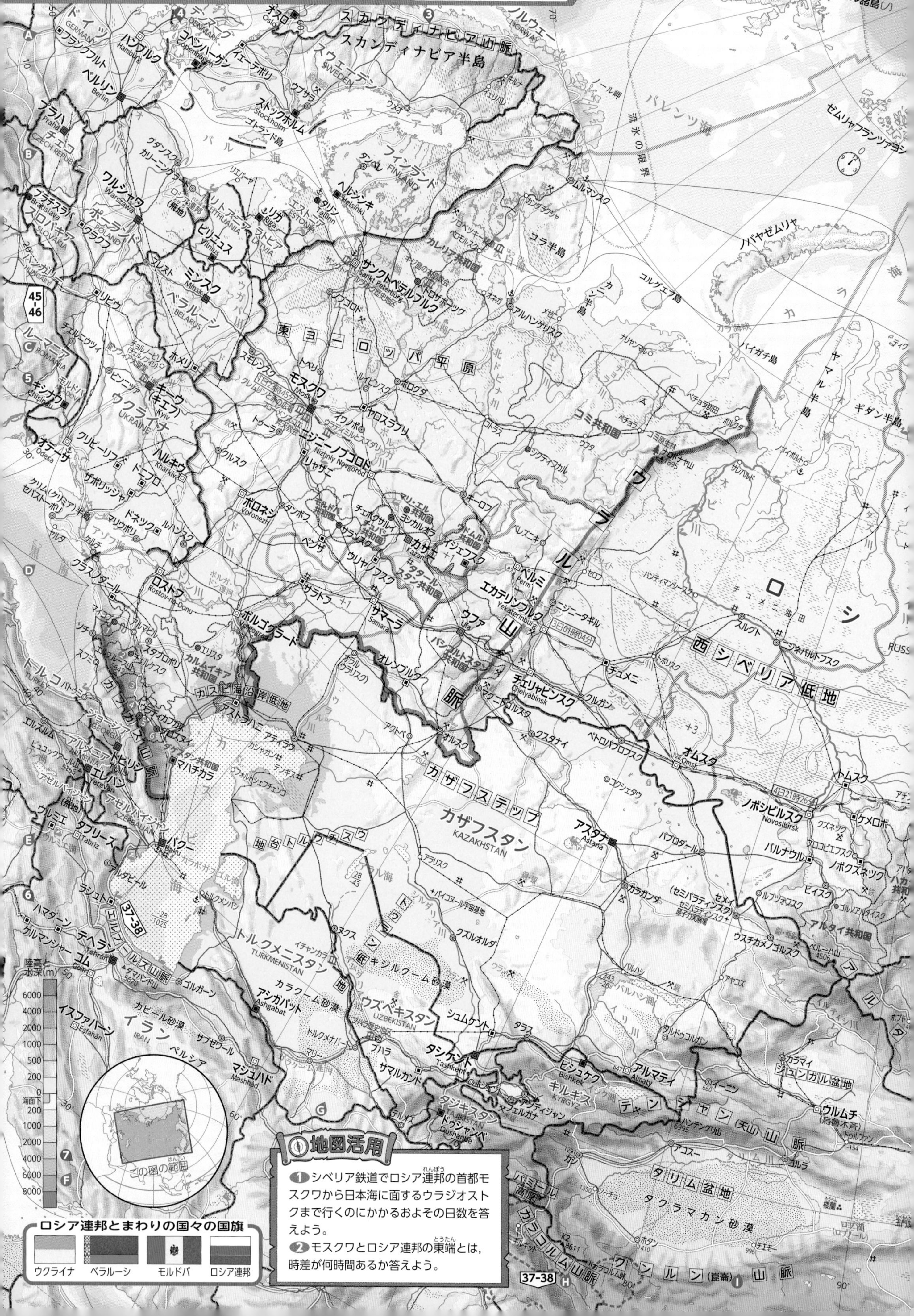

地図活用

❶シベリア鉄道でロシア連邦の首都モスクワから日本海に面するウラジオストクまで行くのにかかるおよその日数を答えよう。

❷モスクワとロシア連邦の東端とは，時差が何時間あるか答えよう。

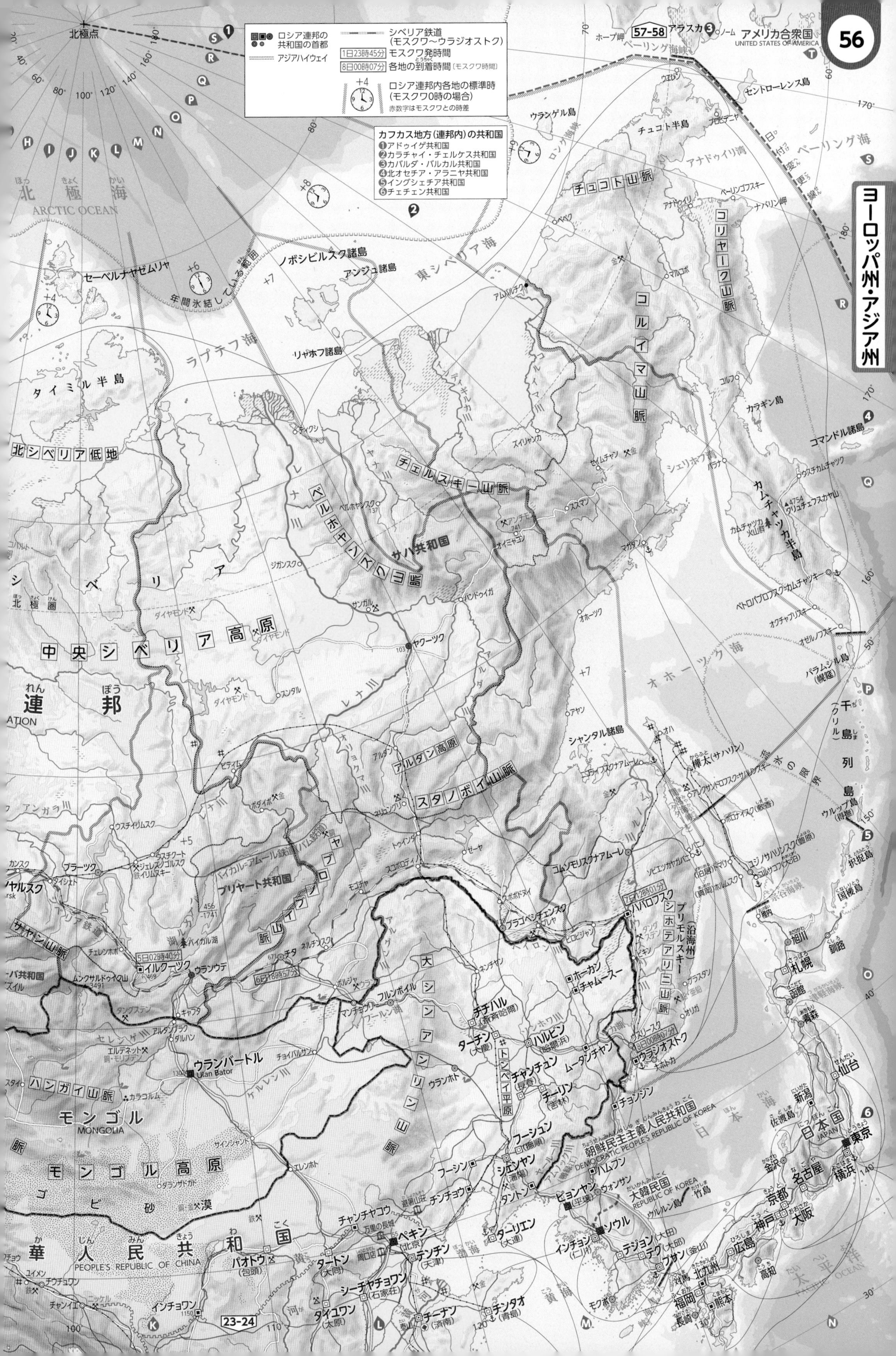

ロシア連邦の共和国の首都
アジアハイウェイ
シベリア鉄道（モスクワ〜ウラジオストク）
1日23時45分 モスクワ発時間
8日00時07分 各地の到着時間［モスクワ時間］
ロシア連邦内各地の標準時（モスクワ0時の場合）
赤数字はモスクワとの時差
カフカス地方（連邦内）の共和国
❶アドゥイゲ共和国
❷カラチャイ・チェルケス共和国
❸カバルダ・バルカル共和国
❹北オセチア・アラニヤ共和国
❺イングシェチア共和国
❻チェチェン共和国
57-58 アラスカ
アメリカ合衆国
UNITED STATES OF AMERICA
北極点
北極海
ARCTIC OCEAN
ベーリング海峡
ホープ岬
ノーム
セントローレンス島
ウランゲル島
チュコト半島
プロビデニア
アナドゥイリ湾
ベーリング海
日付変更線
チュコト山脈
コリャーク山脈
アナドゥイリ
ベーリンゴフスキー
ナバリン岬
東シベリア海
ノボシビルスク諸島
アンジュ諸島
セーベルナヤゼムリヤ
年間氷結している範囲
ロング海峡
ペベク
アムバルチク
マルコボ
コルイマ山脈
コルフ
カラギン島
コマンドル諸島
ラプテフ海
リャホフ諸島
タイミル半島
北シベリア低地
ティクシ
ヤナ川
インジギルカ川
コルイマ川
スイリャンカ
セイムチャン
シェリホフ湾
パラナ
ウスチカムチャツク
4754 クリュチェフスカヤ山
カムチャツカ火山群
カムチャツカ半島
チェルスキー山脈
ベルホヤンスク山脈
ベルホヤンスク
サハ共和国
ススマン
オイミャコン
マガダン
ペトロパブロフスク・カムチャツキー
オクチャブリスキー
オゼルノフスキー
ジガンスク
シベリア
北極圏
サンガル
ハンドゥイガ
オホーツク
オホーツク海
パラムシル島（幌筵）
ダイヤモンド
中央シベリア高原
ヤクーツク
レナ川
アルダン川
スンタル
連邦
アヤン
シャンタル諸島
オハ
樺太（サハリン）
千島（クリル）列島
ウルップ島（得撫）
択捉島
国後島
ニコライフスクナアムーレ
アルダン高原
スタノボイ山脈
ボダイボ
アンガラ川
ウスチイリムスク
ブラーツク
ヤブロノブイ山脈
バイカル・アムール鉄道（バム鉄道）
ブリヤート共和国
ティンダ
ゼーヤ
コムソモリスクナアムーレ
ソビエツカヤガバニ
ホルムスク（真岡）
ユジノサハリンスク（豊原）
コルサコフ（大泊）
宗谷海峡
稚内
旭川
釧路
札幌
函館
青森
仙台
新潟
佐渡島
日本国
JAPAN
東京
横浜
名古屋
金沢
京都
大阪
神戸
広島
高知
北九州
福岡
長崎
熊本
太平洋
PACIFIC OCEAN
バイカル湖
イルクーツク
ウランウデ
チタ
ネルチンスク
ムンクサルドゥイク山 3491
サヤン山脈
ハバロフスク
ブラゴベシチェンスク
シホテアリニ山脈
プリモルスキー（沿海州）
ウラジオストク
ナホトカ
ウスリースク
大シンアンリン山脈
小シンアンリン山脈
ハイラル
フルンボイル
マンチョウリ
チチハル
ハルビン
ターチン（大慶）
チャンチュン（長春）
チーリン（吉林）
トンペイ平原
ムータンチャン
チョンジン
朝鮮民主主義人民共和国
DEMOCRATIC PEOPLE'S REPUBLIC OF KOREA
ピョンヤン（平壌）
ハムフン
ウォンサン
大韓民国
REPUBLIC OF KOREA
ソウル
インチョン（仁川）
テジョン（大田）
テグ（大邱）
プサン（釜山）
竹島
ウルルン島
日本海
フーシュン（撫順）
シェンヤン（瀋陽）
フーシン
タントン
ターリエン（大連）
ウランバートル
Ulan Bator
ハンガイ山脈
カラコルム
モンゴル
MONGOLIA
モンゴル高原
ゴビ砂漠
エレンホト
チョイバルサン
中華人民共和国
PEOPLE'S REPUBLIC OF CHINA
ペキン（北京）
テンチン（天津）
チャンチャコウ
万里の長城
パオトウ（包頭）
タートン（大同）
シーチャチョワン（石家荘）
タイユワン（太原）
チーナン（済南）
チンタオ（青島）
チンチョウ
黄海
渤海
黄河
インチョワン
23-24

❶ 南北アメリカ

1：40,000,000

ランベルト正積方位図法

45-46

71-72

地図活用

1 南・北アメリカ州の東西にある大洋を答えよう。

2 北アメリカ大陸と南アメリカ大陸の太平洋側に連なる高い山脈と，陸高2000m以上にある首都を答えよう。

北アメリカの国々の国旗

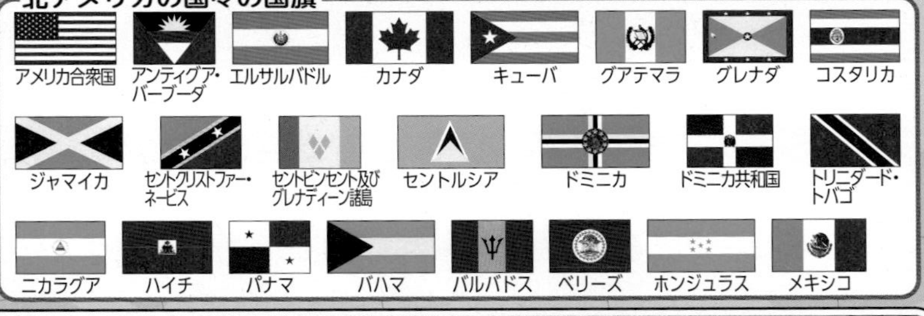

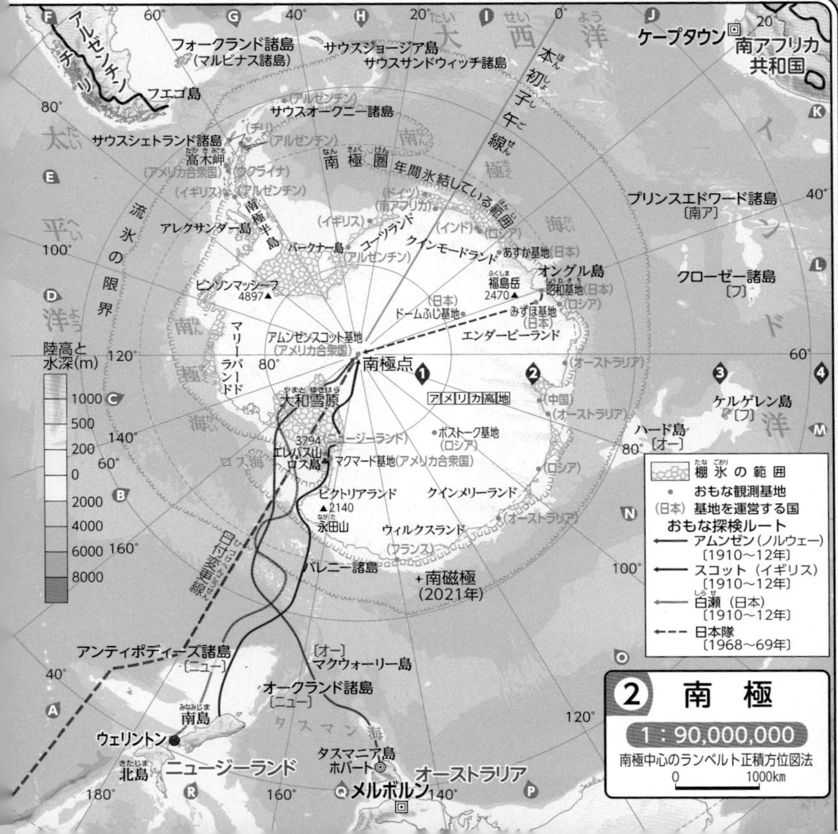

2 南極

1：90,000,000

南極中心のランベルト正積方位図法

71-72

① アメリカ合衆国

1：16,000,000

0 200 400km

正距円錐図法

①図の❶～❽の州名
❶バーモント
❷ニューハンプシャー
❸マサチューセッツ
❹ロードアイランド
❺コネティカット
❻ニュージャージー
❼デラウェア
❽メリーランド

州都
大陸横断鉄道
パンアメリカンハイウェイ
おもな国立公園
おもなテーマパーク
アメリカ合衆国内各地の標準時
(時計記号はワシントンD.C.が0時の時の各地の時刻)

この図の範囲

地図活用

アメリカ合衆国とカナダにある国立公園（世界自然遺産を含む）は，大陸の東部・西部のどちらに多くみられるか答えよう。

61 北アメリカ州の資料(1)

1 北アメリカ州をながめてみよう

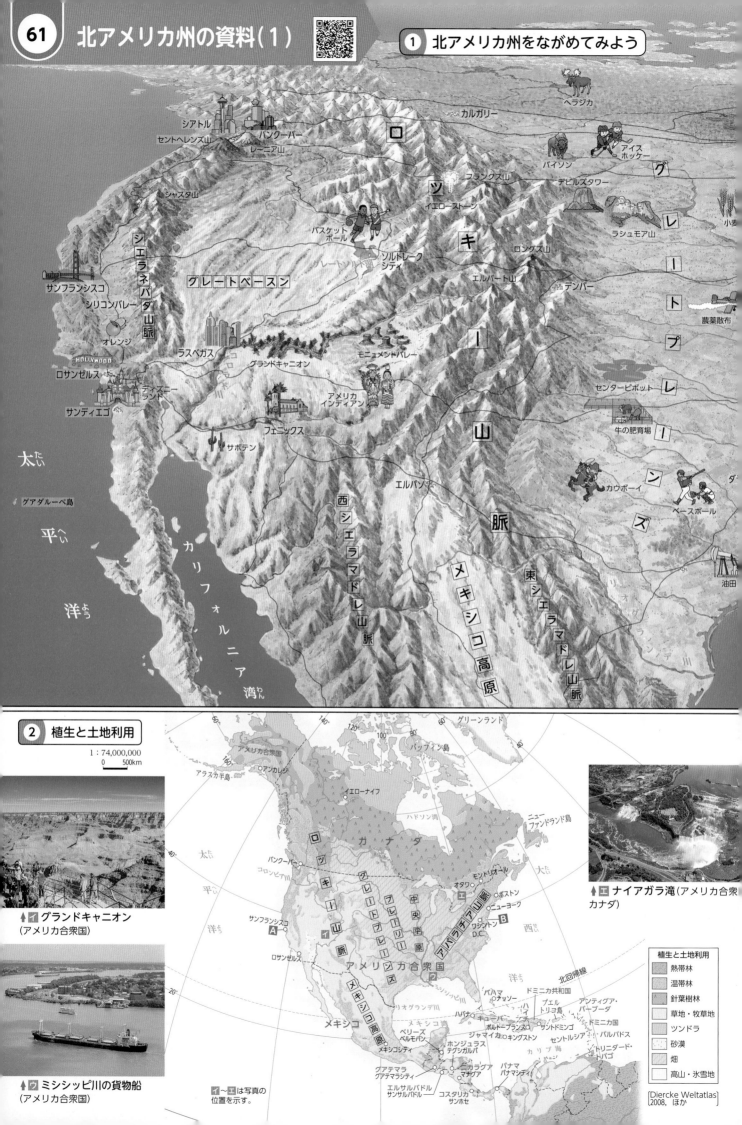

2 植生と土地利用

1：74,000,000
0 500km

イ～エは写真の位置を示す。

[Diercke Weltatlas 2008，ほか]

↑イ グランドキャニオン（アメリカ合衆国）

↑ウ ミシシッピ川の貨物船（アメリカ合衆国）

↑エ ナイアガラ滝（アメリカ合衆国・カナダ）

北アメリカ州

②図 A－B 間の断面図

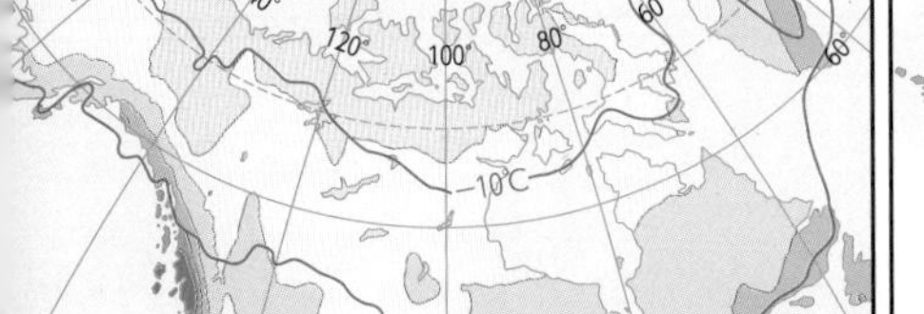

地図活用

アパラチア山脈とロッキー山脈はどちらが険しいか，p.59～60の地図で陸高にも注目して答えよう。

3 気温と降水量

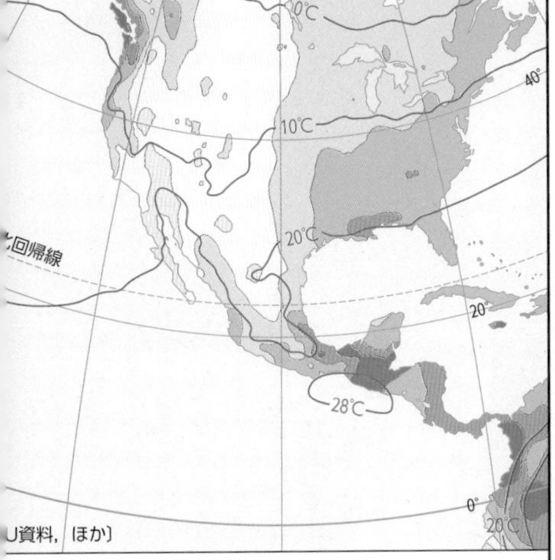

U資料，ほか〕

年降水量 mm　0　250　500　1000　2000　3000　— 10℃ 年平均気温

4 民族

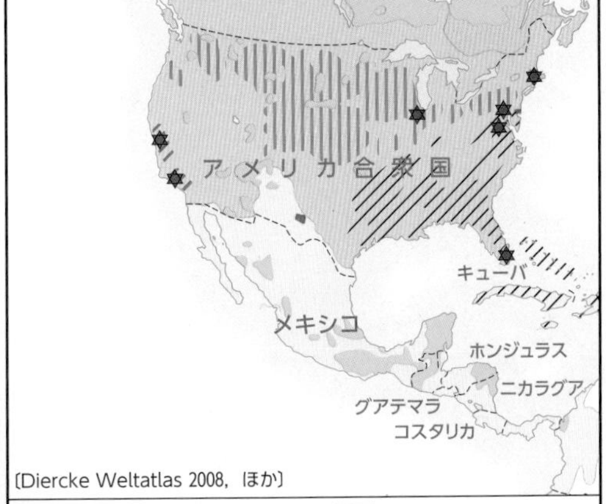

〔Diercke Weltatlas 2008，ほか〕

イギリス系	フランス系	中国系	ユダヤ系(都市)
アイルランド系	スペイン系	アメリカインディアン	
ドイツ系	アフリカ系	イヌイット(エスキモー)	

5 人口密度

〔Diercke Weltatlas 2008，ほか〕

人口密度(1km² あたり)

200人以上	50～100	1～10
100～200	10～50	1人未満または非居住地帯

1 アメリカ合衆国・カナダの農業の分布

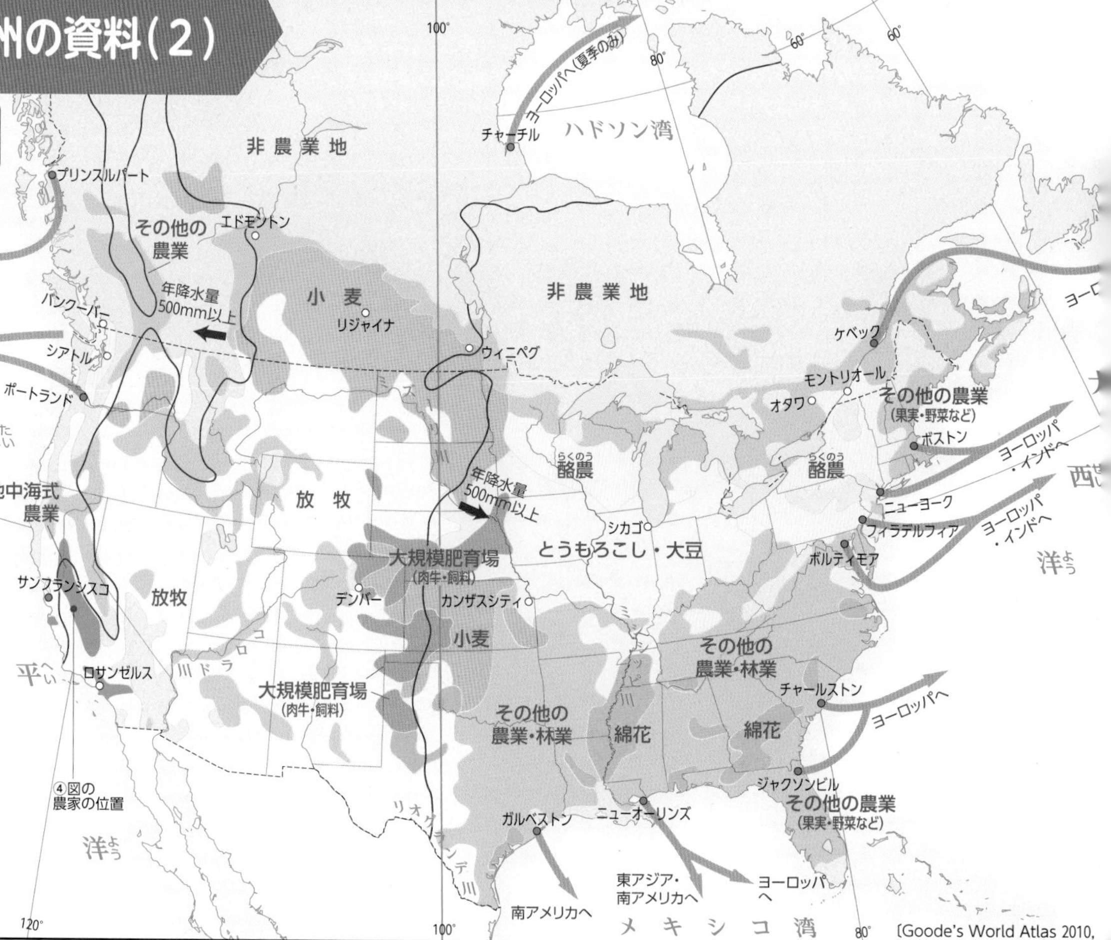

ア 農産物の輸出に占めるアメリカ合衆国の割合 ―2017年―

小麦 1億9679万t

ロシア	アメリカ合衆国	カナダ	オーストラリア	ウクライナ	アルゼンチン	フランス	その他
16.8%	13.9	11.2	11.2	8.8	7.7	6.7	23.7

とうもろこし 1億6125万t

アメリカ合衆国	ブラジル	アルゼンチン	ウクライナ	その他
32.9%	18.1	14.7	12.0	22.3

綿花 776万t

アメリカ合衆国	インド	オーストラリア	ブラジル	その他
41.9%	12.1	11.2	10.7	24.1

大豆 1億5184万t

ブラジル	アメリカ合衆国	アルゼンチン	その他
44.9%	36.5	4.9	13.7

〔FAOSTAT〕

2 小麦・とうもろこし・米の栽培地 ―2012年―

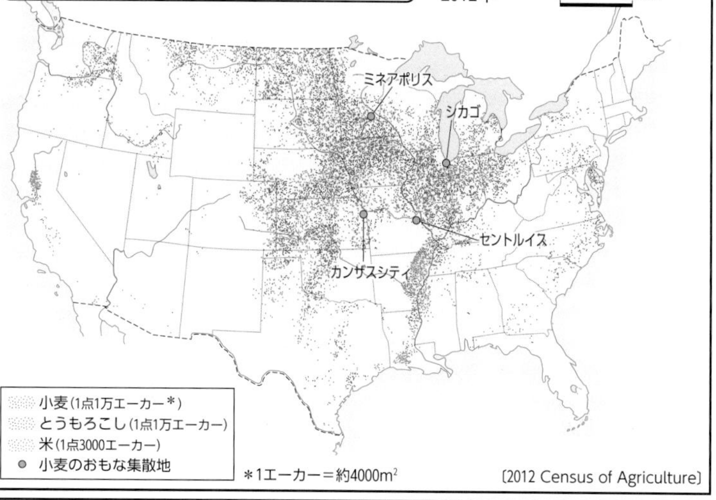

*1エーカー＝約4000m²

〔2012 Census of Agriculture〕

3 肉牛とぶたの飼育 ―2012年―

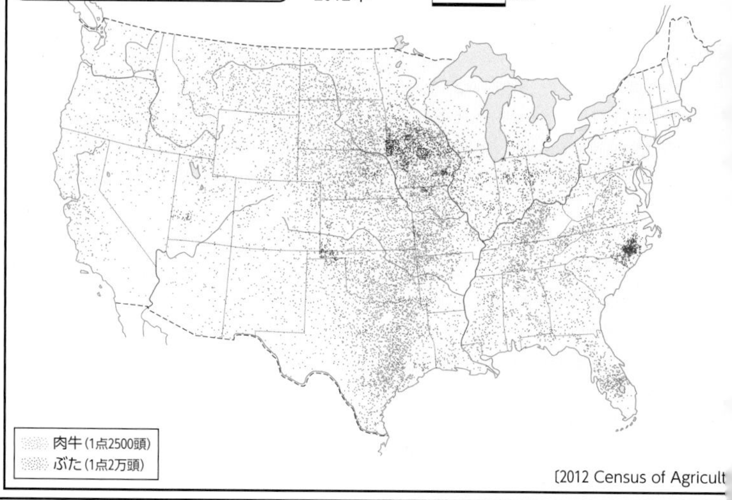

〔2012 Census of Agricult

4 大規模に行われる農業

イ カリフォルニア州のある農家(Kさんの例)

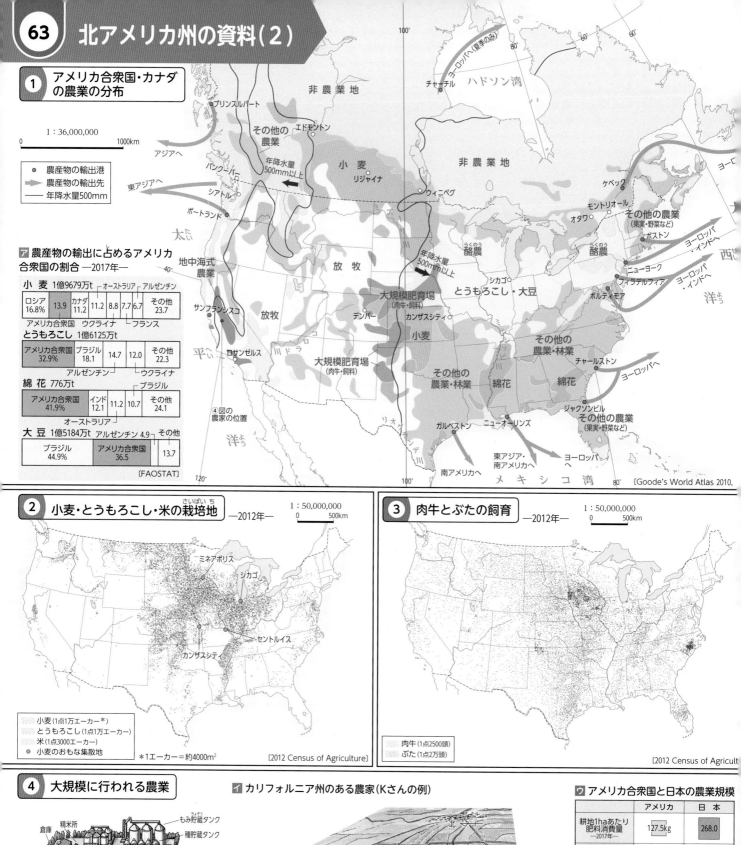

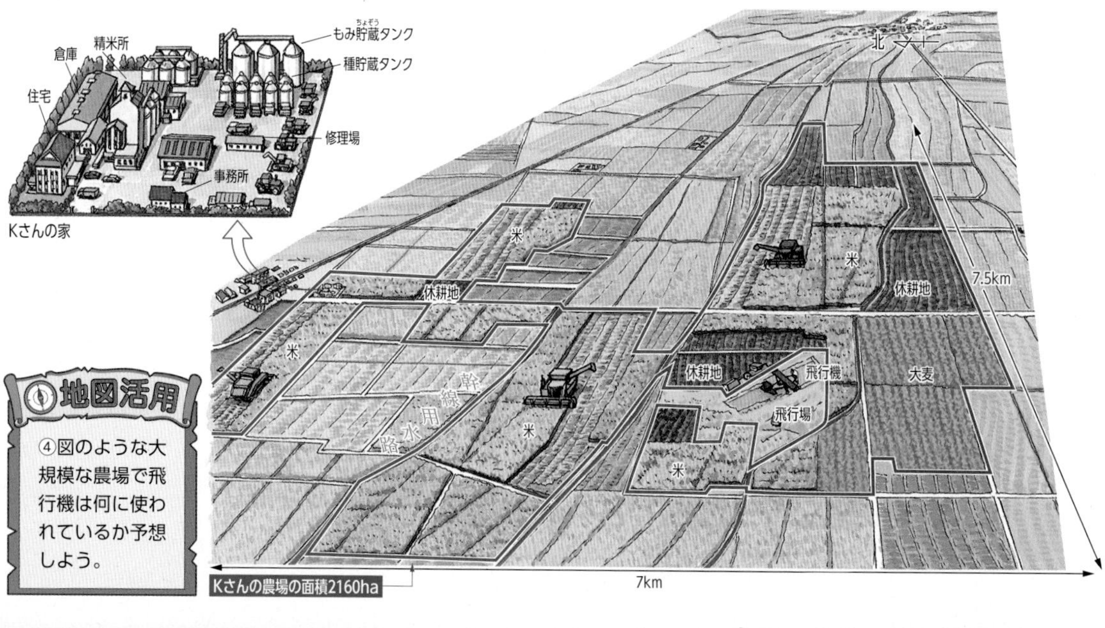

地図活用

④図のような大規模な農場で飛行機は何に使われているか予想しよう。

ウ アメリカ合衆国と日本の農業規模

	アメリカ	日本
耕地1haあたり肥料消費量 ―2017年―	127.5kg	268.0
耕地1haあたりの穀物収量 ―2017年―	2743kg	2838
*1人あたり穀物収量 ―2017年―	195.7t	4.8
*1人あたり耕地面積 ―2017年―	71.3ha	1.7

*農林水産業従事者1人あたり　〔FAOSTAT，ほか〕

エ 小麦の農場規模(収穫面積)別内訳の変化

*1エーカー＝約40

	100エーカー*未満	100〜500	500〜2000	2000以上
1997年	7.9%	29.4	48.0	14
2017年	4.8%	21.3	45.8	28.1

〔2002-2017 Census of Agricultu

⑤ アメリカ合衆国・カナダの鉱工業の分布

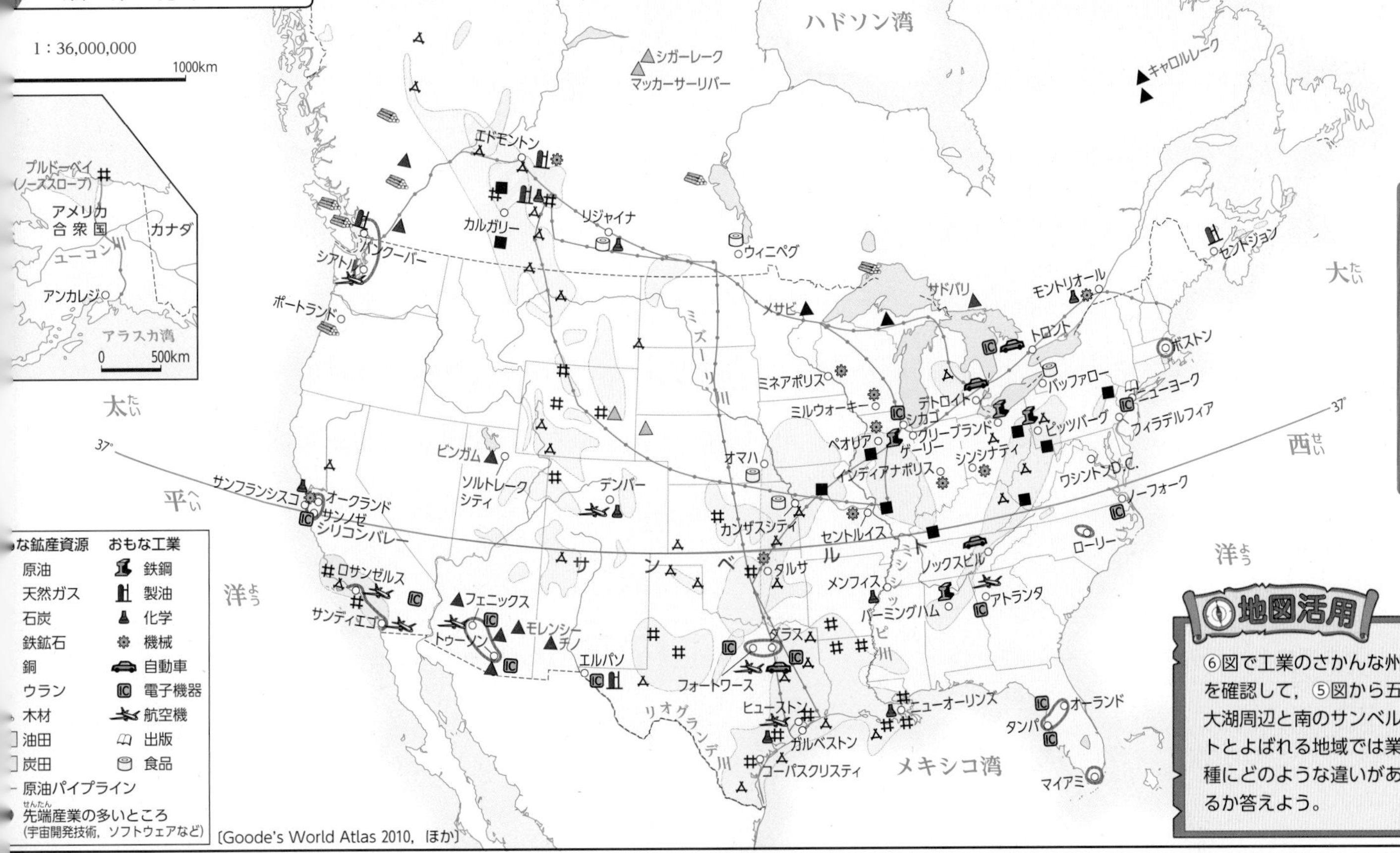

地図活用

⑥図で工業のさかんな州を確認して，⑤図から五大湖周辺と南のサンベルトとよばれる地域では業種にどのような違いがあるか答えよう。

⑥ 州別工業生産額

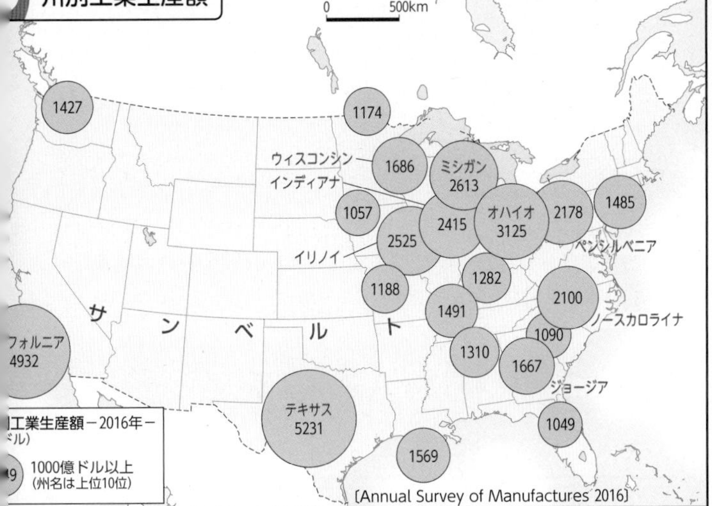

7 シェールガス*田の分布

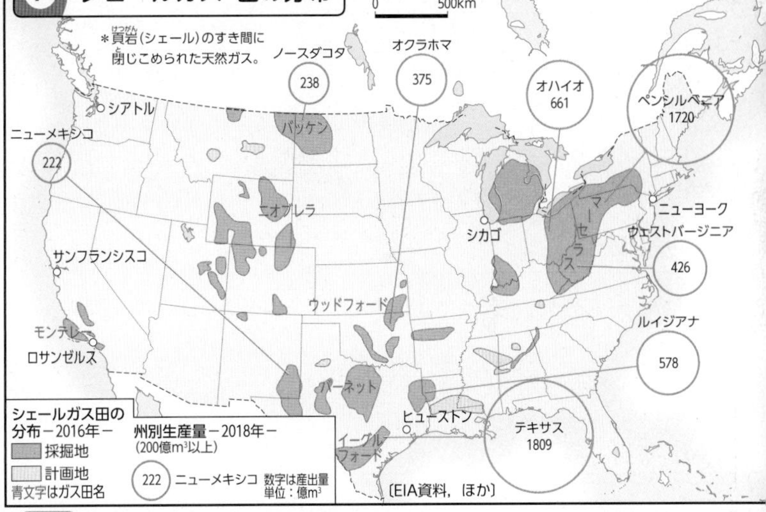

8 先端産業

Ⓐ 世界のソフトウェア売上高上位10社 －2018年－

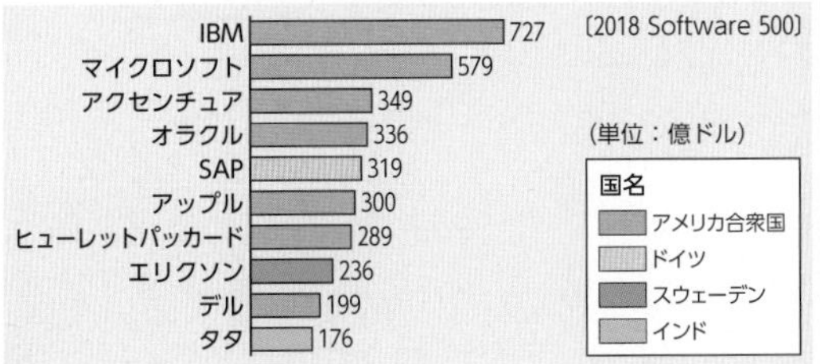

Ⓑ シリコンバレーの鳥瞰図

日本との結びつき

キ 日本のおもな自動車会社の工場

ク アメリカ合衆国国内の乗用車の生産 －2017年－

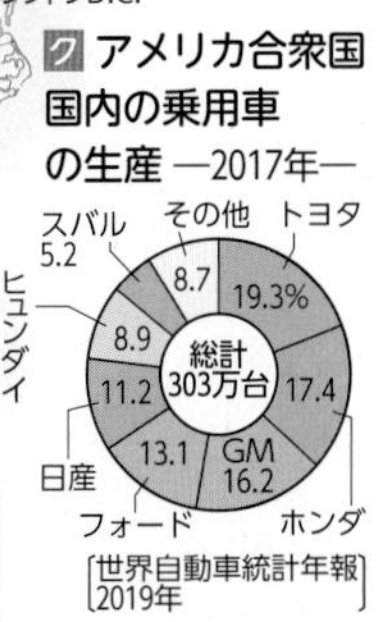

ケ 日本の自動車のアメリカ合衆国への輸出と現地生産の推移

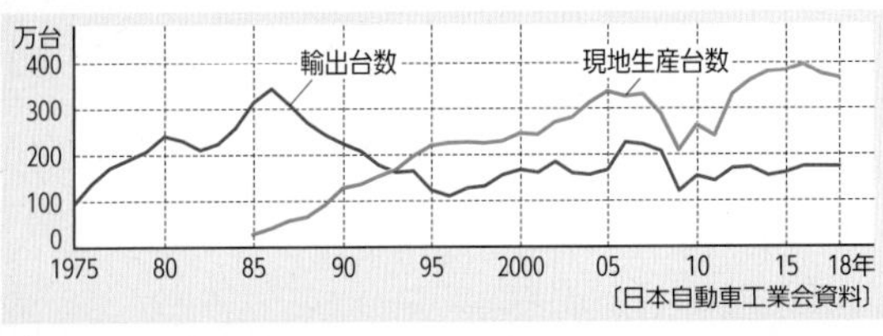

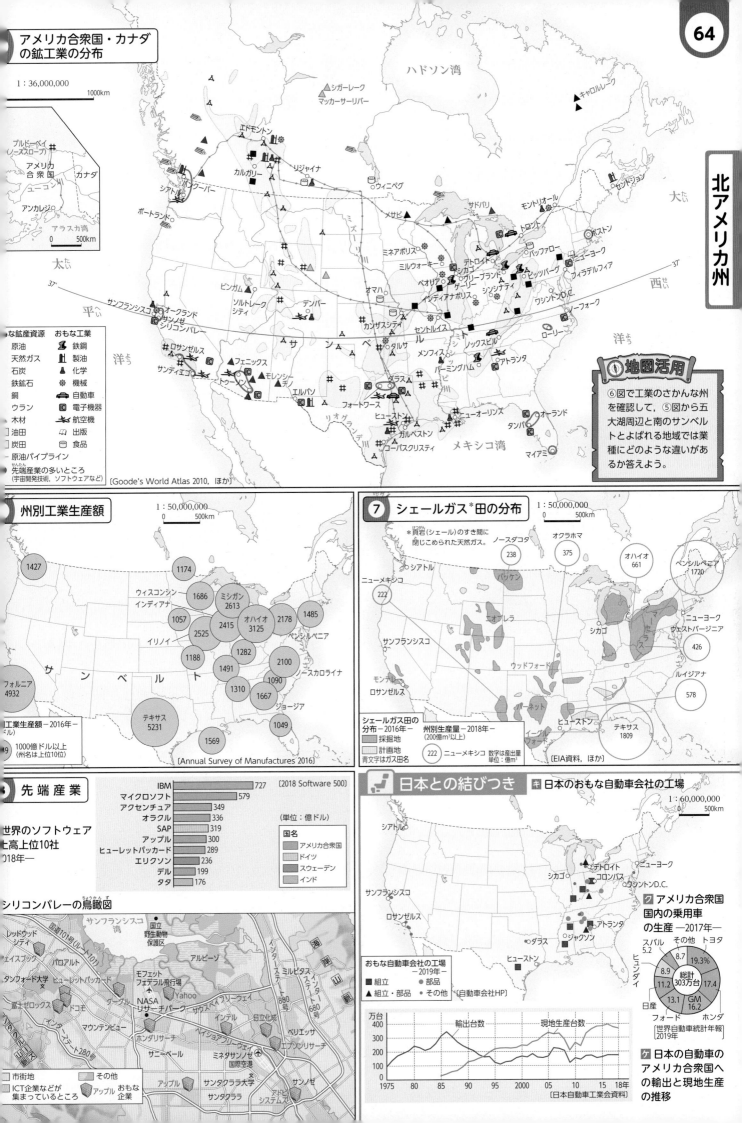

北アメリカ州の資料(3)

◀ア ニューヨークのエリス島の移民局で入国審査を待つ人々
―19世紀末～20世紀初め―

エリス島➡p.60③

1 アメリカ合衆国の成立と移民

大陸横断鉄道
1850年代，西部に金や銀の鉱山が発見され，東部と結ぶ鉄道が建設された。

☆アラスカ
1867年ロシアより購入
☆ハワイ
1898年併合

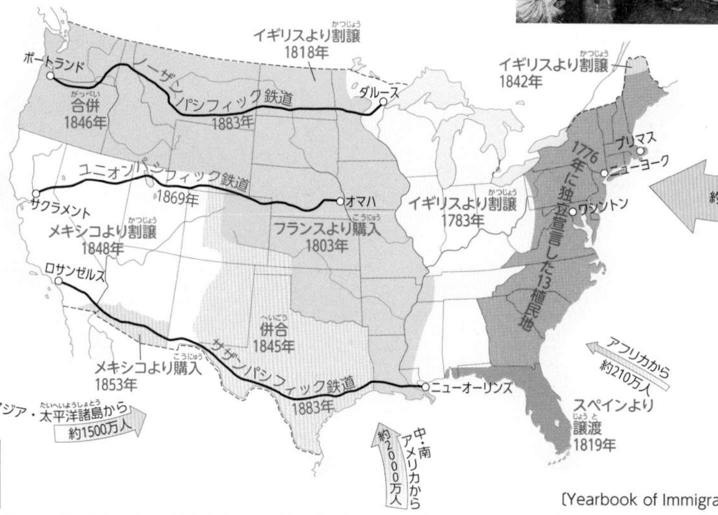

メイフラワー号
1620年イギリスのプリマスを出航して，現在のアメリカ合衆国プリマスに到着

〔Yearbook of Immigration Statistics，ほか〕

イ アメリカ合衆国のあゆみ

年	事　項
1584	イギリスが植民開始
1620	メイフラワー号でピューリタン移住
1775	独立戦争(～83)
1776	独立宣言(13州)
1787	憲法制定
1861	南北戦争
1863	奴隷解放宣言
1869	大陸横断鉄道開通
1917	第一次世界大戦参戦
1929	世界恐慌
1939	第二次世界大戦
1965	ベトナム戦争
1989	東西冷戦終結
2001	同時多発テロ事件

2 さまざまな民族の居住地 ―2010年―

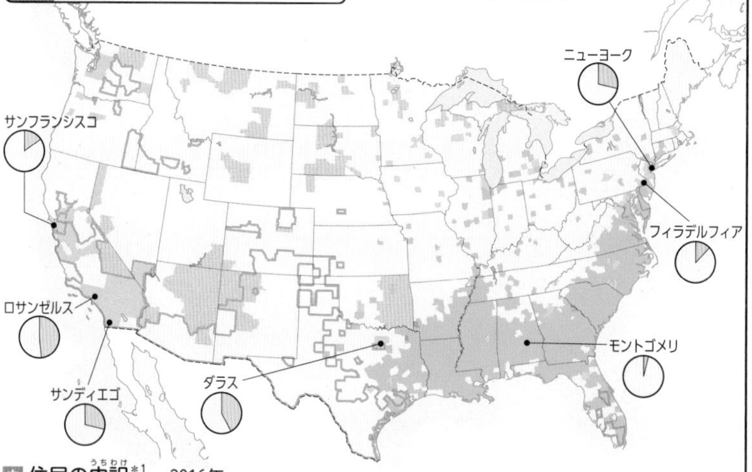

〔U.S.Census Bureau，ほか〕

ウ 住民の内訳*1 ―2016年―

ヨーロッパ系 72.6% (ドイツ系・アイルランド系・イギリス系・イタリア系・フランス系など)	アフリカ系 12.7	その他 8.5

アジア系 5.4
ネイティブアメリカン*2 0.8

凡例：
- アフリカ系*が10%以上
- アジア系*が5%以上
- ネイティブアメリカンが10%以上
- その他(ヨーロッパ系など)
- ヒスパニック*が25%以上

＊複数の条件に当てはまる場合は，総人口が少ない方を優先している

おもな都市のヒスパニックの割合
ヒスパニック

*1 総人口のうち，17.8%がヒスパニック。ヒスパニックはスペイン語を話す人々をさす
*2 アメリカインディアン，エスキモーなどをさす

3 アメリカ合衆国生まれの大企業の本社

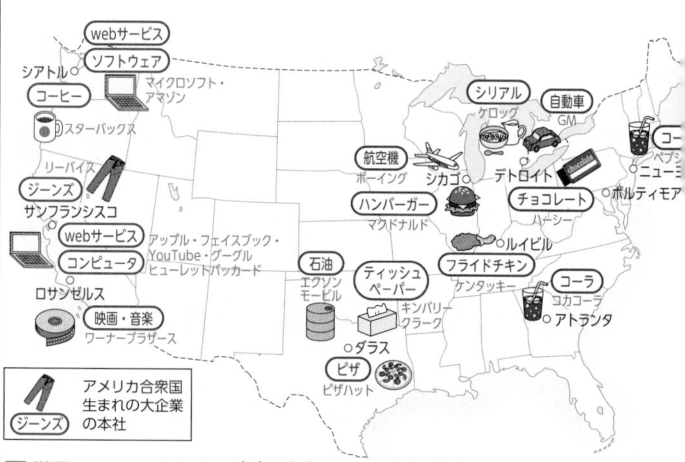

エ 世界でアメリカ合衆国の割合が大きいもの

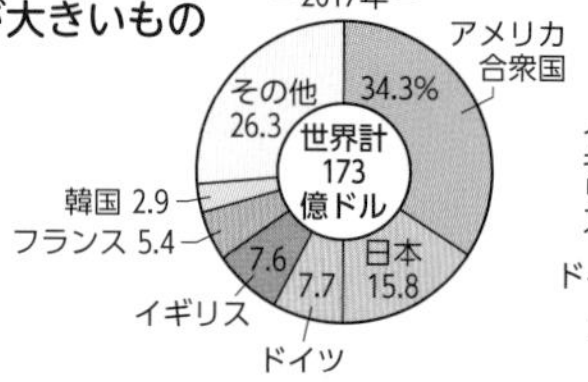

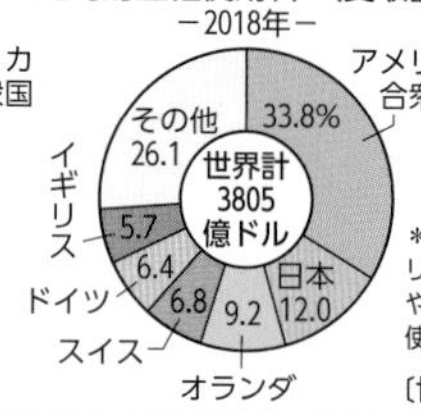

＊製作者が権利を持つオリジナリティのあるものやデザインなどを使用する際に支払う

〔世界銀行資料，

4 1人あたりの1次エネルギー*供給(消費)量

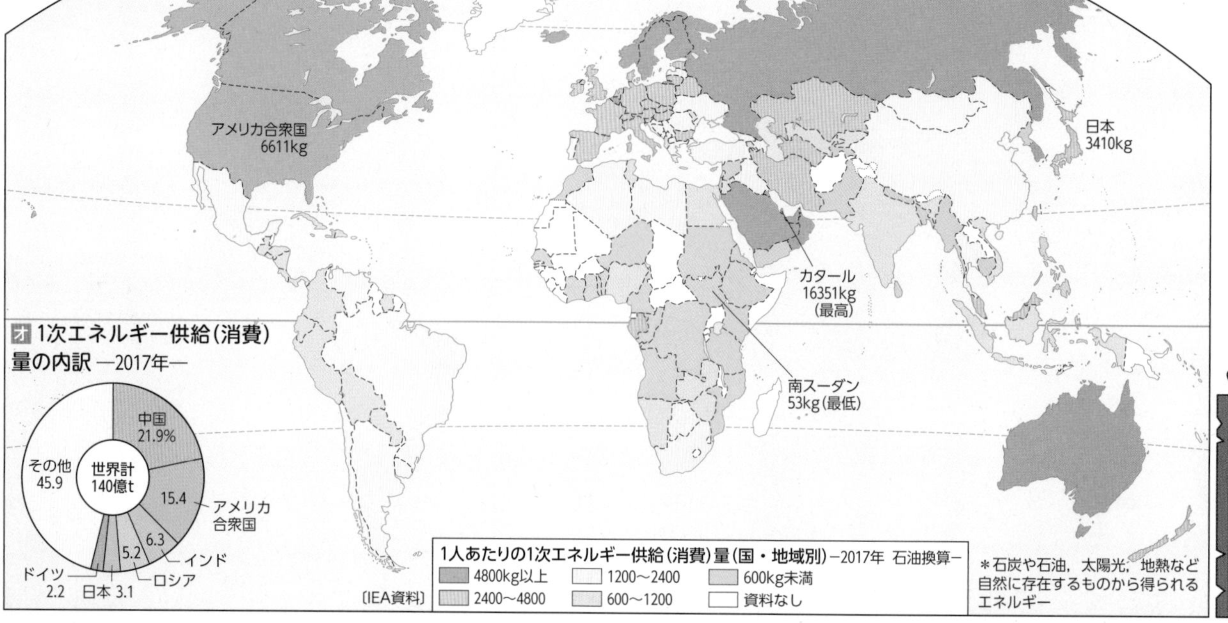

オ 1次エネルギー供給(消費)量の内訳 ―2017年―

世界計 140億t
中国 21.9%
アメリカ合衆国 15.4
インド 6.3
ロシア 5.2
日本 3.1
ドイツ 2.2
その他 45.9

〔IEA資料〕

1人あたりの1次エネルギー供給(消費)量(国・地域別) ―2017年 石油換算―
- 4800kg以上
- 2400～4800
- 1200～2400
- 600～1200
- 600kg未満
- 資料なし

＊石炭や石油，太陽光，地熱など自然に存在するものから得られるエネルギー

カ 国・地域別二酸化炭素排出量 ―2017年―

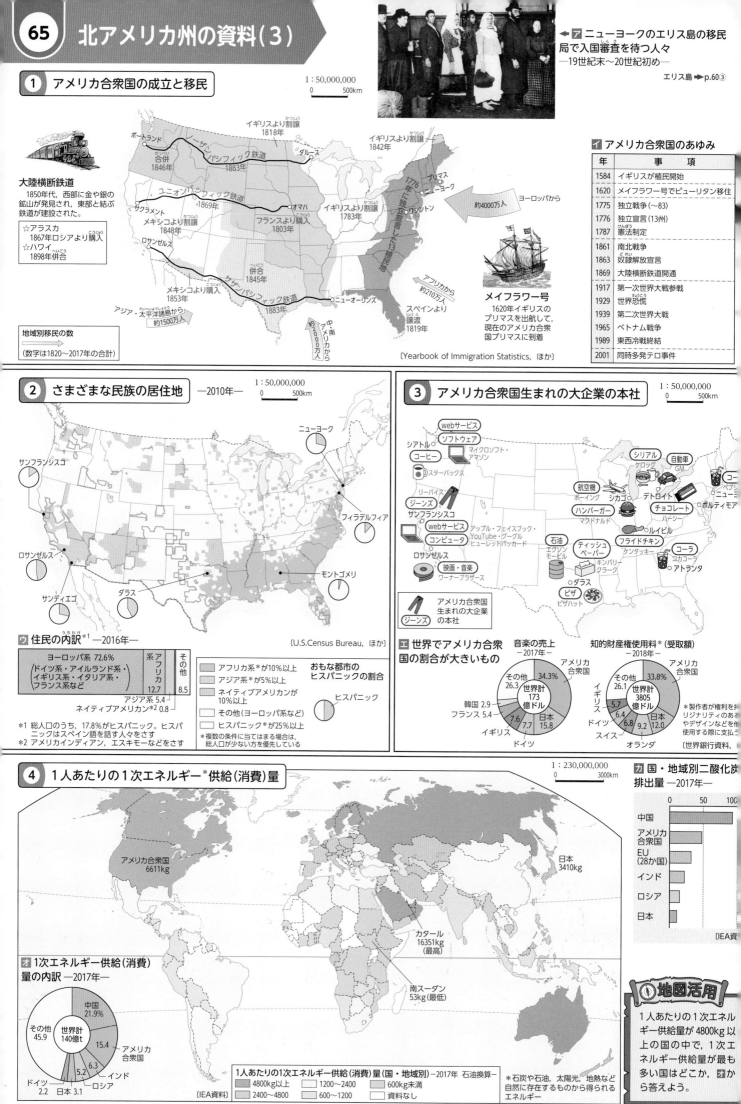

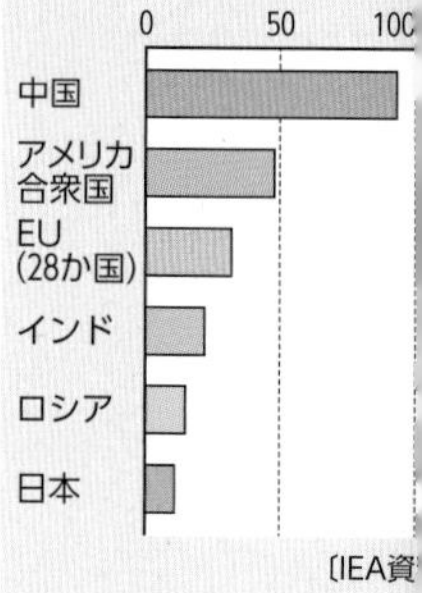

〔IEA資

地図活用
1人あたりの1次エネルギー供給量が4800kg以上の国の中で，1次エネルギー供給量が最も多い国はどこか，オから答えよう。

①大西洋

1：60,000,000　ランベルト正積方位図法

新大陸との交流

- 奴隷としての移動（16～19世紀）
- コロンブスの航路
- マゼランの航路
- リンドバーグの大西洋横断

地図活用

大西洋でどのような歴史的できごとがあったのか，地図から一つ取り上げて調べ，クラスで紹介しよう。

1 南アメリカ州

1：30,000,000
0 200 400 600km
ランベルト正積方位図法

パンアメリカンハイウェイ
トランスアマゾニアンハイウェイ
カラジャス鉄道

地図活用

地球の正反対側に置いた日本
の本州と同じ緯度にある首都
を三つ答えよう。

南アメリカ州をながめてみよう

地図活用

アマゾン川の河口からマナオスなどの都市がある内陸部まで船でさかのぼることができる理由を，アの断面図やp.67の地図の陸高に着目して説明しよう。

ア p.67①図 A－B 間の断面図

南アメリカ州の資料(2)

1 植生と土地利用

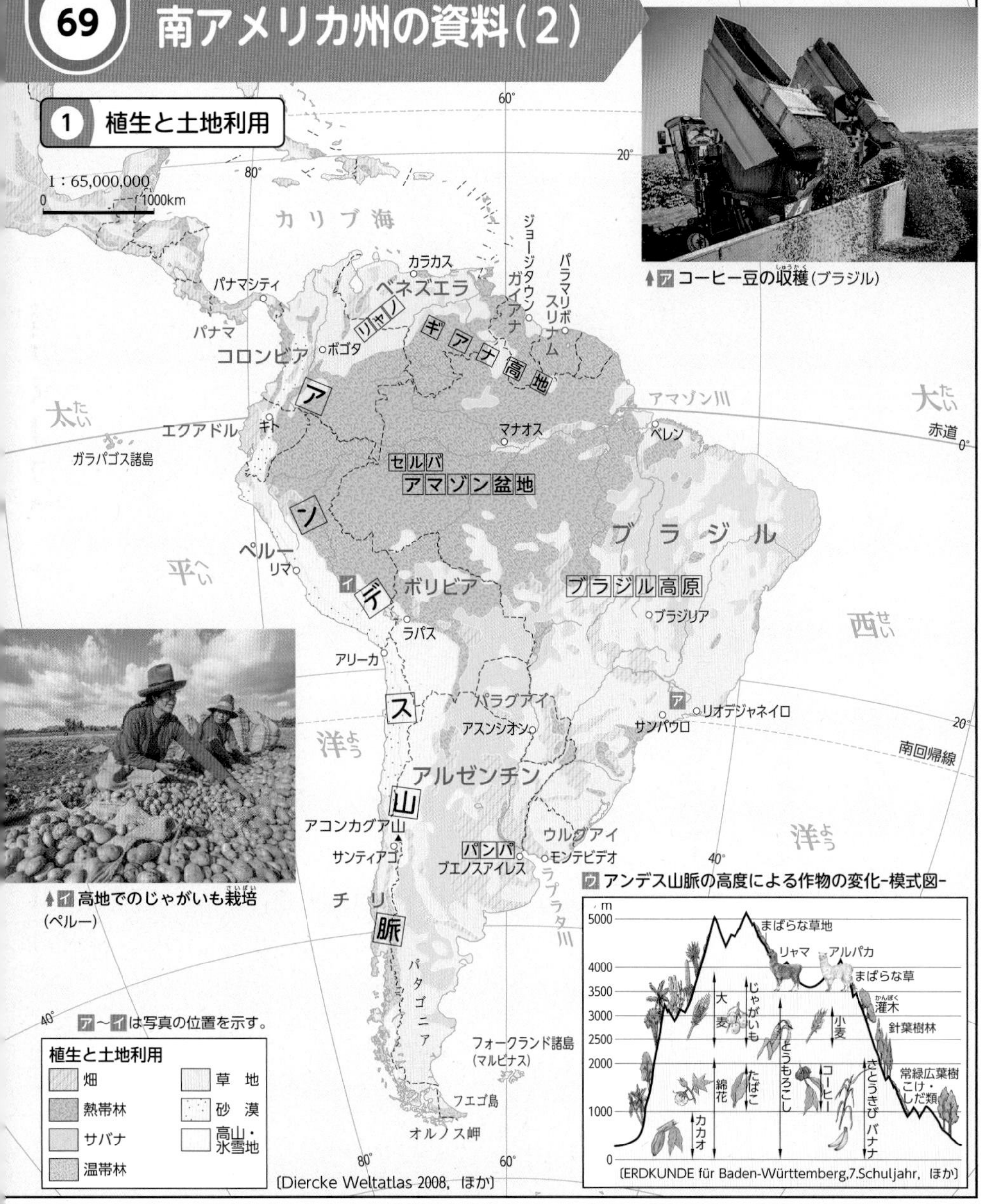
1：65,000,000
0 1000km
カリブ海
パナマシティ
パナマ
コロンビア
ボゴタ
カラカス
ベネズエラ
リャノ
ギアナ高地
ジョージタウン
ガイアナ
パラマリボ
スリナム
アマゾン川
太平洋
エクアドル
キト
ガラパゴス諸島
マナオス
ベレン
赤道
セルバ
アマゾン盆地
アンデス山脈
ペルー
リマ
ブラジル
ボリビア
ブラジル高原
ブラジリア
ラパス
西
アリーカ
パラグアイ
アスンシオン
リオデジャネイロ
サンパウロ
南回帰線
洋
大西洋
アルゼンチン
アコンカグア山
サンティアゴ
パンパ
ブエノスアイレス
ウルグアイ
モンテビデオ
ラプラタ川
チリ
パタゴニア
フォークランド諸島（マルビナス）
フエゴ島
オルノス岬
ア～イは写真の位置を示す。
植生と土地利用
畑
熱帯林
サバナ
温帯林
草地
砂漠
高山・氷雪地
〔Diercke Weltatlas 2008，ほか〕
m
5000
4000
3500
3000
2500
2000
1000
0
まばらな草地
リャマ
アルパカ
まばらな草
灌木
針葉樹林
常緑広葉樹
こけ・しだ類
大麦
じゃがいも
小麦
とうもろこし
コーヒー
さとうきび
バナナ
綿花
たばこ
カカオ
〔ERDKUNDE für Baden-Württemberg,7.Schuljahr，ほか〕

ア コーヒー豆の収穫(ブラジル)

イ 高地でのじゃがいも栽培(ペルー)

ウ アンデス山脈の高度による作物の変化-模式図-

2 鉱工業

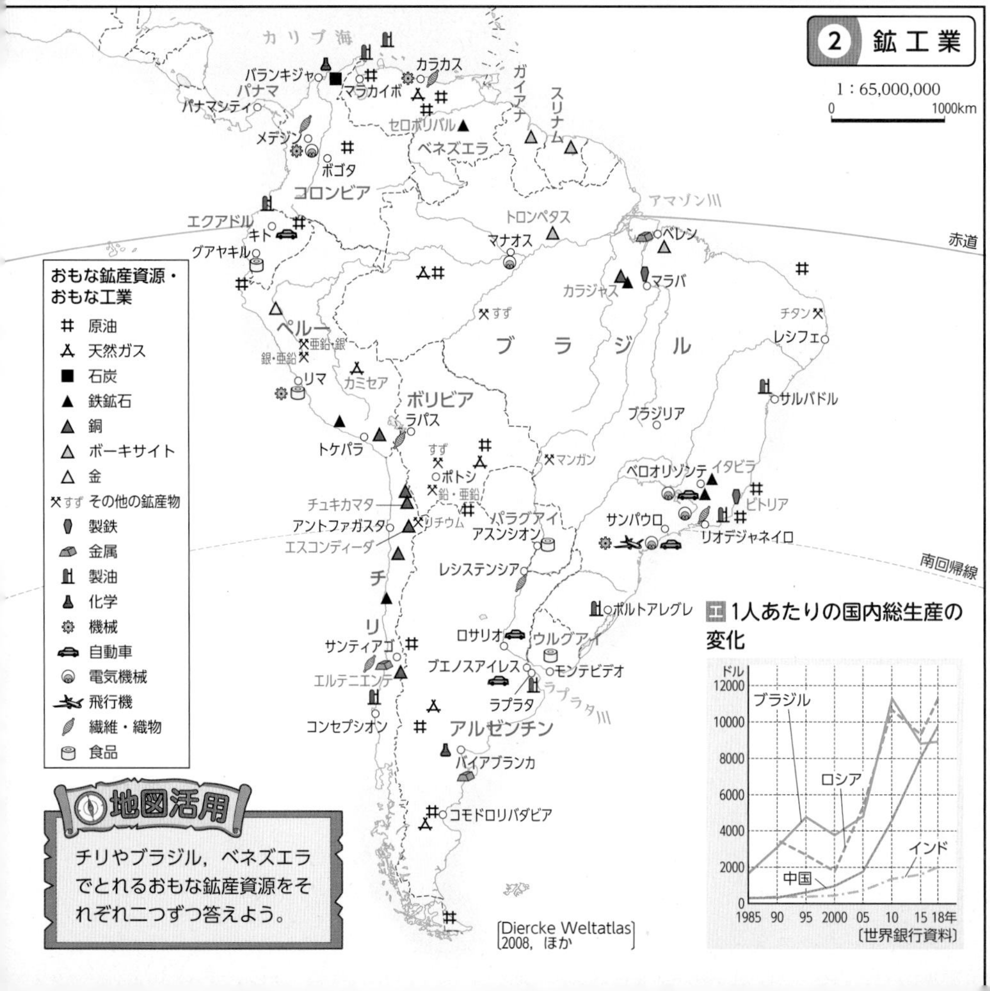
1：65,000,000
0 1000km
カリブ海
バランキジャ
カラカス
パナマ
マラカイボ
パナマシティ
セロボリバル
ベネズエラ
ガイアナ
スリナム
メデジン
ボゴタ
コロンビア
アマゾン川
エクアドル
キト
トロンベタス
マナオス
ベレン
赤道
グアヤキル
カラジャス
マラバ
すず
チタン
レシフェ
ペルー
ブラジル
銀・亜鉛・銀
リマ
カミセア
サルバドル
ボリビア
ラパス
ブラジリア
トケパラ
すず
ポトシ
鉛・亜鉛
マンガン
ベロオリゾンテ
イタビラ
ビトリア
チュキカマタ
アントファガスタ
リチウム
パラグアイ
アスンシオン
サンパウロ
リオデジャネイロ
エスコンディーダ
南回帰線
レシステンシア
チリ
ポルトアレグレ
ロサリオ
ウルグアイ
サンティアゴ
ブエノスアイレス
モンテビデオ
エルテニエンテ
ラプラタ
ラプラタ川
コンセプシオン
アルゼンチン
バイアブランカ
コモドロリバダビア
おもな鉱産資源・おもな工業
原油
天然ガス
石炭
鉄鉱石
銅
ボーキサイト
金
すず その他の鉱産物
製鉄
金属
製油
化学
機械
自動車
電気機械
飛行機
繊維・織物
食品
〔Diercke Weltatlas 2008，ほか〕
ドル
12000
10000
8000
6000
4000
2000
0
1985 90 95 2000 05 10 15 18年
ブラジル
ロシア
インド
中国
〔世界銀行資料〕

地図活用

チリやブラジル，ベネズエラでとれるおもな鉱産資源をそれぞれ二つずつ答えよう。

エ 1人あたりの国内総生産の変化

3 気温と降水量

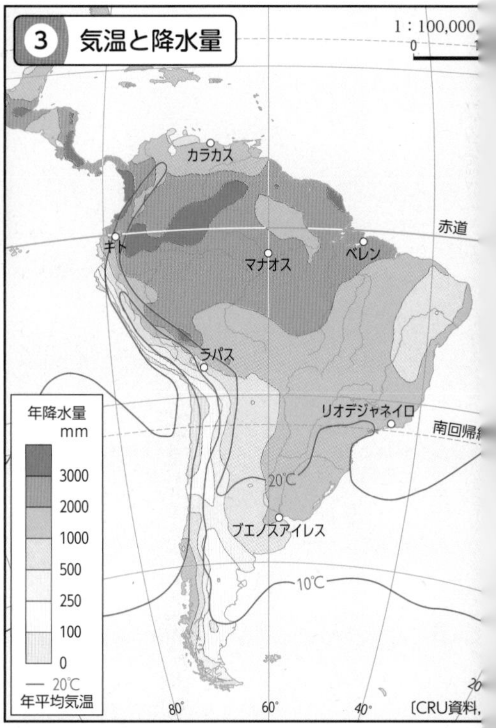
1：100,000,000
カラカス
赤道
キト
マナオス
ベレン
ラパス
リオデジャネイロ
南回帰線
20℃
ブエノスアイレス
10℃
年降水量 mm
3000
2000
1000
500
250
100
0
20℃ 年平均気温
80°
60°
40°
〔CRU資料〕

4 言語

1：100,000,000
ガイアナ
スリナム
ベネズエラ
パナマ
コロンビア
エクアドル
ペルー
ブラジル
ボリビア
パラグアイ
チリ
ウルグアイ
アルゼンチン
スペイン語系
ポルトガル語系
フランス語系
オランダ語系，英語系，インド・パキスタン語系
その他の言語
〔Diercke Weltatlas 2008〕

5 人口密度

1：100,000,000
ガイアナ
スリナム
パナマ
ベネズエラ
コロンビア
エクアドル
ペルー
ブラジル
ボリビア
パラグアイ
チリ
ウルグアイ
アルゼンチン
人口密度（1km²あたり）
100人以上
50～100
10～50
1～10
1人未満または非居住地帯
〔Diercke Weltatlas 2008〕

リオデジャネイロ

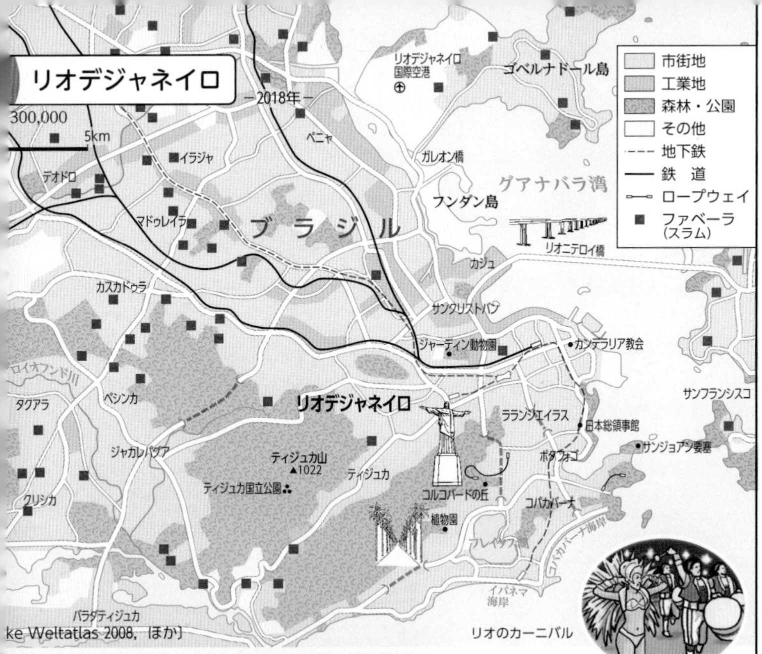

オ ファベーラ(スラム)(ブラジル リオデジャネイロ)

日本との結びつき

7 日本からの移民

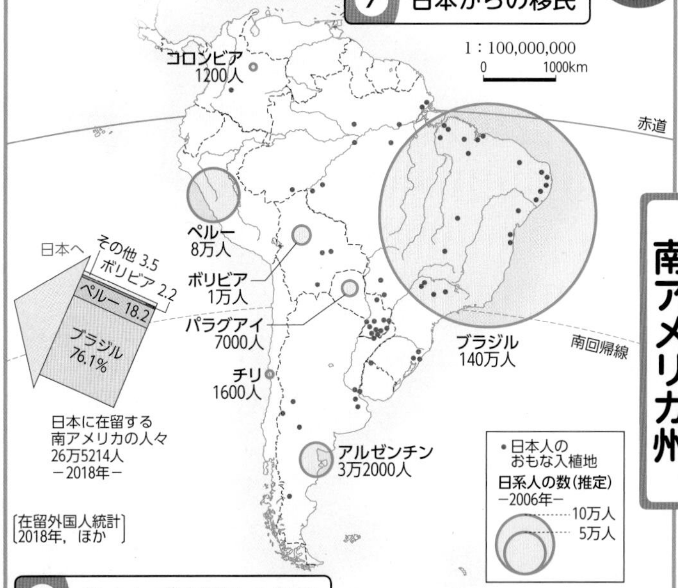

8 日本とブラジルの貿易 —2019年—

ブラジルへの輸出 合計4102億円

一般機械	自動車部品	電気機器	有機化合物	自動車	その他
23.6%	19.9	13.7	7.3	7.0	28.5

ブラジルからの輸入 合計8723億円

鉄鉱石	とうもろこし	鶏肉	コーヒー豆	有機化合物	その他
38.4%	12.4	10.8	4.9	4.7	28.8

〔財務省貿易統計〕

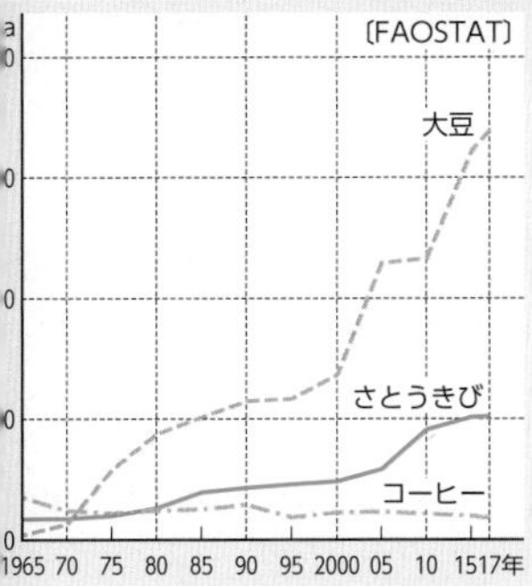

ブラジルの農産物の栽培面積の変化

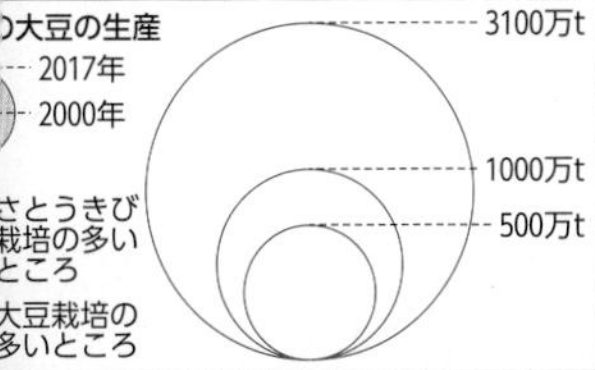

9 さとうきびと大豆の栽培

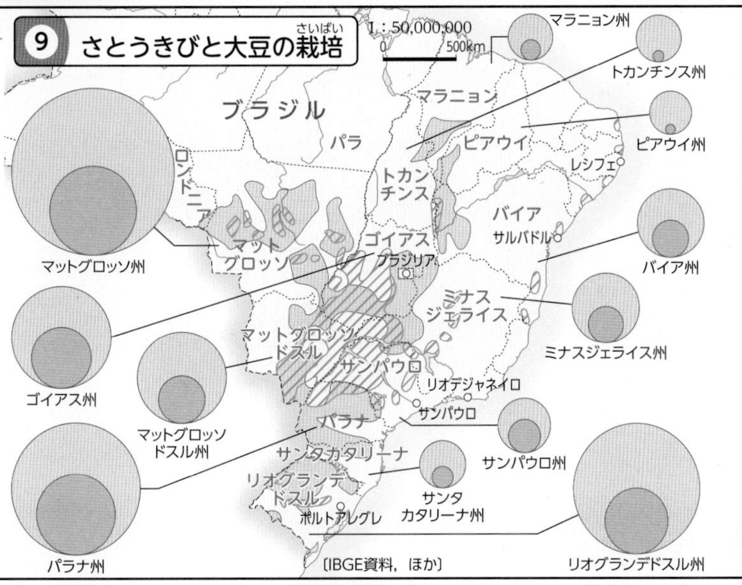

キ 大豆の収穫

ク さとうきびの収穫

環境

10 森林の減少 -ブラジル-

地図活用
森林が減少し，開発が進んだところには，何がつくられたのか答えよう。また，1970年から2014年の間に減少した森林面積を日本やチリの面積と比べよう。

ケ 減少した森林 1970年～2014年の間

	100万km²
減少した森林面積	78.3
日本の面積	37.8
チリの面積	75.6

〔INPE資料〕

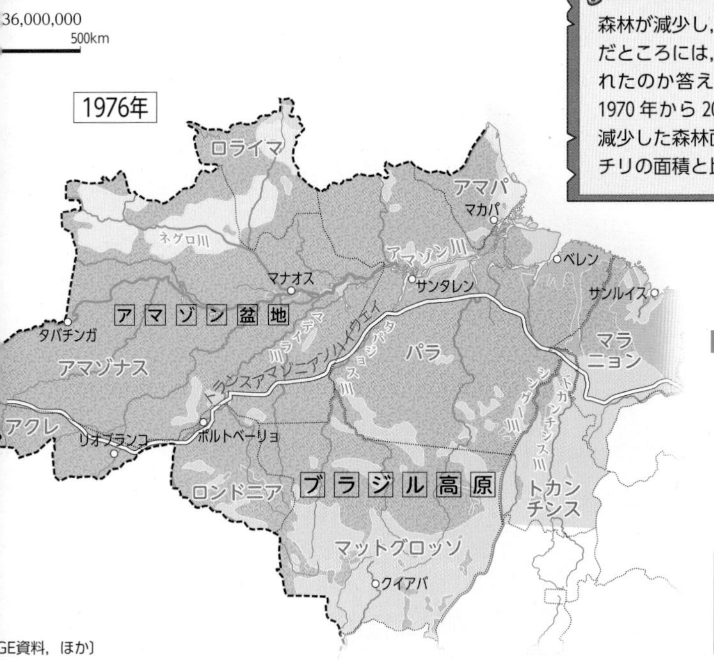

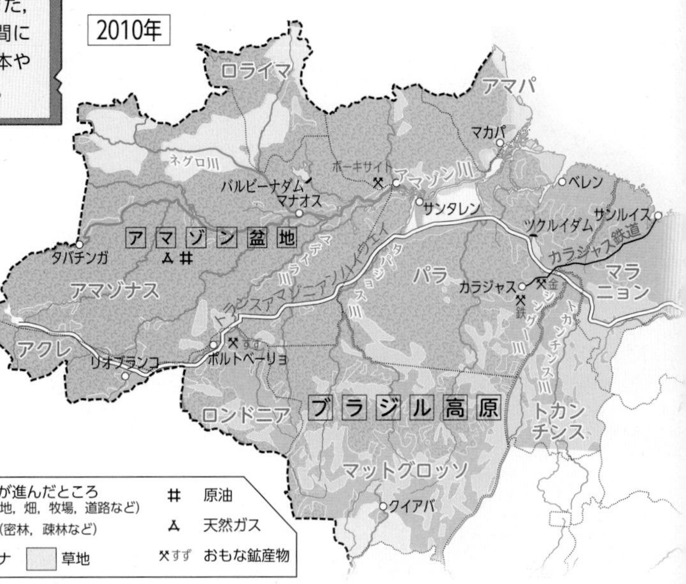

❶太平洋・インド洋

1：60,000,000
0 500 1000 1500km
エケルト図法

—・—ミクロネシア，メラネシア，ポリネシアの境界
タイ APEC（アジア太平洋経済協力）参加国・地域（2023年現在）
③図 分図の位置

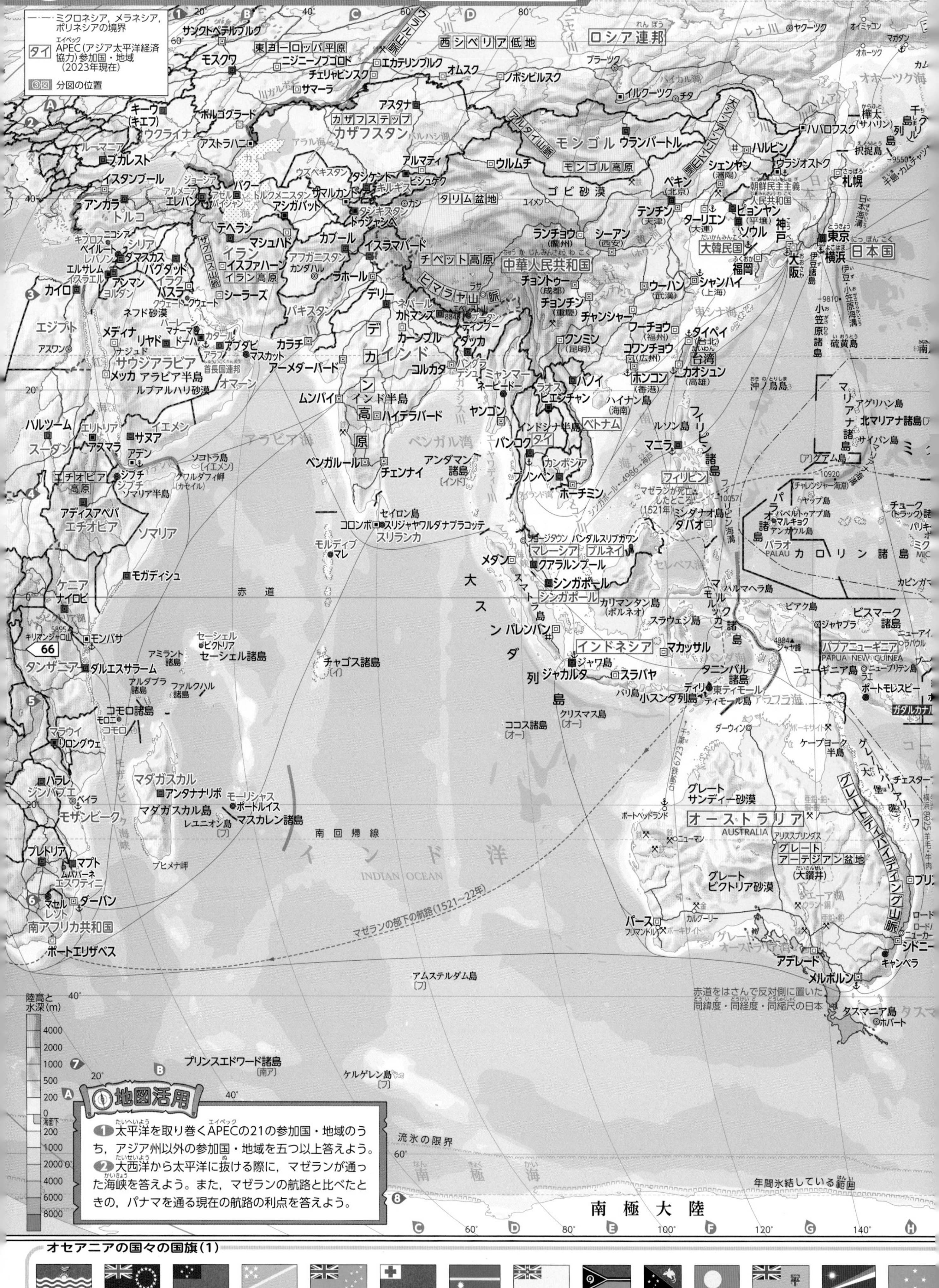

地図活用

❶太平洋を取り巻くAPECの21の参加国・地域のうち，アジア州以外の参加国・地域を五つ以上答えよう。
❷大西洋から太平洋に抜ける際に，マゼランが通った海峡を答えよう。また，マゼランの航路と比べたときの，パナマを通る現在の航路の利点を答えよう。

オセアニアの国々の国旗（1）

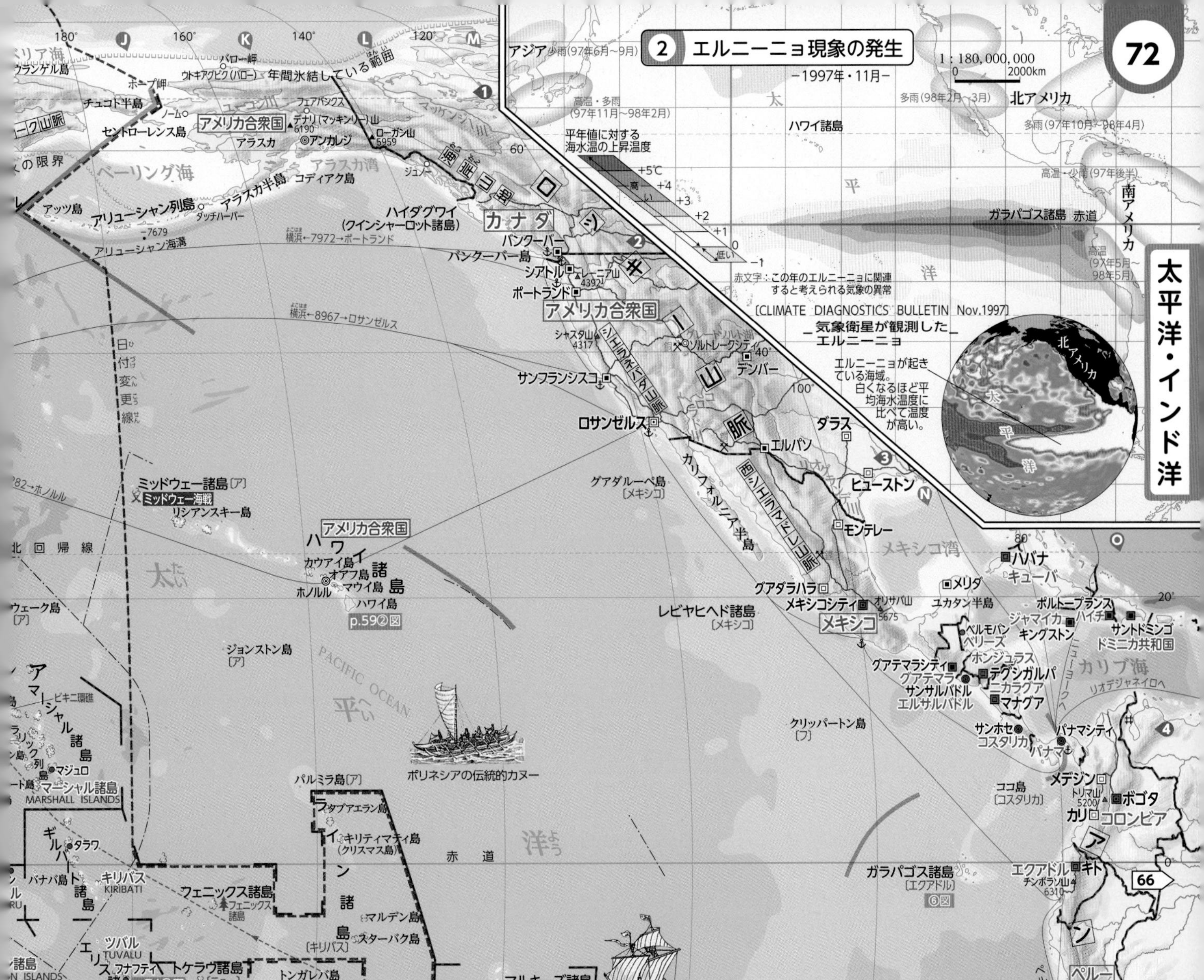

2 エルニーニョ現象の発生
−1997年・11月−
1 : 180,000,000
2000km
アジア 少雨(97年6月〜9月)
高温・多雨(97年11月〜98年2月)
多雨(98年2月〜3月)
北アメリカ
多雨(97年10月〜98年4月)
ハワイ諸島
高温・少雨(97年後半)
南アメリカ
ガラパゴス諸島
赤道
平年値に対する海水温の上昇温度
+5℃
高
+4
+3
+2
+1
低
0
−1
赤文字：この年のエルニーニョに関連すると考えられる気象の異常
〔CLIMATE DIAGNOSTICS BULLETIN Nov.1997〕
気象衛星が観測したエルニーニョ
エルニーニョが起きている海域。白くなるほど平均海水温度に比べて温度が高い。
ベーリング海
アリューシャン列島
アラスカ半島
アラスカ湾
アメリカ合衆国
アラスカ
アンカレジ
デナリ(マッキンリー)山
ローガン山
バロー岬
チュコト半島
セントローレンス島
年間氷結している範囲
ハイダグワイ(クインシャーロット諸島)
カナダ
バンクーバー
シアトル
ポートランド
サンフランシスコ
ロサンゼルス
ロッキー山脈
ソルトレークシティ
デンバー
エルパソ
ダラス
ヒューストン
モンテレー
メキシコ湾
カリフォルニア半島
グアダルーペ島〔メキシコ〕
グアダラハラ
メキシコシティ
メキシコ
レビヤヒヘド諸島〔メキシコ〕
ハバナ
キューバ
メリダ
ユカタン半島
ジャマイカ
キングストン
ポルトープランス
ハイチ
サントドミンゴ
ドミニカ共和国
カリブ海
ベリーズ
グアテマラシティ
テグシガルパ
ホンジュラス
マナグア
ニカラグア
サンサルバドル
エルサルバドル
サンホセ
コスタリカ
パナマシティ
パナマ
クリッパートン島〔フ〕
ココ島〔コスタリカ〕
メデジン
ボゴタ
カリ
コロンビア
エクアドル
キト
ガラパゴス諸島〔エクアドル〕⑥図
66
ペルー
カヤオ
リマ
アンデス山脈
イキケ
アントファガスタ
ロスデスベントゥラドス諸島
サンフェリクス島〔チリ〕
サンアンブロシオ島〔チリ〕
コルドバ
サンティアゴ
アコンカグア山 6959
ロサリオ
ブエノスアイレス
ファンフェルナンデス諸島〔チリ〕
チリ
アルゼンチン
オソルノ山 2652
チロエ島
パタゴニア
プンタアレナス
マゼラン海峡
フエゴ島
フォークランド諸島(マルビナス諸島)
流氷の限界
大西洋
ATLANTIC OCEAN
ラパヌイ島(イースター)〔チリ〕⑤図
サライゴメス島〔チリ〕
ミッドウェー諸島〔ア〕
ミッドウェー海戦
リシアンスキー島
ハワイ諸島
カウアイ島
オアフ島
ホノルル
マウイ島
ハワイ島
p.59②図
ジョンストン島〔ア〕
太平洋
PACIFIC OCEAN
ポリネシアの伝統的カヌー
パルミラ島〔ア〕
タブアエラン島
キリティマティ島(クリスマス島)
ライン諸島
マルデン島
スターバク島
赤道
フェニックス諸島
キリバス
KIRIBATI
ギルバート諸島
タラワ
マーシャル諸島
MARSHALL ISLANDS
マジュロ
ビキニ環礁
ウェーク島〔ア〕
ツバル
TUVALU
フナフティ
エリス諸島
トケラウ諸島〔ニュー〕
p.74②図
トンガレバ島
マニヒキ島
クック諸島
COOK ISLANDS
サモア
SAMOA
アピア
ウォリス諸島〔フ〕
ニウエ島
ニウエ
NIUE
アロフィ
アバルア
ラロトンガ島
トンガ
TONGA
ヌクアロファ
p.74④図
フィジー
FIJI
p.74③図
スバ
フィジー諸島
バヌアツ
VANUATU
ポートビラ
ボラボラ島
パペエテ
タヒチ島 ④図
ソシエテ諸島〔フ〕
トゥアモトゥ諸島
マルキーズ諸島〔フ〕
マゼランのビクトリア号
マゼランの航路(1519〜21年)
ムルロア環礁
ファンガタウファ環礁
ガンビア諸島〔フ〕
ヘンダーソン島〔イ〕
ピトケアン島〔イ〕
トゥブアイ島
オーストラル諸島〔フ〕(トゥブアイ)
ライババエ島
ポリネシア
メラネシア
南回帰線
北回帰線
日付変更線
ケルマデック諸島〔ニュー〕
ケルマデック海溝
ノーフォーク島〔オー〕
オークランド
北島
ウェリントン
南島
クライストチャーチ
チャタム諸島〔ニュー〕
ニュージーランド
NEW ZEALAND
アンティポディーズ諸島〔ニュー〕
極圏
3 サモア
1 : 3,000,000
30km
サバイ島
ファガマロ
アサウ
シリシリ山 1858
ファレリマ
タガ
バイロア
タウファ熱帯林保護区
アピア
ウポル島
スティーブンソン博物館
フィト山 1113
ファレファ
ラロマヌ
サラニ
シウム
太平洋
4 タヒチ島
1:2,500,000
20km
モーレア島
ビーナス岬
パペエテ
ファアア
オロヘナ山 2241
ゴーギャン博物館
ロニウ山 1332
タヒチ島〔フ〕
太平洋
5 ラパヌイ(イースター)島
1:1,000,000
10km
テレバカ山 510
ラパヌイ国立公園
ハンガロア
プエ山
ラノララク の石切場
チリ
★モアイ像
6 ガラパゴス諸島
1:10,000,000
100km
ダーウィン山 1330
ペンギン生息地
エクアドル
ダーウィン研究所
アスル山 1640
イサベラ島
プエルトアヨラ
バケリソモレーノ
サンクリストバル島

1：20,000,000
0 200 400km
ランベルト正積方位図法

地図活用

❶太平洋上の島々の周辺部の特色を地図から読み取って答えよう。

❷オーストラリアとニュージーランドでいちばん高いコジアスコ山とアオラキ(クック)山を探し，山頂の高さを確認しよう。

オセアニアの国々の国旗(2)

オーストラリア
ニュージーランド

この図の範囲
州都など
おもな国立公園
②図 分図の位置
インディアンパシフィック号(シドニー発パース行)
4日7時00分(シドニー時間) 各地の到着時間の例
マキン島
タラワ Tarawa
キリバス KIRIBATI
ギルバート諸島
ヤレン Yaren
バナバ島
ナウル NAURU
赤道
ブーゲンビル島
ソロモン諸島
ジョージア諸島
マライタ島
ホニアラ Honiara
ガダルカナル島
サンクリストバル島
ソロモン諸島 SOLOMON ISLANDS
サンタクルーズ諸島
ツバル TUVALU
エリス諸島
フナフティ Funafuti
トケラウ諸島〔ニュー〕
ニューヘブリディーズ諸島
エスピリトゥサント島
バヌアツ VANUATU
ウォリス諸島〔フ〕
サモア SAMOA
サバイイ島
アピア Apia
ウポル島
サモア諸島〔ア〕
トゥトゥイラ島
チェスターフィールド諸島〔フ〕
ポートビラ Port Vila
エロマンガ島
フィジー FIJI
バヌアレブ島
ナンディ
ビティレブ島
スバ Suva
ロワイヨーテ諸島〔フ〕
ニューカレドニア島〔フ〕
ニッケル
ヌーメア
フィジー諸島
南回帰線
トンガ TONGA
ヌクアロファ Nuku'alofa
トンガ海溝
アロフィ Alofi
ニウエ島
ニウエ NIUE
陸高と水深(m)
太平洋 PACIFIC OCEAN
ノーフォーク島〔オー〕
ロードハウ島〔オー〕
ロードハウ諸島
ケルマデック諸島〔ニュー〕
ケルマデック海溝
日付変更線
スリーキングス諸島
ノース岬
ファンガレイ
オークランド Auckland
マヌカウ
グレートバリア島
北島
ハミルトン
ロトルア
タウポ湖
ニュープリマス
タラナキ(エグモント)山 2518
トンガリロ国立公園
ルアペフ山 2797
ギスボーン
ネーピア
ヘースティングズ
パーマストンノース
タスマン海
クック海峡
ウェストポート
ネルソン
グレイマス
ロワーハット
ウェリントン Wellington
南島
サザンアルプス山脈
アオラキ(クック)山 3724
クライストチャーチ
ニュージーランド NEW ZEALAND
クインズタウン
テワヒポウナム
フィヨルドランド
インバーカーギル
ダニーデン
スチュアート島
チャタム諸島〔ニュー〕
② ツバル 1:400,000
アマツック島
太平洋
フォンガファレ島
フナフティ環礁
フナフティ Funafuti
ツバル TUVALU
フナファーラ島
③ フィジー 1:6,500,000
ビクトリア山 1324
ナンディ
ビティレブ島
フィジー FIJI
ナウソリ
スバ Suva
④ トンガ 1:1,500,000
ヌクアロファ Nuku'alofa
王宮
コロンガ
ホウマ
トンガタプ島
トンガ TONGA
ファアモトゥ
エウア島
オホヌア

75 オセアニア州の資料

1 オセアニア州をながめてみよう

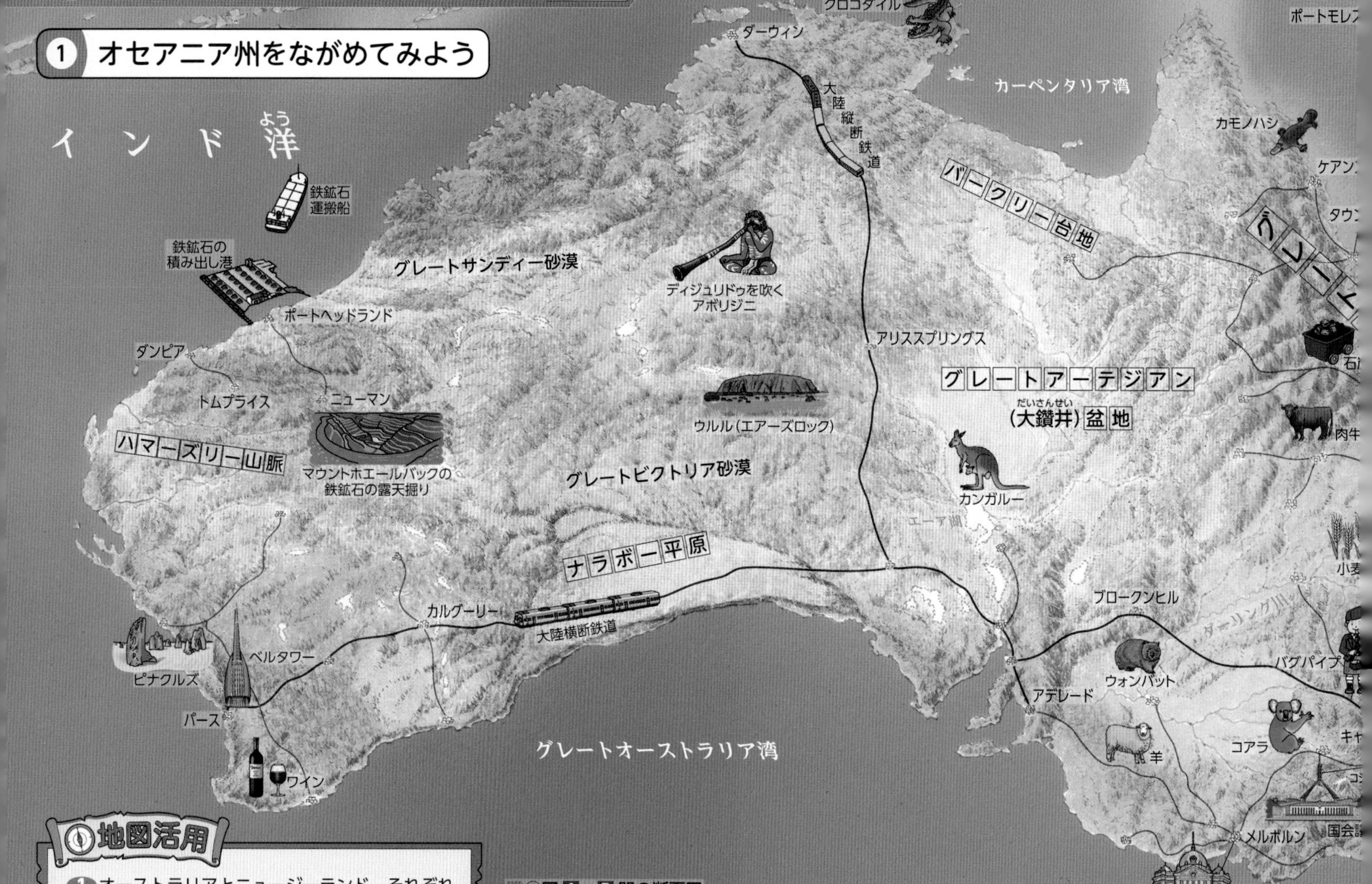

地図活用

❶オーストラリアとニュージーランド，それぞれにある大きな山脈を①図から探そう。また，これらの山脈のうち，険しい山脈はどちらか答えよう。

❷オーストラリア西部のマウントホエールバックで採掘された鉄鉱石は，どのような交通手段で輸出されているか答えよう。

ア ②図 A－B 間の断面図

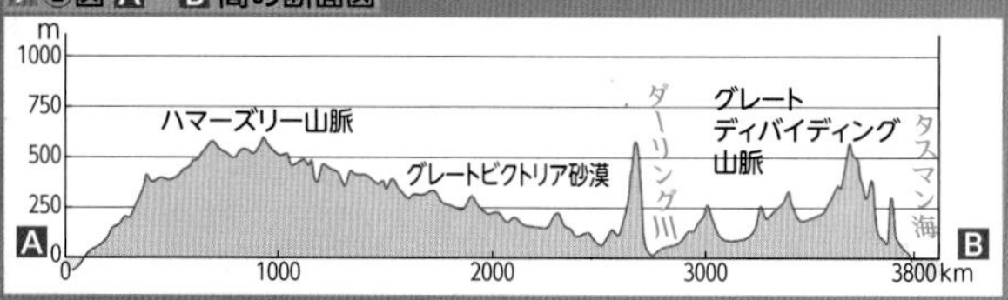

▼イ ウルル（エアーズロック）（オーストラリア）

▼ウ 羊の放牧（ニュージーランド）

▼エ サンゴ礁の島（ニューカレドニア島）

2 オセアニア州の植生と土地利用

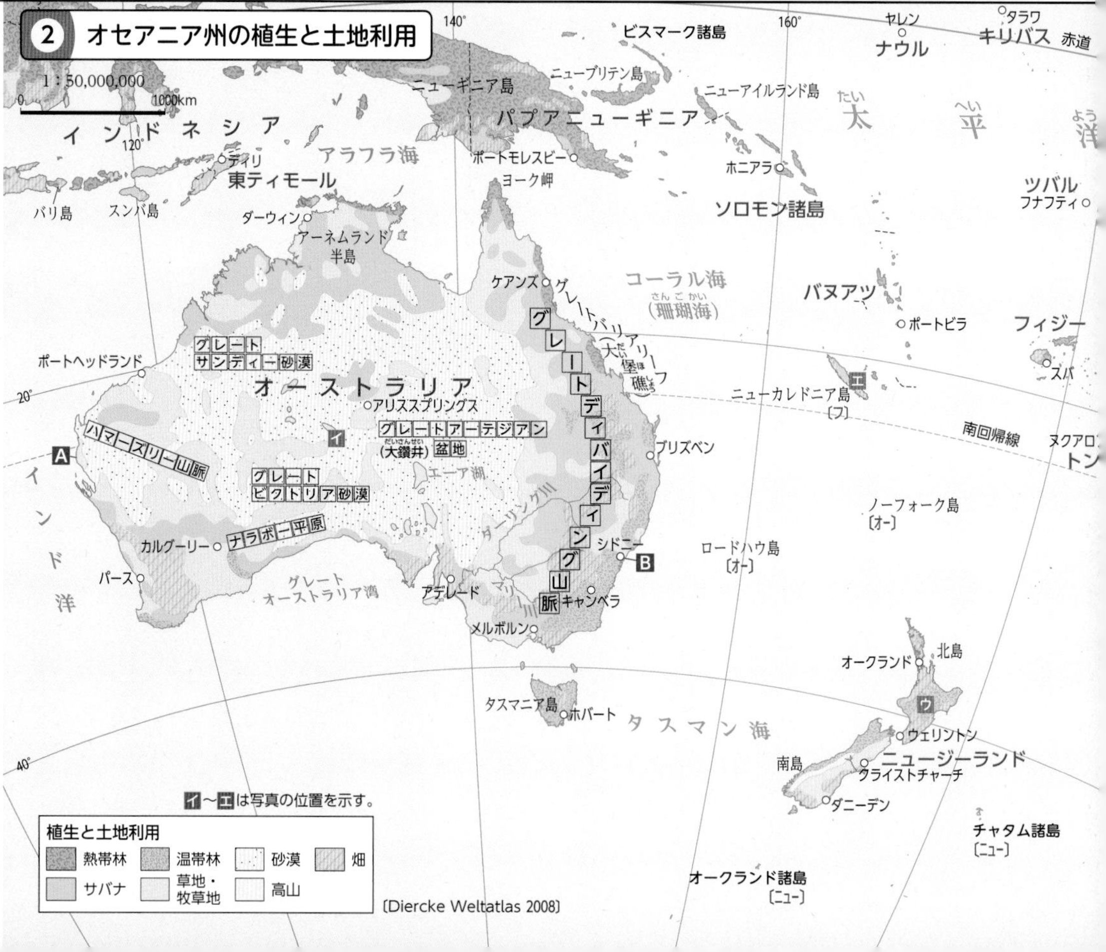

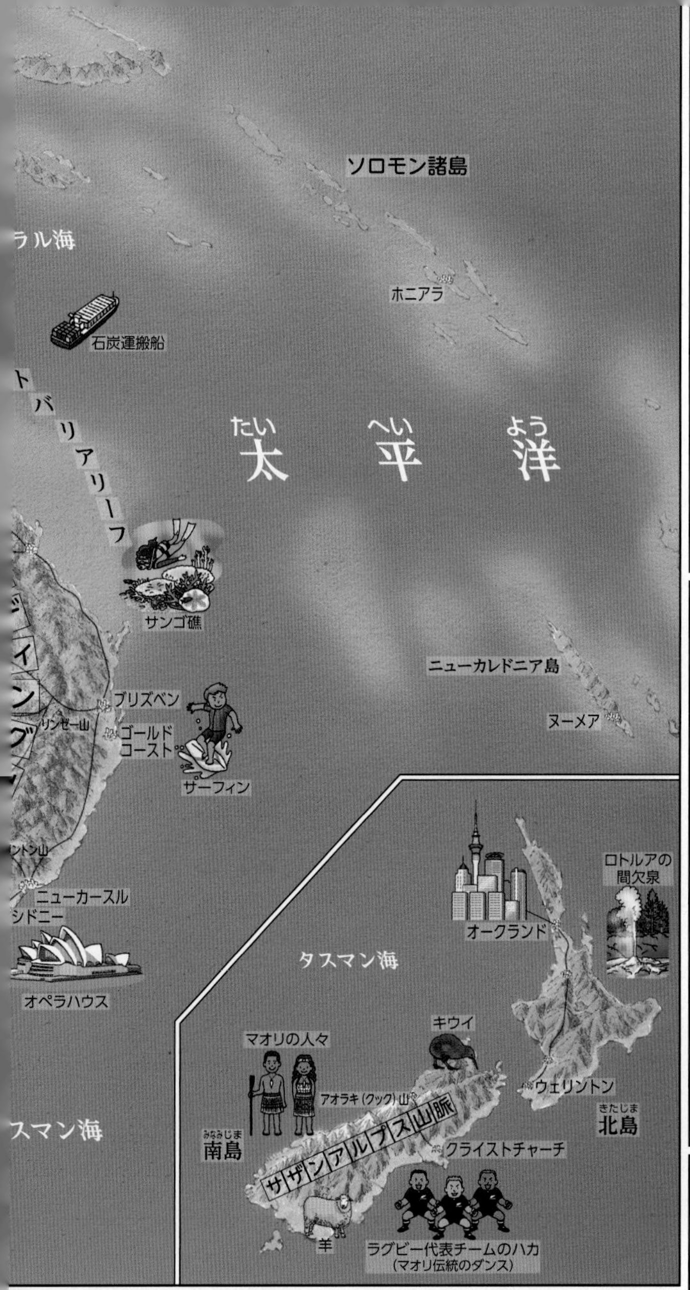

3 牛と羊の分布

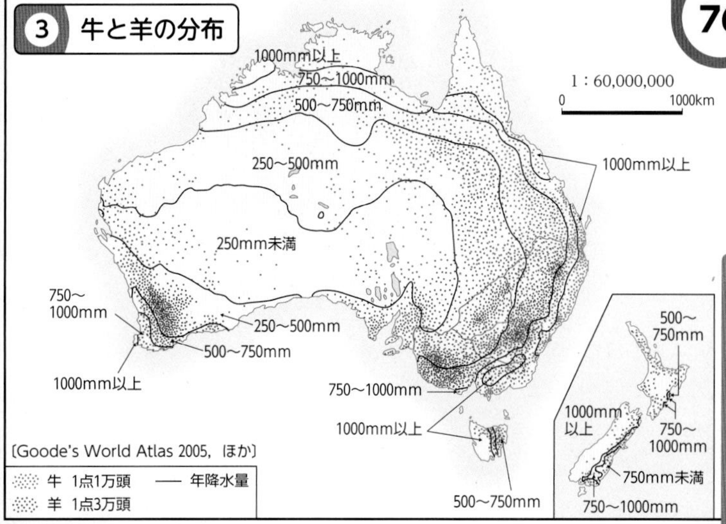

4 鉱産資源

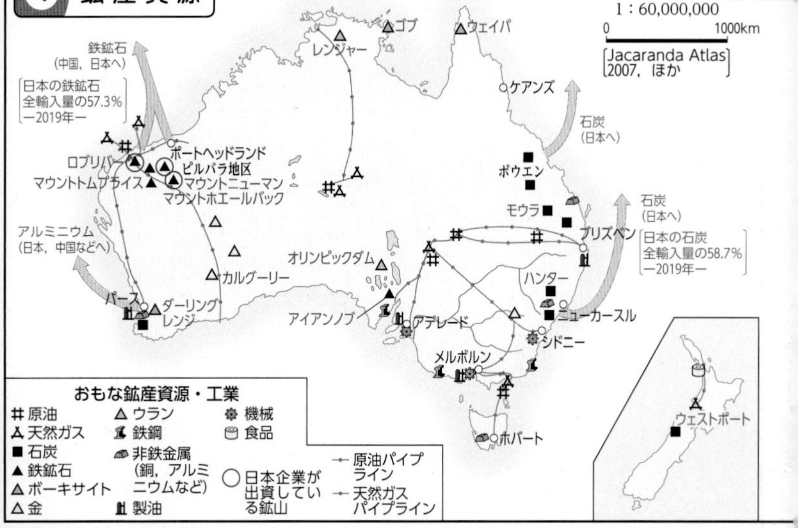

5 人口密度

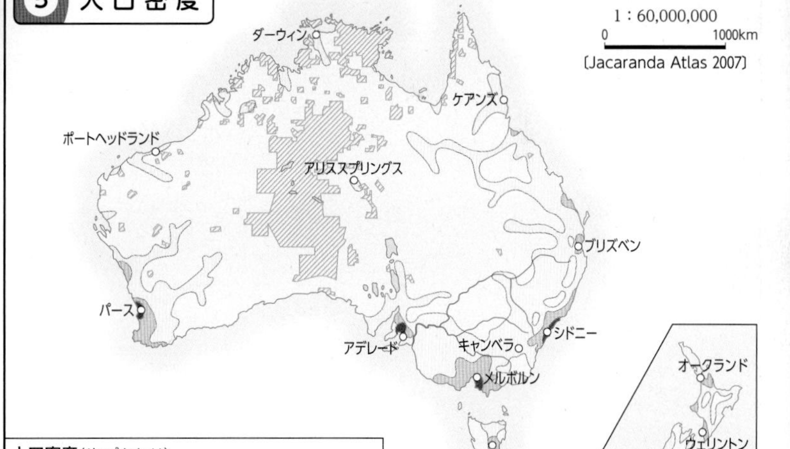

日本との結びつき

旅行者数の変化

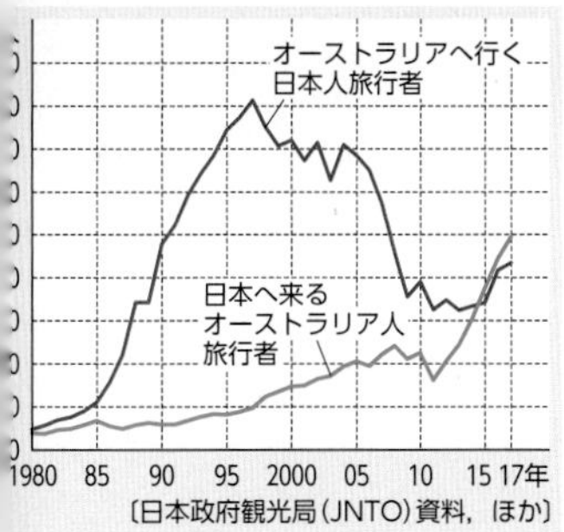

カ オーストラリアのおもな輸出品と輸出相手国 ―2018年―

石炭 669億オーストラリアドル

日本	中国	インド	韓国	その他
28.4%	21.4	16.4	11.0	22.8

鉄鉱石 633億オーストラリアドル

中国	日本	韓国	その他
81.2%	8.1	6.0	4.7

牛肉 87億オーストラリアドル

日本	アメリカ合衆国	韓国	中国	その他
26.2%	20.3	15.9	15.0	22.6

〔オーストラリア政府資料〕

貿易相手国の変化

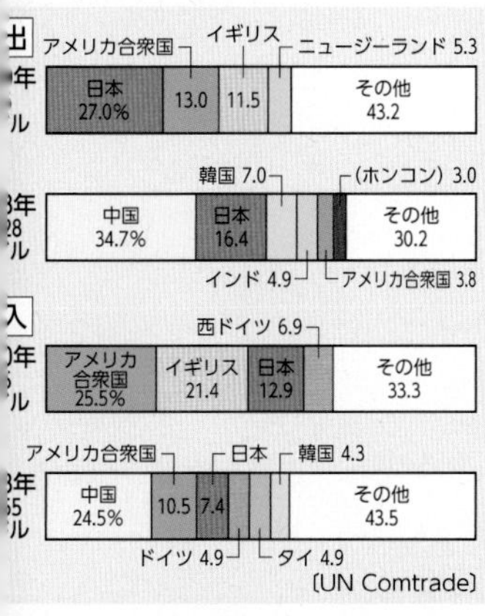

7 移民の出身地

1:740,000,000
0 5000km
〔キャンベラ中心の正距方位図法〕

移民の数
□ 5万人(数字は万人)

地図活用
オーストラリアへの移民の出身地は，どのように変化しているか，キ・ク図を確認して答えよう。

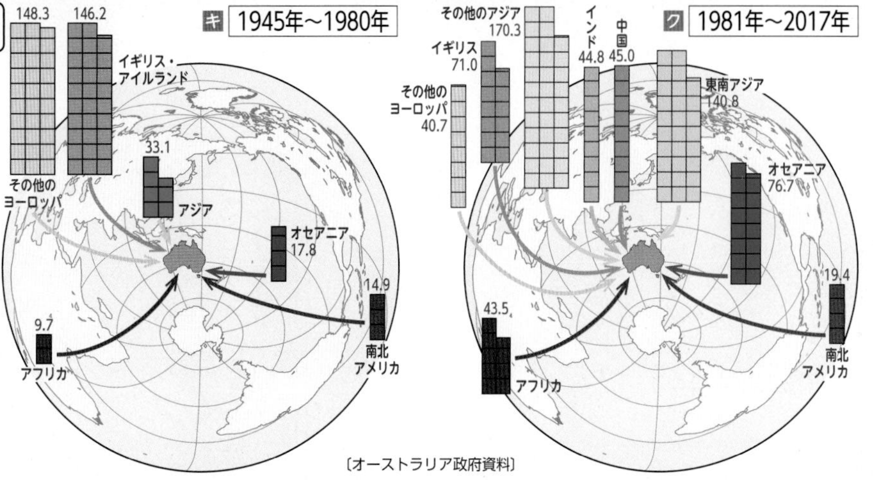

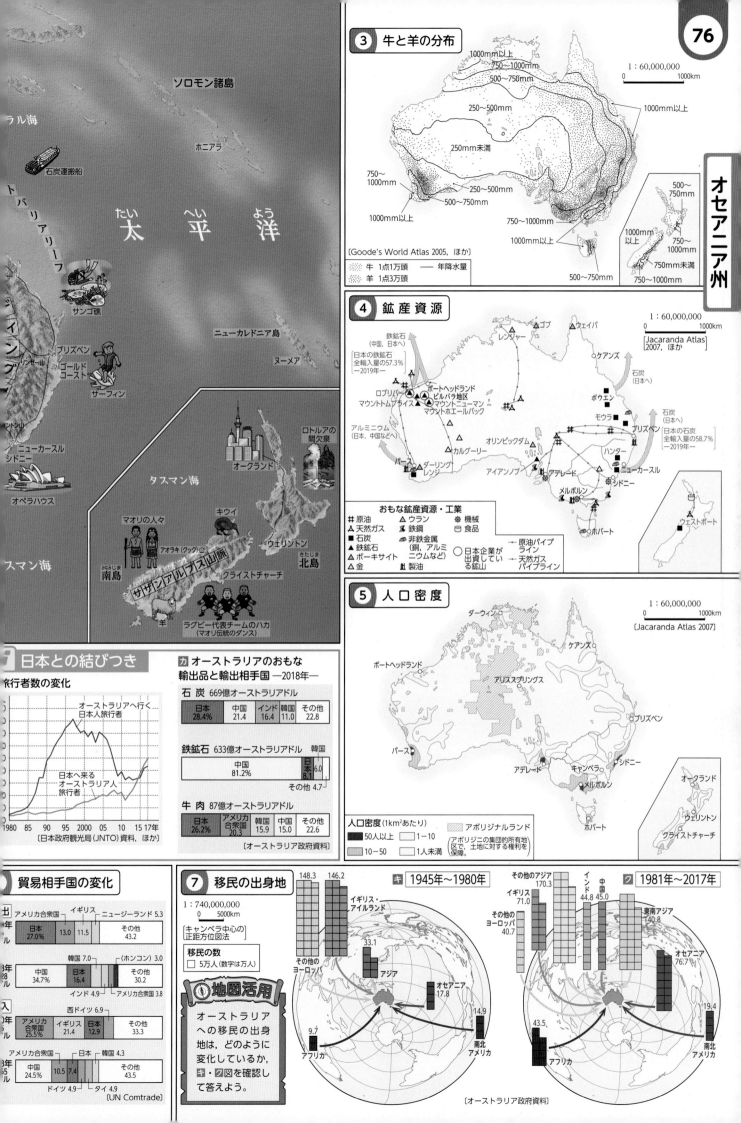

① 南西諸島

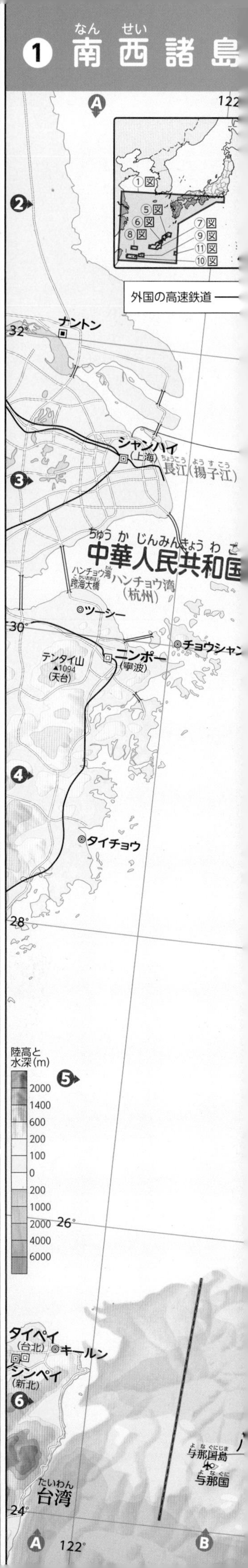

② 南西諸島周辺 1：26,000,000

③ 沖縄島 1：500,000

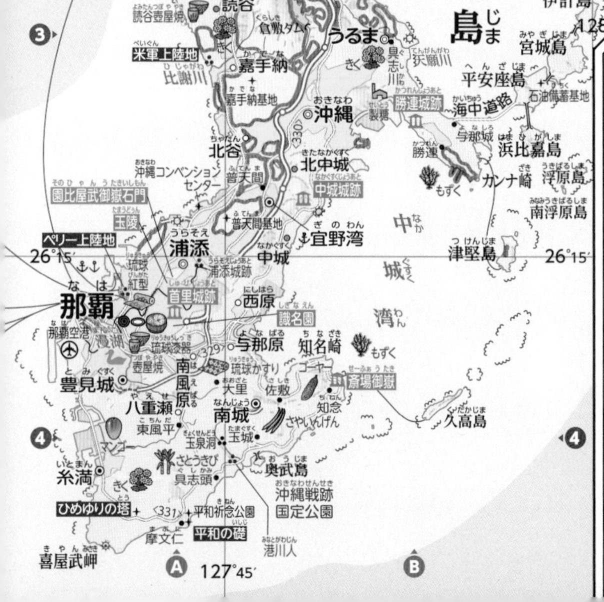

ア 沖縄島の総面積に占めるアメリカ軍専用施設の割合

—2018年3月末— 総面積 1207km²

区分	割合（%）
アメリカ軍専用施設	14.5%
その他（森林，耕地など）	85.5

〔沖縄県資料〕

④ 那覇市中心部 1：100,000

1：4,000,000
0 40 80km
正距円錐図法

地図活用

南西諸島の範囲を確認し，南西諸島の中の大きな島を北から順に四つ答えよう。

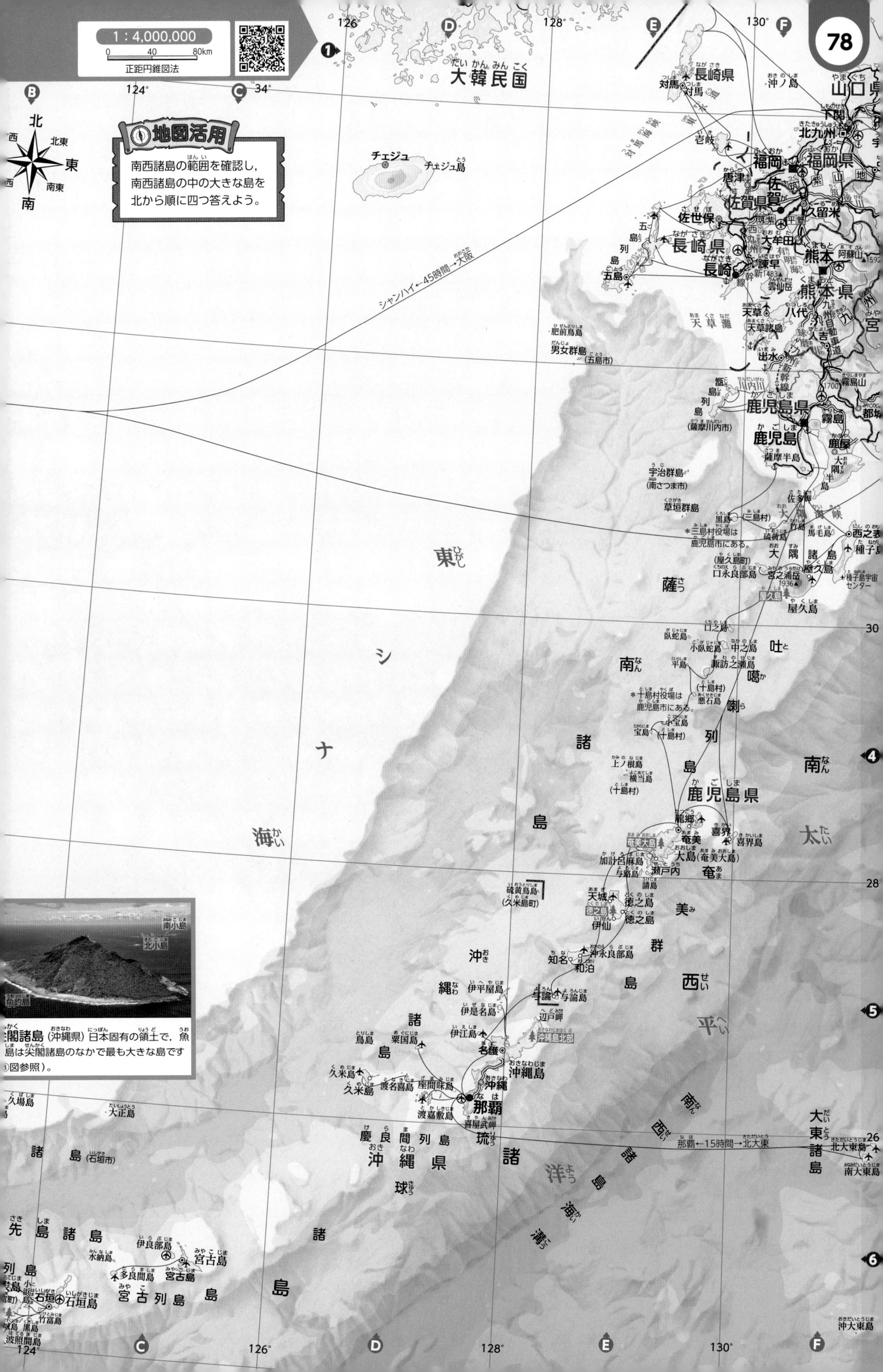

尖閣諸島（沖縄県）日本固有の領土で，魚釣島は尖閣諸島のなかで最も大きな島です（③図参照）。

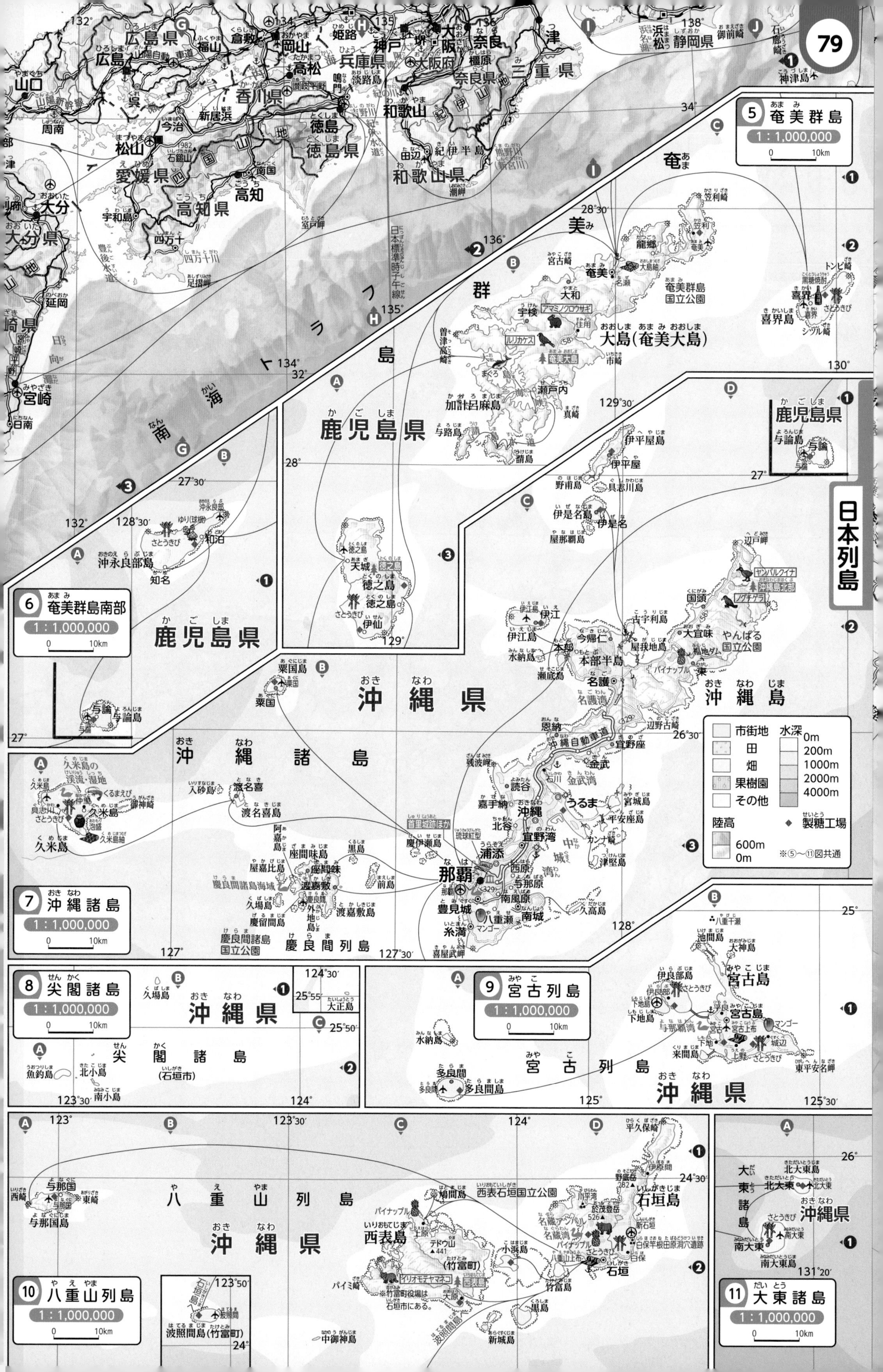

広島県
広島
山口
福山
倉敷
岡山
姫路
神戸
兵庫県
大阪
大阪府
堺
奈良
奈良県
津
三重県
浜松
静岡県
御前崎
石廊崎
神津島
高松
香川県
讃岐平野
鳴門
淡路島
和歌山
徳島
徳島県
今治
新居浜
松山
石鎚山
愛媛県
四国山地
高知
高知県
宇和島
四万十
四万十川
足摺岬
室戸岬
紀伊半島
田辺
和歌山県
潮岬
大分
大分県
延岡
宮崎
宮崎県
日南
周南
南海トラフ
日本標準時子午線
5 奄美群島
1：1,000,000
奄美群島
笠利崎
笠利
龍郷
奄美
名瀬
大和
宇検
大島(奄美大島)
奄美群島国立公園
アマミノクロウサギ
ルリカケス
住用
市崎
曽津高崎
加計呂麻島
瀬戸内
与路島
請島
喜界
喜界島
トンビ崎
シヅル崎
さとうきび
鹿児島県
与論島
与論
伊平屋島
伊平屋
野甫島
具志川島
伊是名島
伊是名
屋那覇島
6 奄美群島南部
1：1,000,000
沖永良部島
和泊
知名
ゆり(球根)
沖永良部
徳之島
天城
伊仙
徳之島
辺戸岬
ヤンバルクイナ
沖縄島北部
ノグチゲラ
国頭
大宜味
やんばる国立公園
古宇利島
屋我地島
今帰仁
本部
本部半島
伊江島
伊江
水納島
瀬底島
名護
名護湾
東
パイナップル
沖縄県
沖縄島
辺野古崎
宜野座
恩納
沖縄自動車道
残波岬
金武
金武湾
読谷
石川
うるま
宮城島
平安座島
嘉手納
沖縄
北谷
宜野湾
中城湾
カンナ崎
津堅島
浦添
那覇
首里城跡ほか
琉球紅型
慶伊瀬島
西原
与那原
南風原
南城
豊見城
糸満
喜屋武岬
八重瀬
マンゴー
久高島
粟国島
粟国
沖縄諸島
入砂島
渡名喜
渡名喜島
久米島の渓流・湿地
久米島
具志川
仲里
くるまえび
御神崎
泡盛
久米島紬
阿嘉島
座間味島
座間味
屋嘉比島
黒島
慶良間諸島海域
渡嘉敷
渡嘉敷島
前島
久場島
慶留間島
外地島
慶良間諸島国立公園
慶良間列島
7 沖縄諸島
1：1,000,000
市街地
田
畑
果樹園
その他
水深
0m
200m
1000m
2000m
4000m
陸高
600m
0m
製糖工場
※⑤～⑪図共通
8 尖閣諸島
1：1,000,000
久場島
沖縄県
大正島
尖閣諸島
魚釣島
北小島
南小島
(石垣市)
9 宮古列島
1：1,000,000
八重干瀬
池間島
大神島
伊良部島
伊良部
宮古島
下地島
平良
宮古
宮古上布
マンゴー
城辺
下地
上野
来間島
東平安名崎
与那覇湾
水納島
多良間
多良間島
宮古列島
沖縄県
平久保崎
伊原間
野底岳
石垣島
西表石垣国立公園
川平湾
於茂登岳
名蔵アンパル
名蔵湾
新石垣
白保竿根田原洞穴遺跡
白保
八重山上布
石垣
竹富島
鳩間島
上原
西表島
テドウ山
(竹富町)
イリオモテヤマネコ
西表島
小浜島
大原
パイミ崎
※竹富町役場は石垣市にある。
黒島
新城島
波照間島
中御神島
与那国
与那国島
西崎
東崎
八重山列島
10 八重山列島
1：1,000,000
石垣島
波照間
波照間島(竹富町)
大東諸島
北大東島
北大東
沖縄県
南大東島
南大東
11 大東諸島
1：1,000,000

知床半島から見た国後島（北海道）
国後島・択捉島・色丹島・歯舞群島は，日本固有の領土ですが，ロシアが不法に占拠しています。

北海道の振興局の名称

釧路　総合振興局
根室　振　興　局

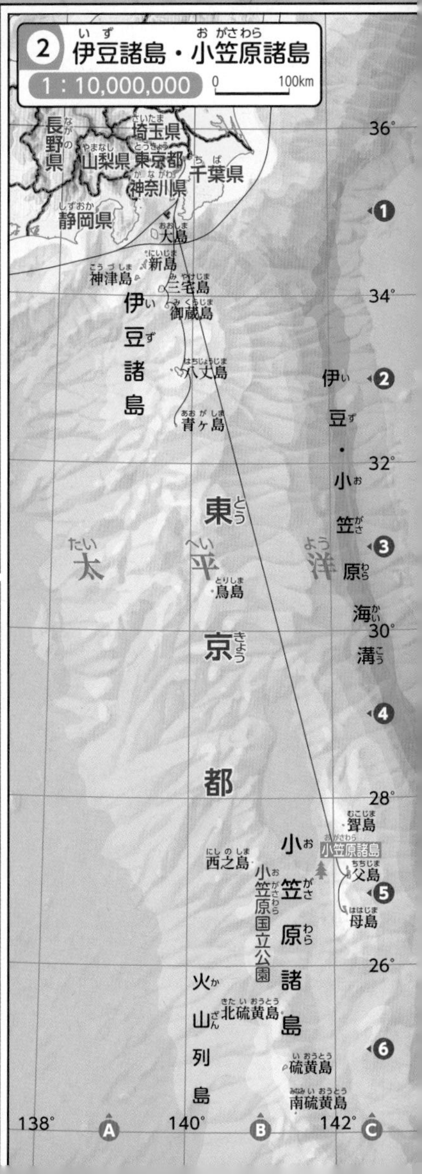

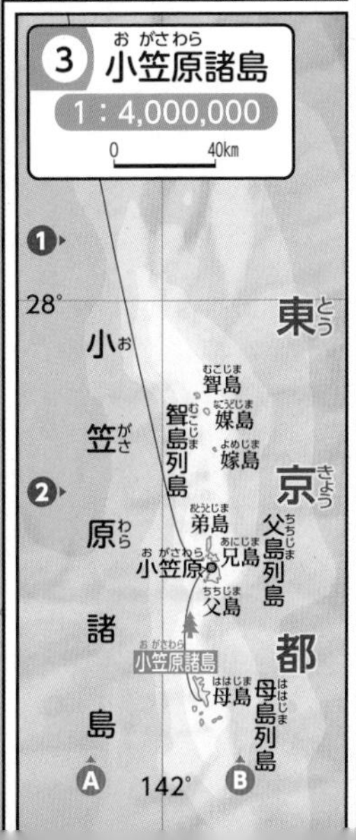

地図活用

東京から福岡市までの距離と，p.78の鹿児島市から石垣市までの距離を測り，どちらの距離が長いか答えよう。

1 九州地方

1：1,000,000
0 10 20km
ランベルト正角円錐図法

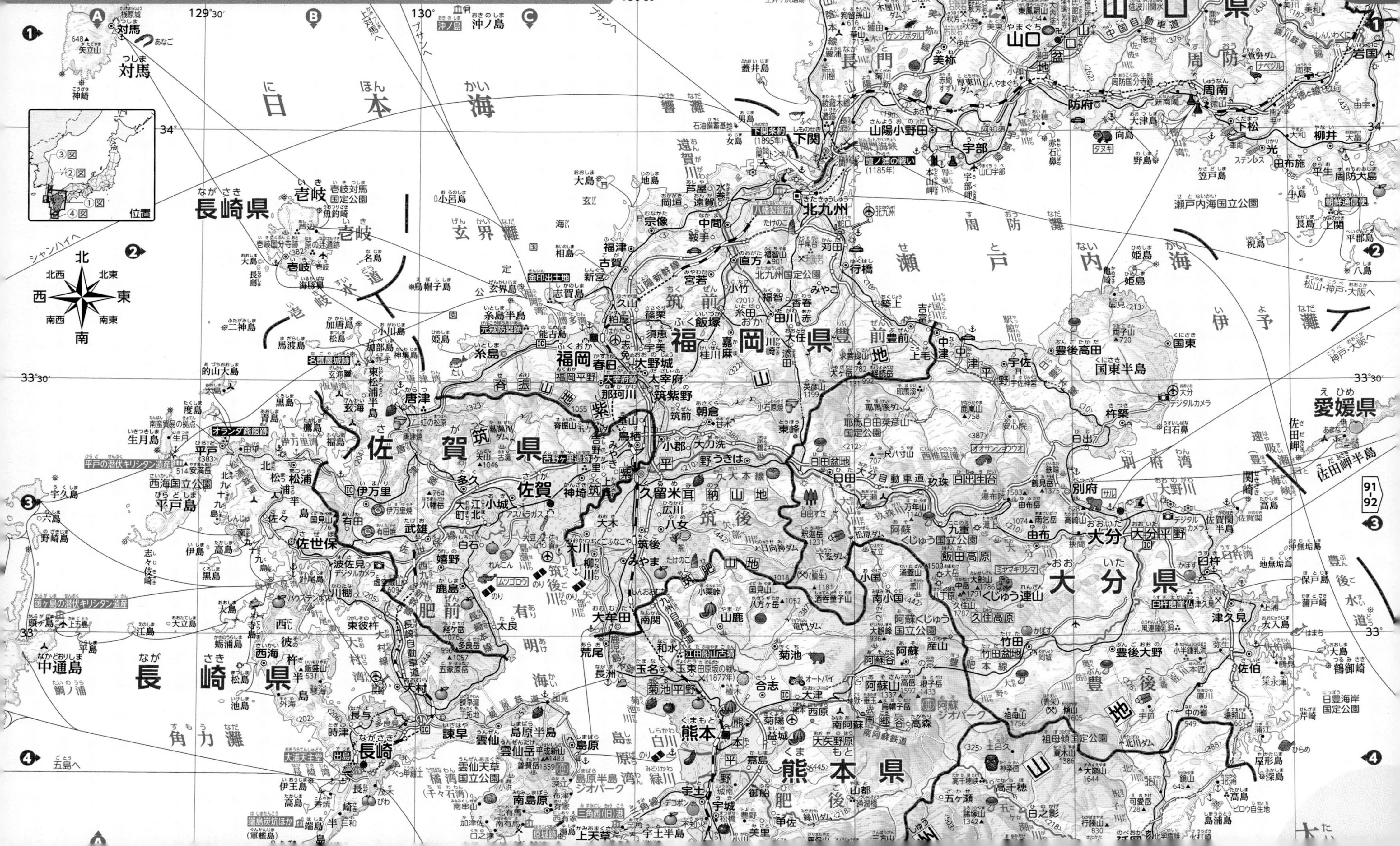

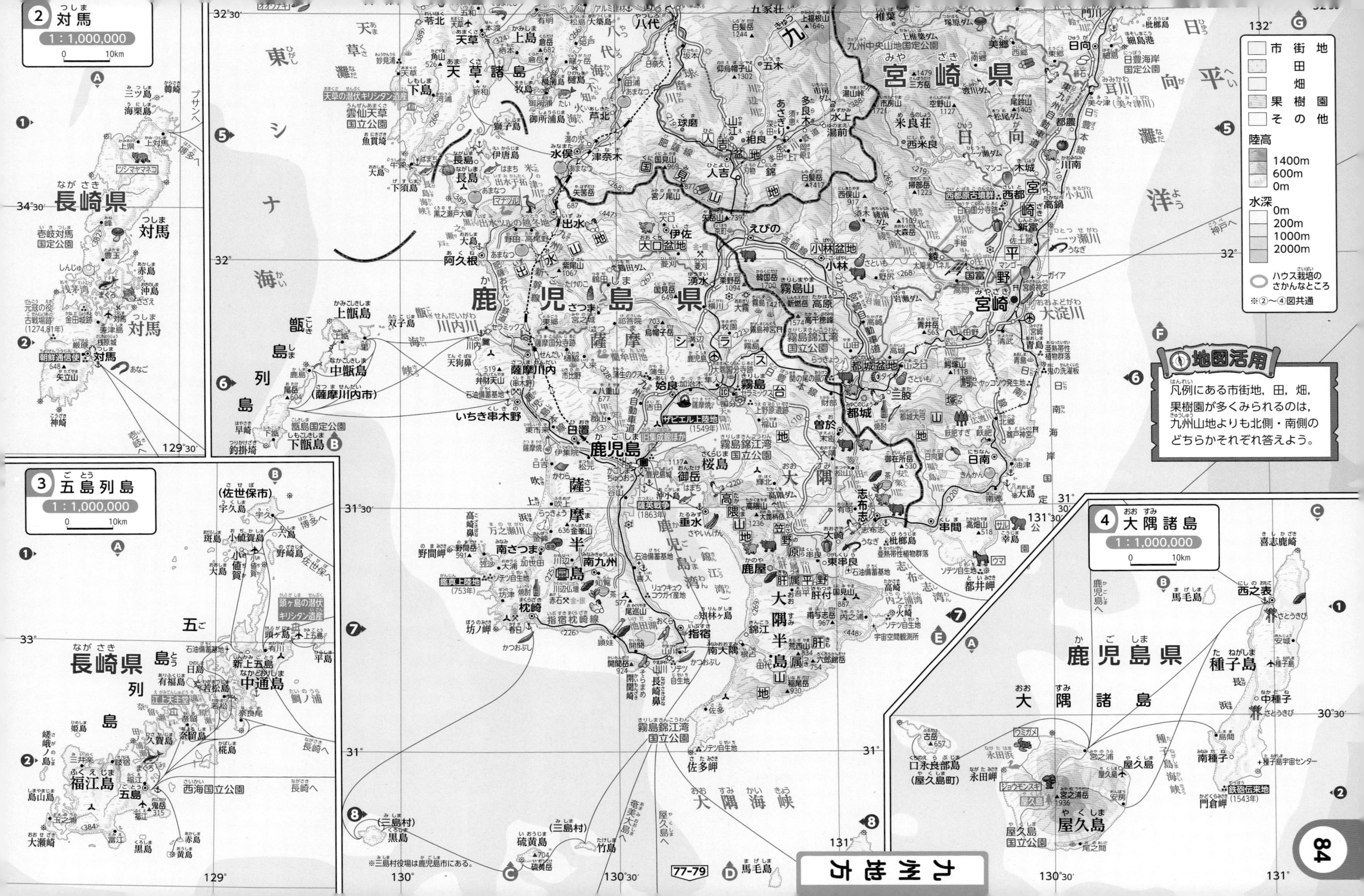

地図活用

凡例にある市街地，田，畑，果樹園が多くみられるのは，九州山地よりも北側・南側のどちらかそれぞれ答えよう。

① 九州地方北部

1：500,000
0 5 10km
ランベルト正角円錐図法

2 環境のまち北九州市
企業による自動車や家電のリサイクル
響灘
響灘東部地区
響灘ビオトープ
廃棄物処分場
脇田海水浴場
メガソーラー基地
エコタウン
総合環境コンビナート
響リサイクル団地
コンテナターミナル
実証研究エリア
響灘緑地グリーンパーク
エコタウンセンター
環境関連技術の開発拠点
ごみ積出基地（廃棄物処分場へ）
ごみ処理工場（ごみ発電）
大学や研究所が環境に関する研究に協力
石峰山
若戸大橋
わかまつ
とばた
北九州学術研究都市
筑豊本線
洞海湾
山陽新幹線
にしこくら
小倉城
市役所
えだみつ
ごみ処理工場（ごみ発電）
鹿児島本線
くろさき
やはた
おりお
じんのはる
KITA環境協力センター
環境ミュージアム
皿倉山
海外からの研修生受け入れ施設
エコタウン事業が行われている地域
実証研究エリア エコタウン事業
環境関係施設
おもな新エネルギー発電
風力 太陽光 その他
市街地
工業地
公園・緑地
山地
その他
山口県
山陽小野田
下関
彦島
門司
企救半島
関門海峡
壇ノ浦の戦い（1185年）
下関条約（1895年）
北九州
北九州空港
周防灘
姫島
国東半島
瀬戸内海国立公園
両子山
国東
豊後高田
宇佐
宇佐神宮
中津
中津平野
豊前
吉富
上毛
大分空港
杵築
別府
別府湾
大分
大分平野
福岡県
直方平野
筑豊
田川
飯塚
英彦山
耶馬日田英彦山国立公園
耶馬溪
日田
日田盆地
大分県
日出生台
由布岳
鶴見岳
由布
湯布院
九重
玖珠
豊後
阿蘇くじゅう国立公園
飯田高原
くじゅう連山
久住高原
中岳
大船山
竹田
竹田盆地
豊後大野
熊本県
阿蘇谷
阿蘇山
南郷谷
南阿蘇
高森
菊池
大津
熊本
益城
本平野
大矢野原
宮崎県
祖母山
祖母傾国定公園
高千穂
日向
陸高
1400m
600m
0m
水深
0m
200m
市街地
田
畑
茶畑
果樹園
工業地
その他

九州地方の資料

① 自然

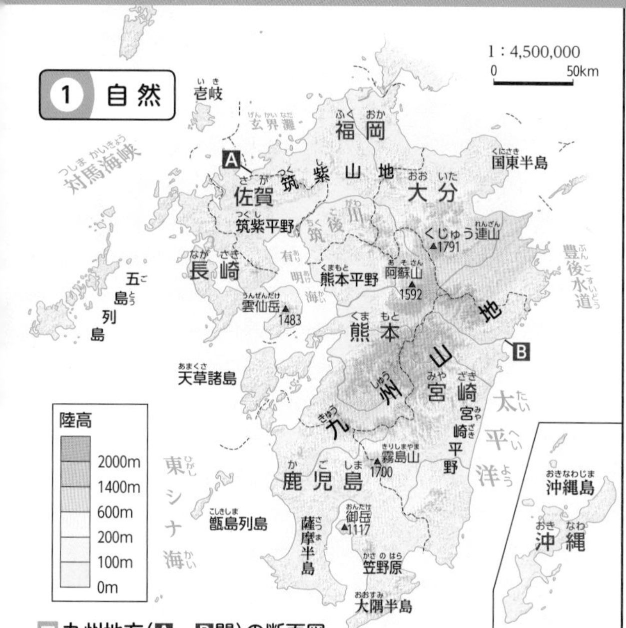
1：4,500,000
0 50km
壱岐
玄界灘
対馬海峡
福岡
A
佐賀
筑紫山地
大分
国東半島
筑紫平野
筑後川
くじゅう連山
▲1791
豊後水道
五島列島
長崎
有明海
熊本平野
阿蘇山
1592
雲仙岳
1483
熊本
地
B
九州山地
天草諸島
宮崎
太平洋
宮崎平野
霧島山
1700
東シナ海
鹿児島
沖縄島
沖縄
甑島列島
薩摩半島
御岳
1117
笠野原
大隅半島
陸高
2000m
1400m
600m
200m
100m
0m

ア 九州地方（A—B間）の断面図

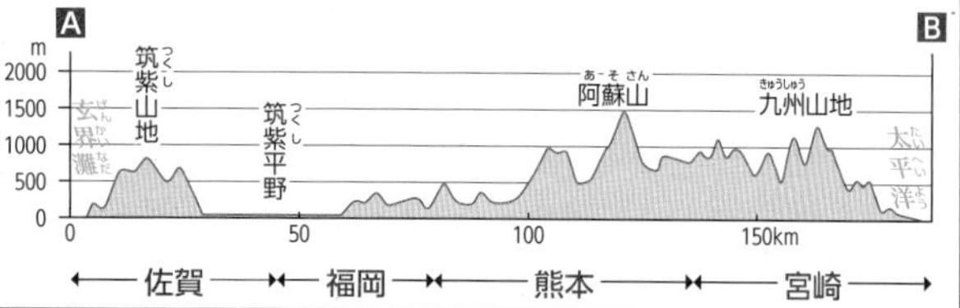
A
B
m
2000
1500
1000
500
0
筑紫山地
筑紫平野
阿蘇山
九州山地
玄界灘
太平洋
0
50
100
150km
佐賀
福岡
熊本
宮崎

② 降水量

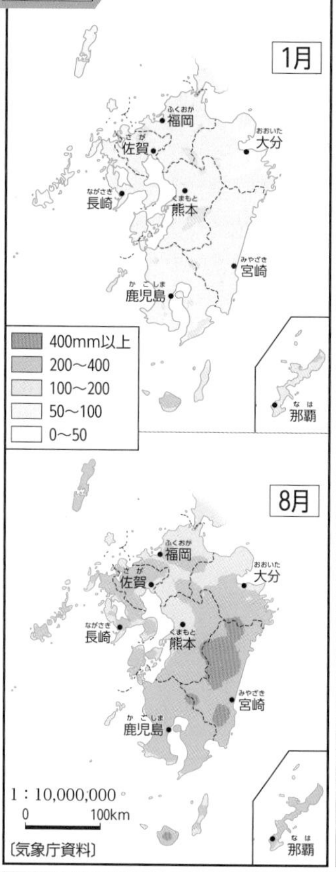
1月
福岡
大分
佐賀
長崎
熊本
宮崎
鹿児島
那覇
400mm以上
200～400
100～200
50～100
0～50
8月
福岡
大分
佐賀
長崎
熊本
宮崎
鹿児島
那覇
1：10,000,000
0 100km
〔気象庁資料〕

③ 人口分布

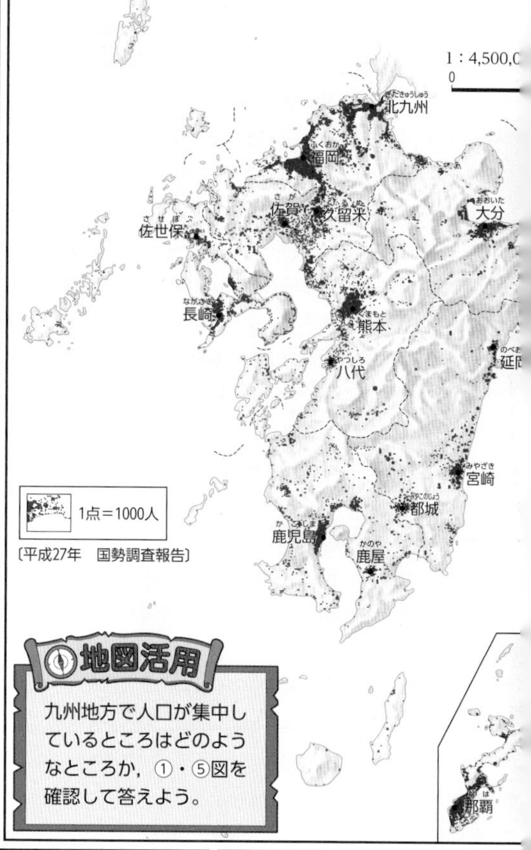
1：4,500,000
北九州
福岡
佐賀
久留米
大分
佐世保
長崎
熊本
延岡
八代
宮崎
都城
鹿児島
鹿屋
那覇
1点＝1000人
〔平成27年 国勢調査報告〕

地図活用

九州地方で人口が集中しているところはどのようなところか，①・⑤図を確認して答えよう。

④ 農業

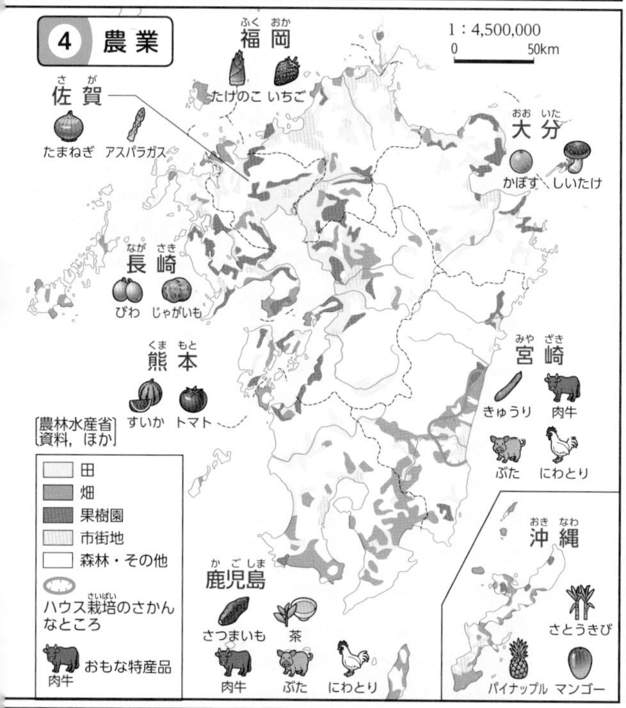
1：4,500,000
0 50km
福岡
たけのこ
いちご
佐賀
たまねぎ
アスパラガス
大分
かぼす
しいたけ
長崎
びわ
じゃがいも
熊本
すいか
トマト
宮崎
きゅうり
肉牛
ぶた
にわとり
〔農林水産省資料，ほか〕
田
畑
果樹園
市街地
森林・その他
ハウス栽培のさかんなところ
おもな特産品
肉牛
沖縄
さとうきび
パイナップル
マンゴー
鹿児島
さつまいも
茶
肉牛
ぶた
にわとり

⑤ 工業・交通

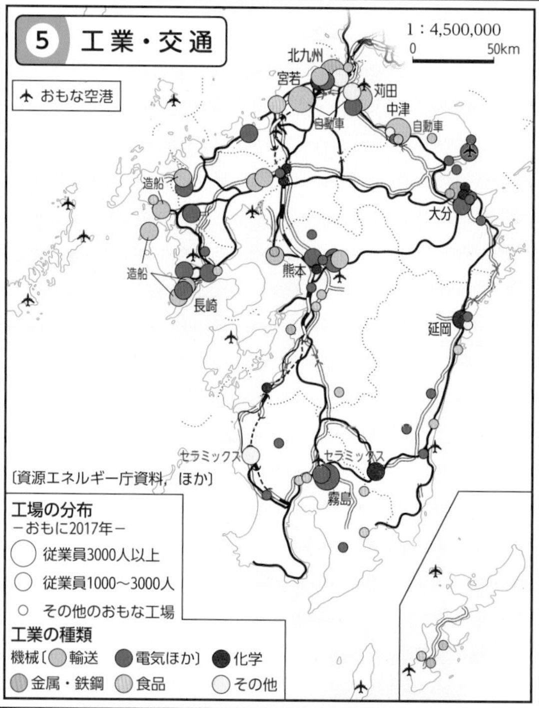
1：4,500,000
0 50km
おもな空港
北九州
宮若
苅田
中津
自動車
自動車
造船
大分
熊本
造船
長崎
延岡
セラミックス
セラミックス
霧島
〔資源エネルギー庁資料，ほか〕
工場の分布
－おもに2017年－
従業員3000人以上
従業員1000～3000人
その他のおもな工場
工場の種類
機械〔輸送 電気ほか〕 化学
金属・鉄鋼 食品 その他

イ 県別農業産出額 —2018年—

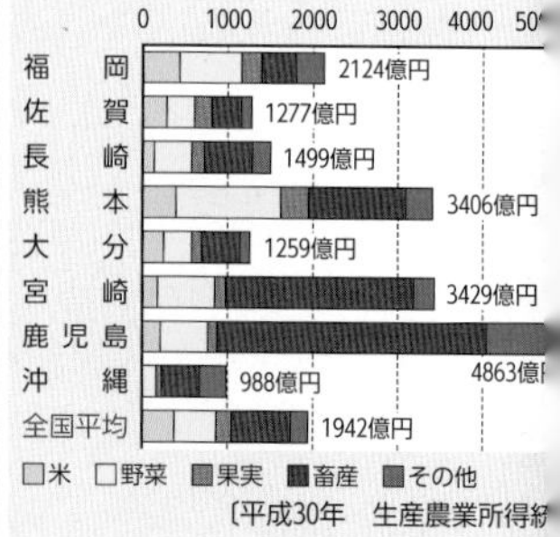
0 1000 2000 3000 4000
福岡 2124億円
佐賀 1277億円
長崎 1499億円
熊本 3406億円
大分 1259億円
宮崎 3429億円
鹿児島 4863億円
沖縄 988億円
全国平均 1942億円
米 野菜 果実 畜産 その他
〔平成30年 生産農業所得統計〕

ウ 県別工業出荷額 —2017年—

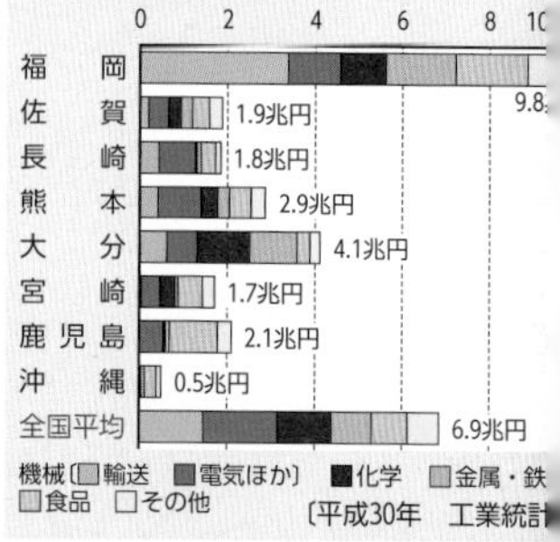
0 2 4 6 8 10
福岡 9.8
佐賀 1.9兆円
長崎 1.8兆円
熊本 2.9兆円
大分 4.1兆円
宮崎 1.7兆円
鹿児島 2.1兆円
沖縄 0.5兆円
全国平均 6.9兆円
機械〔輸送 電気ほか〕 化学 金属・鉄
食品 その他
〔平成30年 工業統計〕

⑥ 阿蘇・くじゅうの産業

天瀬
1140
万年山
玖珠
ゆふいんの森
大分自動車道
湯布院
松原ダム
九重
▲1181
酒呑童子山
中津江
下筌ダム
杖立
涌蓋山
1500
飯田高原
1170
花牟礼山
兵戸峠
上津江
大岳
九重"夢"大吊橋
くじゅう連山
1786
大船山
竜門ダム
小国
南小国
八丁原
1787
久住山
1791
中岳
菊池渓谷
菊池阿蘇スカイライン
草地畜産研究所
黒川
乳牛
乳牛
観光バス
久住高原
ミルクロード
大観峰
936
別府・阿蘇道路
(やまなみハイウェイ)
内牧
肉牛
外輪山
馬
阿蘇ファームランド
阿蘇谷
阿蘇
産山
久住
大分
草千里ヶ浜
米塚
阿蘇神社
一の宮
肉牛
たての
火山研究センター
1337
烏帽子岳
中岳
1506
仙酔峡
あそぼーい!
坂ノ上トンネル
1433
根子岳
竹田盆地
高岳
1592
阿蘇山
波野
豊肥本線
荻
冠ヶ岳
1154
長陽
南阿蘇
肉牛
肉牛
南郷谷
熊本
肉牛
乳牛
肉牛
馬
1101
久木野
白水
白川水源
高森
外輪山
高千穂野
南阿蘇鉄道
たかもり
祖母山
1756
肉牛

⑦ 宮崎平野の野菜づくり

田
畑
市街地
その他
ビニールハウスの多いところ
ビニールハウスの生産物
野菜の流通
2019
トラックや鉄
さどわら
JA野菜集送センター
ピーマン
みかん
きゅうり
ひゅうがすみよし
しょうが
切り花
宮崎大学牧場
住吉I.C.
メロン
ピーマン
日豊本線
マンゴー
はすがいけ
シーガイア
シーガイア
きゅうり
バラ
こちょうらん
フェリー
大阪へ
宮崎市
〔宮崎中央農業協同組合資料，ほか〕
宮崎市中央卸売市場

外国との結びつきが強まる博多港

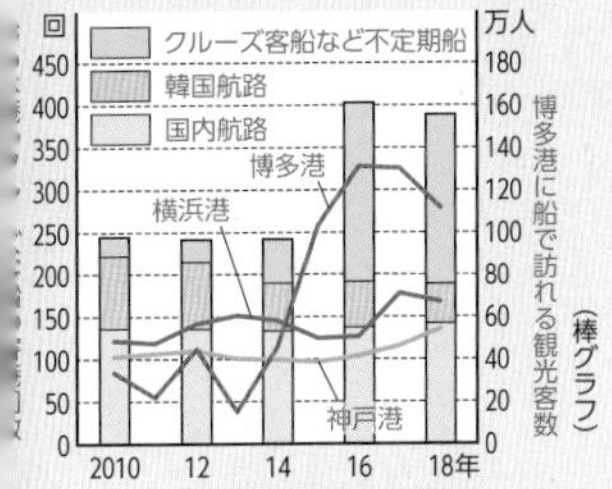

〔福岡市港湾空港局資料，ほか〕

8 福岡市中心部 －2023年－

ビル街 / 工業・流通地区 / おもなテレビ局
建物の密集地 / 公園・緑地 / おもな新聞社
その他の市街地 / その他の地域 / おもな領事館

長崎市

第二次世界大戦前の市街地 / 公園・緑地 / 1000m 原爆の爆心地からの距離
新しい市街地 / その他 / 原爆で全壊・全焼した範囲
工業地

10 北九州工業地帯の変化

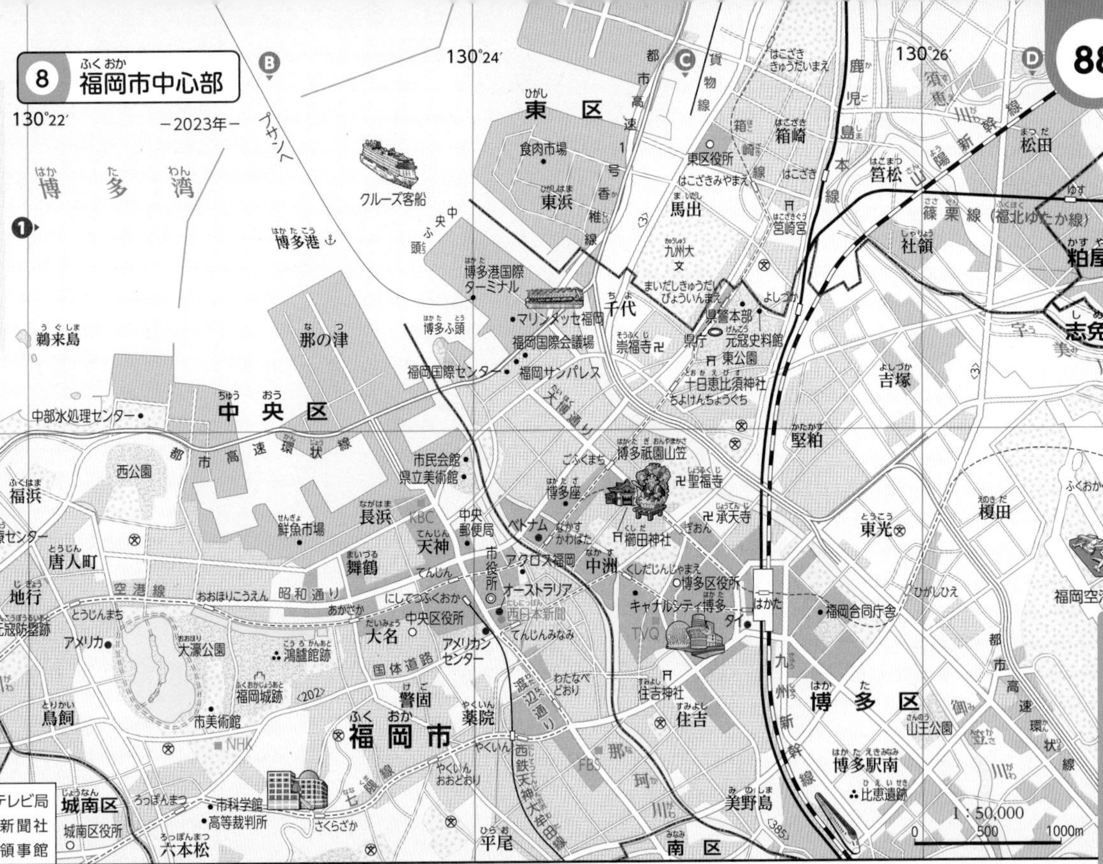

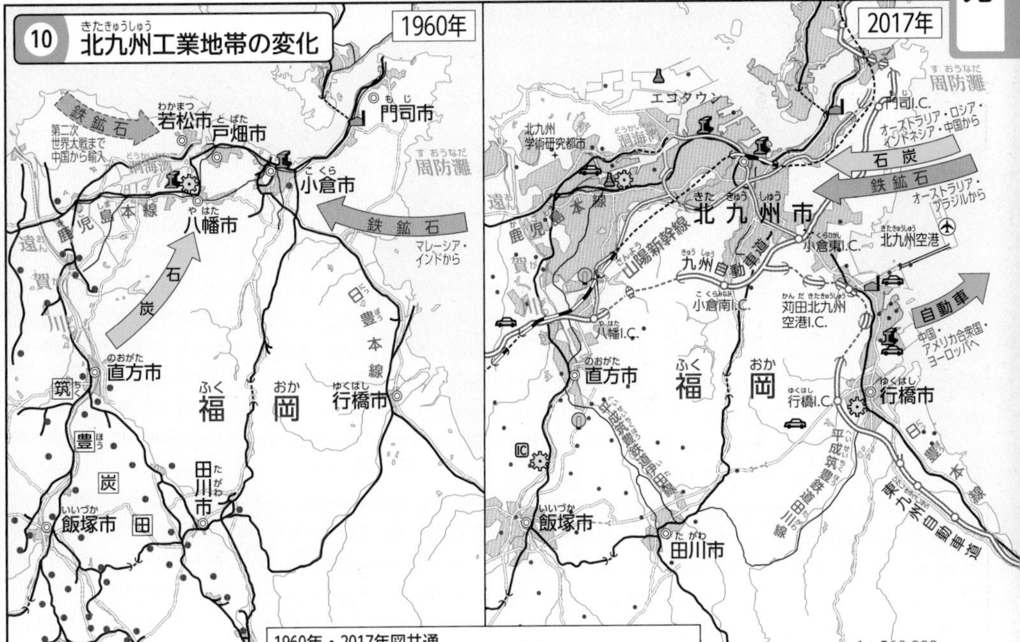

1960年・2017年図共通
鉄鋼 / 炭鉱 / 自動車・自動車部品 / 石油・化学
金属製品 / 主要工業団地 / 電気機械 / 集積回路
一般機械 / 市街地

〔平成29年版の工業団地，福岡県，ほか〕

シラスの分布と畜産

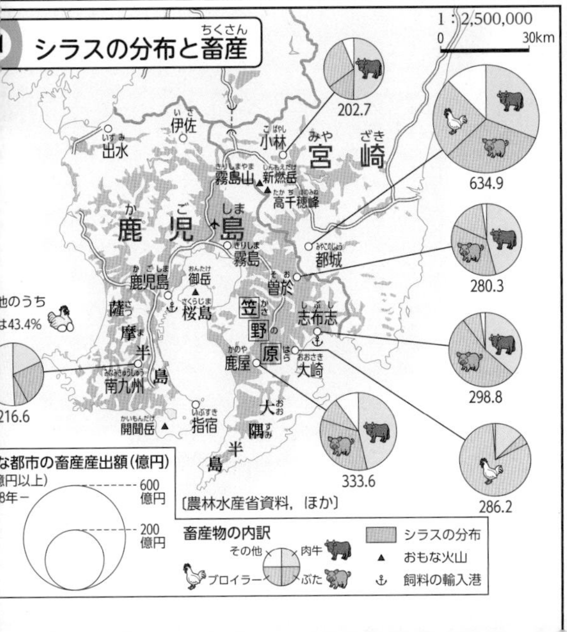

防災 12 火山災害への備え -島原半島-

地図活用

島原半島では，火山災害に備えてどのような対策をしているか答えよう。

1 中国地方（ちゅうごく）

1：1,000,000
0 10 20km
ランベルト正角円錐図法

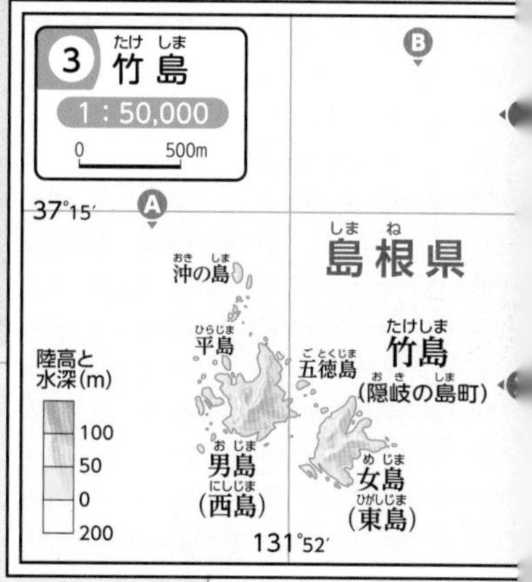

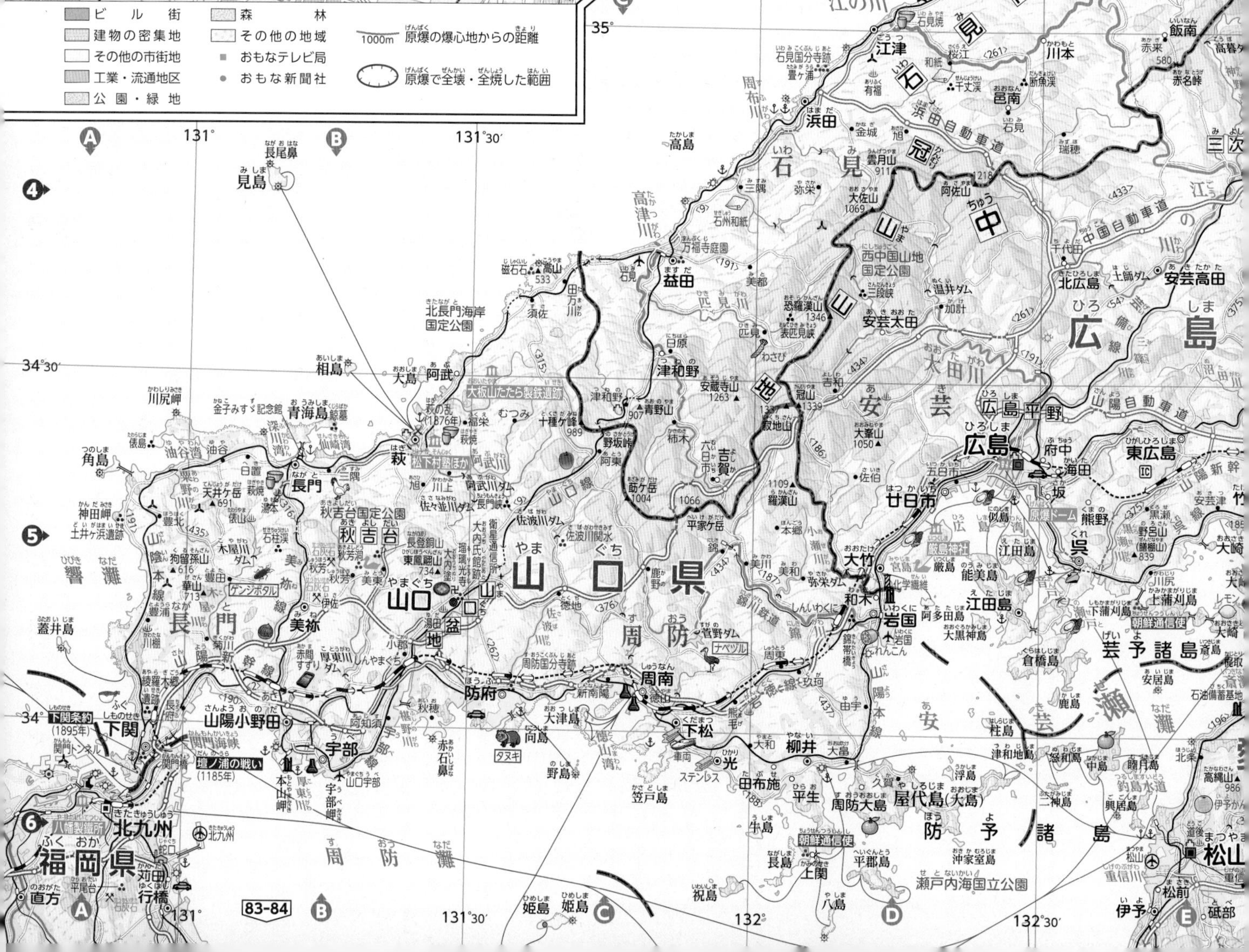

地図活用

中国山地にある三次盆地や津山盆地の都市は，どのような交通機関で日本海沿岸や瀬戸内海沿岸の都市と結びついているか，p.4 の交通の記号に着目して答えよう。

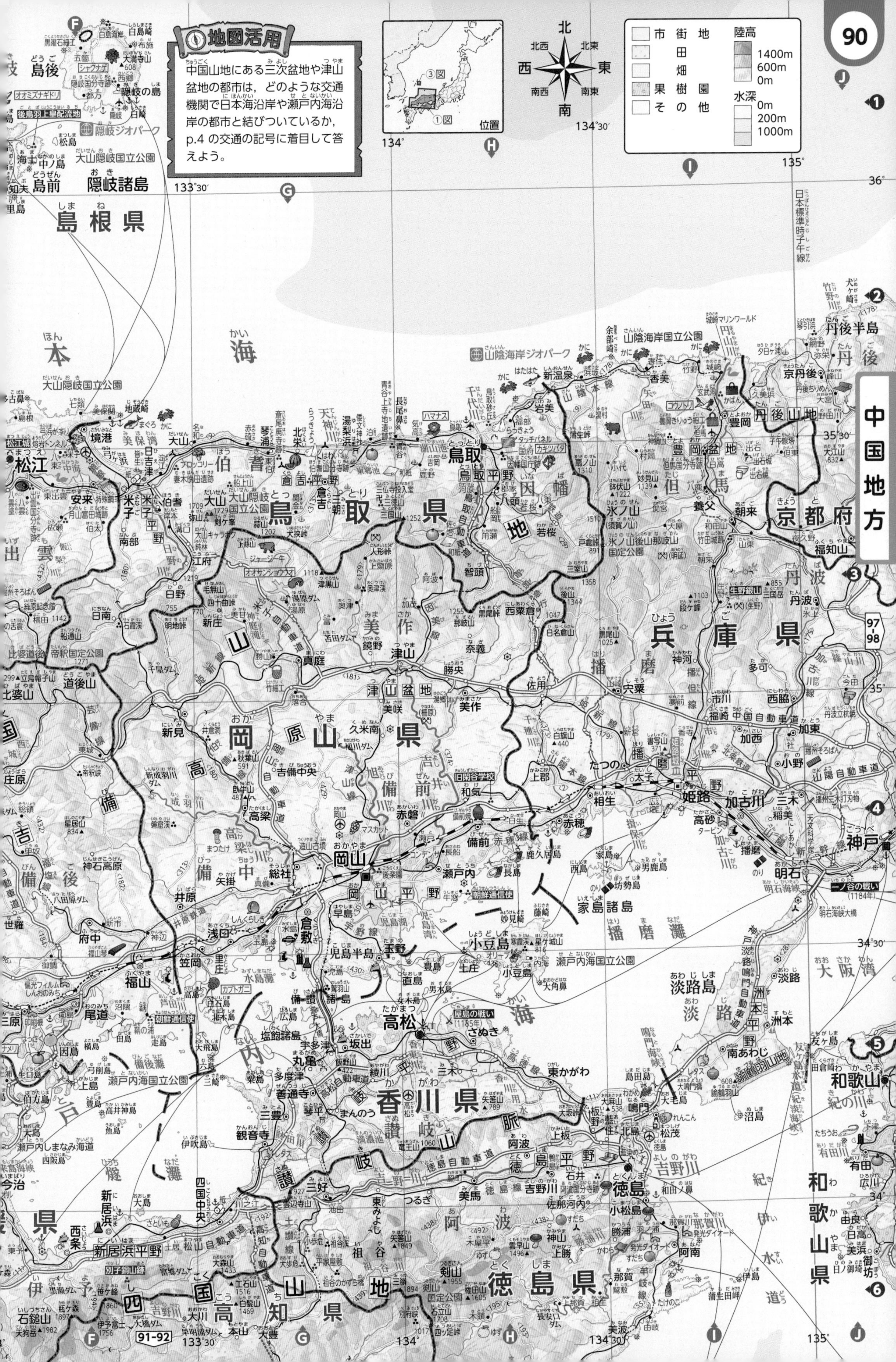

1：1,000,000
0 10 20km
ランベルト正角円錐図法

89-90
83-84

地図活用

❶ 大分～神戸と別府～大阪の船の航路を指でたどり，瀬戸内海が九州地方と近畿地方を結ぶ水路になっていることを確認しよう。

❷ 高知県でハウス栽培のさかんなところを確認し，そこでつくられている農産物を三つ以上答えよう。また，p.84でハウス栽培のさかんなところとの共通点を答えよう。

① 瀬戸内海周辺

1：500,000
0　5　10km
ランベルト正角円錐図法

地図活用

①瀬戸内しまなみ海道を今治市から尾道市まで移動するとき，通過する島々ではどのような果樹が栽培されているか答えよう。

②瀬戸大橋は，自動車のほかに何が走っているか答えよう。

岡山県
兵庫県
香川県
徳島県
高知県
美作
津山盆地
備前
備中
播磨
岡山平野
讃岐平野
吉備高原
児島半島
阿波
徳島平野
讃岐山脈
土佐
瀬戸内海
播磨灘
備讃瀬戸
水島灘
燧灘
備後灘
塩飽諸島
直島諸島
小豆島
津山
勝央
美作
佐用
赤穂
備前
赤磐
和気
岡山
倉敷
総社
高梁
新見
真庭
井原
笠岡
浅口
玉野
瀬戸内
高松
坂出
丸亀
宇多津
多度津
善通寺
琴平
三豊
観音寺
さぬき
東かがわ
三木
綾川
まんのう
三好
東みよし
つるぎ
美馬
吉野川
阿波
上板
石井
神山
四国中央
岡山空港
高松空港
鷲羽山
大山
剣山
剣山国定公園
瀬戸内海国立公園
中国自動車道
山陽自動車道
岡山自動車道
瀬戸中央自動車道
高松自動車道
徳島自動車道
松山自動車道
高知自動車道
山陽新幹線
山陽本線
伯備線
姫新線
津山線
吉備線
宇野線
本四備讃線
予讃線
高徳線
土讃線
徳島線
井原鉄道
智頭急行
瀬戸大橋
旧閑谷学校
渋染一揆 (1856年)
朝鮮通信使
屋島の戦い (1185年)
源義経が平氏軍を破る
ジーンズ
学生服
マスカット
黄にら
備前焼
オリーブ
しょうゆ
手袋
ブロッコリー
ゲンジボタル
すだち
ゆず
134°15′
34°30′
34°15′
34°
35°
133°30′
133°45′
134°
市街地
田
畑
茶畑
果樹園
工業地
その他
陸高
1400m
600m
0m
水深
0m
200m

中国・四国地方の資料

1 自然

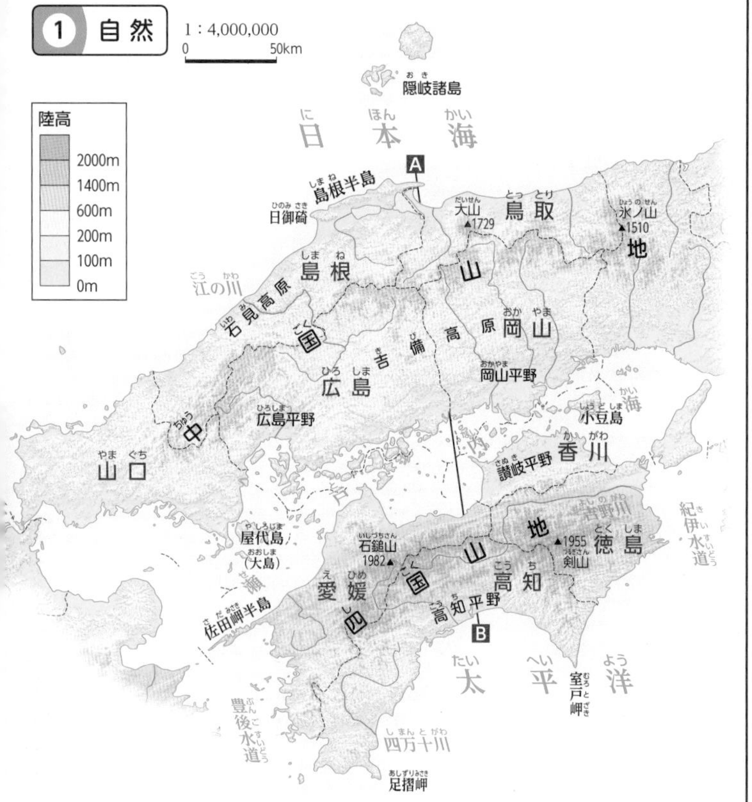

ア 中国・四国地方（A―B間）の断面図

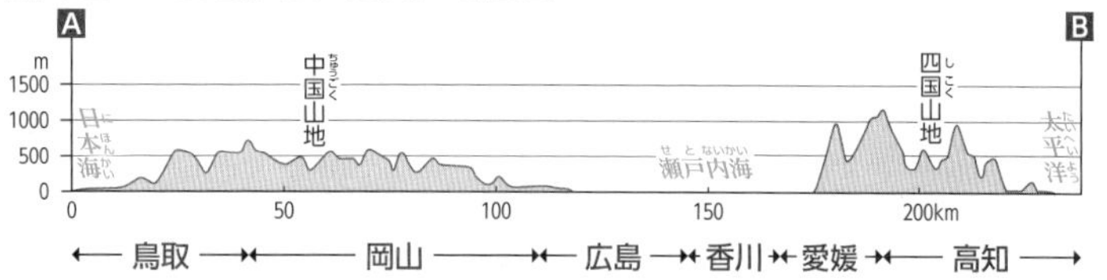

2 降水量

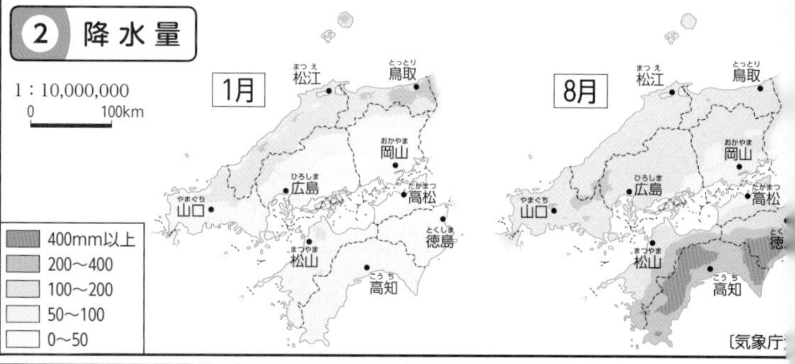

3 人口分布

4 農業

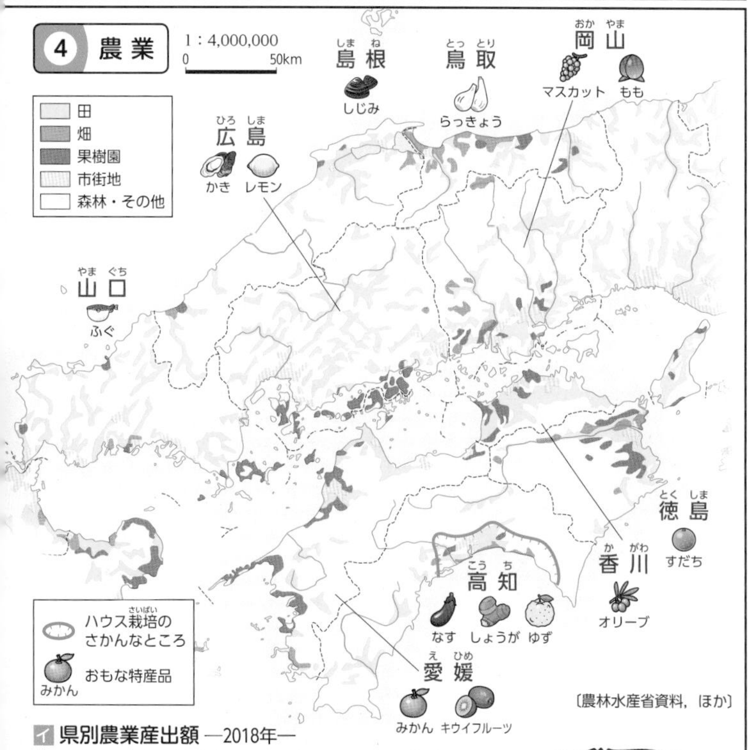

イ 県別農業産出額 ―2018年―

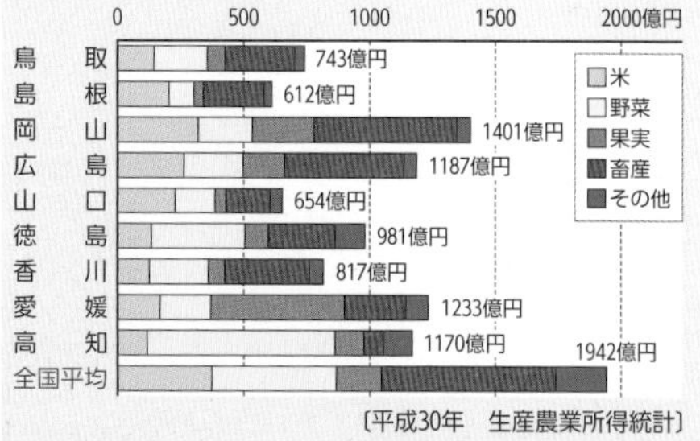

5 工業・交通

ウ 県別工業出荷額 ―2017年―

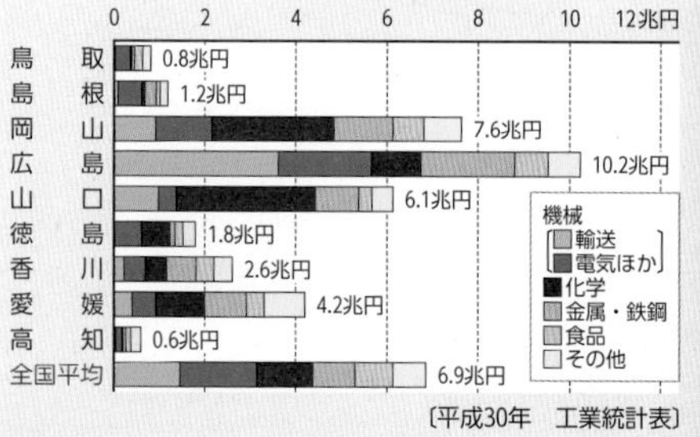

地図活用

❶ ②図で1月に降水量が多い地域と8月に降水量が多い地域はそれぞれ太平洋側・日本海側のどちらか，①図も参考にして答えよう。

❷ イ・ウのグラフを見て，中国・四国地方の農業産出額と工業出荷額が多い県を二つ答えよう。また，それらの県で割合が最も大きい農業と工業の種類を答えよう。

中国・四国地方の交通と人口密度の変化

地図活用

1970 年と 2015 年の地図で，1km² あたりの人口密度がともに 200 人以上のところと，20 人未満のところはどのような地域か，地形や交通に着目して答えよう。

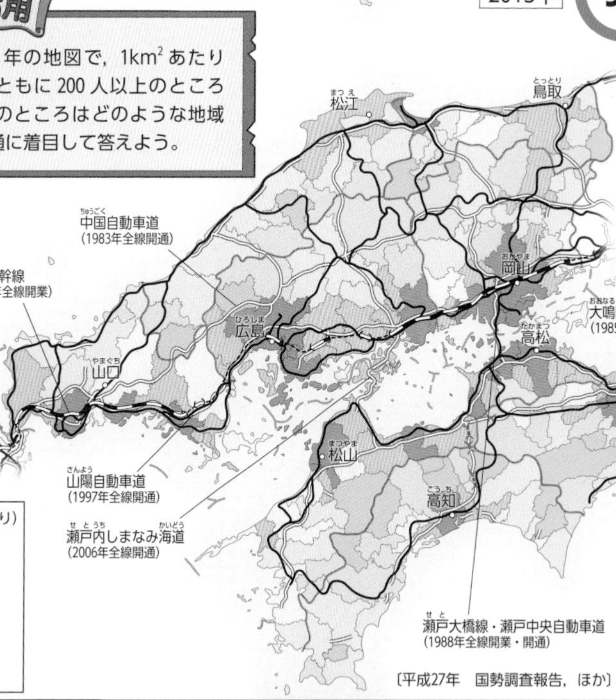

〔平成27年　国勢調査報告，ほか〕

鳥取砂丘

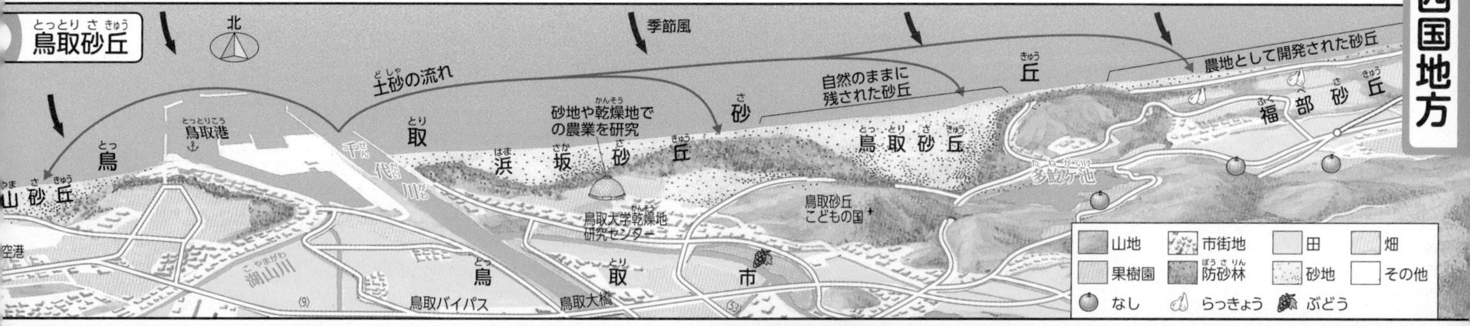

水島コンビナート

＊22本のパイプラインが通り，石油製品が行き来している。

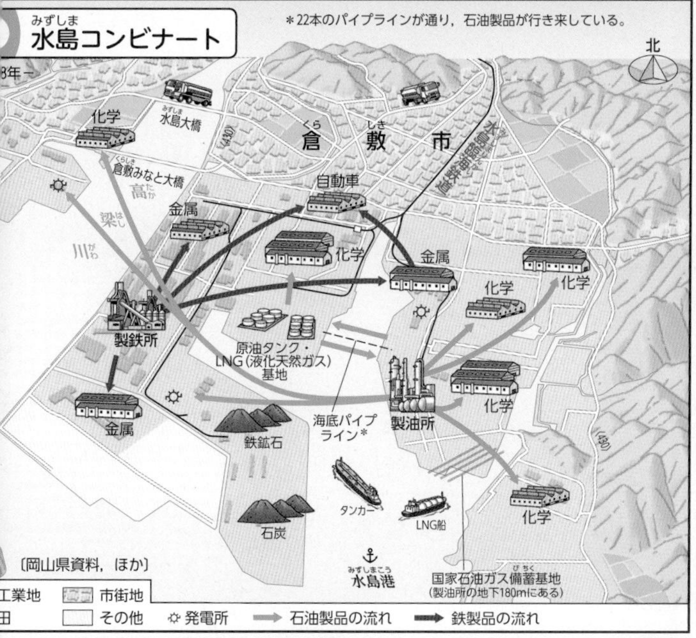

防災　9　広島市付近にある水害の碑の分布

1926年9月の豪雨による洪水や土石流の被害を記した碑

八幡浜市のみかん栽培

11　高知平野の野菜栽培 -ビニールハウスによる促成栽培-

1：1,000,000
0 10 20km
ランベルト正角円錐図法

近畿地方

地図活用

❶琵琶湖には多くの河川が流れこんでいるが，一つだけ琵琶湖から流れ出して海(湾)に注ぐ河川がある。その河川を答えよう。

❷大阪市から神戸市，奈良市，京都市までのおよその直線距離と，大阪市から見たそれぞれの都市がある方位を答えよう。

① 近畿地方中部

1：500,000
0 5 10km
ランベルト正角円錐図法

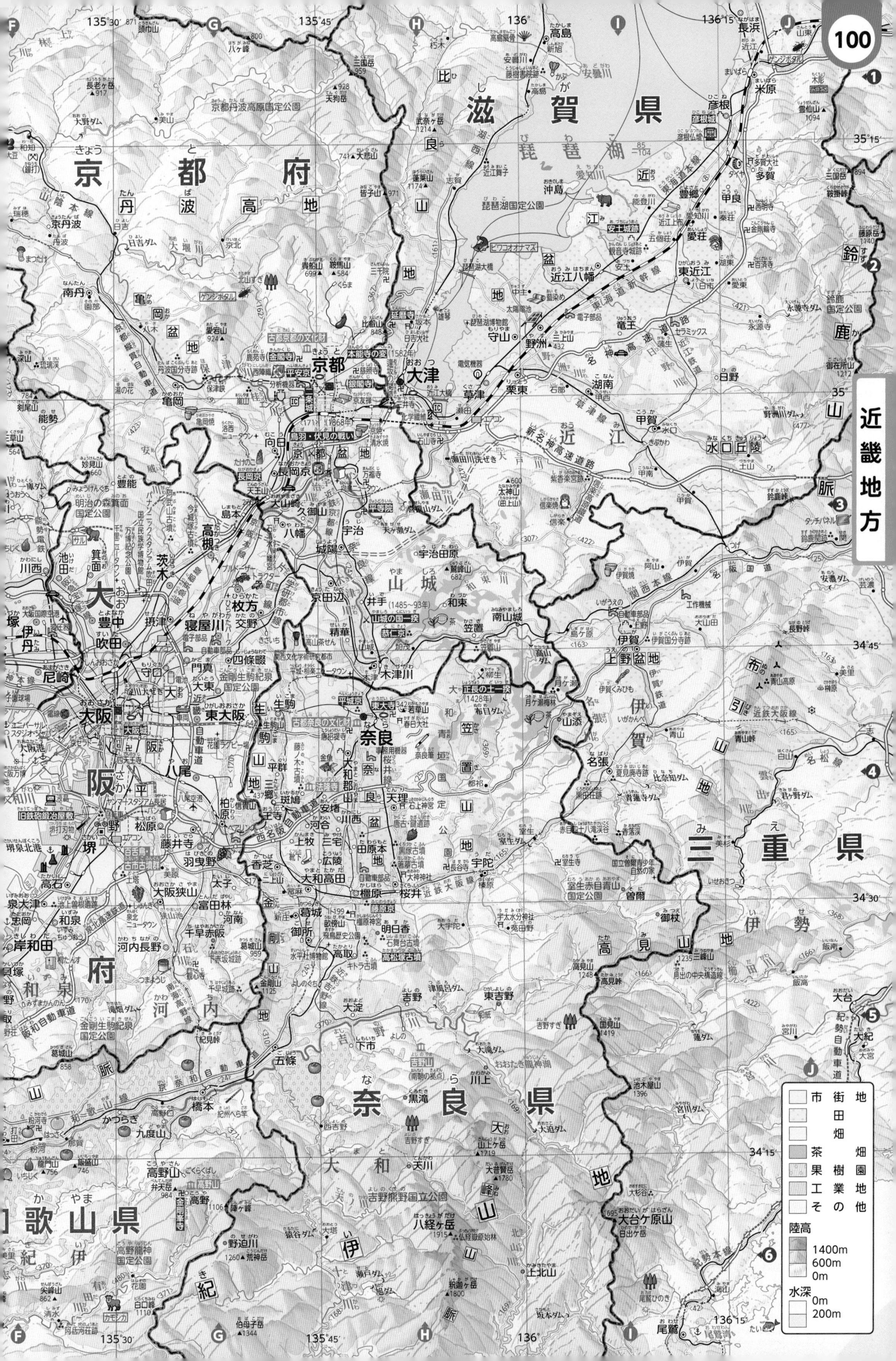

滋賀県
京都府
大阪府
奈良県
三重県
歌山県
琵琶湖
琵琶湖国定公園
丹波高地
比良山地
京都盆地
奈良盆地
亀岡盆地
近江盆地
上野盆地
伊賀盆地
山城
大和
伊勢
水口丘陵
鈴鹿山脈
笠置山地
生駒山地
金剛山地
布引山地
高見山地
和泉山脈
紀伊山地
大峰山脈
台高山地
京都丹波高原国定公園
金剛生駒紀泉国定公園
吉野熊野国立公園
室生赤目青山国定公園
明治の森箕面国定公園
鈴鹿国定公園
高野龍神国定公園
京都
大津
大阪
奈良
彦根
長浜
米原
高島
草津
守山
野洲
近江八幡
東近江
湖南
甲賀
伊賀
名張
宇陀
桜井
橿原
天理
大和郡山
生駒
枚方
高槻
茨木
豊中
吹田
尼崎
堺
岸和田
和泉
河内長野
富田林
八尾
東大阪
寝屋川
門真
宇治
城陽
京田辺
木津川
亀岡
南丹
長岡京
向日
五條
吉野
橋本
高野山
古都京都の文化財
古都奈良の文化財
本能寺の変(1582年)
鳥羽・伏見の戦い(1868年)
山城の国一揆(1485～93年)
正長の土一揆(1428年)
金閣寺
銀閣寺
平安京
平城京
長岡京
平等院
延暦寺
東大寺
法隆寺
藤原京
高松塚古墳
安土城跡
彦根城
大阪城
百舌鳥・古市古墳群
旧鉄砲鍛冶屋敷
ヒワコオオナマズ
ゲンジボタル
カモシカ
大台ケ原山
八経ケ岳
大普賢岳
山上ケ岳
伯母子岳
稲村ケ岳
池木屋山
国見山
高見山
御在所山
東海道新幹線
東海道本線
名神高速道路
新名神高速道路
近鉄大阪線
関西本線
近鉄名古屋線
西名阪自動車道
京奈和自動車道
阪和自動車道
紀勢自動車道
135°30′
135°45′
136°
136°15′
35°15′
35°
34°45′
34°30′
34°15′
市街地
田
畑
茶畑
果樹園
工業地
その他
陸高
1400m
600m
0m
水深
0m
200m

① 大阪湾周辺の地形 ―地形と歴史・防災―

1：150,000

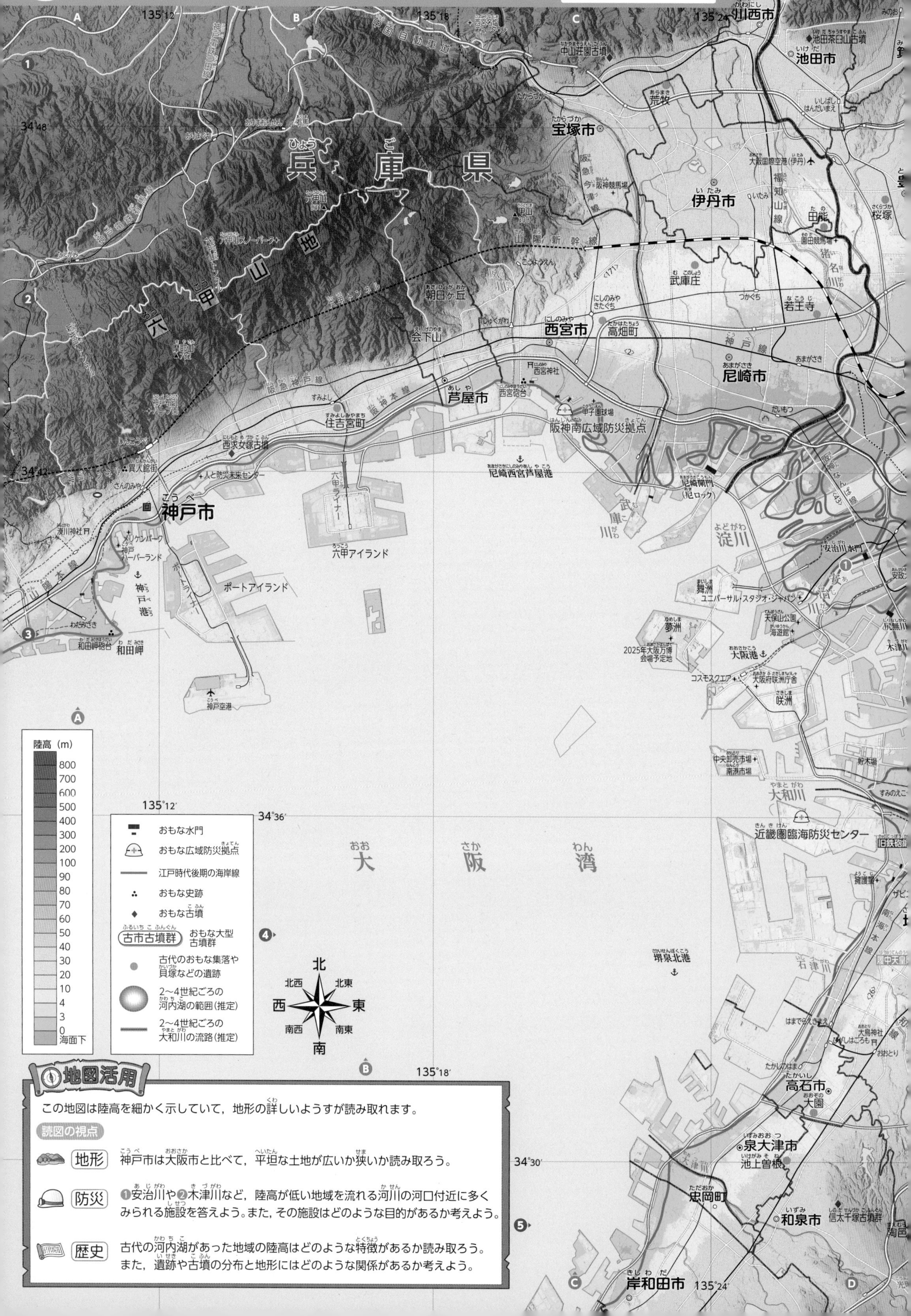

地図活用

この地図は陸高を細かく示していて，地形の詳しいようすが読み取れます。

読図の視点

地形 神戸市は大阪市と比べて，平坦な土地が広いか狭いか読み取ろう。

防災 ❶安治川や❷木津川など，陸高が低い地域を流れる河川の河口付近に多くみられる施設を答えよう。また，その施設はどのような目的があるか考えよう。

歴史 古代の河内湖があった地域の陸高はどのような特徴があるか読み取ろう。また，遺跡や古墳の分布と地形にはどのような関係があるか考えよう。

京都府
大阪府
奈良県
三島古墳群
今城塚古墳
高槻市
城陽市
牧野車塚古墳
百済寺跡
茨木市
北部広域防災拠点
東奈良
枚方市
京田辺市
井手町
千里丘陵
吹田須恵器窯跡群
枚方丘陵
交野市
摂津市
寝屋川市
山城の国一揆
精華町
中ノ坪
吹田市
五反島
石宝殿古墳
関西文化学術研究都市
国立国会図書館関西館
普賢寺
茨田の堤
部屋北
四條畷市
雁屋
大
守口市
門真市
木津川市
淀川大ぜき
毛馬閘門
森小路
鶴見緑地
飯盛城跡
大東市
北部広域防災拠点
佐紀古墳群
生駒市
鴻池新田会所跡
日下貝塚
ウワナベ古墳
平城京
大阪城
阪
東大阪市
大阪市
奈良市
古都奈良の文化財
唐招提寺
薬師寺
難波宮跡
西堤
鬼虎川
花園ラグビー場
生駒
宮ノ下
枚岡神社
瓜生堂
四天王寺
縄手
大和郡山市
大阪府
奈良県
心音寺山古墳
高安千塚古墳群
久宝寺
八尾市
平群町
六道山古墳
法起寺
法隆寺
藤ノ木古墳
中宮寺
帝塚山古墳
長居公園
瓜破
中部広域防災拠点
斑鳩町
安堵町
三郷町
八尾空港
山之内
王寺町
天理市
大和川
今池
松原市
柏原市
川西町
河合町
中部広域防災拠点
三宅町
藤井寺市
国府
高井田横穴群
大塚山古墳
松岳山古墳群
唐古・鍵
立部
大泉緑地
古市古墳群
誉田御廟山古墳
玉手山古墳群
西名阪自動車道
上牧町
田原本町
羽曳野市
馬見古墳群
巣山古墳
香芝市
駒ヶ谷
広陵町
金剛山地
藤ノ森環濠集落
中曽司
阪和自動車道
喜志
太子町
池田
大和高田市
耳成山
小角田
山田高塚古墳
一須賀古墳群
竹内
橿原市
藤原京
大阪狭山市
富田林市
曲川
神武天皇陵
畝傍山
四条
大谷山
陶邑窯跡群
河南町
葛城市
錦織
二塚古墳
白木古墳群
新沢千塚古墳群
明日香村
河内長野市
千早赤阪村
御所市
高松塚古墳

① 大阪市中心部

1：50,000

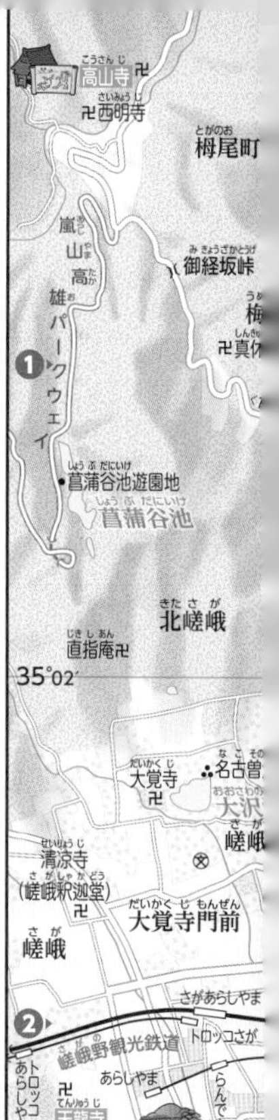

地図活用

①・②図を比べて，
阪市と京都市のビル
の分布にどのような
いがみられるか答え
う。また，その理由
説明しよう。

③ 江戸時代の大坂

1：70,000

④ 明日香村周

② 京都市中心部

1：50,000

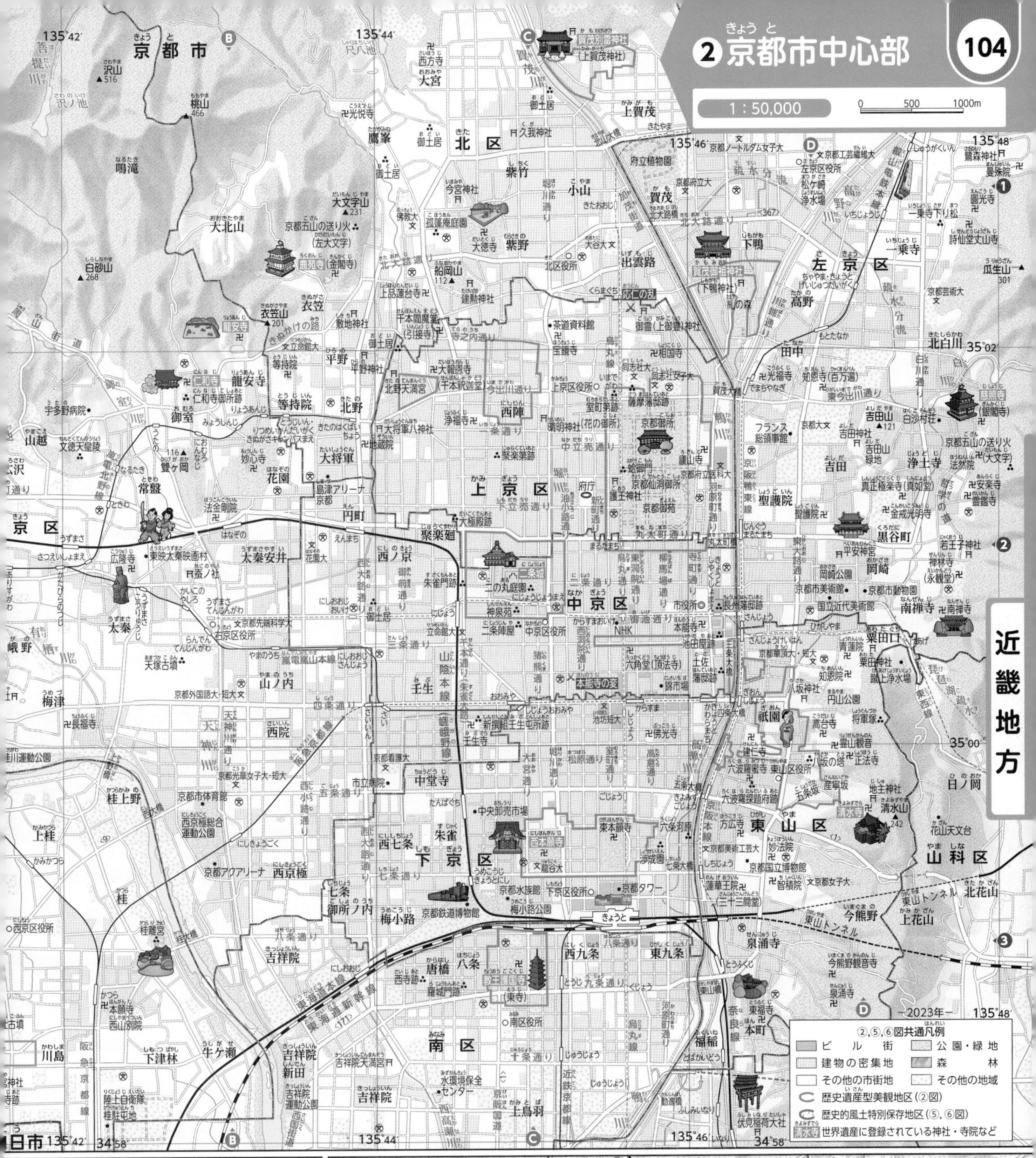

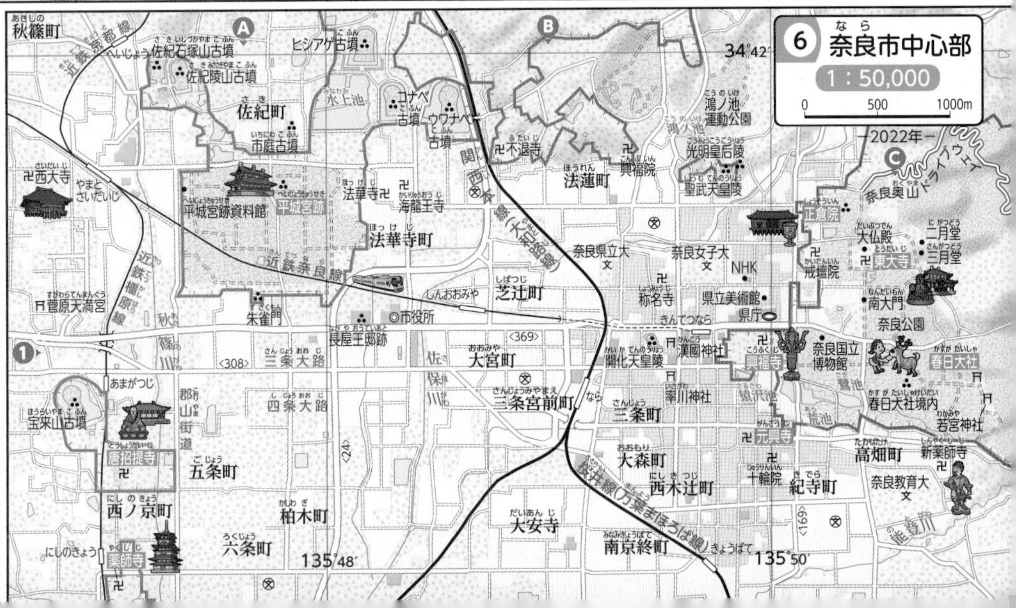

105 近畿地方の資料

1 自然

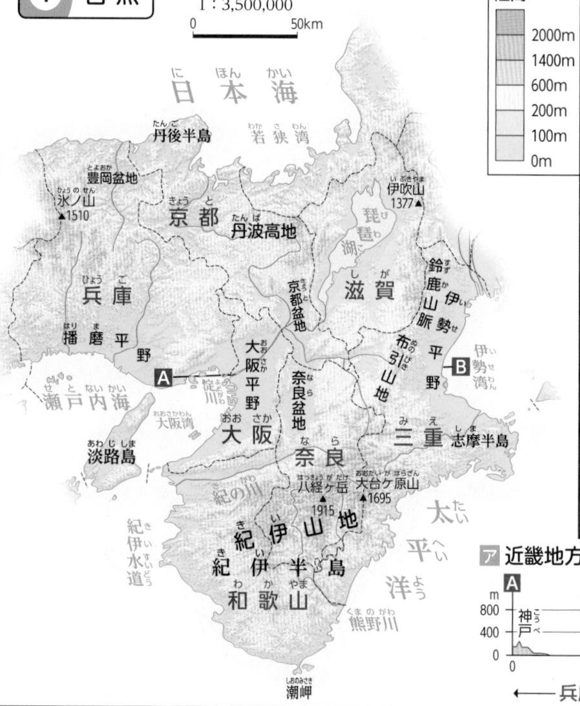

2 降水量

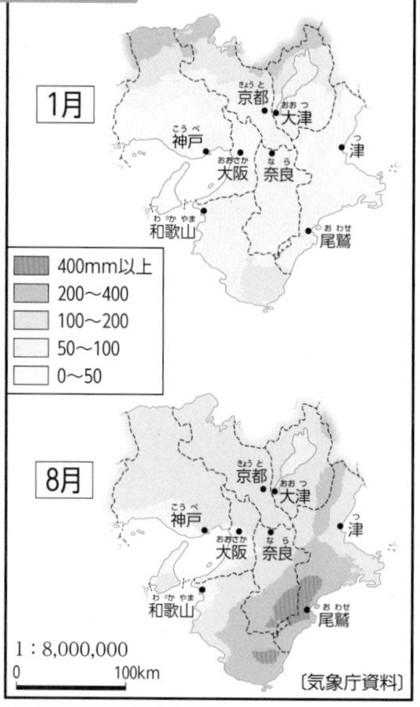

3 人口分布

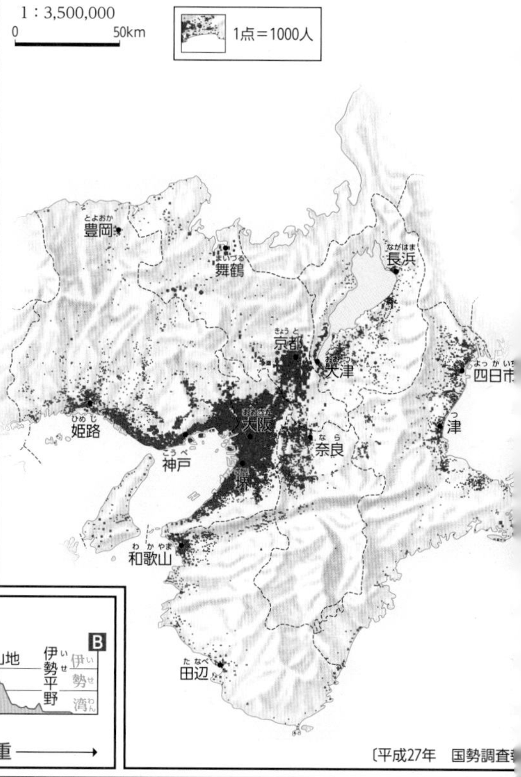

ア 近畿地方（A―B間）の断面図

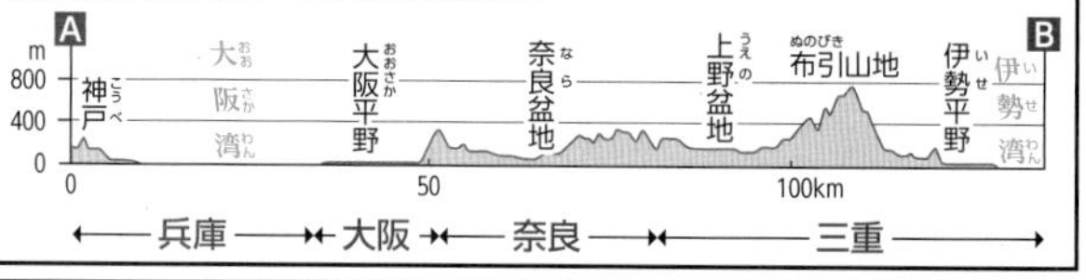

4 農業

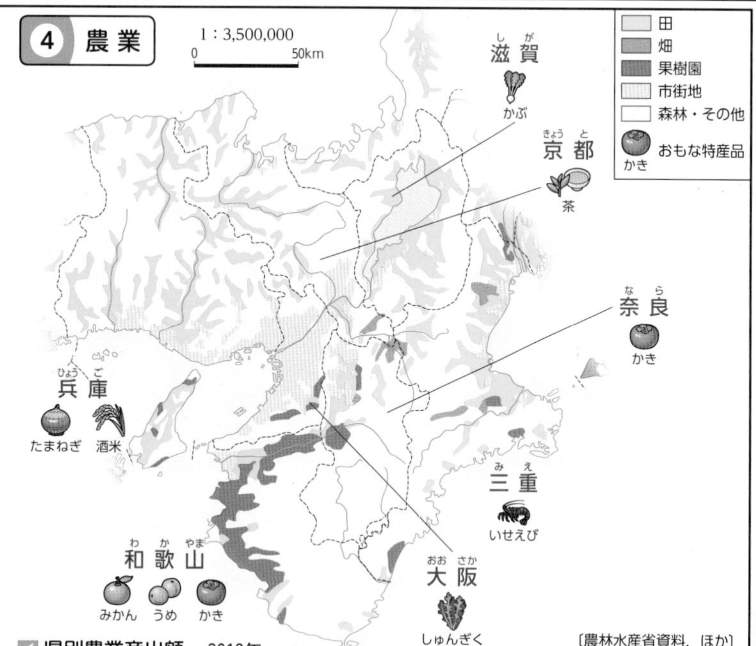

イ 県別農業産出額 ―2018年―

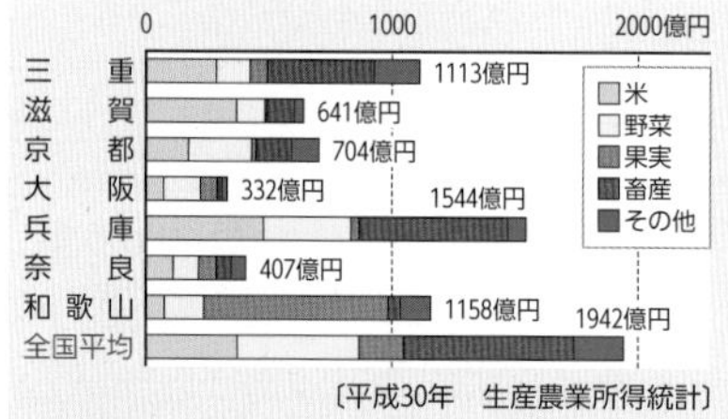

地図活用

大阪府・滋賀県・和歌山県の陸高が低いところでは，それぞれどのような土地利用が多くみられるか，①図と④図を比べて答えよう。

5 工業・交通

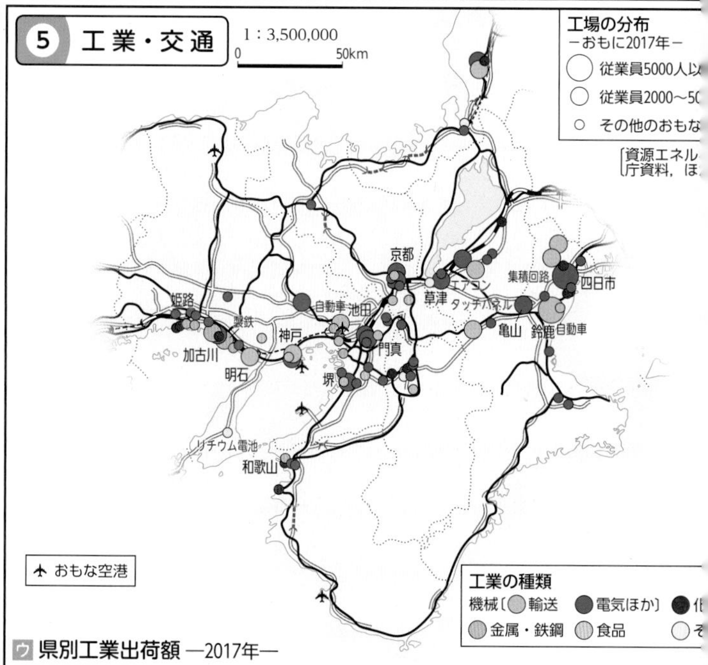

ウ 県別工業出荷額 ―2017年―

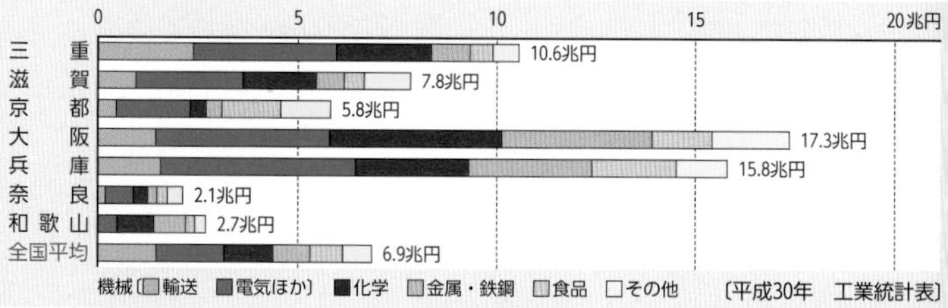

環境

6 琵琶湖の水利用

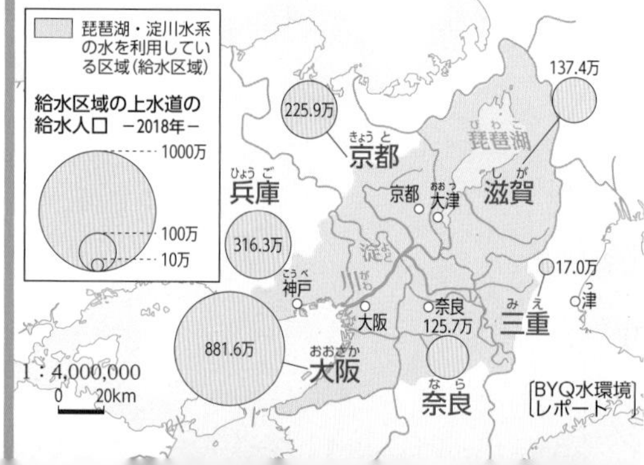

7 琵琶湖の透明度*の変化

*透明度とは，水がどのくらい澄んでいるかを調査して得られた数字を指す。

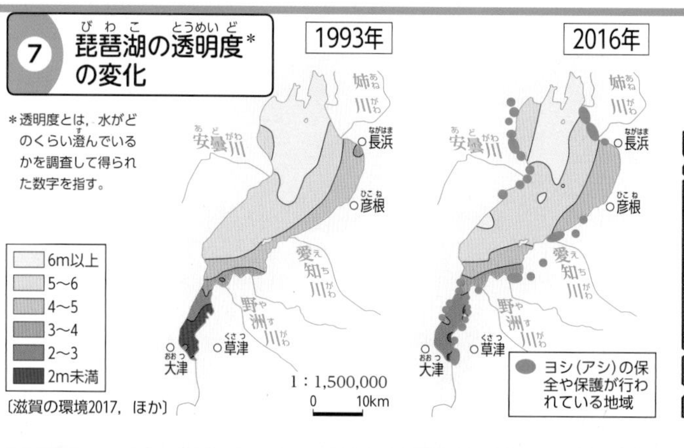

地図活用

1993年と2016年の地図を比べて，琵琶湖の透明度にどのような変化が起こっているか，説明しよう。また，そのような変化がなぜ起こっているのか，図書館の本などで調べよう。

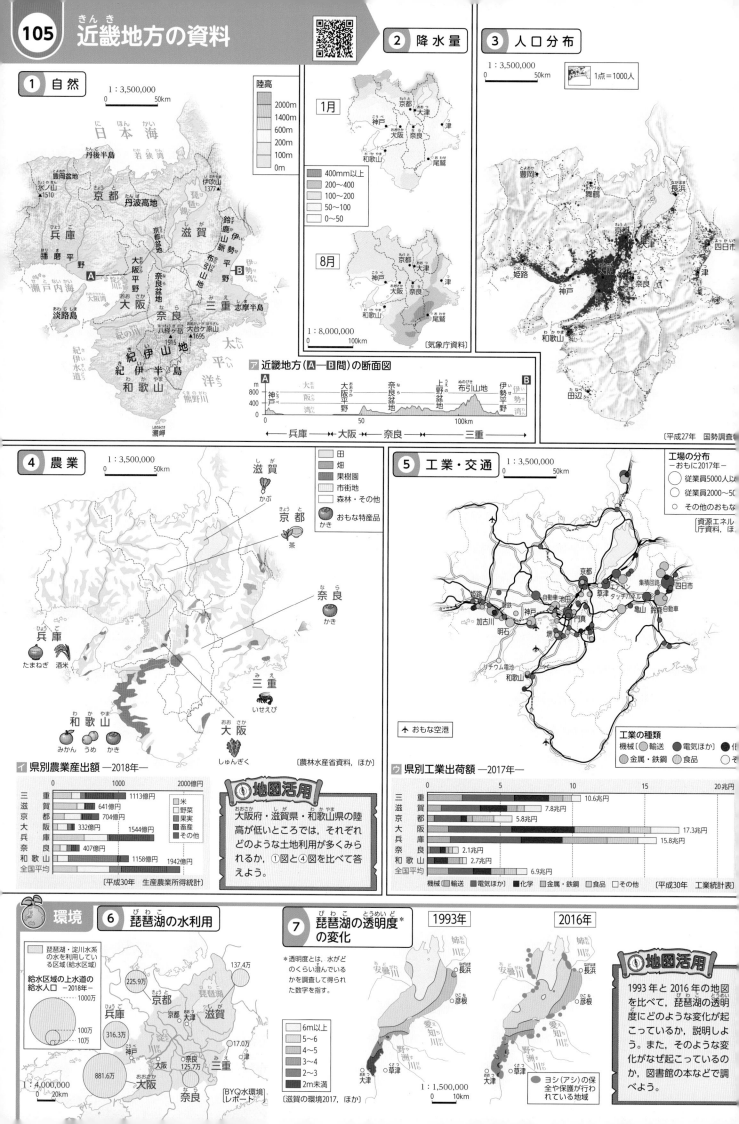

阪神工業地帯

9 中小企業の工場が集まる東大阪市

エ 東大阪市の事業所の内訳(業種別) －2016年－

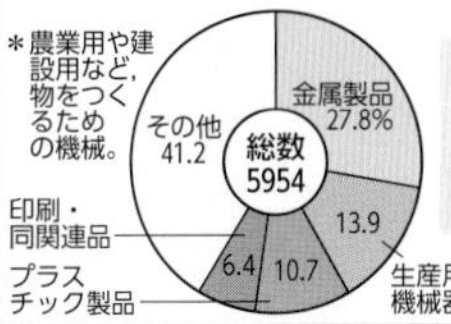

オ 1km²あたりの事業所数が多い都市 －2016年－

10 京阪神の人口増加率と通勤・通学者数

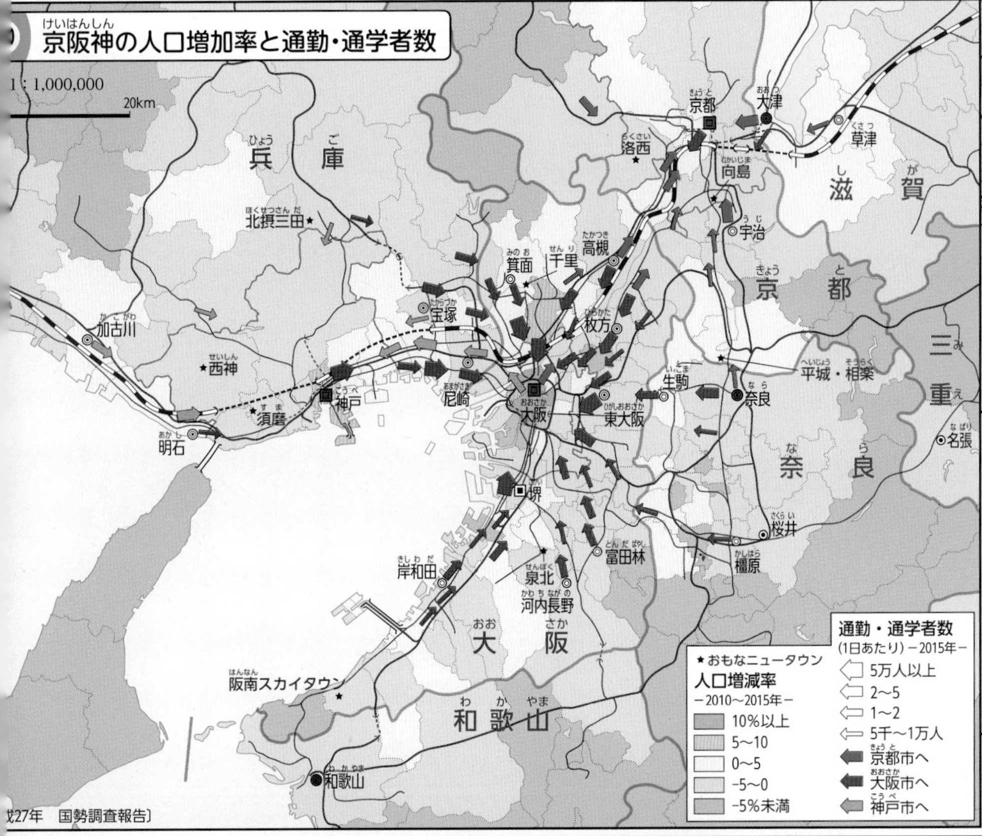

11 京阪神の昼夜間人口の比率

カ 大阪府のおもなニュータウンと都市部の人口の変化

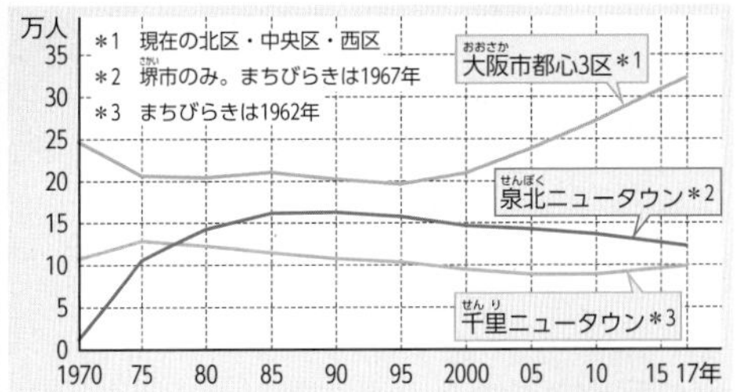

キ 木材のおもな輸入国 －2018年－

ク 日本のおもな輸入先 －2018年－

12 尾鷲の林業

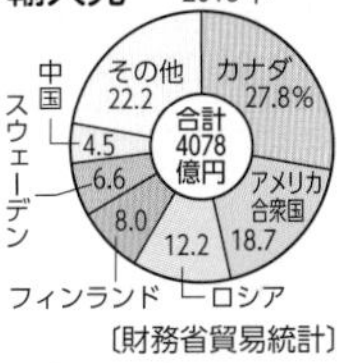

ケ 尾鷲市による植林活動 －2014年－

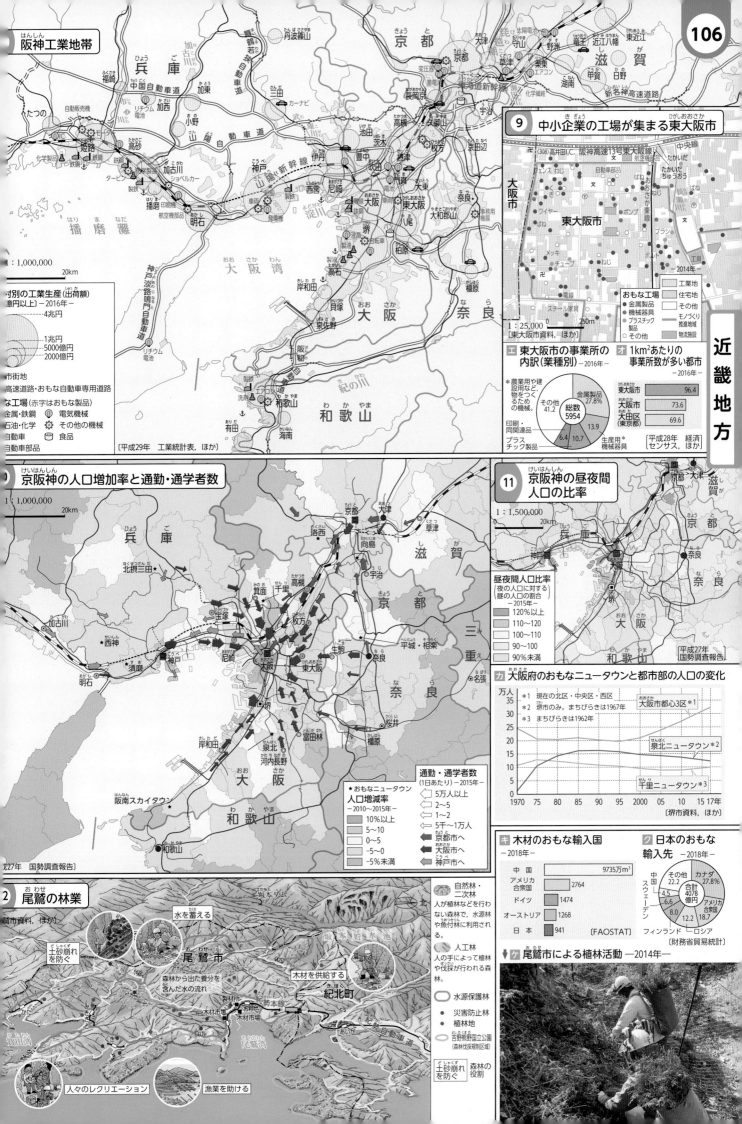

① 本州中央部と五街道

江戸時代

交通

- 東海道　五街道
- ●妻籠　五街道の宿場
- 水戸街道　その他のおもな街道
- 箱根関　おもな関所
- 山城　江戸時代の国名
- ―・―・―　江戸時代の国界
- ❶～⓬　は②年表のできごとがあった場所

現代

- 都道府県界
- 都道府県庁所在地
- おもな市
- おもな町村
- おもな字

地図活用

②図の年表にのっている江戸時代のおもなできごとの場所を地図で確認しよう。

② 江戸時代のおもなできごと

❶～⓬は①図での位置を示す

1603年	徳川家康が江戸に幕府を開く❶
1614年	大坂の陣❷（～1615年）※1
1617年	日光東照宮❸が完成する
1619年	菱垣廻船による江戸～大坂間の運搬開始❹
1689年	松尾芭蕉が「おくのほそ道」の旅に出る（おもなルート：江戸❶～平泉～山中❺～大垣❻）
1707年	富士山の噴火（宝永噴火）❼
1783年	浅間山の噴火❽
1802年	東海道❾での旅のようすを描いた『東海道中膝栗毛』が出版される（～1814年）
1830年	伊勢神宮へのおかげ参りが大流行※2❿
1837年	大坂で大塩平八郎の乱が起こる❷
1853年	ペリーが浦賀に来航⓫
1868年	京都で鳥羽・伏見の戦いが起こる⓬

※1　大阪の「阪」の字は，明治時代初期までは「坂」と表記されていた。
※2　おかげ参りの流行は江戸時代で数回あり，1830年は最大規模。

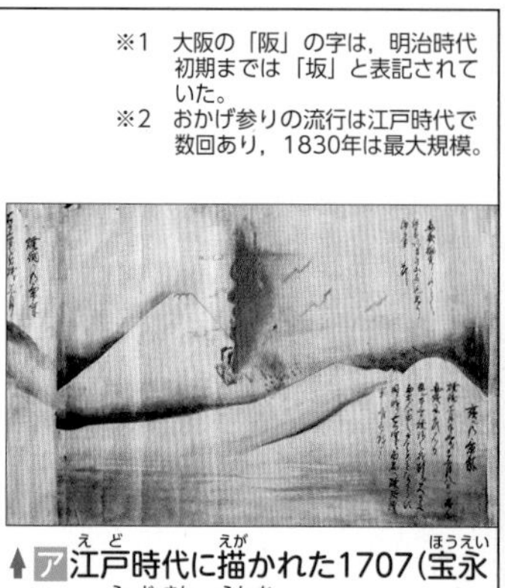

ア 江戸時代に描かれた1707（宝永4）年の富士山の噴火のようす

イ 江戸時代の東海道　由比宿を描いた浮世絵〈『東海道五十三次』〉

ウ 現在の由比（静岡県静岡市）

③ 東京～大阪（江戸～大坂）間の所要時

江戸時代	徒歩（東海道経由，成人男子の場合）	約14日
江戸時代	飛脚（幕府が運営した継飛脚の場合）	2～3日
1889年（明治22）	東京と大阪が東海道本線で結ばれる	19時間
1925年（大正14）	特急（御殿場経由）	11時間27分
1934年（昭和9）	特急燕（熱海経由）	8時間
1958年（昭和33）	特急こだま	6時間50分
1964年（昭和39）	新幹線ひかり，東海道新幹線開通	4時間
2020年（令和2）	新幹線のぞみ（N700系）	2時間21分
2045年（令和27）	リニア中央新幹線開通予定	1時間7分

〔JTB時刻表2020年4月号，

世界遺産 富士山

山中湖　世界遺産富士山のおもな構成資産

※北東から見た衛星画像で，山の高さを2倍に強調して表しています。

防災 5 富士山噴火時の降灰予想

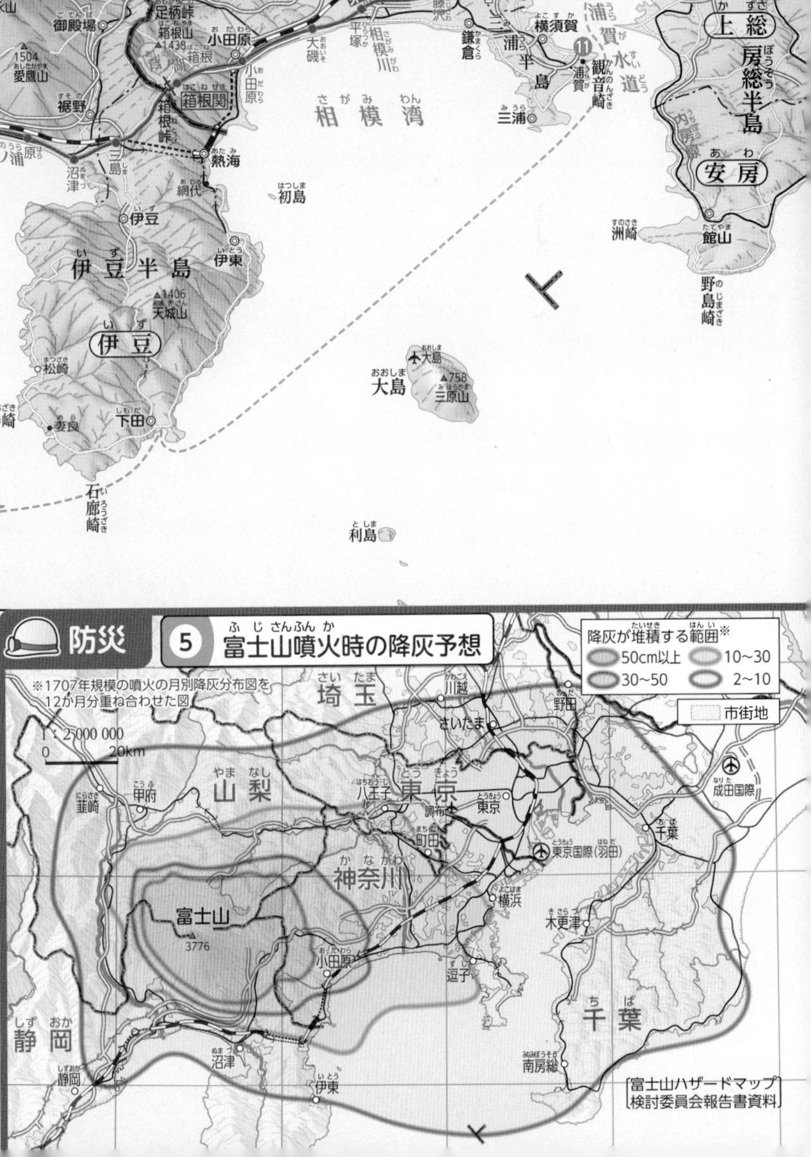

1 中部地方

1：1,000,000
0 10 20km
ランベルト正角円錐図法

地図活用

❶日本アルプス（飛驒山脈・木曽山脈・赤石山脈）の山々から流れ出し，太平洋や日本海に注ぐ河川を三つずつ答えよう。

❷甲府盆地と長野盆地にある農産物の記号をそれぞれ答えよう。

❸高原野菜栽培のさかんなところにある農産物の記号を答え，さかんな理由を②図も参考にして説明しよう。

2 八ケ岳山麓の野菜栽培
-涼しい気候を利用した野菜づくり-

中部地方

福井県
岐阜県
長野県
山梨県
東京都
埼玉県
神奈川県
静岡県
愛知県
滋賀県
三重県
名古屋
岐阜
静岡
甲府
津
福井
浜松
豊橋
豊田
岡崎
四日市
大垣
一宮
春日井
沼津
富士
富士宮
飯田
伊那
松阪
伊勢
鳥羽
彦根
長浜
敦賀
越前
鯖江
大野
勝山
高山
郡上
下呂
中津川
恵那
多治見
関
美濃
瑞浪
飛騨高地
美濃三河高原
木曽山脈
赤石山脈
伊豆半島
渥美半島
知多半島
志摩半島
伊勢湾
三河湾
駿河湾
遠州灘
太平洋
琵琶湖
浜名湖
天竜川
大井川
富士川
富士山
南アルプス国立公園
富士箱根伊豆国立公園
伊勢志摩国立公園
三河湾国定公園
関ケ原の戦い
桶狭間の戦い
長篠の戦い
三方原の戦い
富士川の戦い
136°30′
137°
137°30′
138°
138°30′
139°
34°30′
35°
35°30′
36°
97-98
119-120

1 中部地方南部

1：500,000
0 5 10km
ランベルト正角円錐図法

地図活用

❶東海道本線や東海道新幹線沿いに市街地が分布していることを確認し，人口50万以上の都市を答えよう。

❷渥美半島で野菜や花の栽培がさかんになった理由を，水や輸送，消費地の面から考え，説明しよう。

1 名古屋市とそのまわり

地図活用

自動車の組立工場や部品工場が集まっている利点を考え，説明しよう。

ア 自動車積み出し基地（愛知県名古屋市）

自然

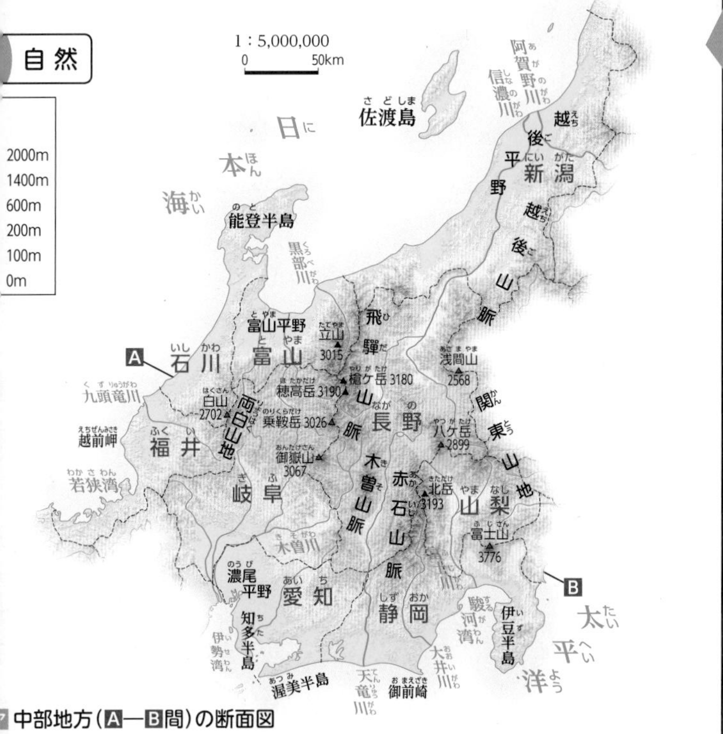

ウ 中部地方(A—B間)の断面図

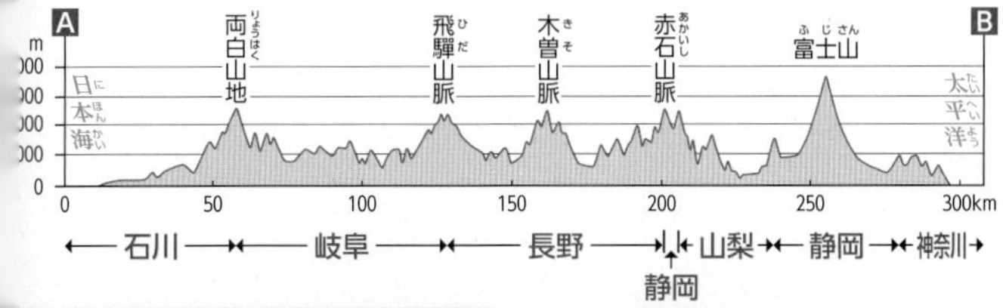

けわしい山が連なる飛驒山脈

地図活用

❶ ウのグラフを見て，中部地方の中で米・野菜・果実・畜産の産出額が最も多い県はどこか，p.171 の統計も参考にして答えよう。

❷ ⑤図やエのグラフを見て，輸送機械の生産がさかんな県を二つ答えよう。

② 降水量

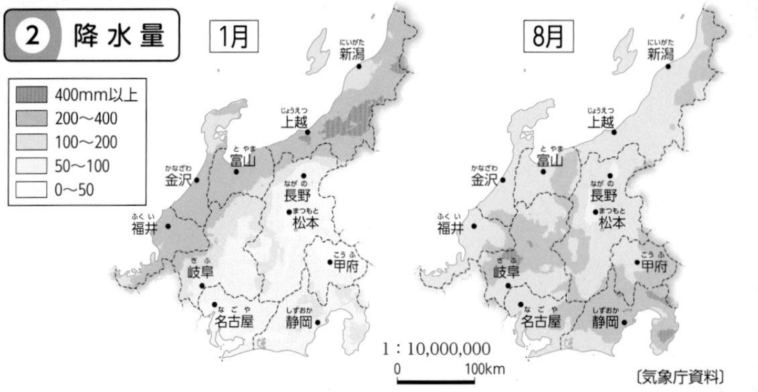

③ 人口分布

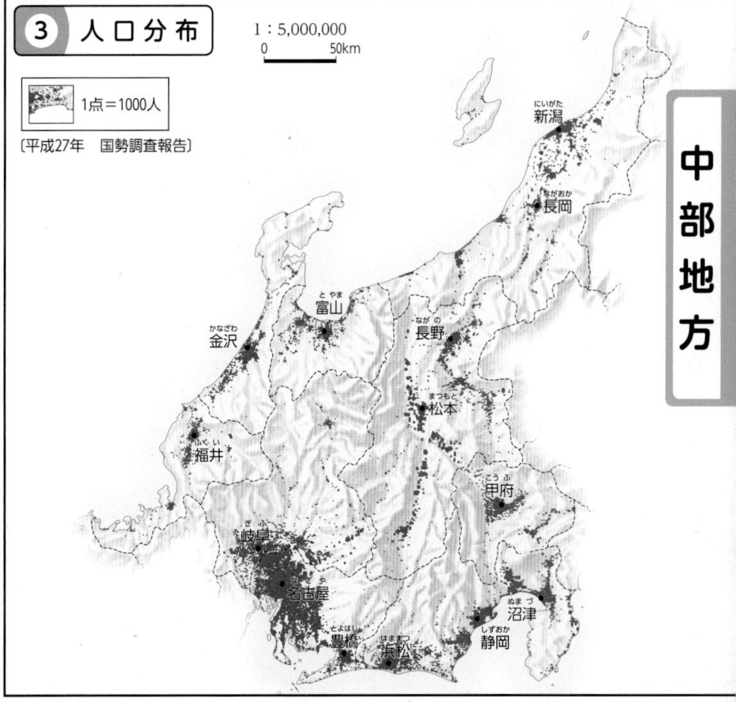

④ 農業

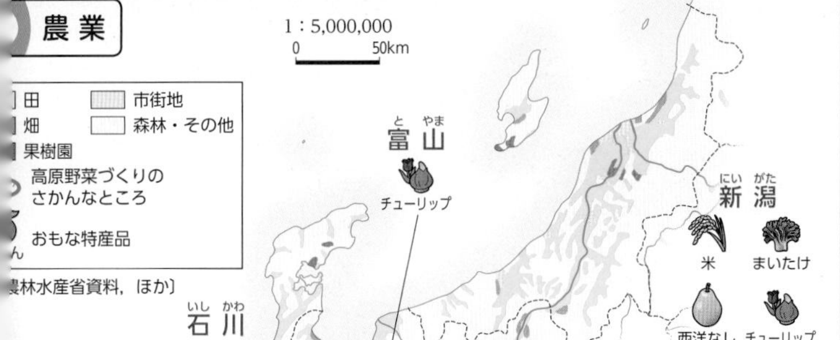

ウ 県別農業産出額 —2018年—

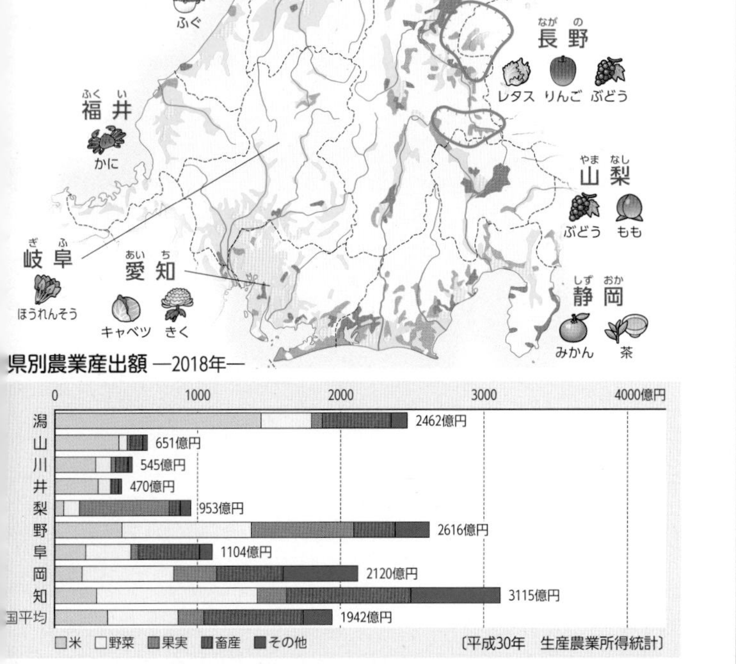

⑤ 工業・交通

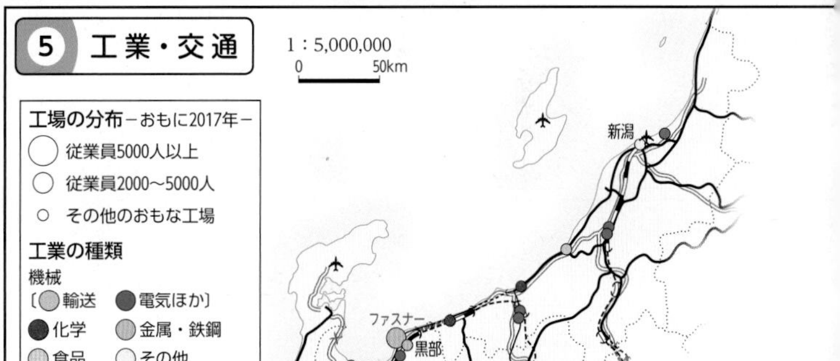

エ 県別工業出荷額 —2017年—

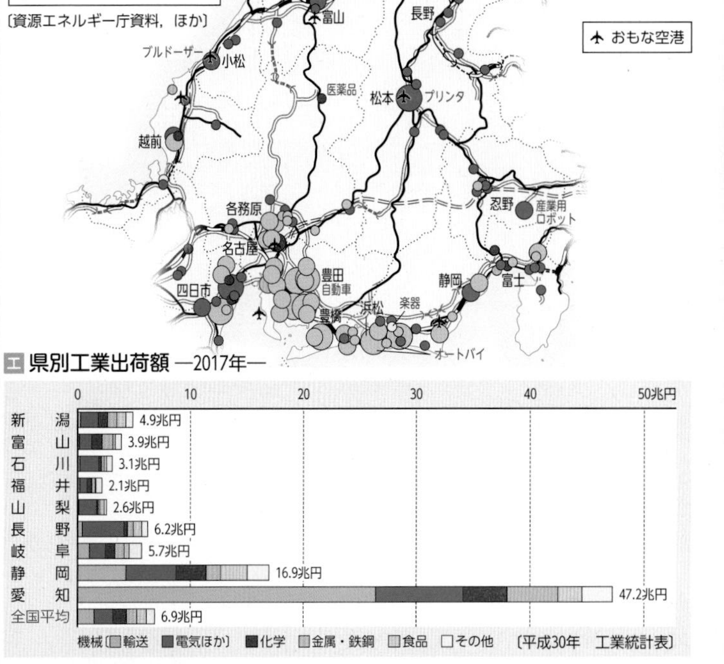

中部地方の資料(2)

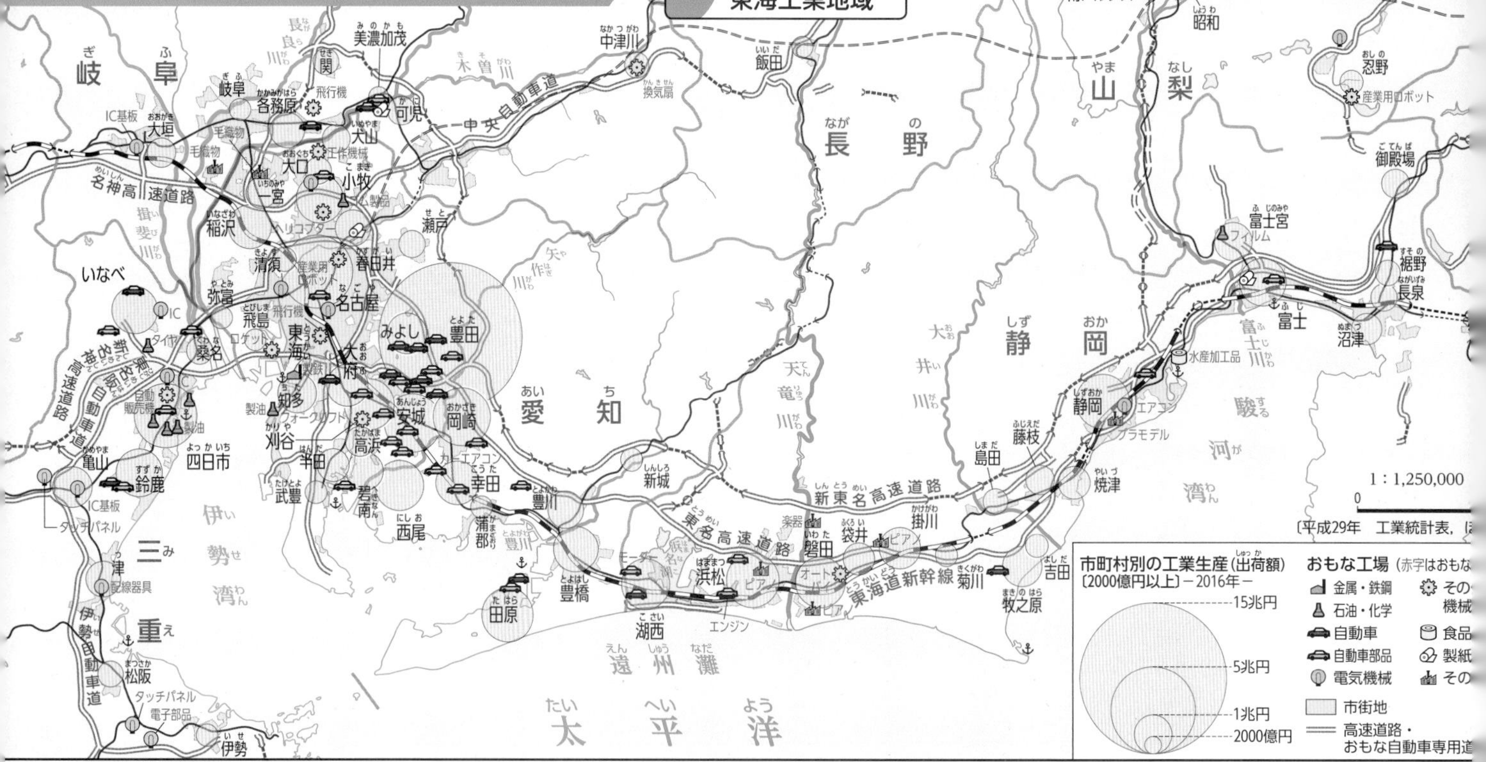

1 中京工業地帯・東海工業地域
岐阜
長野
山梨
愛知
静岡
三重
伊勢湾
遠州灘
太平洋
駿河湾
中央自動車道
名神高速道路
東名高速道路
新東名高速道路
東海道新幹線
伊勢湾岸自動車道
1：1,250,000
〔平成29年 工業統計表，ほか〕
市町村別の工業生産(出荷額)
〔2000億円以上〕－2016年－
15兆円
5兆円
1兆円
2000億円
おもな工場
金属・鉄鋼
石油・化学
自動車
自動車部品
電気機械
食品
製紙
市街地
高速道路・おもな自動車専用道

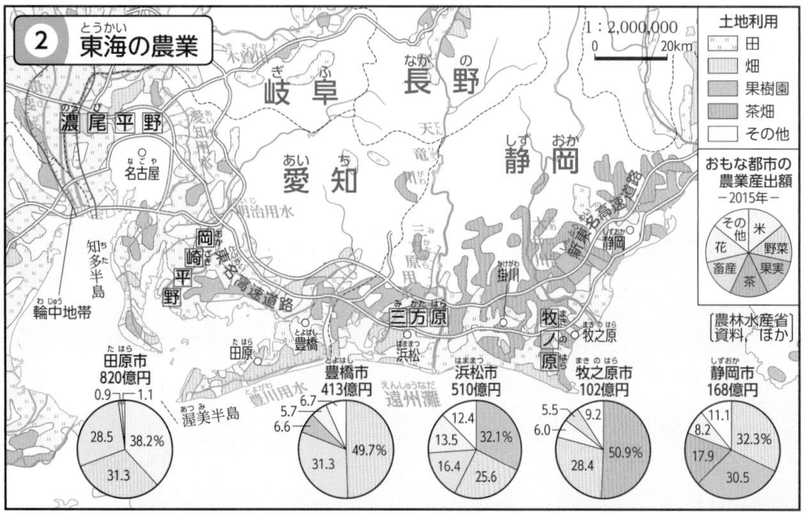

2 東海の農業
1：2,000,000
岐阜
長野
愛知
静岡
濃尾平野
名古屋
明治用水
知多半島
岡崎平野
輪中地帯
三方原
牧ノ原
豊川用水
渥美半島
遠州灘
土地利用
田
畑
果樹園
茶畑
その他
おもな都市の農業産出額
－2015年－
米
野菜
果実
茶
畜産
花
その他
〔農林水産省資料，ほか〕
田原市 820億円
豊橋市 413億円
浜松市 510億円
牧之原市 102億円
静岡市 168億円

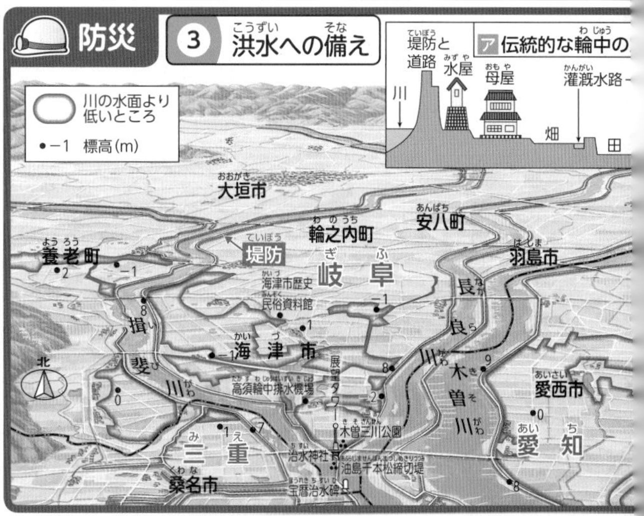

防災
3 洪水への備え
川の水面より低いところ
－1 標高(m)
ア 伝統的な輪中の
堤防と道路
水屋
母屋
川
畑
灌漑水路
大垣市
輪之内町
安八町
養老町
羽島市
堤防
岐阜
海津市
揖斐川
長良川
木曽川
三重
桑名市
愛西市
愛知

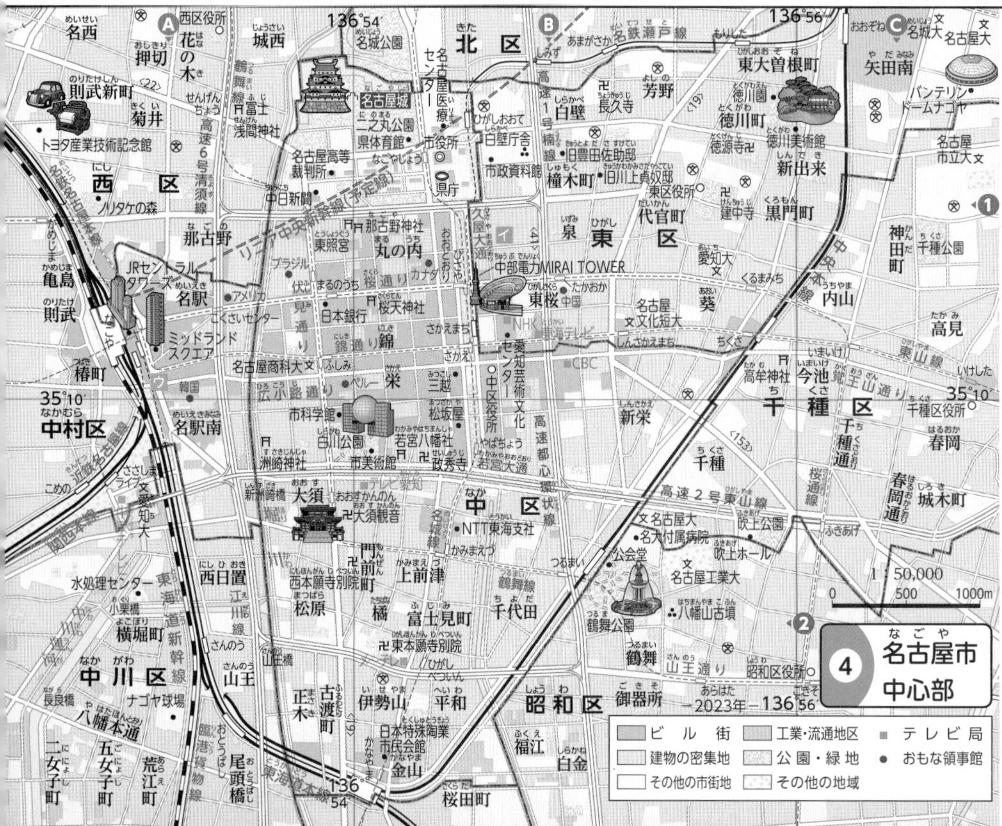

4 名古屋市中心部
名古屋城
名古屋駅
JRセントラルタワーズ
ミッドランドスクエア
中部電力MIRAI TOWER
久屋大通
栄
大須
西区
北区
東区
中区
中村区
中川区
千種区
昭和区
リニア中央新幹線(予定線)
1：50,000
－2023年－
ビル街
工業・流通地区
テレビ局
建物の密集地
公園・緑地
おもな領事館
その他の市街地
その他の地域

名古屋城
久屋大通
中部電力MIRAI TOWER

↑イ 道幅が100m以上ある久屋大通

↑ウ 車線数が多い名古屋市内の道路

越後平野の変遷

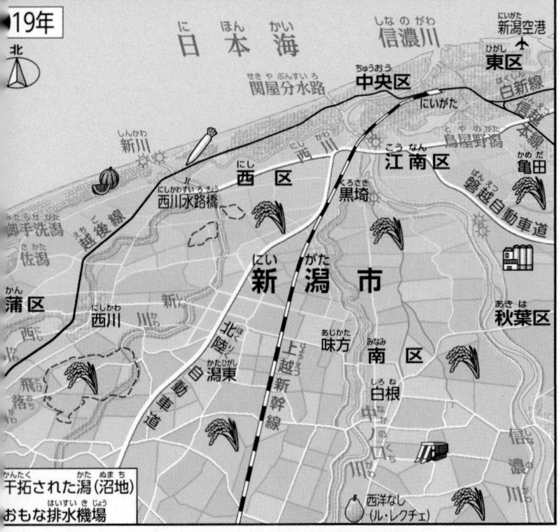

新潟県の専業農家と兼業農家の割合 —2015年—

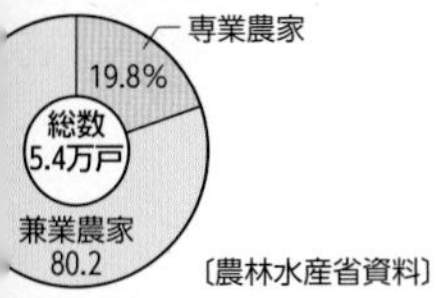

〔農林水産省資料〕

地図活用

⑤図を見て，1910年ごろと2019年の越後平野を比べ，田の形や農産物がどのように変化したか答えよう。

6 北陸と中央高地の観光地と伝統的工芸品

オ 訪日外国人の国・地域別割合（石川県）—2016年—

ヨーロッパから来た観光客

訪れた目的
1位 金沢観光＊
2位 新幹線乗車
3位 食
4位 伝統工芸・文化

前後の訪問地
1位 東京
2位 京都
3位 大阪
4位 広島

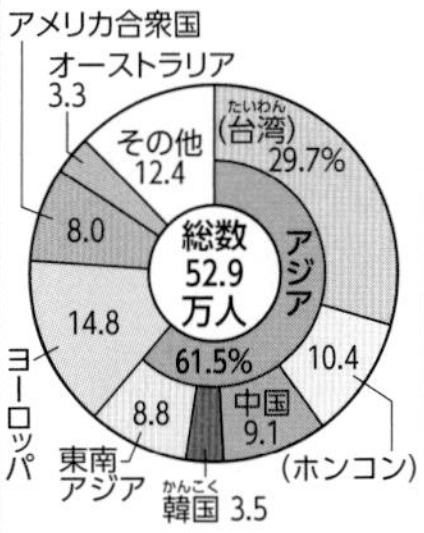

＊金沢城，兼六園，茶屋街など

〔石川県資料〕

台湾から来た観光客

訪れた目的
1位 金沢観光＊
2位 食
3位 伝統工芸・文化
4位 温泉

前後の訪問地
1位 名古屋
2位 白川郷
3位 飛騨高山
4位 東京

カ 北陸を代表する工業製品 —2017年—

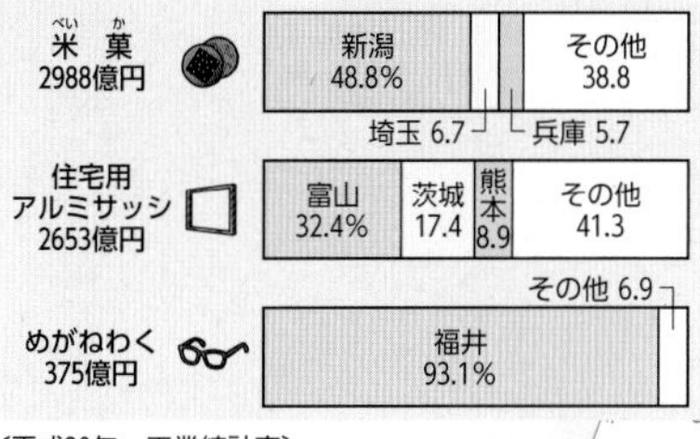

〔平成30年 工業統計表〕

〔長野県資料，ほか〕

7 諏訪湖周辺の工業地域

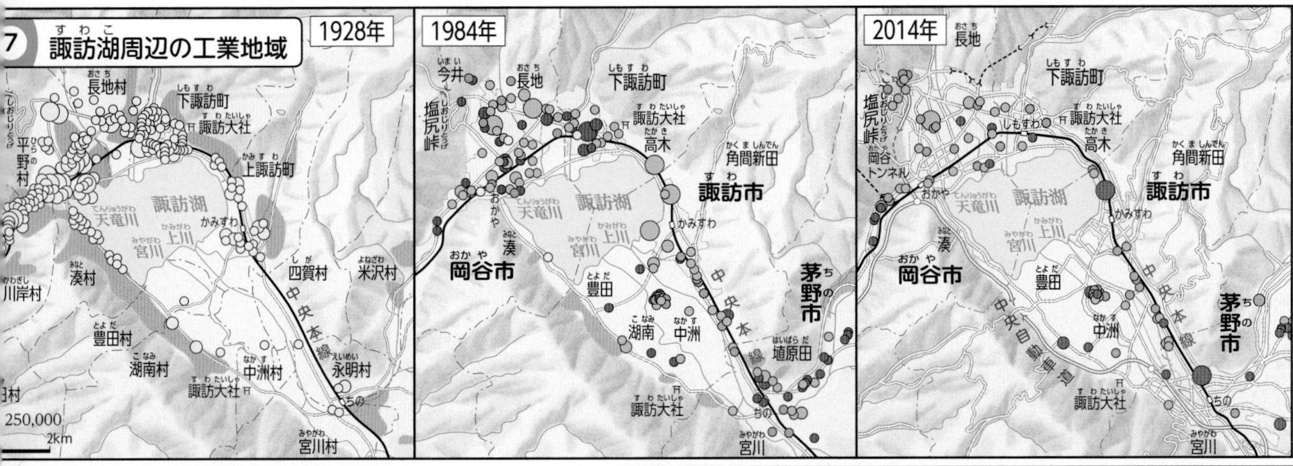

工場の大きさ（従業員数）
- 500人以上
- 300〜499人
- 10〜299人
- 製糸
- 精密金属
- 精密機械（時計・カメラ部品）
- その他の精密機械（自動車部品・工作機械など）
- 電気機器・電子機器部品
- 桑の栽培がさかんだったところ
- 市街地

〔全国工場通覧 1986，ほか〕

8 甲府盆地の果樹栽培

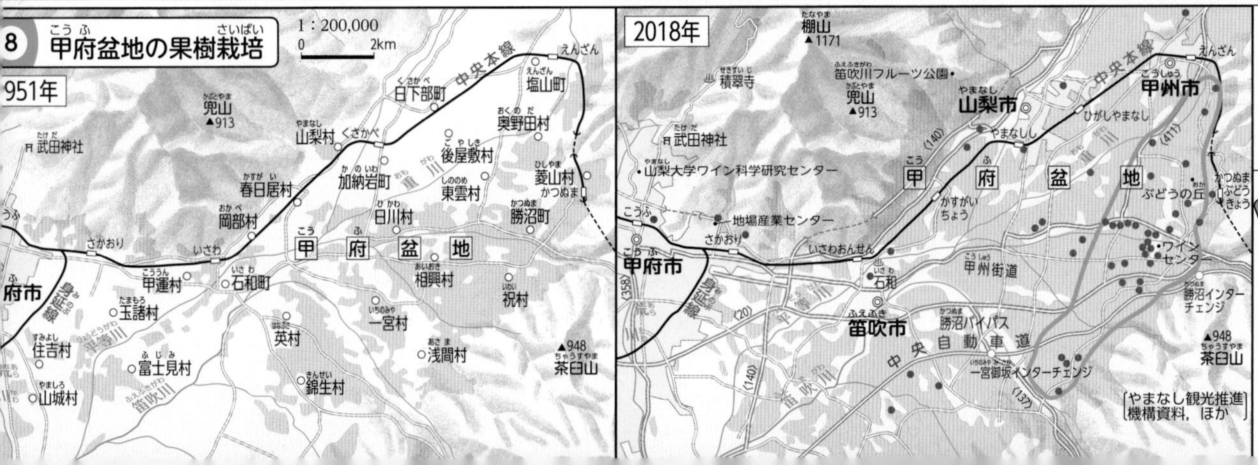

- 果樹園
- 桑畑
- 市街地
- 田・畑・山地など
- おもなワイン工場
- 観光農園の多いところ

〔やまなし観光推進機構資料，ほか〕

地図活用

⑧図を見て，桑畑だったところがどのように変化したか答えよう。

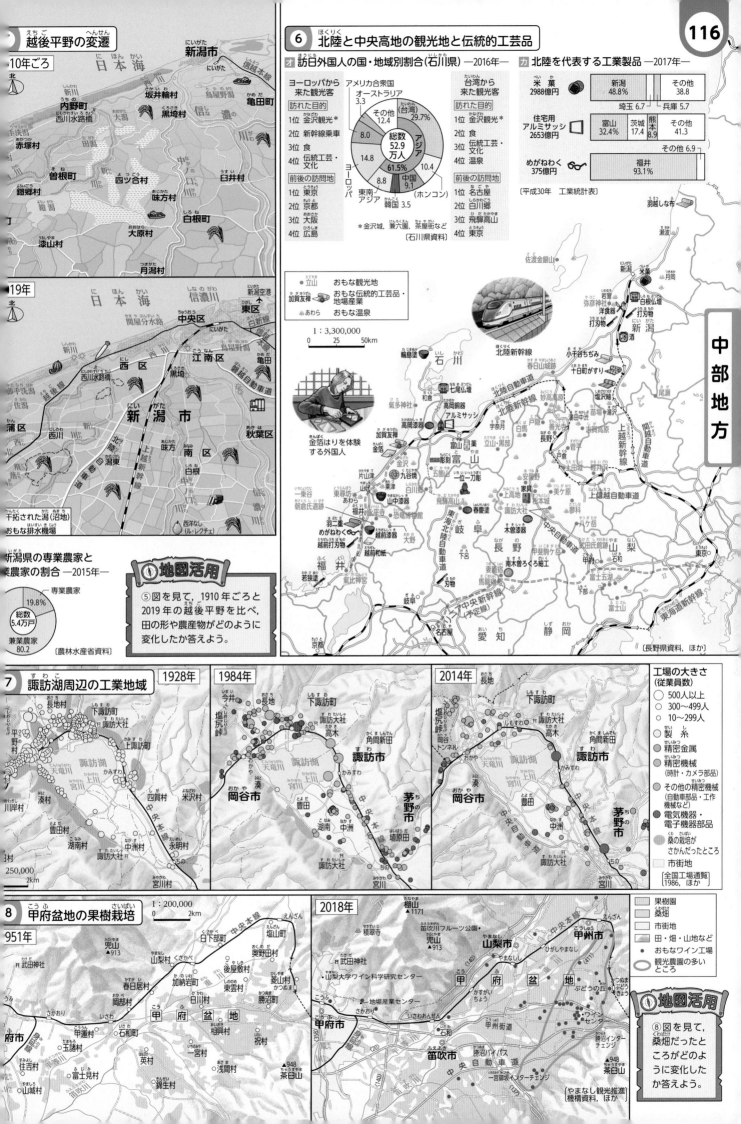

① 福井県・石川県・富山県

地図活用

❶ ①・②図の日本海沿岸では，どのような水産物がとれるか答えよう。

❷ 新潟県で米を原料にしてつくられるものの記号を，②・③図から一つずつ答えよう。

❸ 福井県・石川県・富山県の伝統的工芸品を一つ選び，その特徴やよさについて調べ，クラスで発表しよう。

② 新潟県

1：1,000,000
0 10 20km
ランベルト正角円錐図法
高原野菜栽培のさかんなところ
北 北西 北東 西 東 南西 南東 南
中部地方
新潟県
山形県
福島県
群馬県
長野県
栃木県
佐渡島
佐渡弥彦米山国定公園
日本海
佐渡海峡
粟島
新潟
新発田
村上
阿賀野
五泉
加茂
三条
燕
見附
長岡
柏崎
小千谷
十日町
南魚沼
魚沼
上越
糸魚川
妙高
越後平野
信濃川
阿賀野川
越後山脈
磐梯朝日国立公園
上信越高原国立公園
尾瀬国立公園
妙高戸隠連山国立公園
北陸自動車道
関越自動車道
磐越自動車道
北陸新幹線
上越新幹線
119-120
109-110
133-135
工業地
③ 新潟市とそのまわり
1：500,000
0 5 10km

1 関東地方

1：1,000,000
0 10 20km
ランベルト正角円錐図法

市街地
田
畑
果樹園
その他

陸高
2000m
1400m
600m
0m

水深
0m
200m
1000m
2000m

高原野菜栽培のさかんなところ
※②図共通

関東地方
2 伊豆・小笠原諸島
1：1,000,000
東京都
千葉県
神奈川県
埼玉県
山梨県
静岡県
東京
横浜
川崎
千葉
相模湾
駿河湾
伊豆半島
房総半島
三浦半島
伊豆諸島
小笠原諸島

群馬県
埼玉県
東京都
山梨県
神奈川県
静岡県
栃木県
前橋
高崎
伊勢崎
太田
足利
桐生
佐野
館林
富岡
藤岡
本庄
深谷
熊谷
行田
羽生
加須
鴻巣
久喜
秩父
東秩父
小川
嵐山
東松山
川越
坂戸
鶴ヶ島
日高
飯能
狭山
入間
所沢
朝霞
和光
さいたま
川口
戸田
蕨
草加
春日部
上尾
桶川
北本
青梅
羽村
福生
あきる野
八王子
立川
昭島
日野
多摩
府中
調布
町田
東京
武蔵野
三鷹
小平
国分寺
西東京
東村山
東久留米
清瀬
相模原
大和
座間
厚木
海老名
綾瀬
伊勢原
秦野
平塚
茅ケ崎
藤沢
鎌倉
逗子
葉山
横浜
川崎
横須賀
三浦半島
小田原
箱根
湯河原
真鶴
熱海
三島
沼津
御殿場
富士吉田
大月
都留
上野原
秩父山地
丹沢山地
関東山地
狭山丘陵
多摩丘陵
相模湾
富士山
雲取山
甲武信ケ岳
中央自動車道
東名高速道路
新東名高速道路
関越自動車道
上信越自動車道
北関東自動車道
東北自動車道
北陸新幹線
上越新幹線
中央本線
138°45′
139°
139°15′
139°30′
139°45′
36°15′
36°
35°45′
35°30′
35°15′

①関東地方南部

1：500,000

0 5 10km

ランベルト正角円錐図法

凡例
市街地
田
畑
茶畑
果樹園
工業地
その他

陸高 2000m 1400m 600m 0m

水深 0m 200m 1000m

地図活用

❶東京湾の海岸線にはどのような特徴がみられるか答えよう。また，そこではどのような土地利用がみられるか答えよう。

❷東京を中心とした市街地の広がりや広がり方を，大阪（p.99〜100）や名古屋（p.111〜112）と比べよう。

❶ 東京都周辺の地形 －水と人の関わり・防災－

1：150,000

- 東京湾周辺のおもな水門
- おもな広域防災拠点
- おもな調節池
- おもな湧水
- 江戸時代末の海岸線
- おもな開削水路（人工水路）

陸高（m）：400 / 300 / 200 / 150 / 100 / 90 / 80 / 70 / 60 / 50 / 40 / 30 / 20 / 10 / 4 / 0 / 海面下

ア 水をめぐる東京の歴史

1590年ごろ	徳川家康が行徳の塩を江戸城❶に運ぶために，小名木川❷を開削させる
1625年	江戸に飲料水を供給する神田上水❸完成
1654年	江戸の飲料水不足をおぎなうための玉川上水❹が完成→後に野火止用水❺，千川上水❻などの分水も開通，農業用水としても利用され，武蔵野（台地）❼の新田開発がさかんに行われた
1930年	東京東部を水害から守るために，隅田川❽の水を直線的に海に流すバイパス，荒川放水路❾完成
1955～70年ごろ	工業用の地下水の大量くみ上げなどにより地盤沈下が発生❿
2008年	都市化によって台地で起こりやすくなった水害を防ぐために，神田川・環状七号線地下調節池が完成⓫。➡p.130⑦

地図活用

この地図は陸高を細かく示していて，地形の詳しいようすが読み取れます。

読図の視点

地形 この地図の，東部・中央部・南部の地形の特徴を，陸高の色分けや地形の起伏から読み取ろう。

防災 東部・中央部・南部で起こる可能性がある自然災害を，p.149-150も参考にしながら地形に着目して考えよう。

歴史 アを参照し，玉川上水④がつくられた理由でもある，江戸（江戸城①や現在の新宿区付近など）は，水が得にくかった理由を地形から説明しよう。

関東地方の資料(1)

1 自然

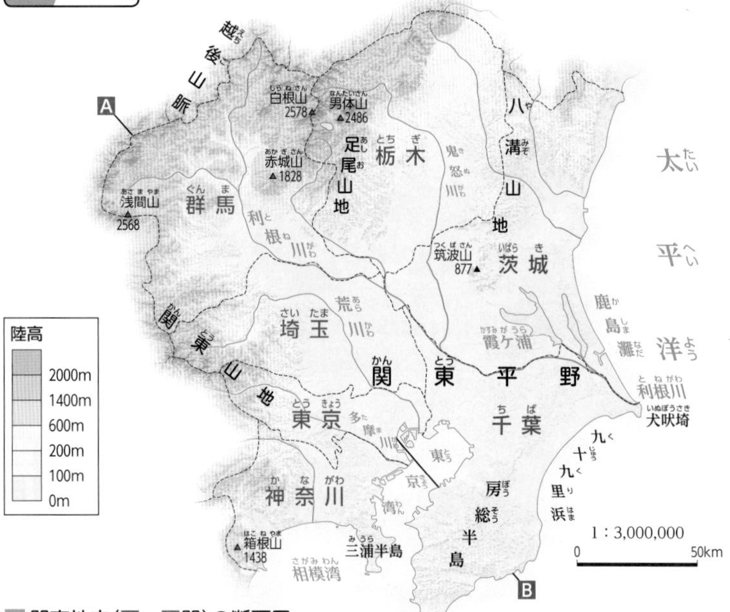

ア 関東地方(A—B間)の断面図

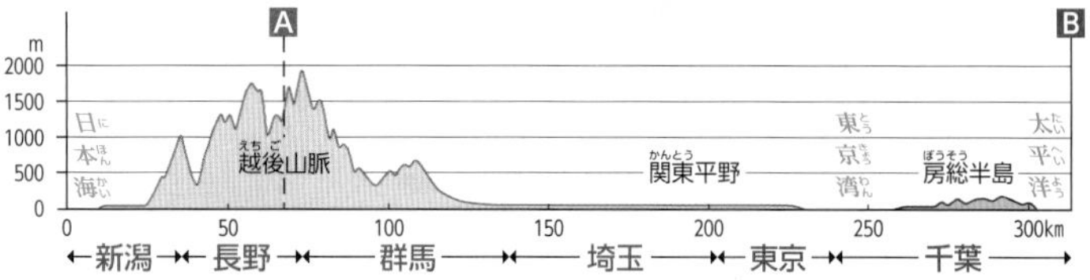

地図活用
①～⑤図を確認して，関東地方において人口の分布と関係性が大きいのは，地形のほかに，農業・工業・交通のどの要素か答えよう。

2 降水量

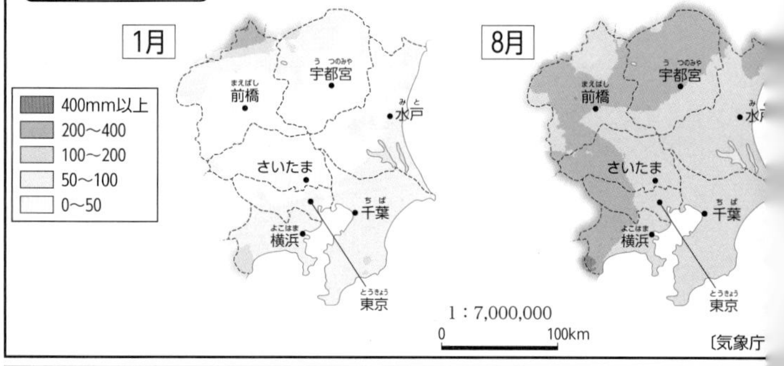

3 人口分布

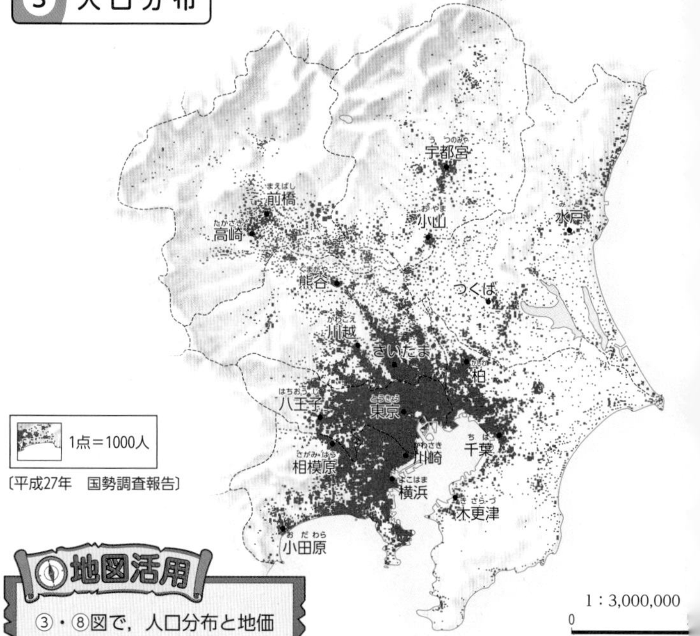

地図活用
③・⑧図で，人口分布と地価分布の関係に着目しよう。

4 農業

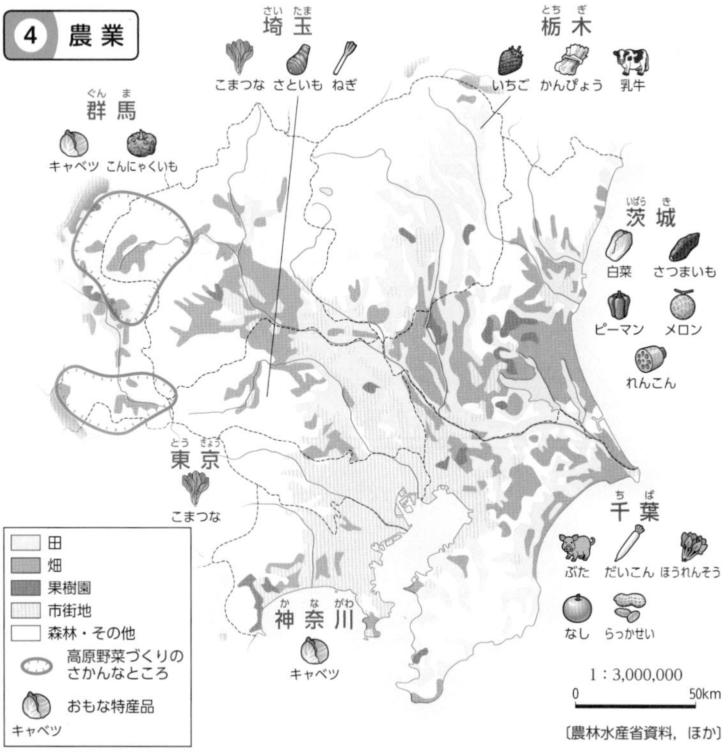

イ 県別農業産出額 —2018年—

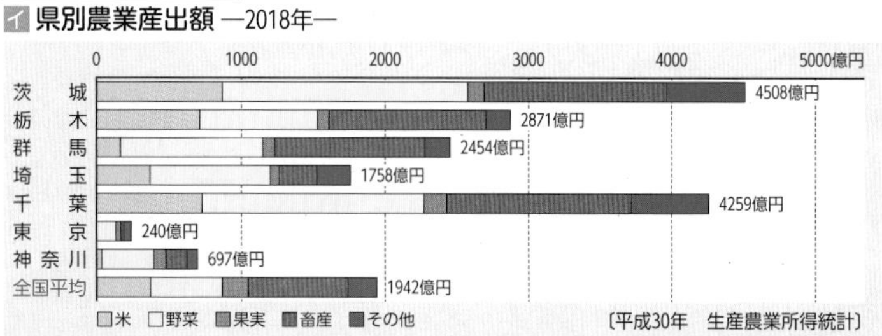

5 工業・交通

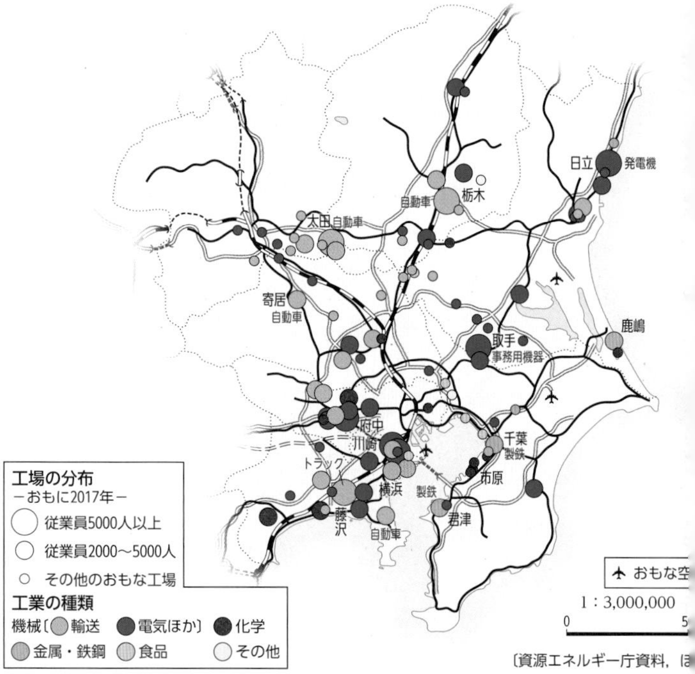

ウ 県別工業出荷額 —2017年—

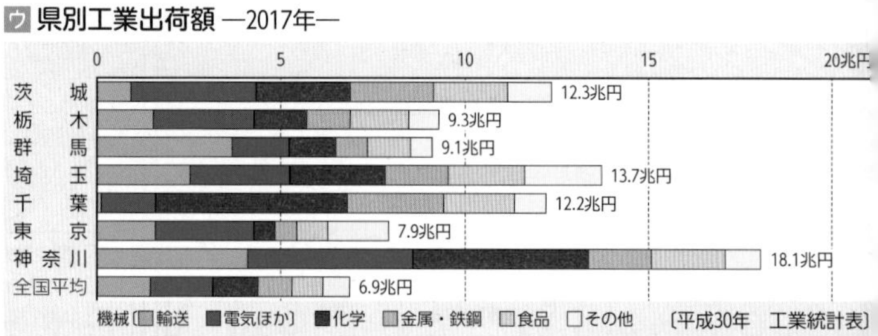

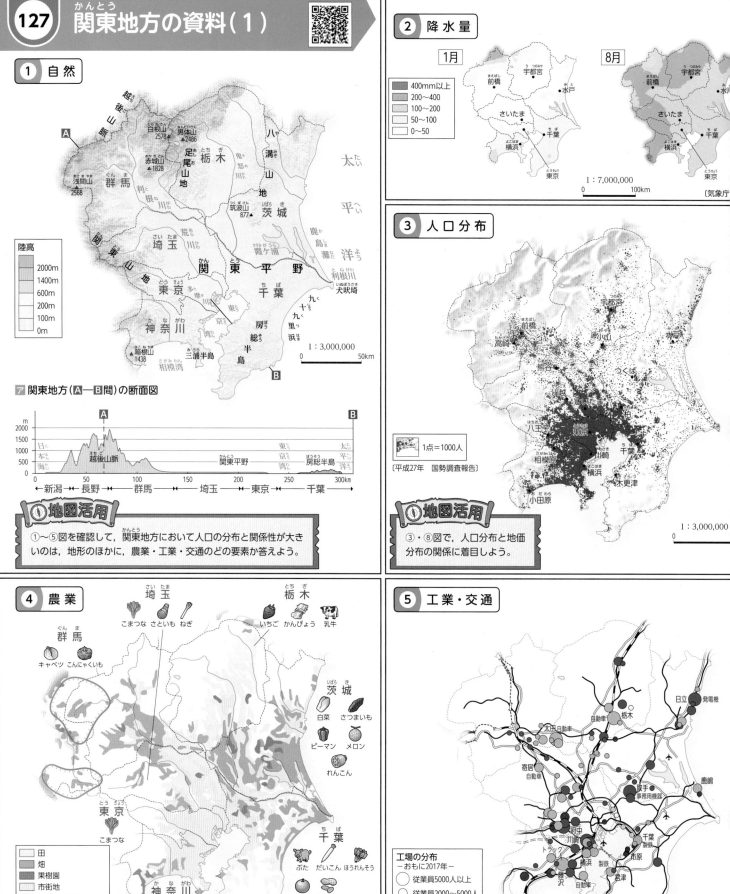

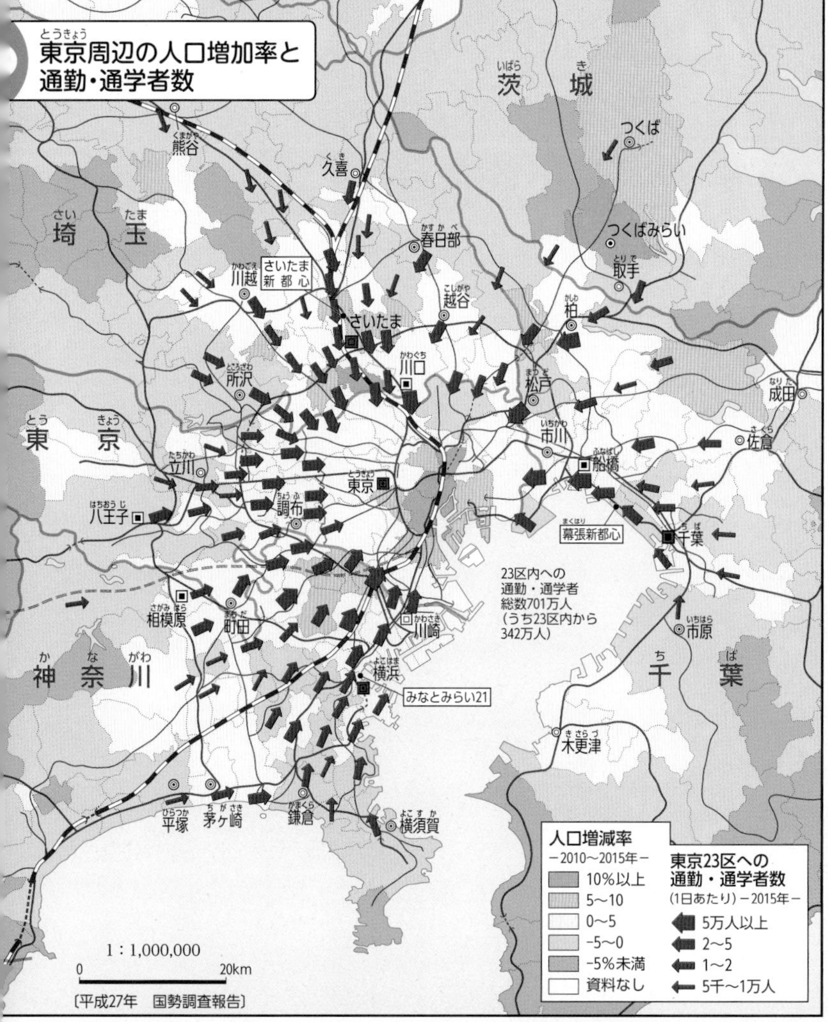

東京周辺の人口増加率と通勤・通学者数

7 東京周辺の昼夜間人口比率

8 東京大都市圏の地価分布

9 横浜市中心部

10 新都心

街区の用途(エ オ図共通凡例)
企業・ホテル　公園・緑地　官公庁　住宅地　その他

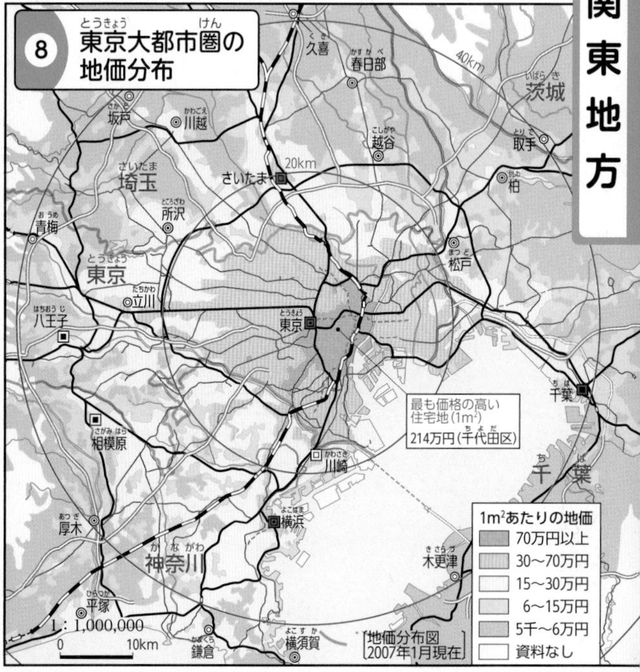

1 関東地方の工業地域
1：1,200,000
ア 規模別事業所数の割合 —2016年—
＊従業者4人以上
千葉県市原市
300人以上
8.1%
総数 245
4〜29人 58.8
東京都大田区
30〜
9.8%
総数 1254
4〜29人 90.2
〔平成29年 工業統計
市町村別の工業生産(出荷額)〔2000億円以上〕 −2016年−
4兆円
1兆円
5000億円
2000億円
おもな工場(赤字はおもな製品)
金属・鉄鋼
石油・化学
自動車
自動車部品
電
出版
食品
製
〔平成29年 工業統計表, ほか〕
市街地
高速道路・おもな自動車専用道路
群馬
栃木
茨城
埼玉
東京
山梨
神奈川
静岡
千葉
鹿島灘
霞ケ浦
相模湾
東京湾
太平洋
宇都宮
日立
ひたちなか
水戸
前橋
高崎
伊勢崎
太田
足利
佐野
栃木
小山
真岡
古河
つくば
土浦
東京23区
さいたま
川越
川口
八王子
横浜
川崎
市原
千葉
君津
木更津
袖ケ浦
相模原
厚木
藤沢
横須賀
小田原
御殿場
富士
沼津
神栖
鹿嶋
成田
北陸新幹線
上越・北陸新幹線
東北新幹線
東北自動車道
北関東自動車道
関越自動車道
上信越自動車道
中央自動車道
東名高速道路
新東名高速道路
東関東自動車道
圏央道
常磐自動車道

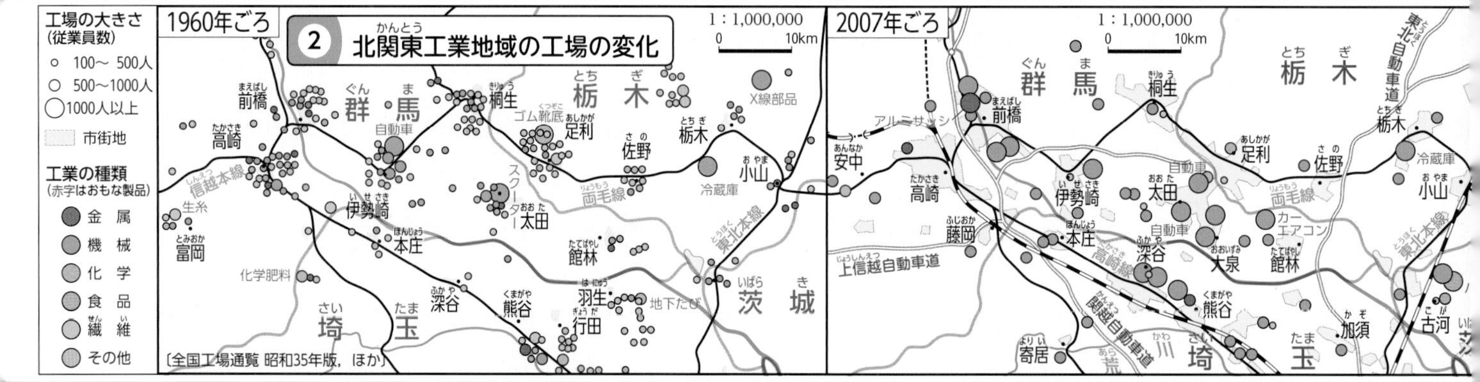
2 北関東工業地域の工場の変化
工場の大きさ(従業員数)
100〜 500人
500〜1000人
1000人以上
市街地
工業の種類(赤字はおもな製品)
金属
機械
化学
食品
繊維
その他
1960年ごろ
1：1,000,000
0 10km
前橋
高崎
富岡
伊勢崎
本庄
深谷
熊谷
行田
羽生
館林
太田
桐生
足利
佐野
栃木
小山
群馬
栃木
埼玉
茨城
自動車
ゴム靴底
X線部品
スクーター
冷蔵庫
生糸
化学肥料
地下たび
信越本線
両毛線
東北本線
〔全国工場通覧 昭和35年版, ほか〕
2007年ごろ
1：1,000,000
0 10km
群馬
栃木
埼玉
前橋
桐生
安中
高崎
藤岡
伊勢崎
太田
本庄
深谷
大泉
館林
熊谷
寄居
足利
佐野
栃木
小山
加須
古河
アルミサッシ
自動車
カーエアコン
冷蔵庫
両毛線
東北本線
東北自動車道
上信越自動車道
関越自動車道
高崎線

3 東京湾臨海部の開発
−2020年6月−
キャナルコート　おもな再開発地域(2000年以降)
流通施設　流通施設が集まっているところ
潮風公園(仮設)　東京2020オリンピック・パラリンピックのおもな会場
東京タワー
増上寺
汐留シオサイト
虎ノ門ヒルズ
皇居外苑
東京駅
東京国際フォーラム
浜離宮庭園
聖路加タワー
大川端リバーシティ21
清澄庭園
水再生センター
芝浦アイランド
首都高速
日の出桟橋
竹芝ふ頭
芝浦ふ頭
品川ふ頭
レインボーブリッジ
東京港
品川台場
トリトンスクエア
東京海洋大学
晴海
晴海通り
豊洲市場
新豊洲変電所
ららぽーと豊洲
豊洲
首都高速10号
首都高速9号
フジテレビ
お台場海浜公園(仮設)
潮風公園(仮設)
台場
有明アーバンスポーツパーク(仮設)
有明体操競技場(仮設)
有明アリーナ
キャナルコート
有明
東雲
辰巳
東京アクアティクスセンター
辰巳の森海浜公園
パレットタウン
日本科学未来館
青海アーバンスポーツパーク(仮設)
ゆりかもめ
首都高速湾岸線
東京臨海広域防災公園
東京国際展示場(ビッグサイト)(国際放送センター・メインプレスセンター)
流通施設
テレコムセンター
貯木場

関東地方の野菜生産

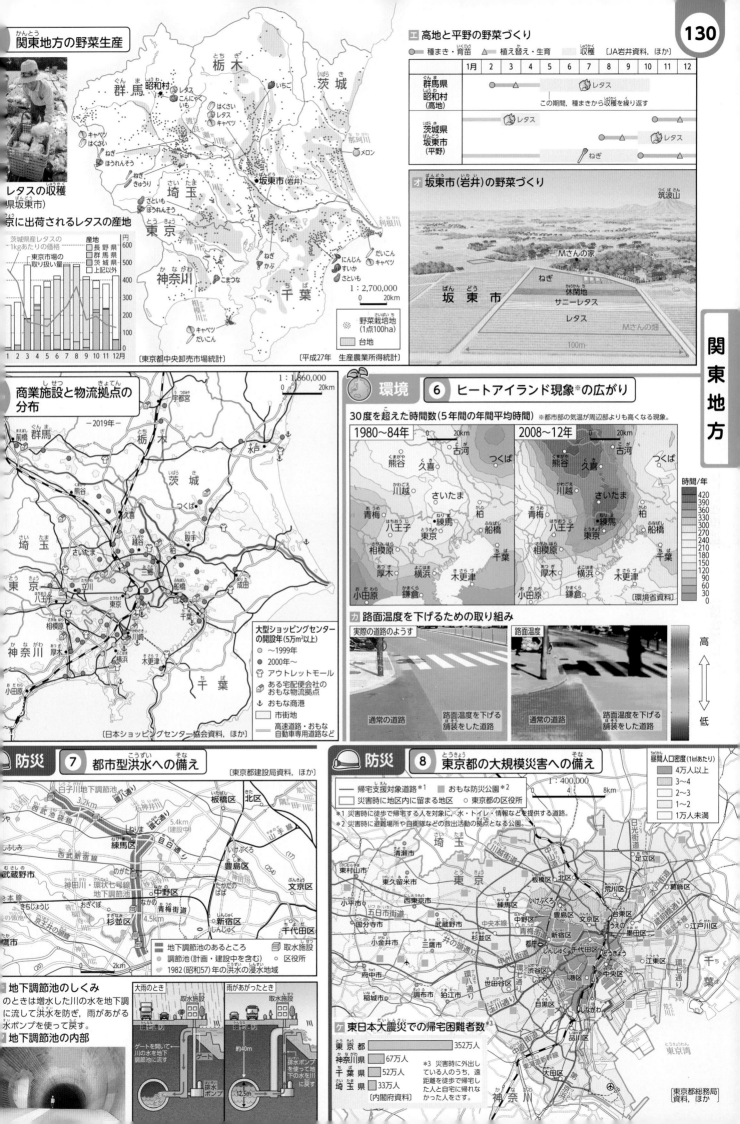

レタスの収穫
県坂東市)

京に出荷されるレタスの産地

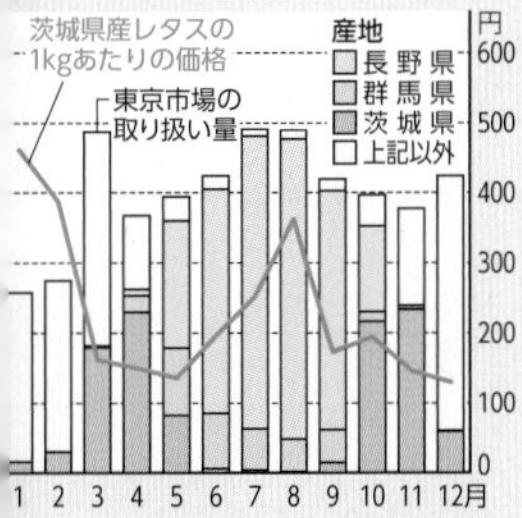

〔東京都中央卸売市場統計〕

〔平成27年 生産農業所得統計〕

エ 高地と平野の野菜づくり

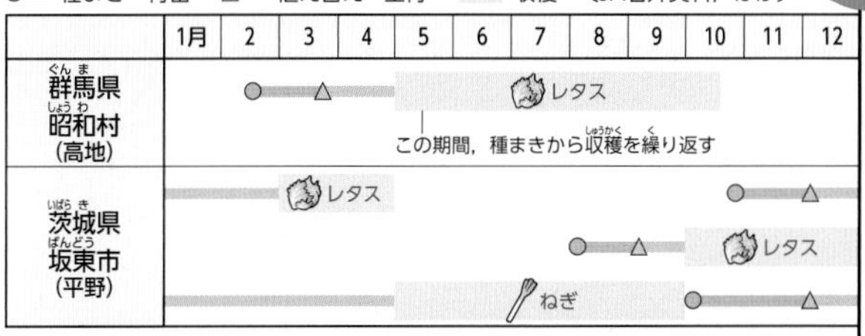

種まき・育苗
植え替え・生育
収穫
〔JA岩井資料，ほか〕
1月 2 3 4 5 6 7 8 9 10 11 12
群馬県昭和村(高地)
レタス
この期間，種まきから収穫を繰り返す
茨城県坂東市(平野)
レタス
レタス
ねぎ

オ 坂東市(岩井)の野菜づくり

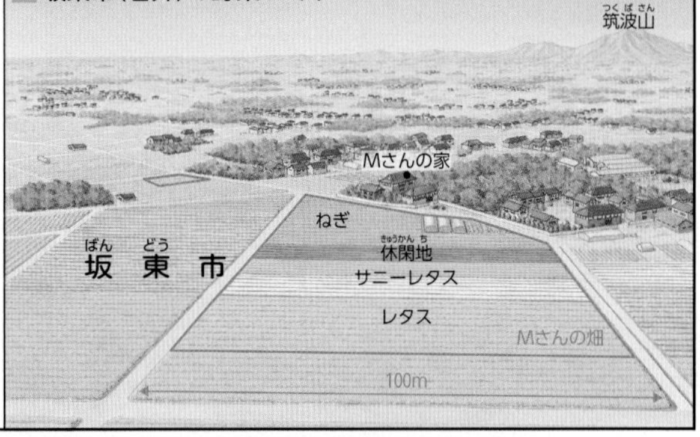

商業施設と物流拠点の分布

〔日本ショッピングセンター協会資料，ほか〕

環境 6 ヒートアイランド現象※の広がり

30度を超えた時間数(5年間の年間平均時間) ※都市部の気温が周辺部よりも高くなる現象。

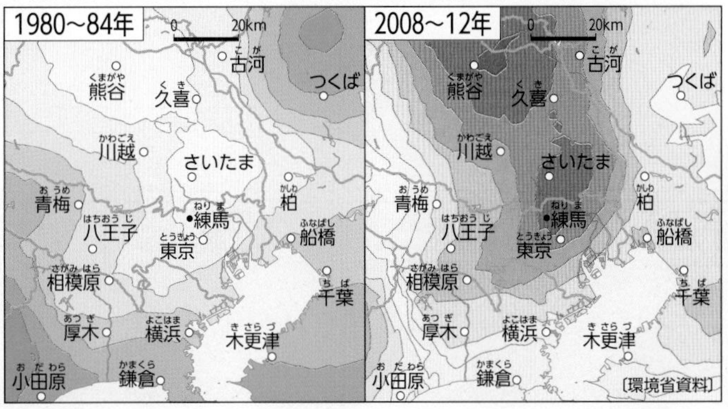

〔環境省資料〕

カ 路面温度を下げるための取り組み

防災 7 都市型洪水への備え

〔東京都建設局資料，ほか〕

地下調節池のしくみ

のときは増水した川の水を地下調
に流して洪水を防ぎ，雨があがる
水ポンプを使って戻す。

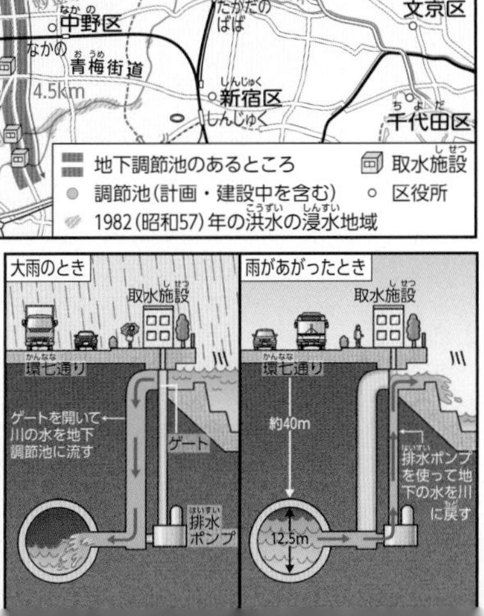

地下調節池の内部

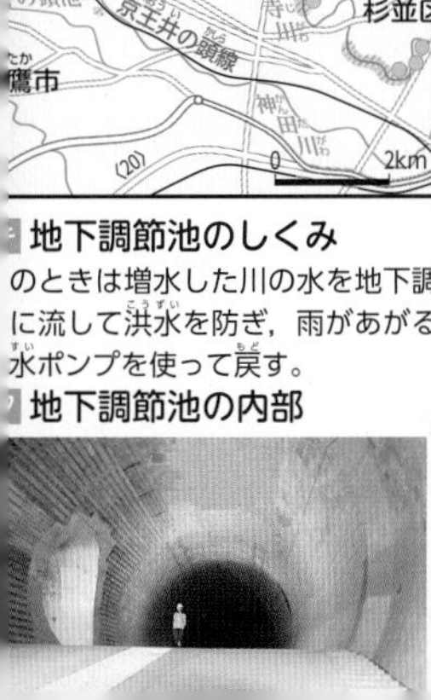

防災 8 東京都の大規模災害への備え

*1 災害時に徒歩で帰宅する人を対象に，水・トイレ・情報などを提供する道路。
*2 災害時に避難場所や自衛隊などの救出活動の拠点となる公園。

ケ 東日本大震災での帰宅困難者数*3

東京都	352万人
神奈川県	67万人
千葉県	52万人
埼玉県	33万人

〔内閣府資料〕

*3 災害時に外出している人のうち，遠距離を徒歩で帰宅した人と自宅に帰れなかった人をさす。

〔東京都総務局資料，ほか〕

東北地方の資料

地図活用
東北地方の1月の降水量で，太平洋側と日本海側の違いに影響を及ぼしている山地・山脈を①図やアの断面図を見て答えよう。

1 自然

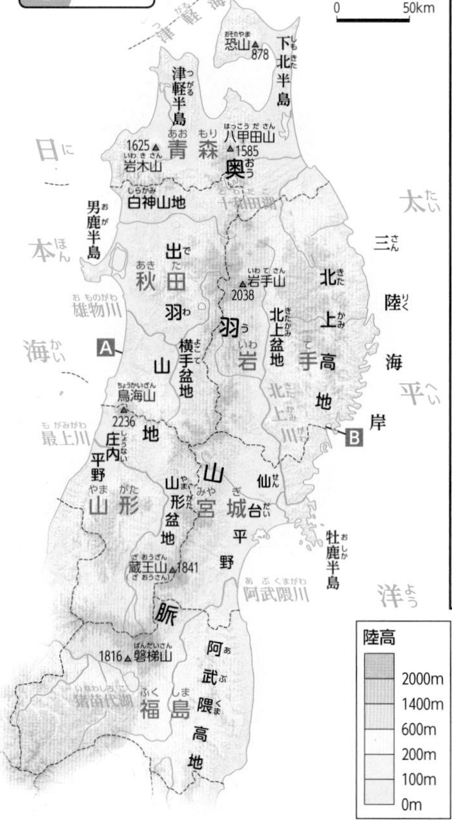

1：5,000,000
0 50km
津軽海峡
恐山 878
下北半島
津軽半島
青森
八甲田山 1585
1625 岩木山
奥
白神山地
十和田湖
日本海
男鹿半島
出羽山地
秋田
雄物川
岩手山 2038
北上盆地
北上高地
A
横手盆地
羽
岩手
太平洋
三陸海岸
鳥海山 2236
最上川
庄内平野
北上川
B
山
山形盆地
宮城
仙台平野
山形
蔵王山 1841
牡鹿半島
阿武隈川
脈
1816 磐梯山
猪苗代湖
福島
阿武隈高地
陸高
2000m
1400m
600m
200m
100m
0m

2 降水量

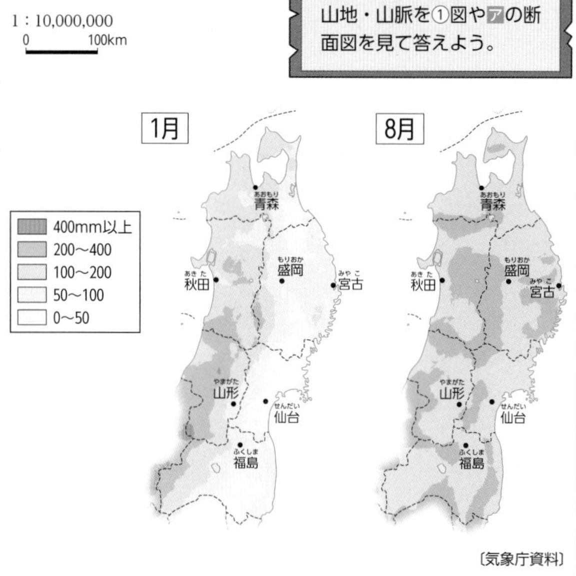

1：10,000,000
0 100km
1月
8月
400mm以上
200～400
100～200
50～100
0～50
青森
秋田
盛岡
宮古
山形
仙台
福島
〔気象庁資料〕

ア 東北地方（A—B間）の断面図

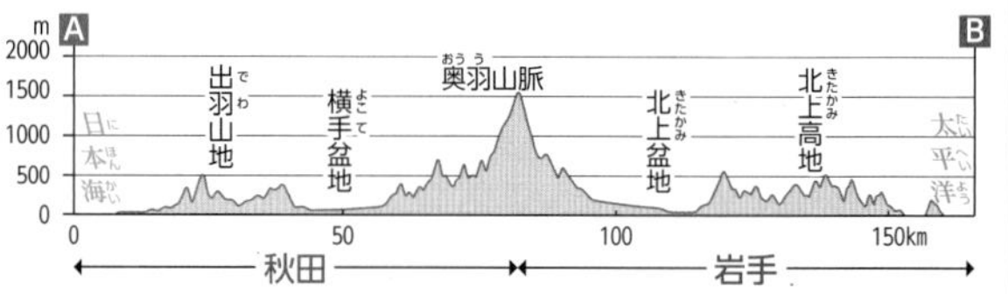

m
2000
1500
1000
500
0
A
B
出羽山地
横手盆地
奥羽山脈
北上盆地
北上高地
日本海
太平洋
0
50
100
150km
秋田
岩手

3 人口分布

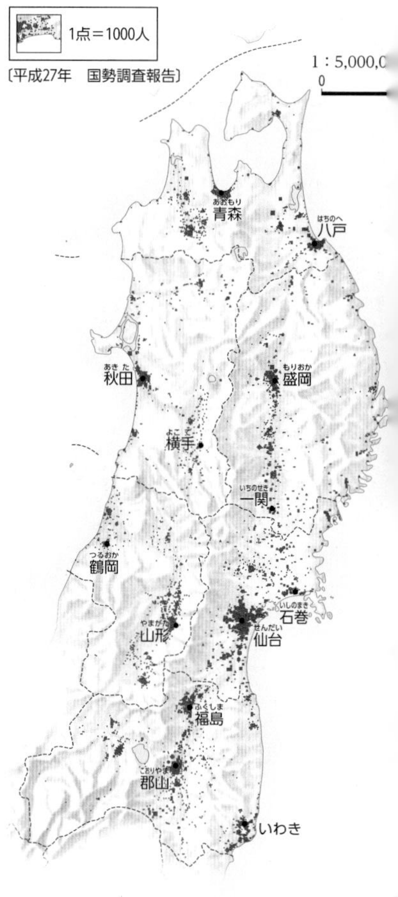

1点＝1000人
〔平成27年　国勢調査報告〕
1：5,000,0
青森
八戸
秋田
盛岡
横手
一関
鶴岡
山形
石巻
仙台
福島
郡山
いわき

4 農業

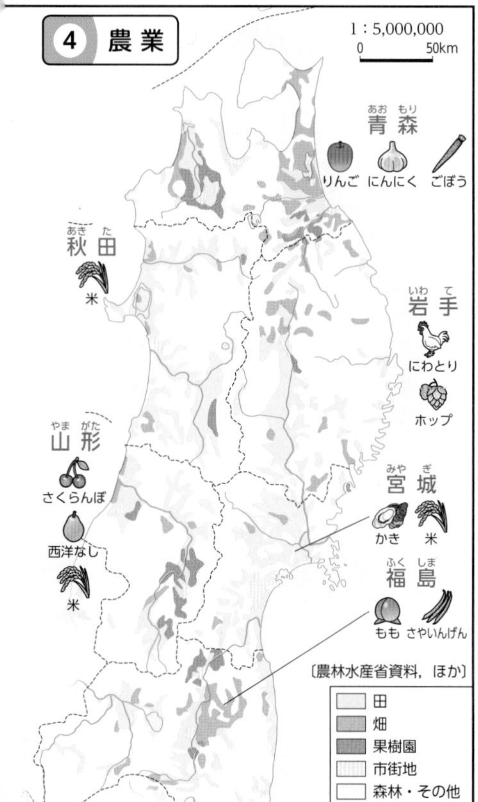

1：5,000,000
0 50km
青森
りんご
にんにく
ごぼう
秋田
米
岩手
にわとり
ホップ
山形
さくらんぼ
西洋なし
米
宮城
かき
米
福島
もも
さやいんげん
〔農林水産省資料，ほか〕
田
畑
果樹園
市街地
森林・その他
おもな特産品
米

イ 県別農業産出額 —2018年—

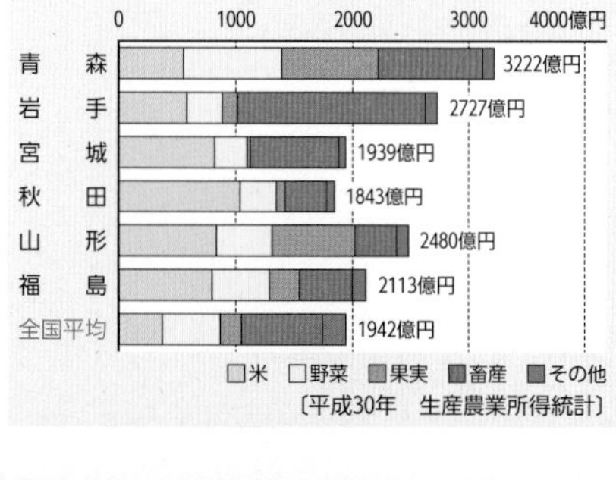

0
1000
2000
3000
4000億円
青森 3222億円
岩手 2727億円
宮城 1939億円
秋田 1843億円
山形 2480億円
福島 2113億円
全国平均 1942億円
米
野菜
果実
畜産
その他
〔平成30年　生産農業所得統計〕

5 工業・交通

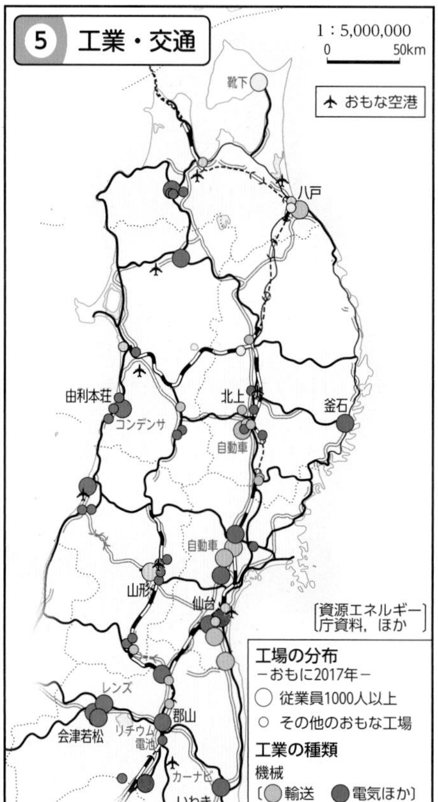

1：5,000,000
0 50km
おもな空港
戦下
八戸
由利本荘
コンデンサ
北上
釜石
自動車
自動車
山形
仙台
レンズ
会津若松
リチウム電池
郡山
カーナビ
いわき
〔資源エネルギー庁資料，ほか〕
工場の分布
—おもに2017年—
従業員1000人以上
その他のおもな工場
工業の種類
機械
輸送
電気ほか
化学
金属・鉄鋼
食品
その他

ウ 県別工業出荷額 —2017年—

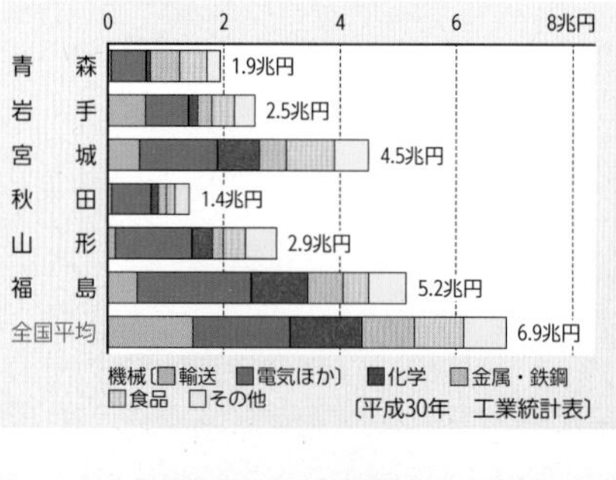

0
2
4
6
8兆円
青森 1.9兆円
岩手 2.5兆円
宮城 4.5兆円
秋田 1.4兆円
山形 2.9兆円
福島 5.2兆円
全国平均 6.9兆円
機械
輸送
電気ほか
化学
金属・鉄鋼
食品
その他
〔平成30年　工業統計表〕

6 伝統・文化

1：4,000,000
0 50km
会津塗 おもな伝統工芸品
青森ねぶた祭 おもな祭り行事
夏（6～8月）に行われる祭り・行事
無形文化遺産に登録されたもの
おもな温泉
〔文化庁資料，
青森ねぶた祭
弘前ねぷた祭
八戸三社大祭
青森
弘前
津軽塗
酸ケ湯
こけし
八戸
曲げわっぱ
鹿角
花輪祭
大日堂舞楽
浄法寺塗
奥
岩手
秋田
男鹿半島
男鹿のナマハゲ
土崎神明社祭
秋田竿燈まつり
角館祭り
大曲の花火
乳頭
南部鉄器
盛岡さんさ
宮古
早池峰
秋田
盛岡
大仙
羽
花巻
横手
北上
みちの芸能ま
岩谷堂たんす
遊佐の小正月行事
川連漆器
南部鉄器
大船渡
吉浜のス
遊佐
酒田
秀衡塗
気仙沼
新庄まつり
新庄
鳴子
米川の水かぶ
鶴岡
銀山
登米
羽越しな布
山形
宮城
雄勝すずり
将棋駒
仙台
石巻
山形花笠まつり
山形
松島
秋保
仙台七夕ま
置賜紬
蔵王
秋保の田植踊
置賜紬
脈
笹野一刀彫
福島わらじまつり
福島
相馬駒焼
会津塗
こけし
三春駒
相馬野馬追
大堀相馬焼
編み組細工
会津若松
郡山
郡山うねめまつり
福島
いわき

7 岩木山山麓のりんご栽培 -弘前市付近-

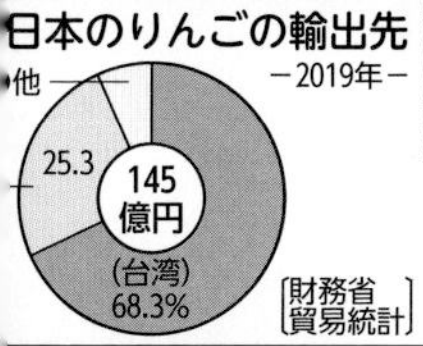

8 山形盆地の果樹栽培 -東根市のさくらんぼづくり-

果樹園　水田　かんがい水路　選果場　観光農園　さくらんぼ　りんご　西洋なし　もも

さくらんぼづくりの工夫

雨で実が割れるのをふせぐ雨よけハウス

日光を反射させ，色づきをよくするアルミシート

9 仙台市中心部

ビル街　その他の市街地　森林　建物の密集地　公園・緑地　その他の地域　おもなテレビ局　おもな新聞社　おもな領事館

10 東北地方の冷害と米の品種

オ 1993年の冷害と7月の平均気温

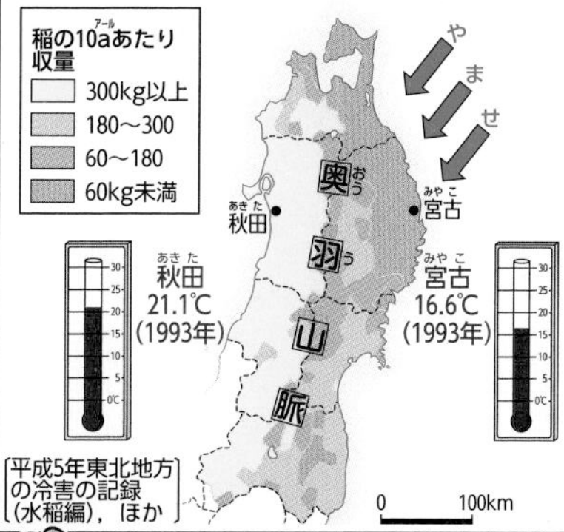

カ 銘柄米の品種内訳(作付面積)

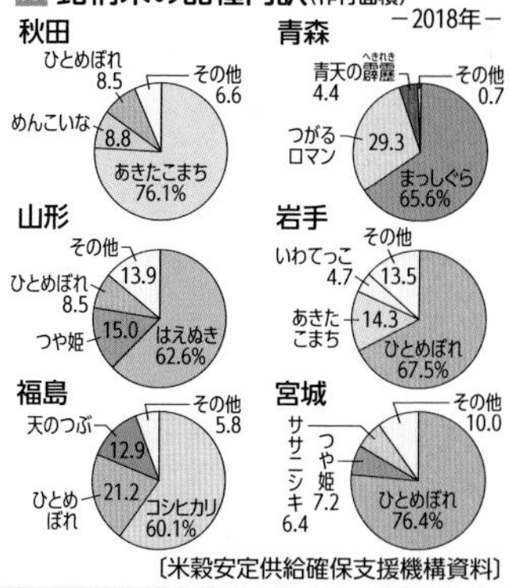

環境 11 気仙沼付近の漁業のようす

防災 12 震災の被害と復興 -岩手県宮古市(田老)-

→p.150②

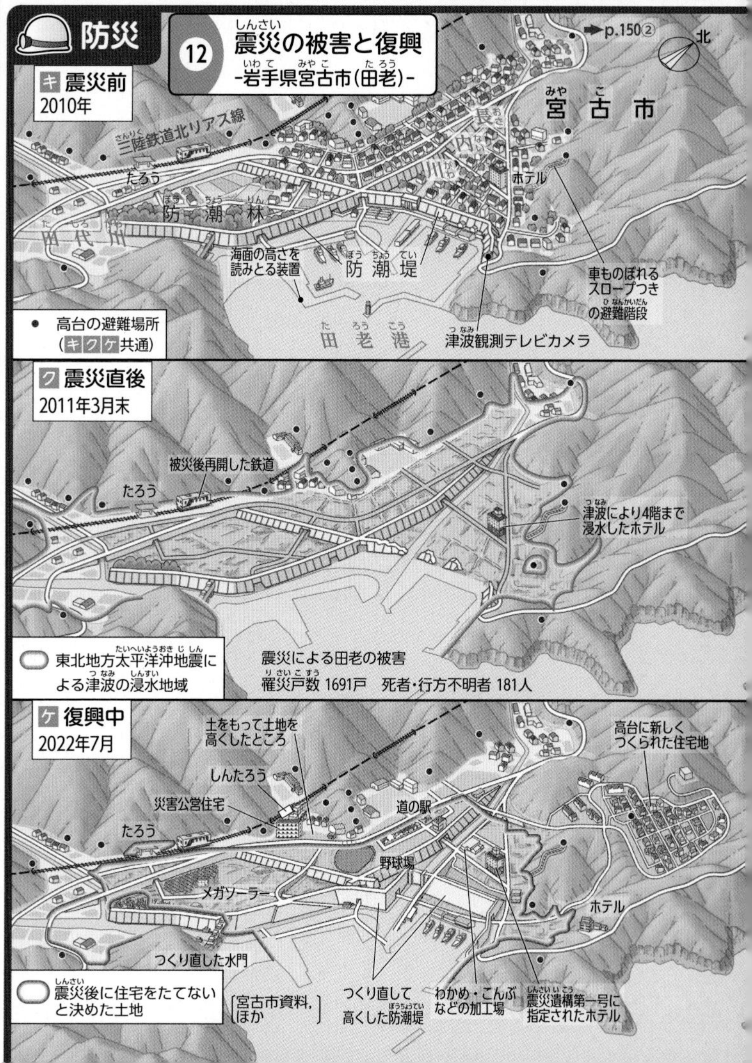

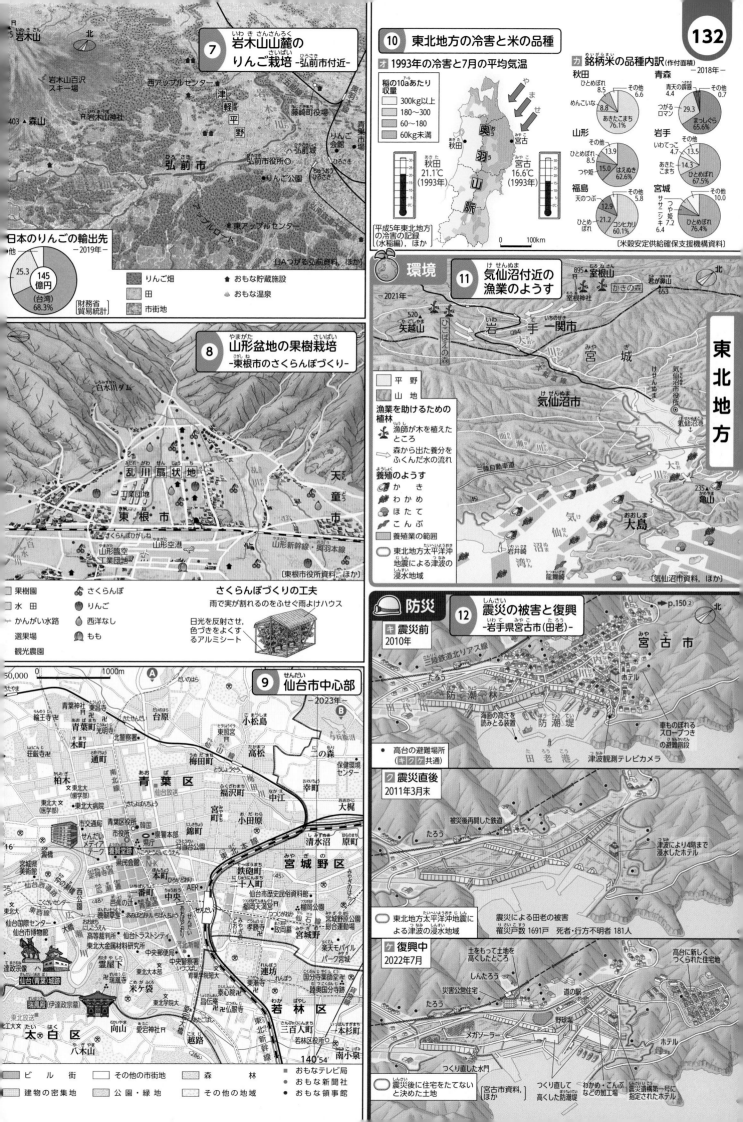

❶ 東北地方

1：1,000,000
0 10 20km
ランベルト正角円錐図法

136-138

地図活用

❶東北地方を南北にはしる山脈，高速道路，新幹線を答えよう。

❷果樹園が広がっている平野と盆地を３か所探し，それぞれの場所でとれる果樹の記号を答えよう。また，果樹栽培農家にとって高速道路や新幹線が近くを通っていることはどのような利点があるか考え，説明しよう。

① 北海道地方南部

1：1,000,000
0 10 20km
ランベルト正角円錐図法

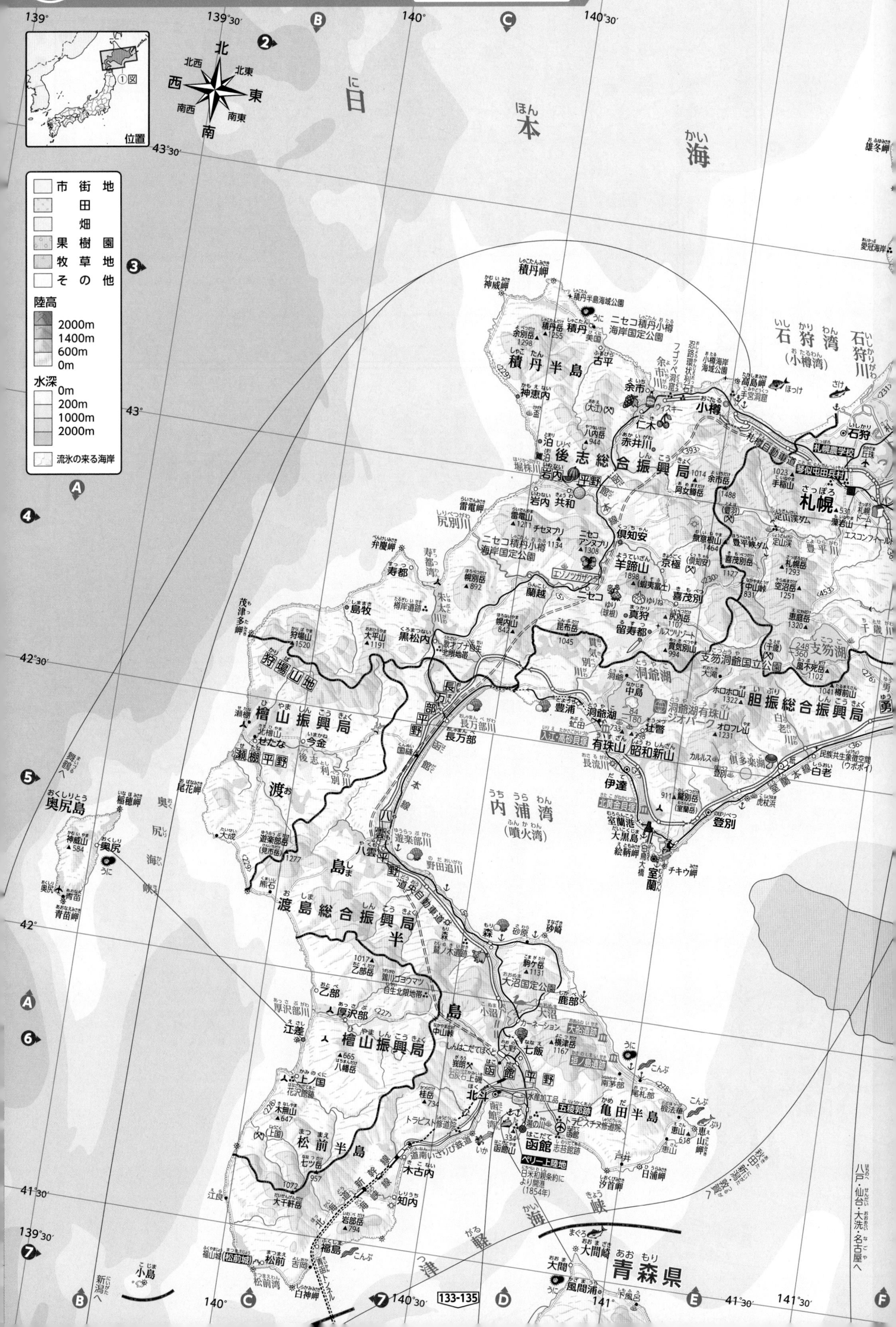

133-135

地図活用

「同じ縮尺の東京都」やあなたの住む府県の形をトレーシングペーパーなどの薄い紙に写し取り，石狩平野や十勝平野，根釧台地付近に重ねて，広さを比べよう。また，これらの平野や台地ではそれぞれどのような農業がさかんか，土地利用のようすや記号を見て答えよう。

ある農家の耕地 計100h

農作業カレンダー 作物	1	2	3	4	5
あずき					種まき
じゃがいも				いもまき	除
小麦			融雪	追肥	除
てんさい			種まき	移植	

ア ある農家のようす

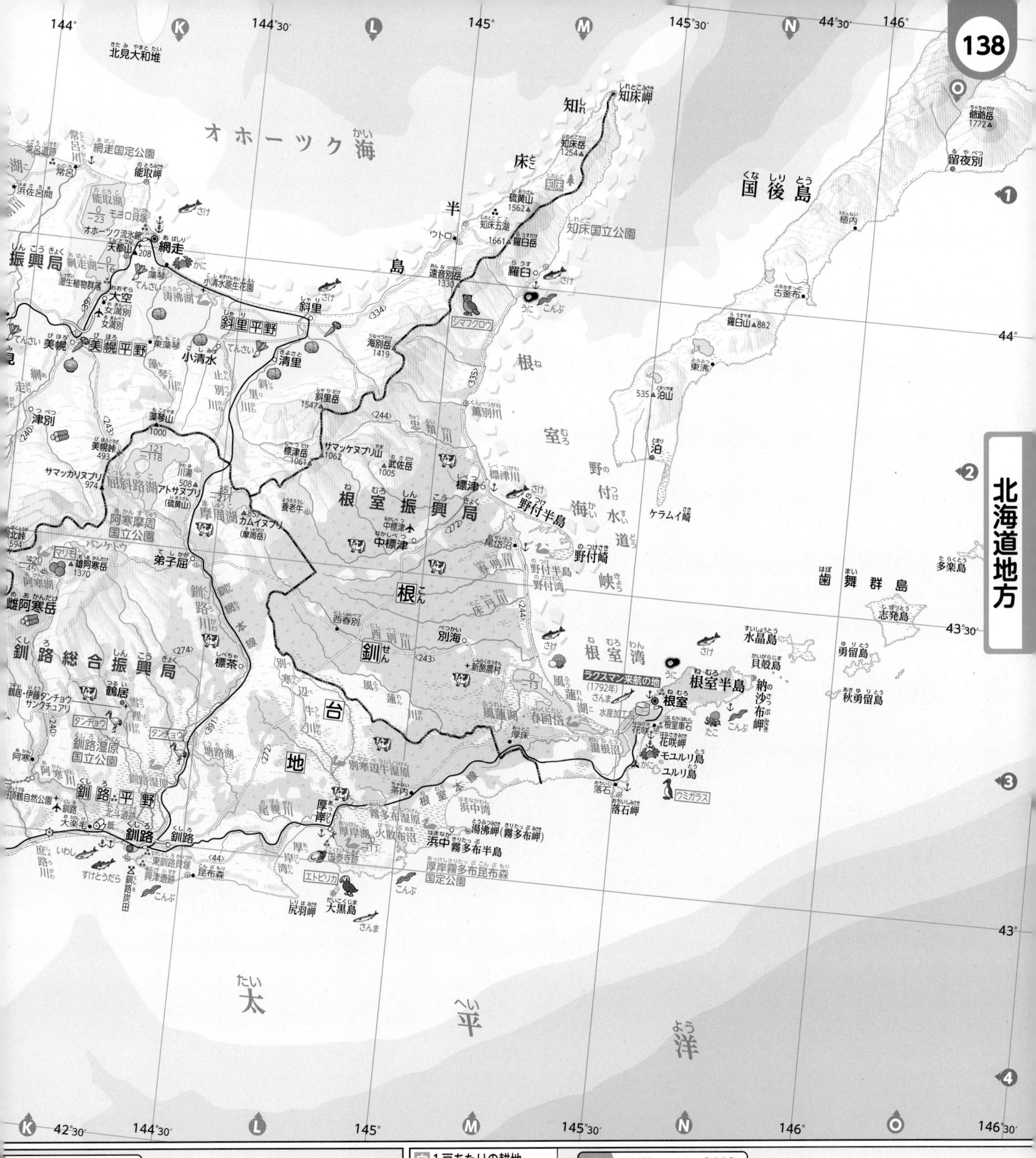

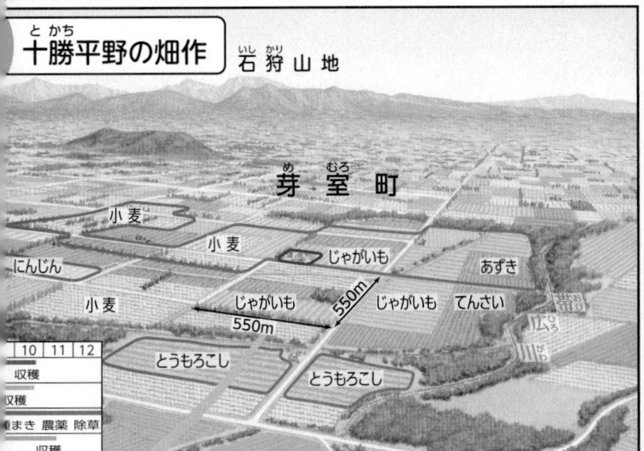

十勝平野の畑作

3 根釧台地の酪農

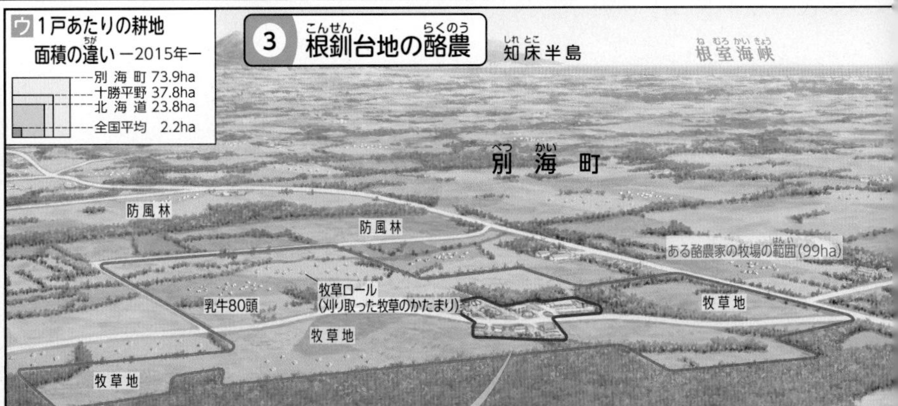

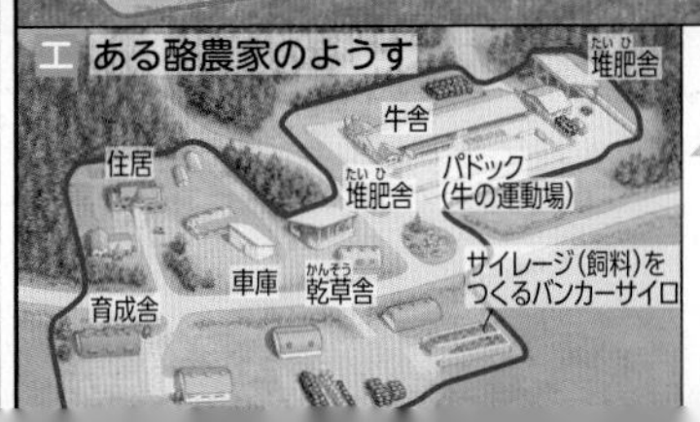

① 北海道地方北部

1：1,000,000
0 10 20km
ランベルト正角円錐図法

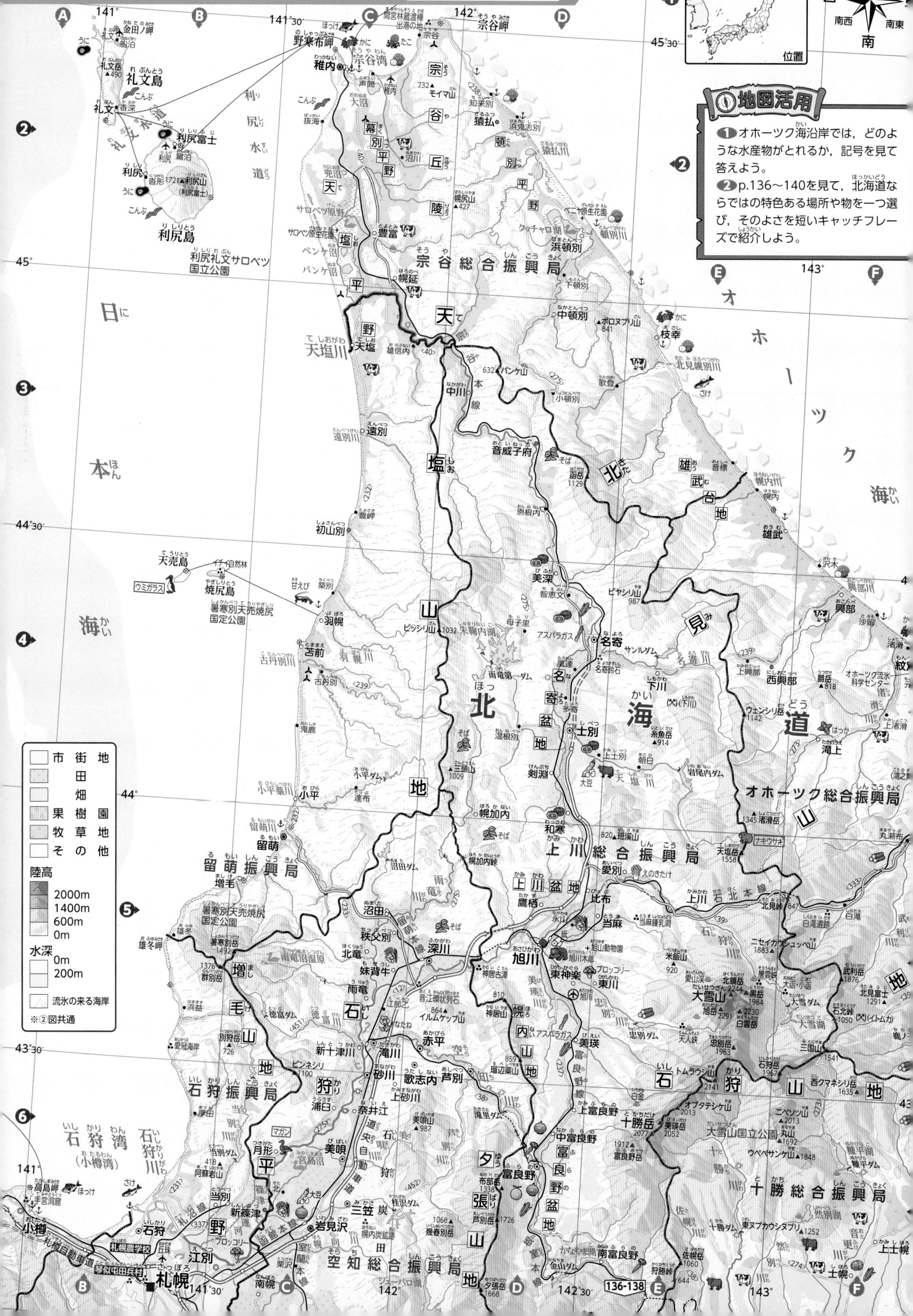

地図活用

❶オホーツク海沿岸では，どのような水産物がとれるか，記号を見て答えよう。

❷p.136～140を見て，北海道ならではの特色ある場所や物を一つ選び，そのよさを短いキャッチフレーズで紹介しよう。

市街地	
田	
畑	
果樹園	
牧草地	
その他	

陸高 2000m 1400m 600m 0m
水深 0m 200m
流氷の来る海岸
※②図共通

136-138

②札幌市とそのまわり

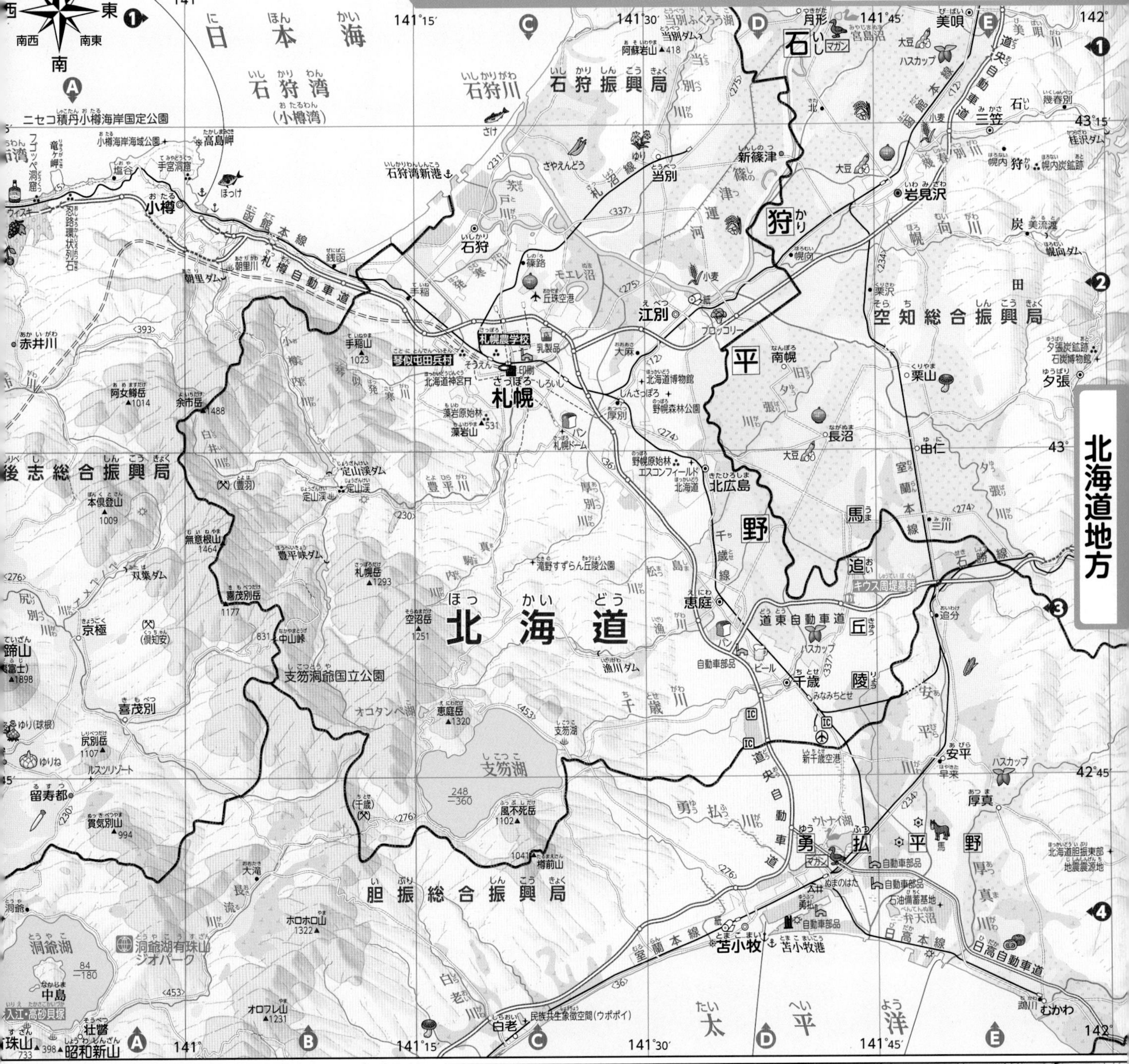
1：500,000
0 5 10km
ランベルト正角円錐図法
工業地
北
北西
北東
西
東
南西
南東
南
日本海
石狩湾
(小樽湾)
石狩川
石狩振興局
ニセコ積丹小樽海岸国定公園
小樽
石狩湾新港
当別
函館本線
札樽自動車道
石狩
篠路
丘珠空港
モエレ沼
江別
岩見沢
美唄
三笠
新篠津
月形
宮島沼
空知総合振興局
手稲山
札幌農学校
琴似屯田兵村
北海道神宮
札幌
藻岩山
札幌ドーム
北海道博物館
野幌森林公園
新さっぽろ
厚別
南幌
栗山
長沼
夕張
由仁
北広島
エスコンフィールド北海道
後志総合振興局
余市岳
定山渓ダム
定山渓
豊平川
無意根山
豊平峡ダム
札幌岳
空沼岳
北海道
恵庭
漁川ダム
千歳
新千歳空港
支笏湖
支笏洞爺国立公園
恵庭岳
風不死岳
樽前山
喜茂別
京極
羊蹄山
胆振総合振興局
洞爺湖
洞爺湖有珠山ジオパーク
ホロホロ山
オロフレ山
白老
民族共生象徴空間(ウポポイ)
苫小牧
苫小牧港
勇払
ウトナイ湖
室蘭本線
日高本線
日高自動車道
むかわ
厚真
安平
追分
道東自動車道
道央自動車道
太平洋
昭和新山
壮瞥
留寿都
北海道地方

3 札幌市中心部
1：50,000
0 500m
−2021年−
北区
東区
中央区
白石区
豊平区
琴似屯田兵村兵屋跡
西区役所
二十四軒
山の手
札幌競馬場
ポプラ並木
北大総合博物館
北海道大
札幌市立大
クラーク会館
東区役所
北八条
サッポロビール博物館
中央エネルギーセンター
中央郵便局
苗穂町
サッポロファクトリー(旧開拓使麦酒醸造所)
オーストラリア
北大植物園
旧道庁
時計台
北方民族資料館
道警本部
さっぽろ創世スクエア
中央区役所
北五条
西本願寺
近代美術館
高等裁判所
大通公園
テレビ塔
北一条
知事公館
市資料館
アメリカ
北海道神宮
円山公園
円山競技場
円山原始林
円山球場
円山
円山動物園
龍興寺
札幌医科大
南一条
すすきの
中央区役所(建替中)
東本願寺別院
南六条
南九条
南十一条
南十四条
八窓庵
中島公園
豊平館
札幌コンサートホールKitara
道立文学館
中島体育センター
ロシア
中国
旭ケ丘
旭山記念公園
双子山
伏見
大倉山ジャンプ競技場
札幌コンベンションセンター
菊水
中央
東札幌
白石区役所
豊平
北海商科大
北海学園大
総合体育センター
美園
旭町
北郷
平和通
本郷通
南郷通
函館本線
ビル街
工業・流通地区
その他の地域
建物の密集地
公園・緑地
その他の市街地
森林
おもな領事館
おもなテレビ局
おもな新聞社
冬季の投雪口
(冬に中心部で積もった雪を運んでとかす設備の入り口)

1 北海道地方

1：2,000,000

ランベルト正角円錐図法

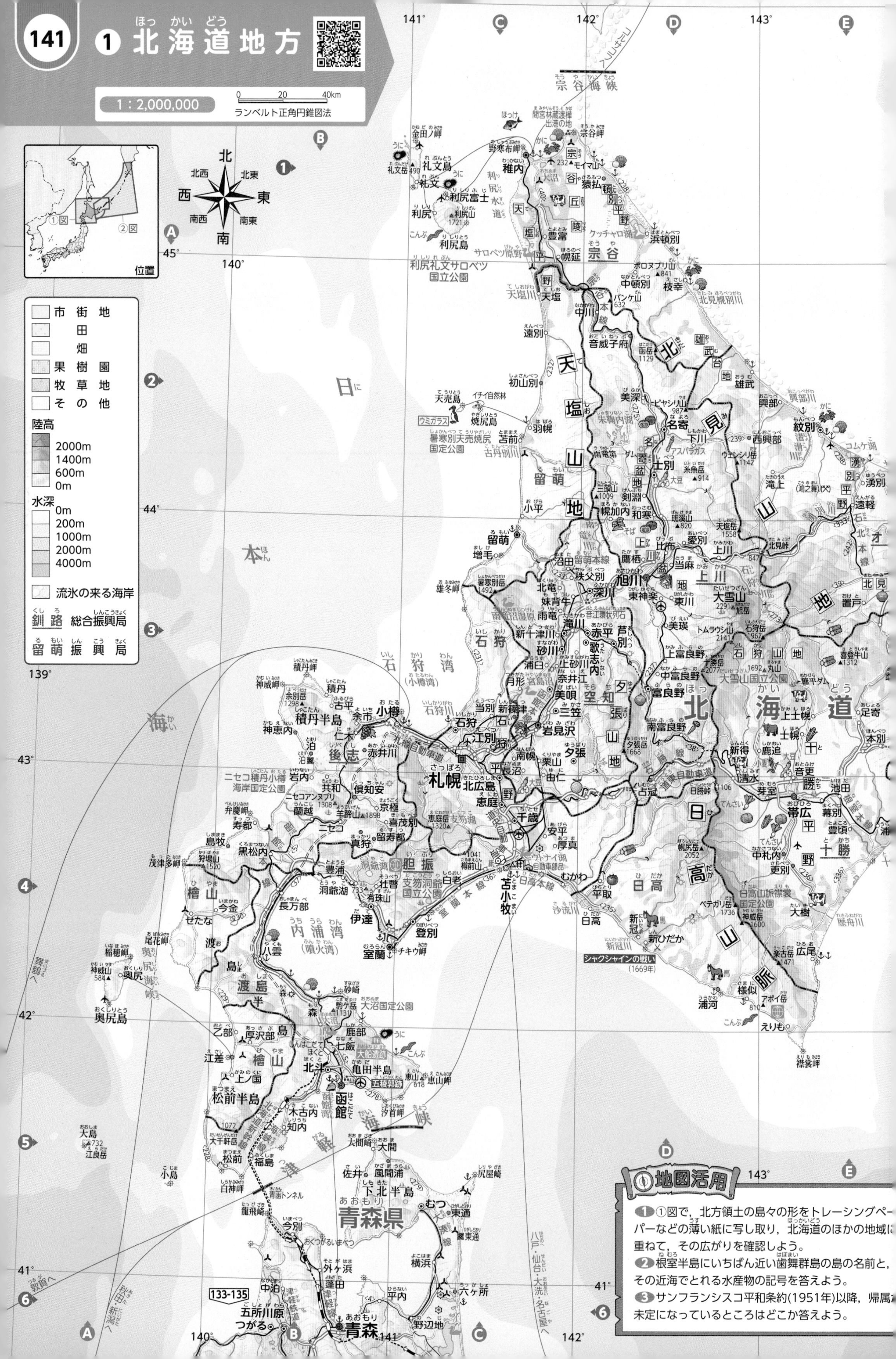

地図活用

❶ ①図で，北方領土の島々の形をトレーシングペーパーなどの薄い紙に写し取り，北海道のほかの地域に重ねて，その広がりを確認しよう。

❷ 根室半島にいちばん近い歯舞群島の島の名前と，その近海でとれる水産物の記号を答えよう。

❸ サンフランシスコ平和条約(1951年)以降，帰属未定になっているところはどこか答えよう。

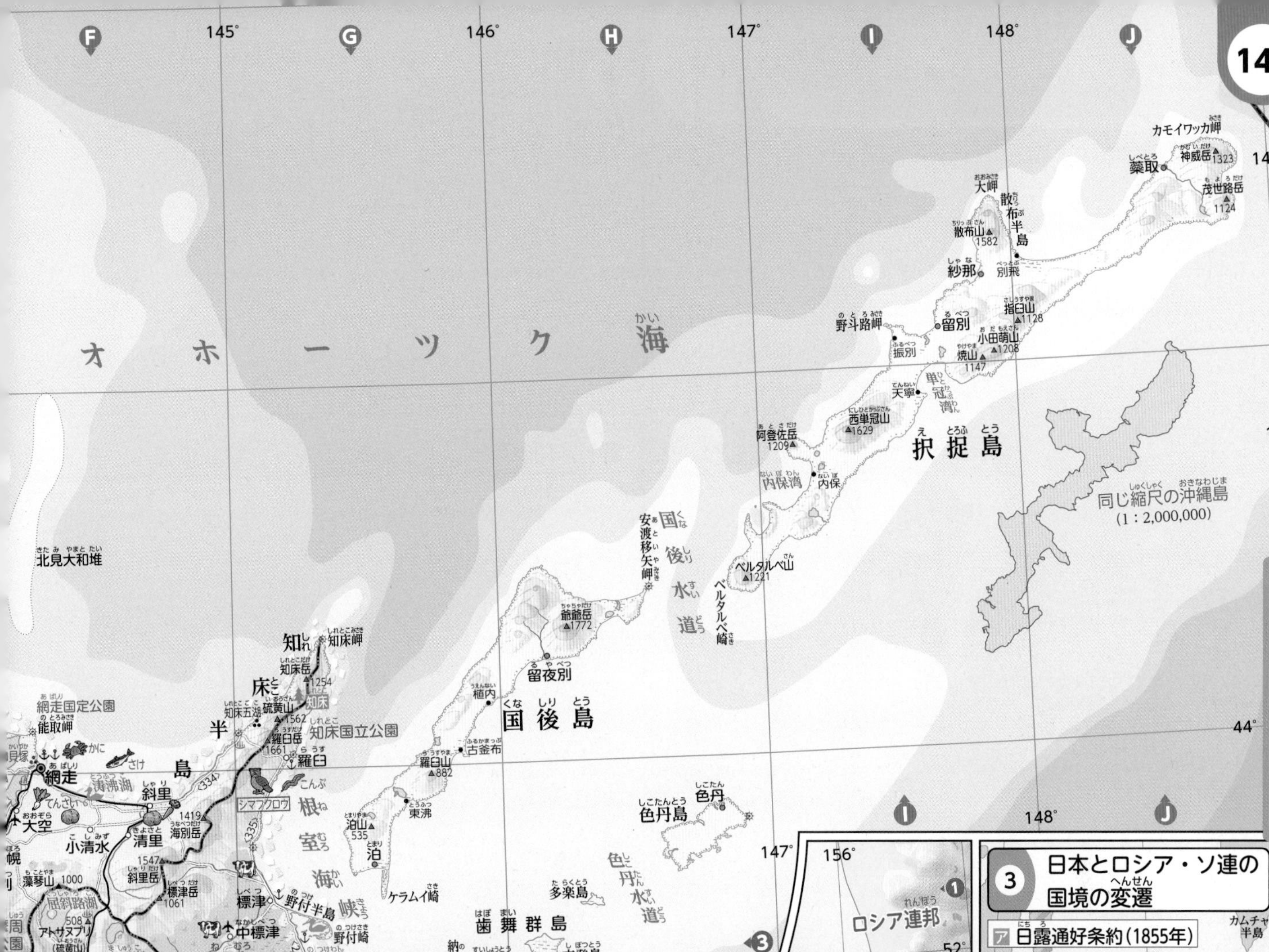

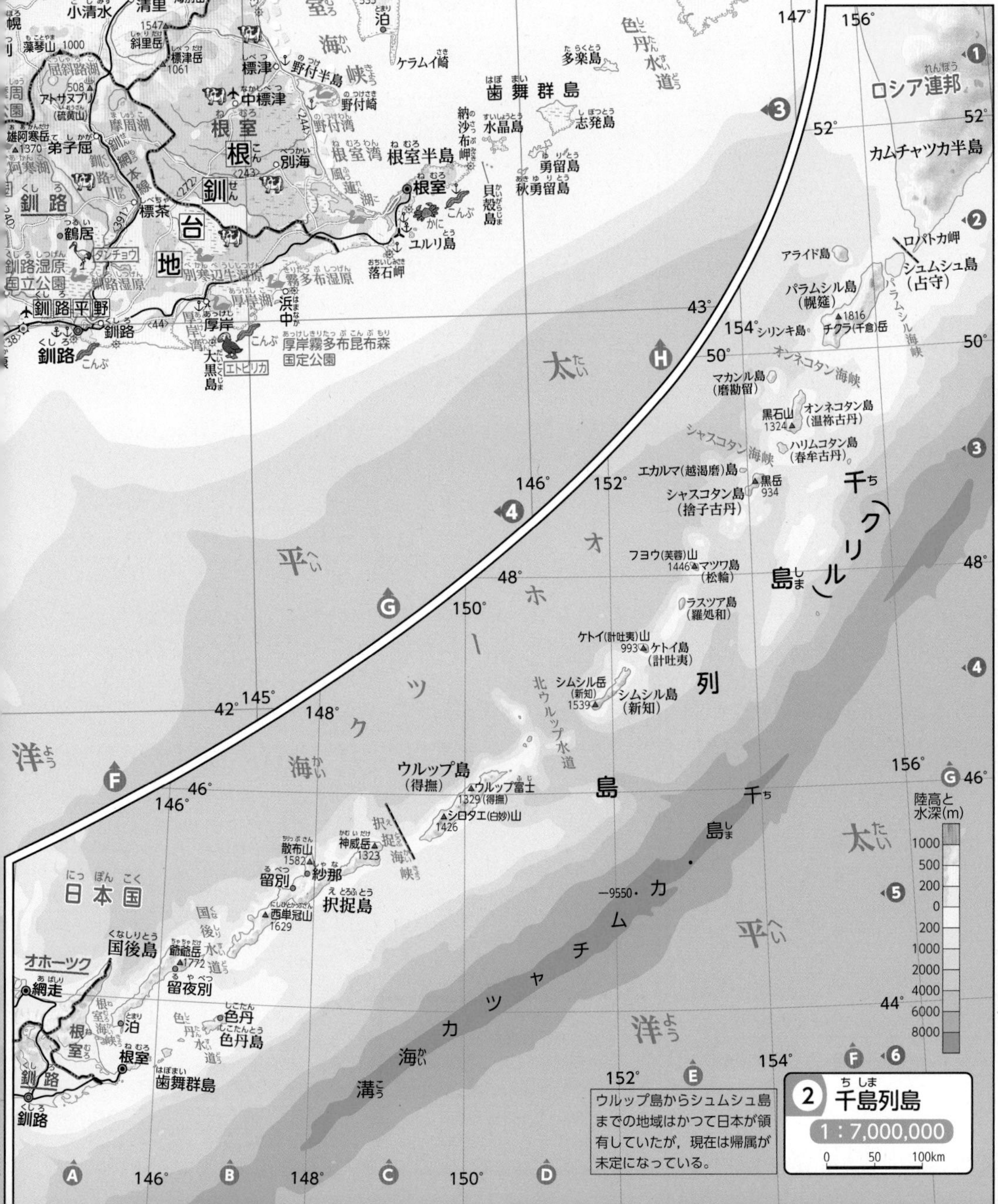

ウルップ島からシュムシュ島までの地域はかつて日本が領有していたが，現在は帰属が未定になっている。

② 千島列島
1：7,000,000

③ 日本とロシア・ソ連の国境の変遷

ア 日露通好条約(1855年)

イ 樺太・千島交換条約(1875年)

ウ ポーツマス条約(1905年)

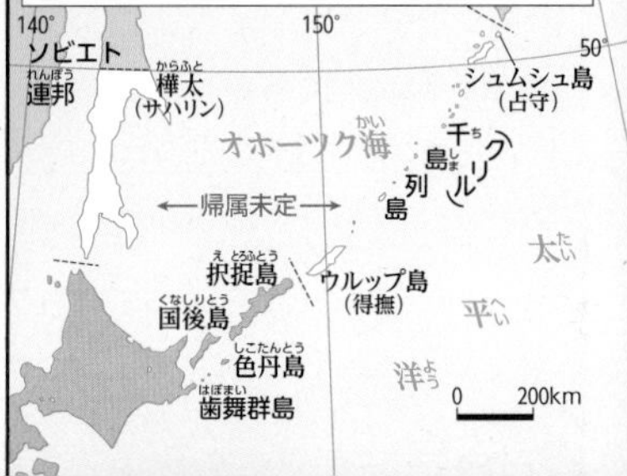

エ サンフランシスコ平和条約(1951年)

143 北海道地方の資料

1 自然

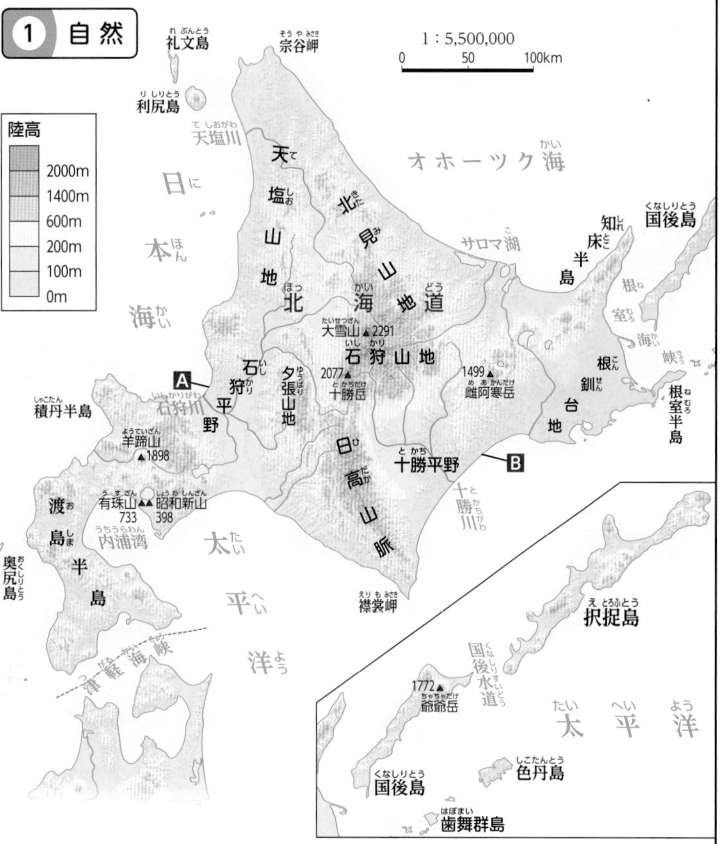

ア 北海道地方（A—B間）の断面図

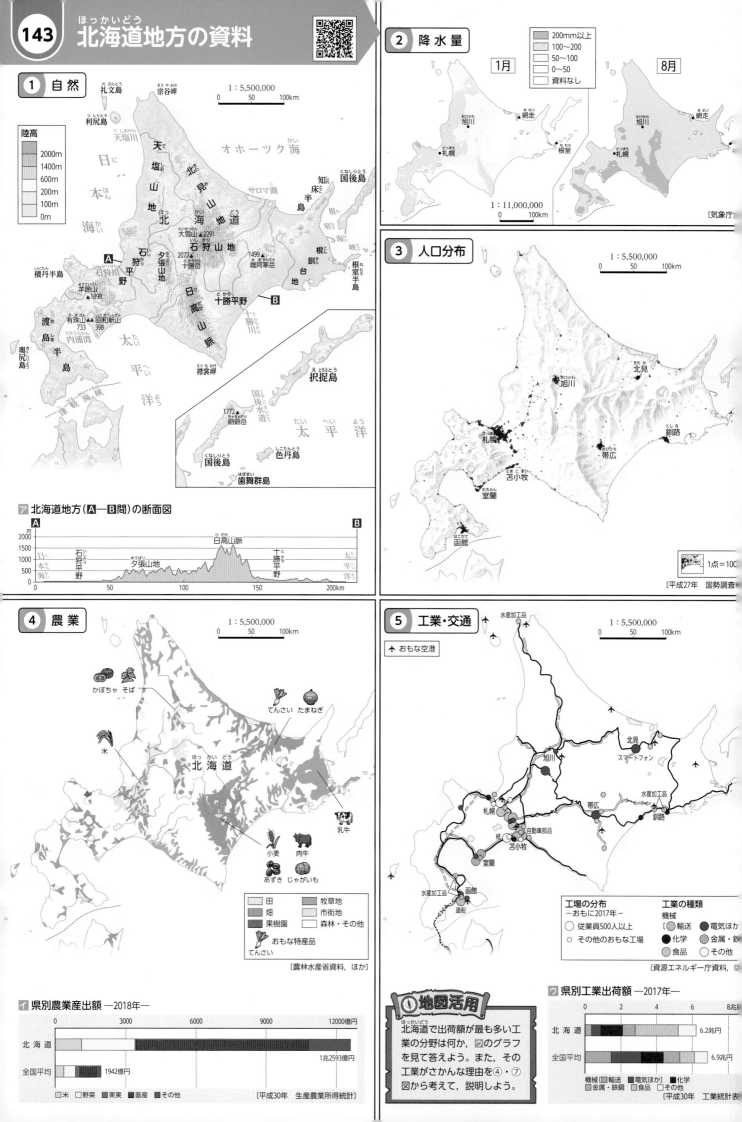

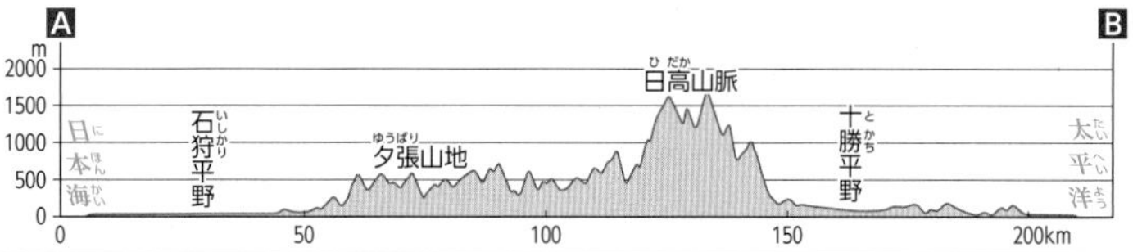

2 降水量

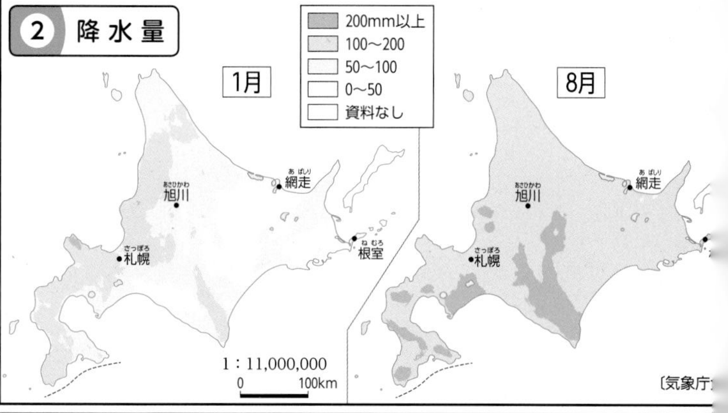

3 人口分布

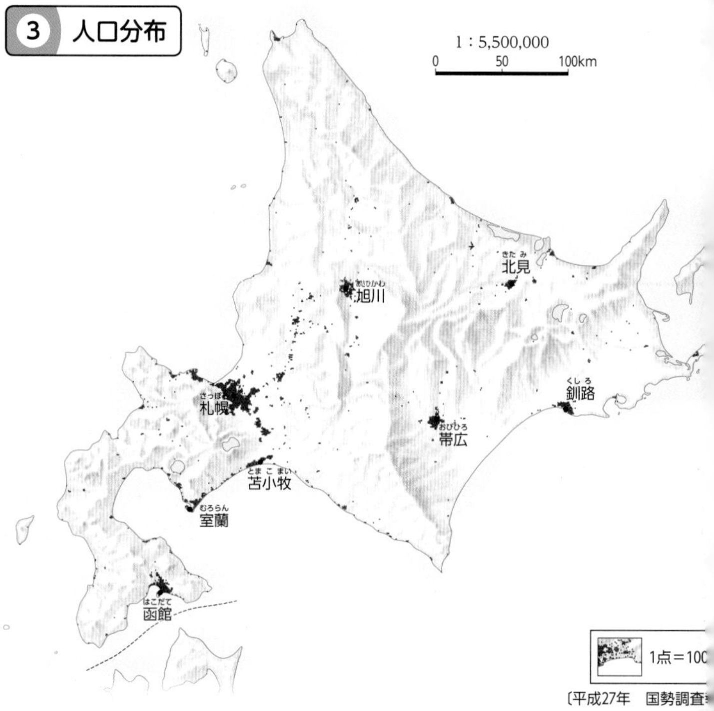

4 農業

イ 県別農業産出額 —2018年—

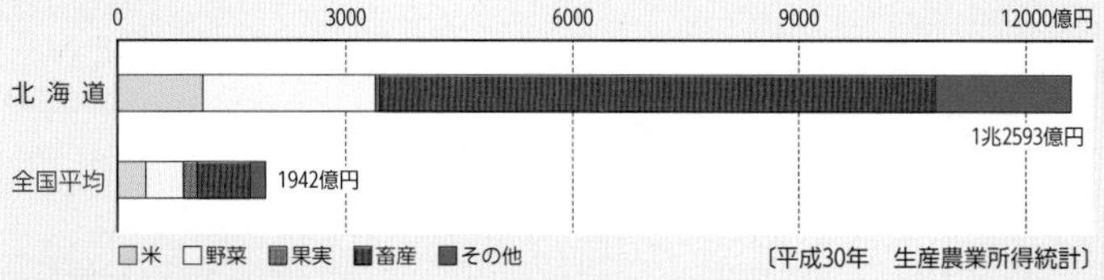

5 工業・交通

地図活用
北海道で出荷額が最も多い工業の分野は何か，ウのグラフを見て答えよう。また，その工業がさかんな理由を④・⑦図から考えて，説明しよう。

ウ 県別工業出荷額 —2017年—

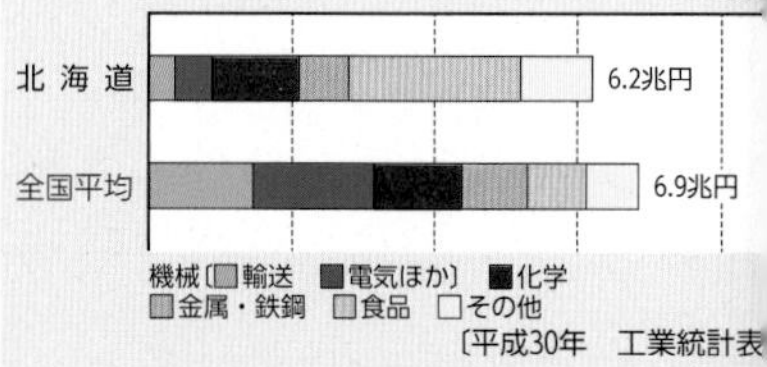

開拓(かいたく)の歴史とアイヌ語地名

〔北海道地名分類字典，ほか〕

7 おもな漁港の水あげ量と養殖(ようしょく)

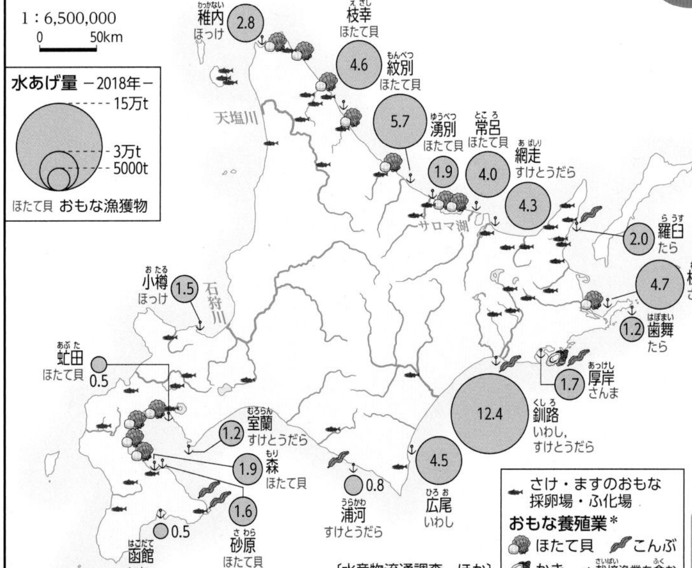

〔水産物流通調査，ほか〕

石狩(いしかり)平野の土地改変

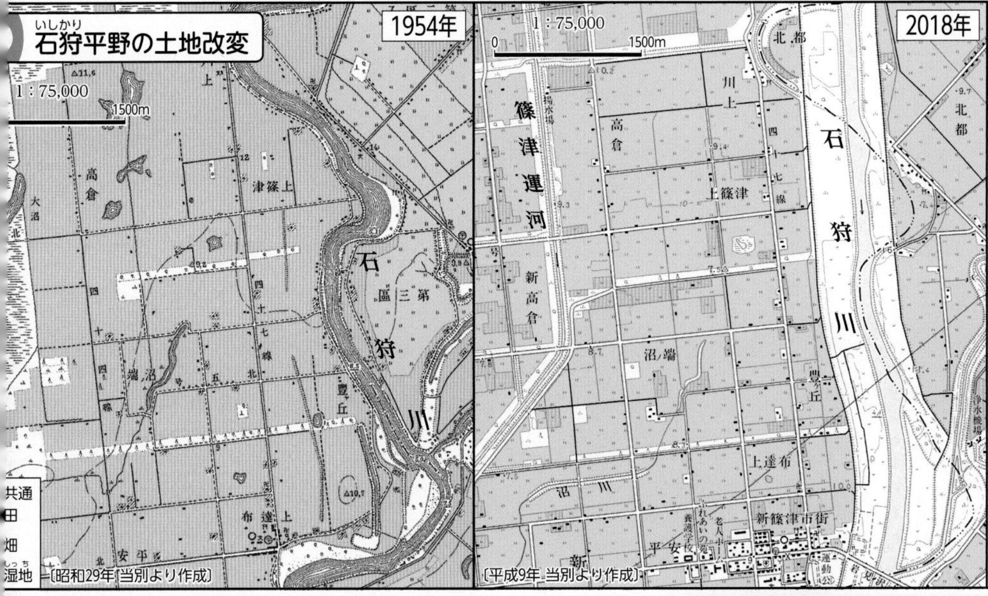

〔昭和29年「当別」より作成〕 〔平成9年「当別」より作成〕

地図活用

1950年代と現在の地図を比較すると，石狩(いしかり)平野の新篠津村(しんしのつ)周辺ではどのような変化がみられるか，川や運河(うんが)，土地利用に着目して説明しよう。

エ 新篠津村(しんしのつ)の耕地面積の変化

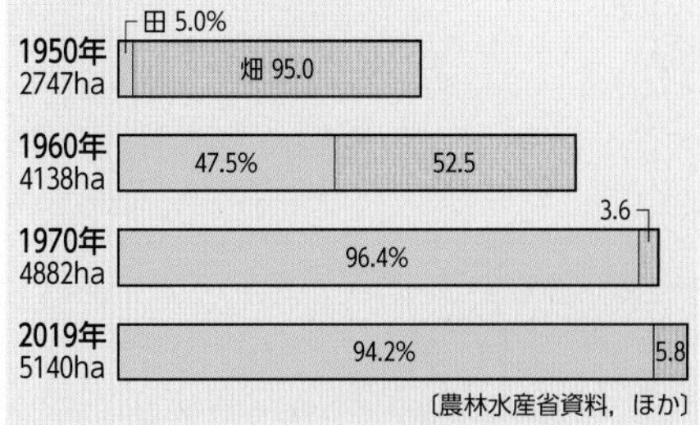

1950年 2747ha 田 5.0% 畑 95.0
1960年 4138ha 47.5% 52.5
1970年 4882ha 96.4% 3.6
2019年 5140ha 94.2% 5.8

〔農林水産省資料，ほか〕

自然を生かした観光

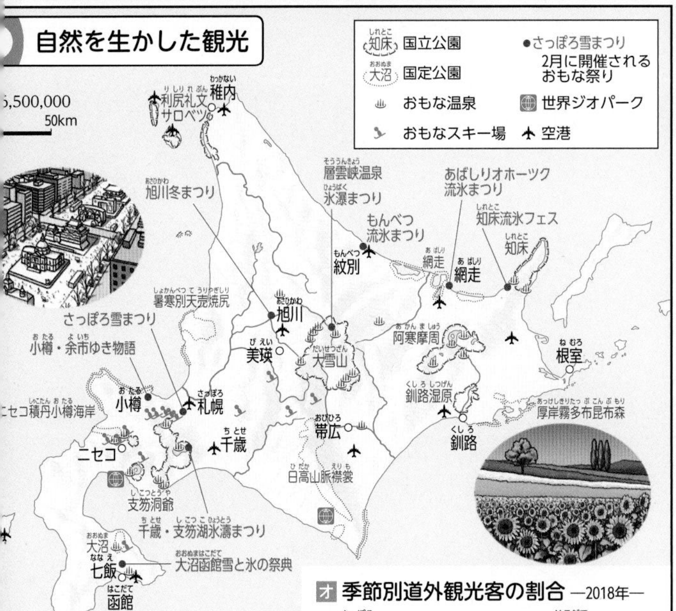

オ 季節別道外観光客の割合 ―2018年―

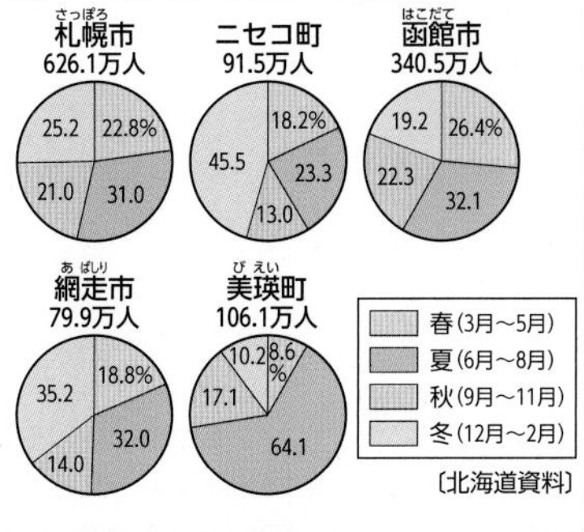

札幌市 626.1万人 22.8% 31.0 21.0 25.2
ニセコ町 91.5万人 18.2% 23.3 13.0 45.5
函館市 340.5万人 26.4% 32.1 22.3 19.2
網走市 79.9万人 18.8% 32.0 14.0 35.2
美瑛町 106.1万人 8.6% 64.1 17.1 10.2
春(3月～5月)
夏(6月～8月)
秋(9月～11月)
冬(12月～2月)

〔北海道資料〕

地図活用

オのグラフに示された市町村で冬の道外観光客が訪れるところはどこか，⑨図を見て答えよう。

防災 10 雪にそなえる札幌市(さっぽろ)

カ 人口と除雪費の変化

〔札幌市資料〕

キ 融雪槽(ゆうせつそう)のしくみ

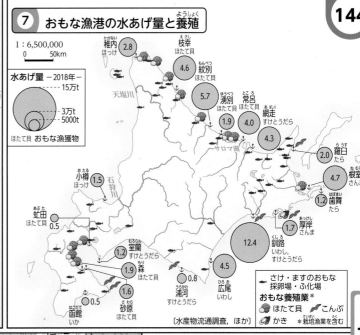

環境 11 釧路湿原(くしろしつげん) -日本初のラムサール条約登録湿地-

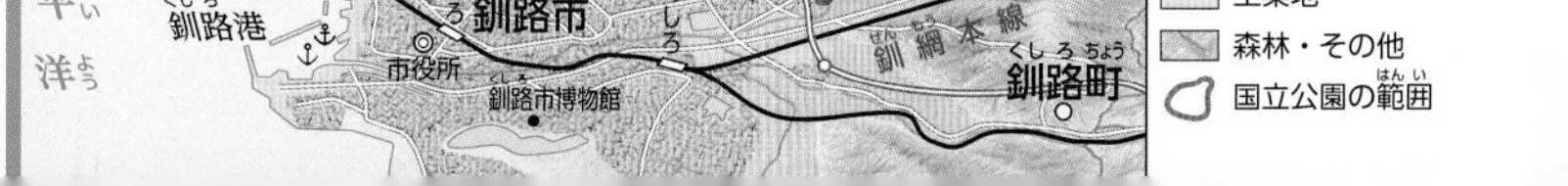

日本の地形

学習課題 日本の地形には，どのような特徴があるだろうか。また，日本の自然環境はどのように保護されているだろうか。

1 地形の特色 -模式図-

A～Dは写真の地形を示す。

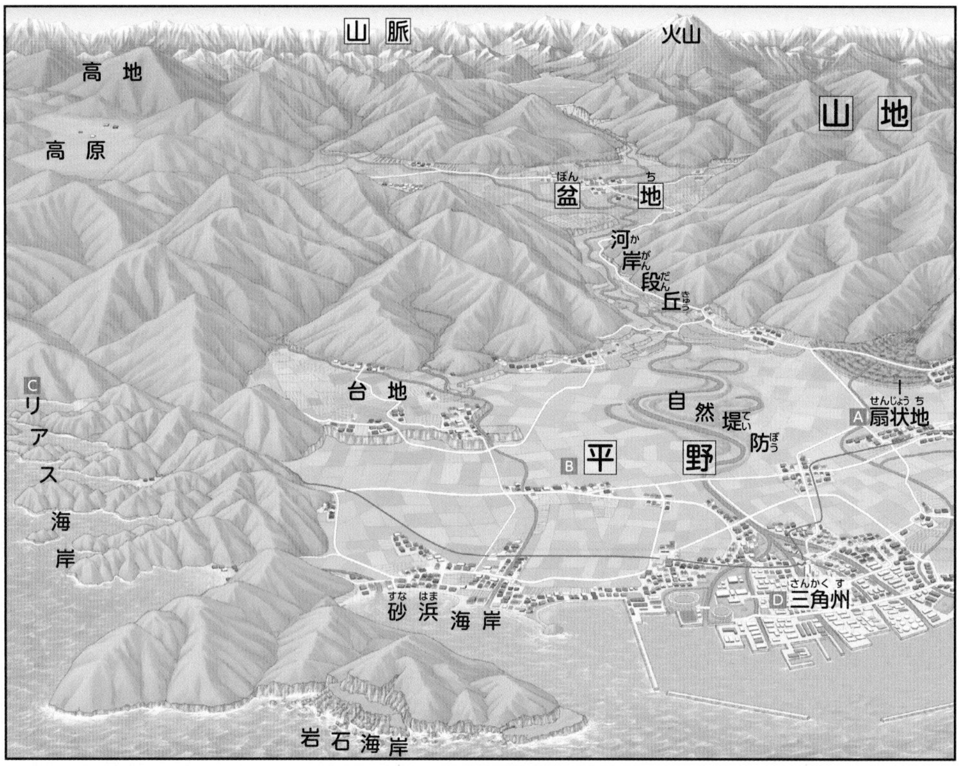

▲A 扇状地(山梨県 甲府盆地)

▲B 平野(山形県 庄内平野)

地図活用

❶ 写真A～Dがみられる地形を①図で，写真ア～クがみられる地形を②・③図で確認しよう。

❷ 日本列島は平地が少なく山がちで，山地は東北日本ではほぼ南北方向に，西南日本ではほぼ東西方向にのびていることに着目しよう。

▲C リアス海岸(島根県 島根半島東部)

▲D 三角州(三重県 雲出川河口)

→ア 日本最大のカルスト台地(山口県 秋吉台)

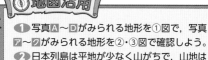

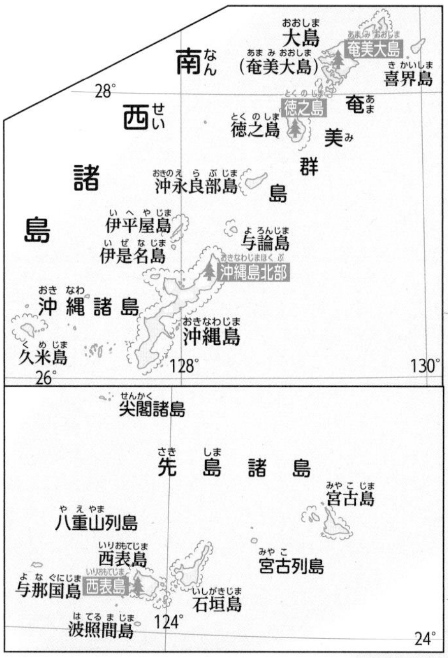

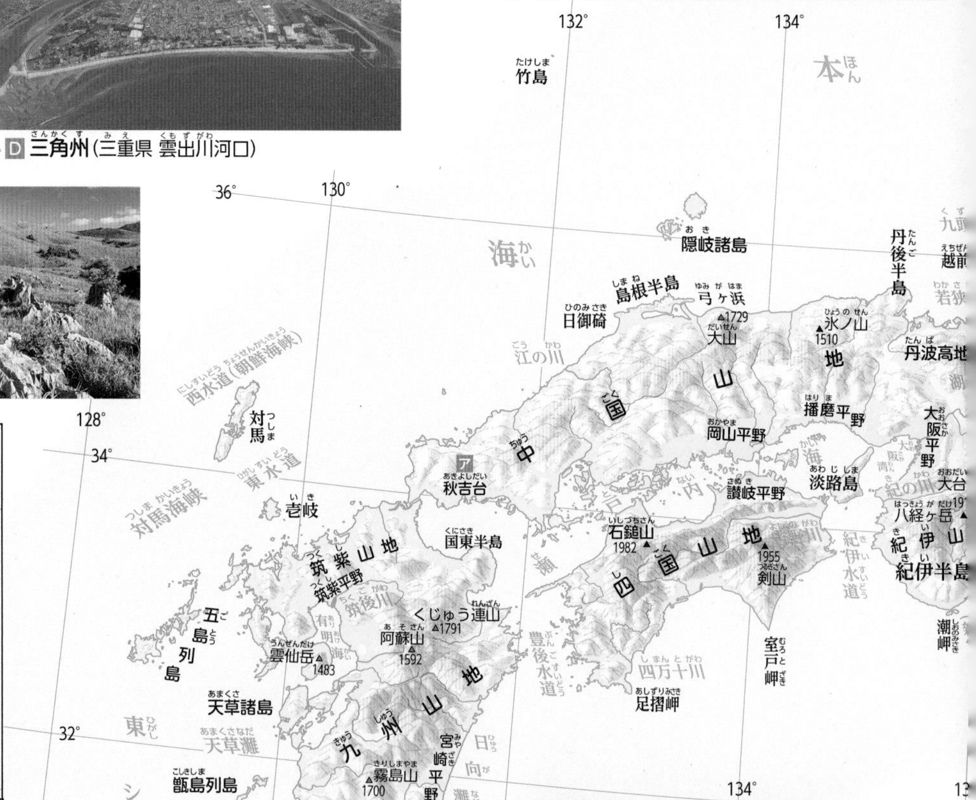

▲イ 屋久島(鹿児島県)

2 地形と世界自然遺産

1：6,000,000

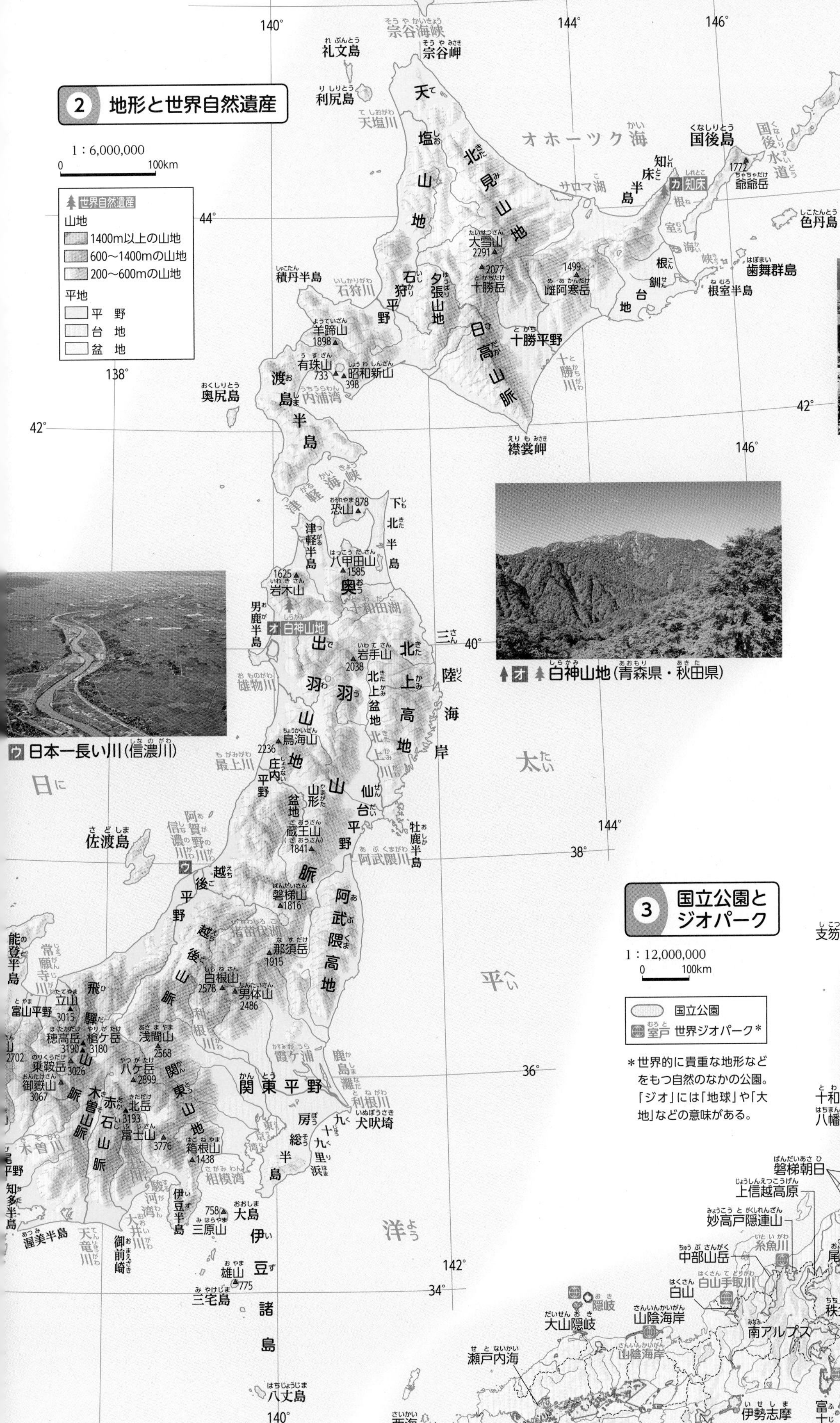

ア～クは写真の位置を示す。

カ 知床（北海道）

オ 白神山地（青森県・秋田県）

ウ 日本一長い川（信濃川）

エ 小笠原諸島（東京都）

3 国立公園とジオパーク

1：12,000,000

＊世界的に貴重な地形などをもつ自然のなかの公園。「ジオ」には「地球」や「大地」などの意味がある。

キ 日光国立公園（栃木県）

ク 室戸ジオパーク（高知県）

〔環境省資料，ほか〕

日本の気候

学習課題 〉 日本の気候は，季節や地域によってどのような違いがあるだろうか。

1 日本の気候区分

ア おもな都市の気温と降水量

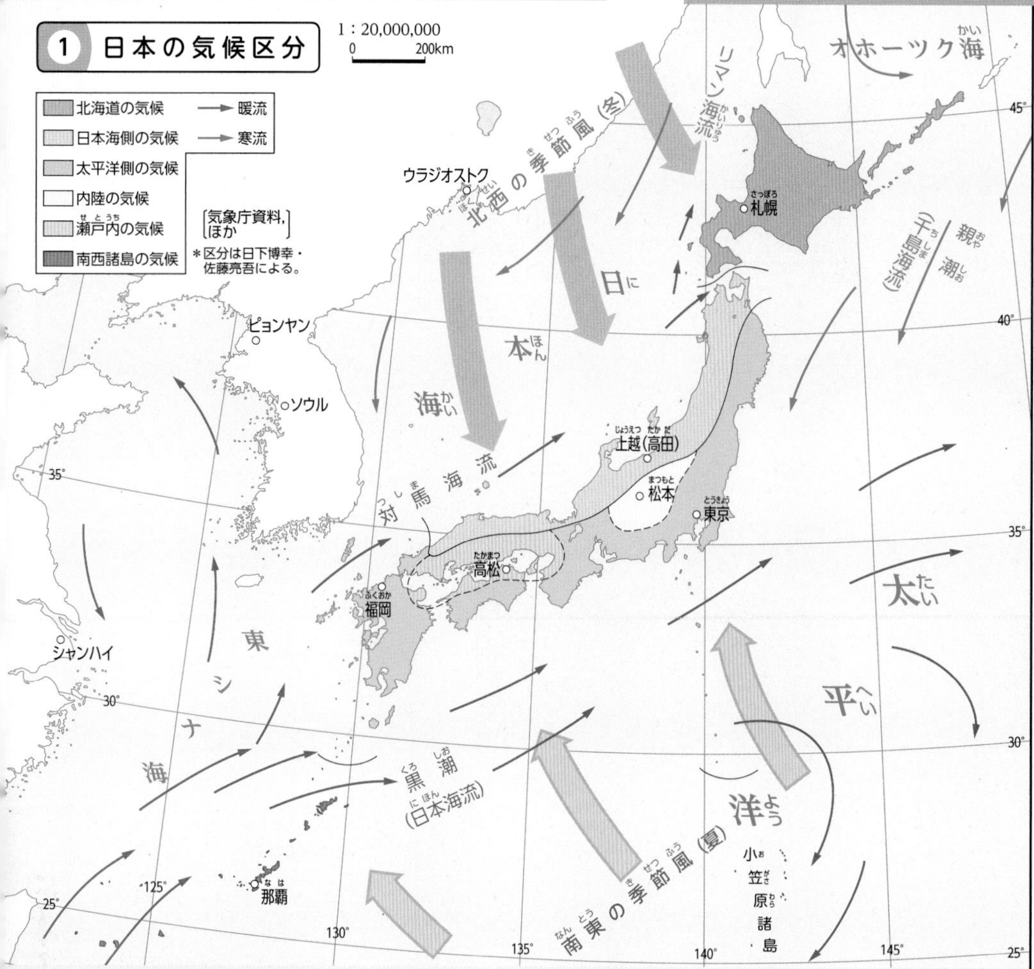

2 おもな台風の進路

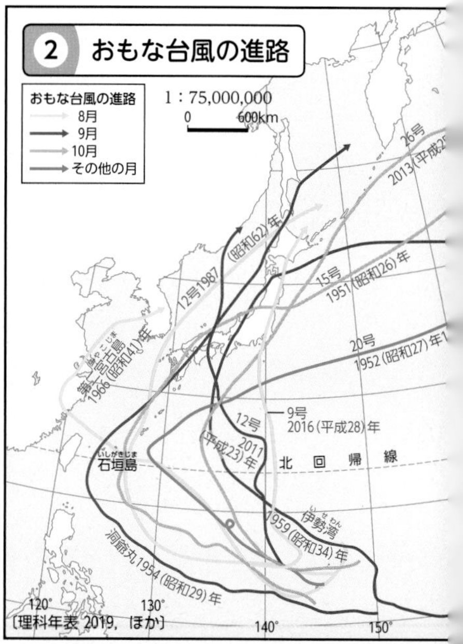

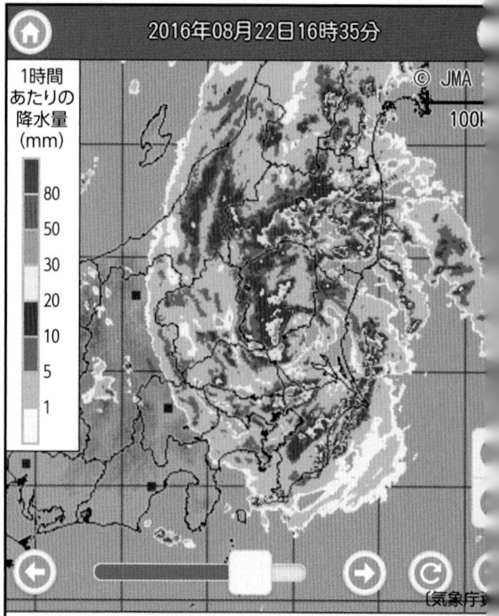

イ 台風による降水のようす（2016年8月 台風9号）

気象庁のホームページで，現在の降水のようすや，短時間予報を簡単に確認することができま

3 1年間の降水量

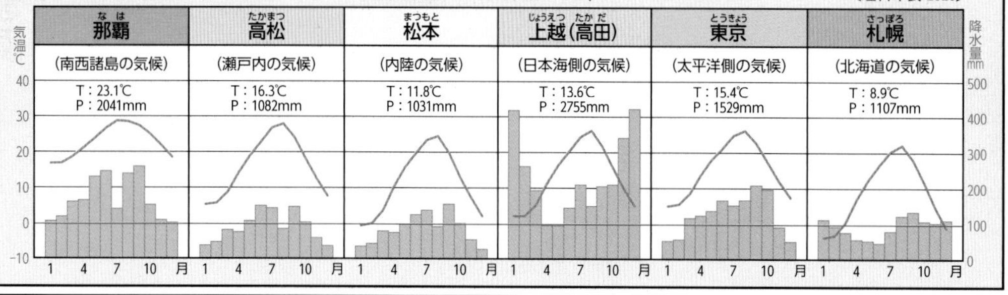

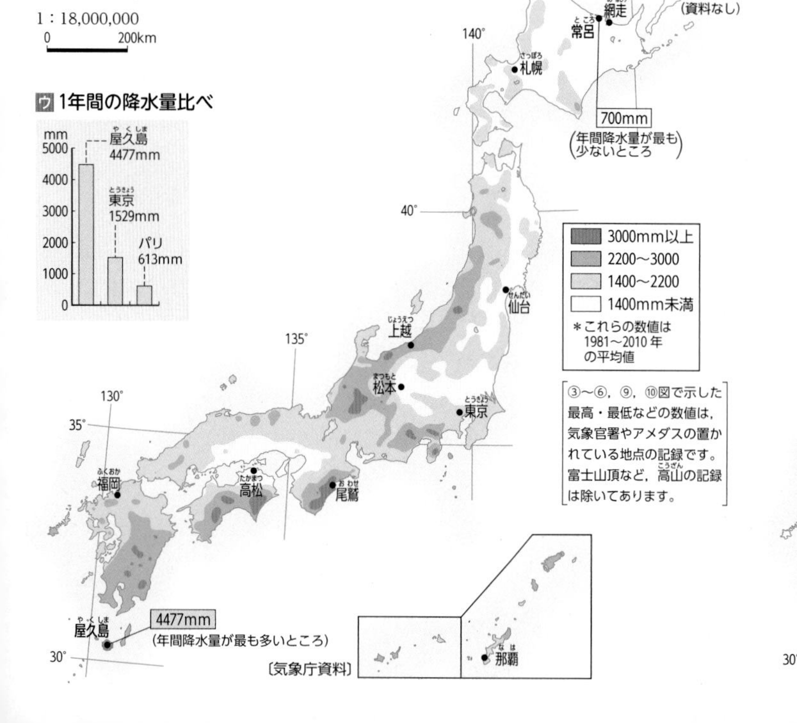

③～⑥，⑨，⑩図で示した最高・最低などの数値は，気象官署やアメダスの置かれている地点の記録です。富士山頂など，高山の記録は除いてあります。

ウ 1年間の降水量比べ

4 積雪量

エ 観測地点＊による積雪の最深比べ

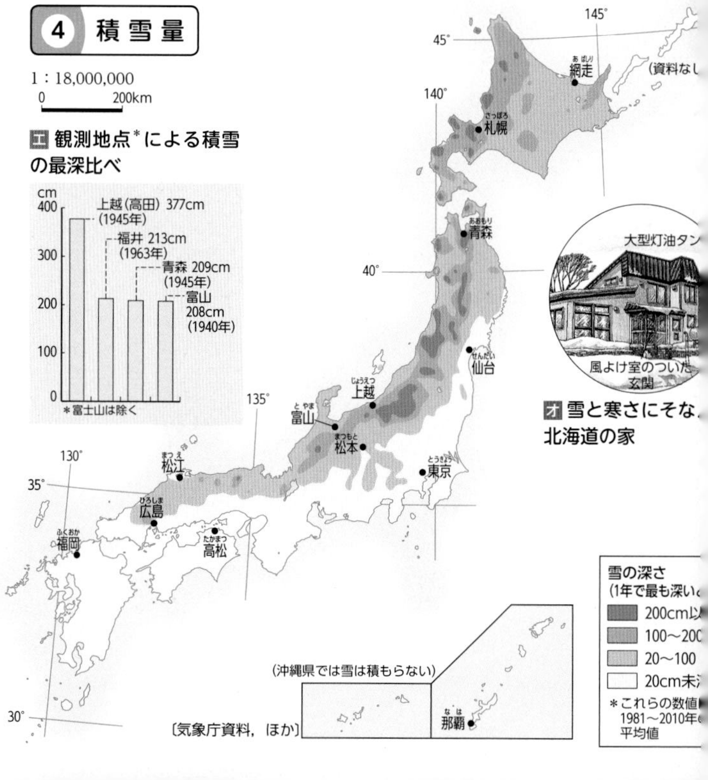

オ 雪と寒さにそな 北海道の家

1月の気温

1月の札幌(北海道)

⑤, ⑥図共通	
暑い	28
	24
	20
快適	16
	12
	8
寒い	4
	0℃
非常に寒い	−4
	−8
	−12

＊これらの数値は1981〜2010年の平均値

↑キ 1月の名護(沖縄県)

6 8月の気温

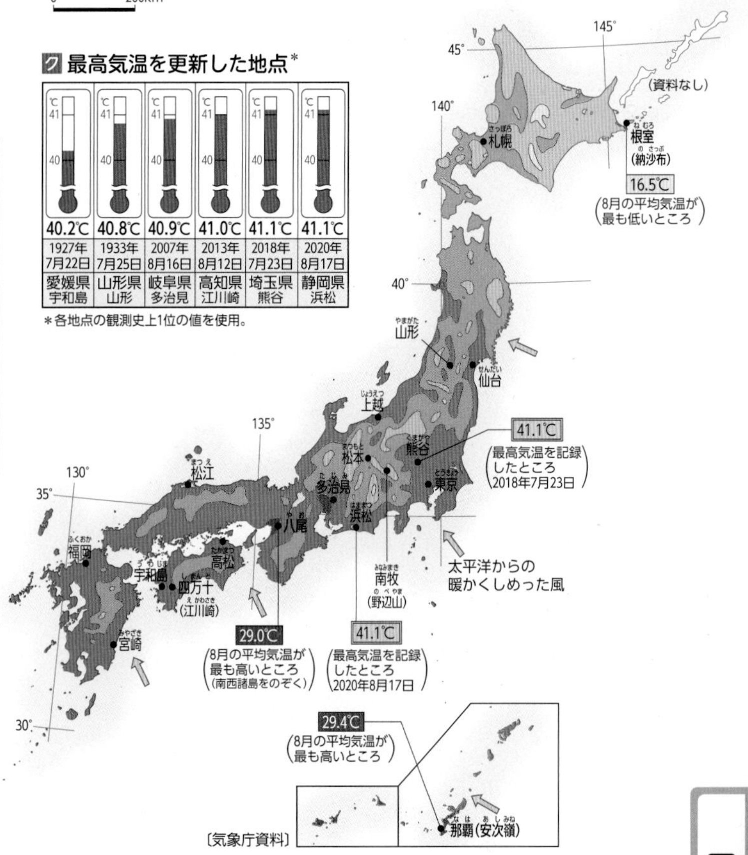

ク 最高気温を更新した地点＊

40.2℃	40.8℃	40.9℃	41.0℃	41.1℃	41.1℃
1927年7月22日	1933年7月25日	2007年8月16日	2013年8月12日	2018年7月23日	2020年8月17日
愛媛県 宇和島	山形県 山形	岐阜県 多治見	高知県 江川崎	埼玉県 熊谷	静岡県 浜松

＊各地点の観測史上1位の値を使用。

季節風による天気のちがい(冬)

(⑨図A−B間の断面図)

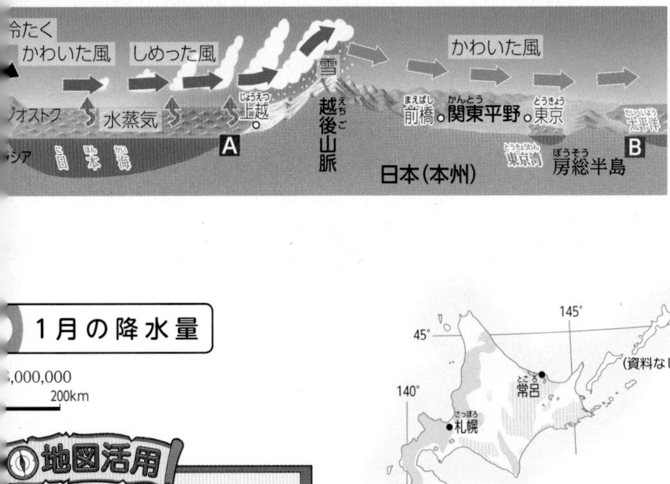

8 季節風による天気のちがい(夏)

(⑩図A−B間の断面図)

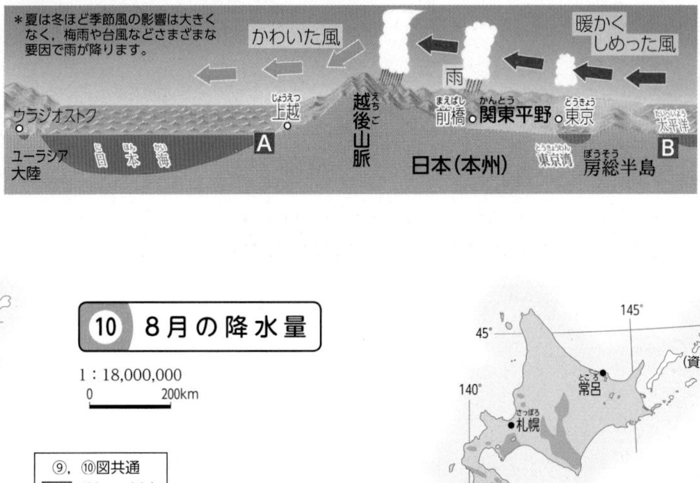

1月の降水量

地図活用

1月の降水量が多い地域は，太平洋側・日本海側のどちらか答えよう。また，降水量が多くなる理由を⑦図を使って説明しよう。

防風林

ケ からっ風にそなえた関東地方の家

10 8月の降水量

⑨, ⑩図共通
400mm以上
200〜400
100〜200
50〜100
50mm未満

＊これらの数値は1981〜2010年の平均値

しっくいで止めた赤瓦の屋根
石垣

コ 台風にそなえた伝統的な沖縄の家

日本の気候

149 日本の自然災害・防災

学習課題　日本では，どのような自然現象によって，どのような自然災害が起こっているだろうか。

1 日本の地震と火山の分布

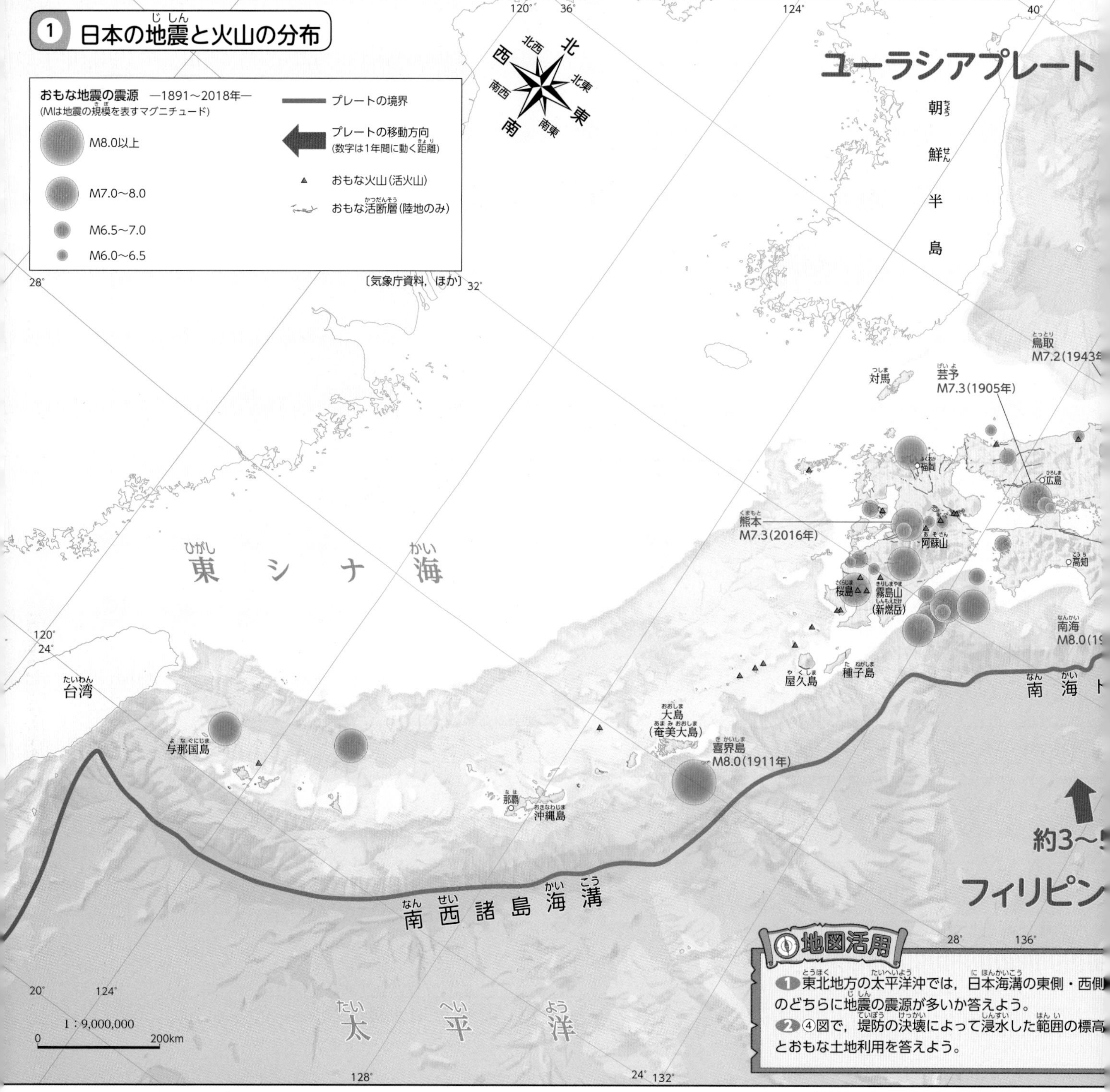

地図活用

❶東北地方の太平洋沖では，日本海溝の東側・西側のどちらに地震の震源が多いか答えよう。

❷④図で，堤防の決壊によって浸水した範囲の標高とおもな土地利用を答えよう。

3 自然災害に対する備え(模式図)

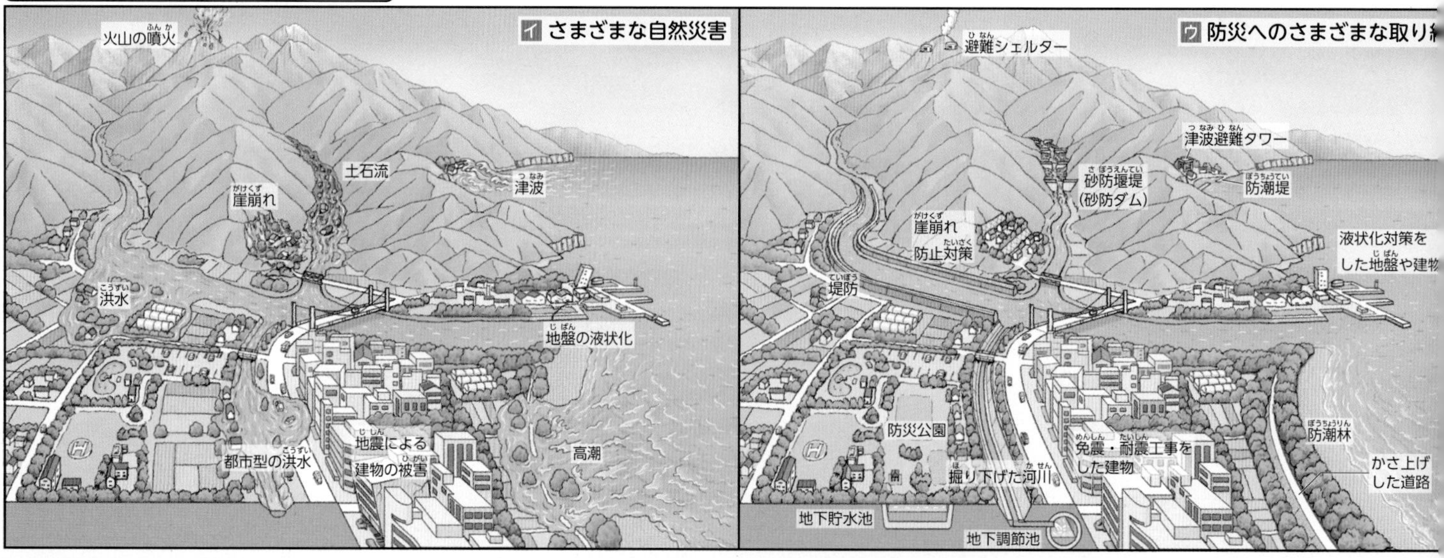

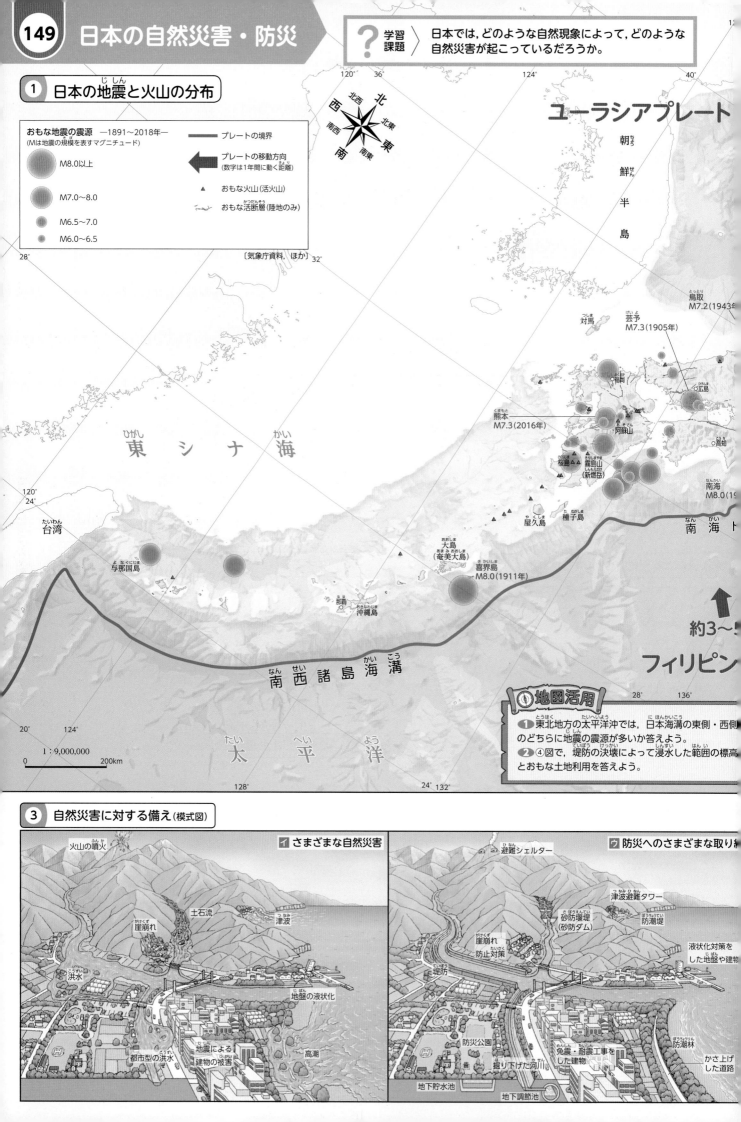

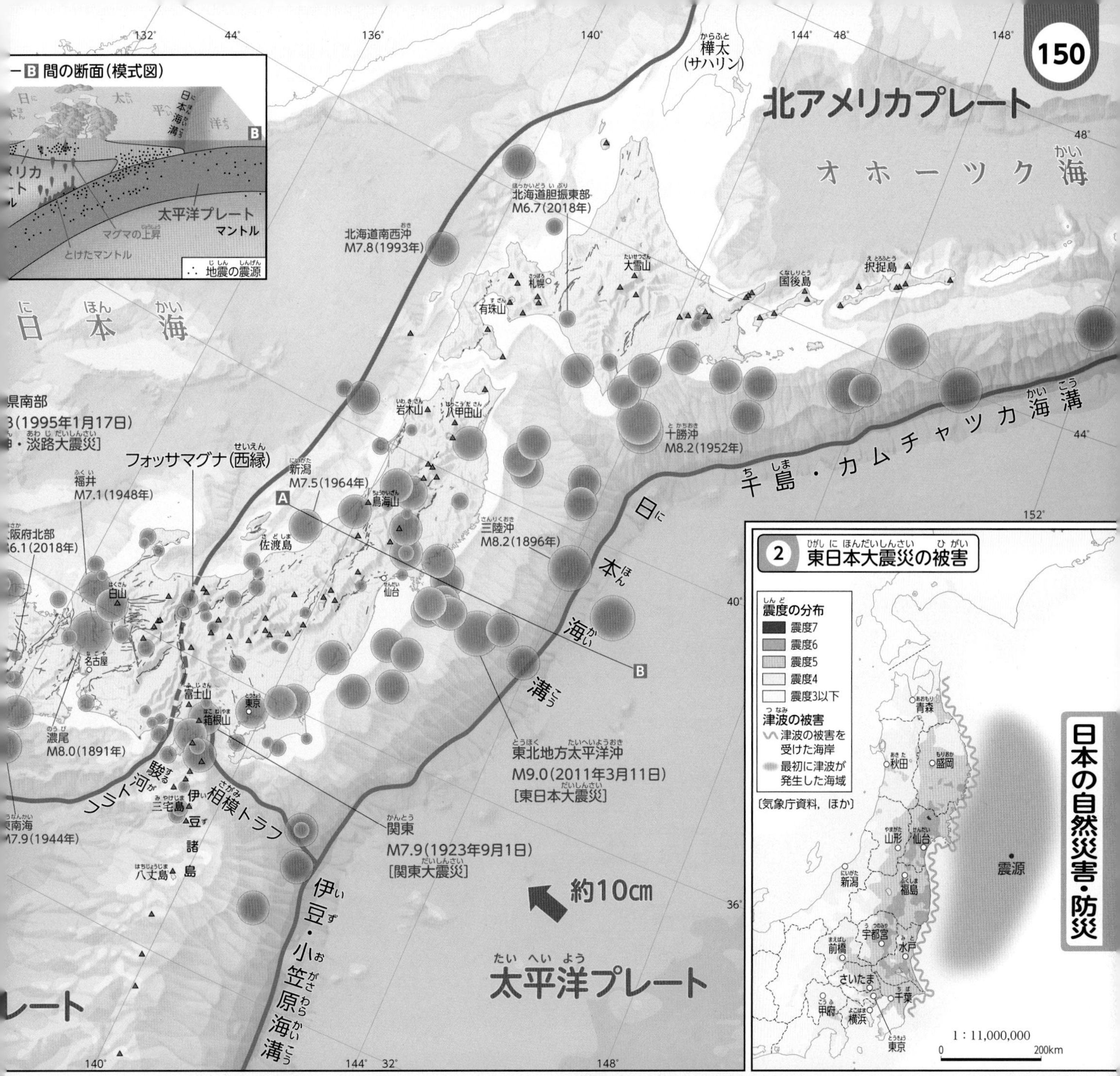

B 間の断面(模式図)
日本海
太平洋
日本海溝
B
アメリカ
太平洋プレート
マントル
マグマの上昇
とけたマントル
地震の震源
132°
44°
136°
140°
144°
48°
148°
樺太(サハリン)
北アメリカプレート
オホーツク海
北海道胆振東部
M6.7(2018年)
北海道南西沖
M7.8(1993年)
大雪山
札幌
有珠山
国後島
択捉島
日本海
県南部
(1995年1月17日)
・淡路大震災]
岩木山
八甲田山
十勝沖
M8.2(1952年)
千島・カムチャツカ海溝
フォッサマグナ(西縁)
新潟
M7.5(1964年)
福井
M7.1(1948年)
A
鳥海山
大阪府北部
(2018年)
佐渡島
三陸沖
M8.2(1896年)
日本海溝
白山
仙台
名古屋
B
富士山
東京
箱根山
濃尾
M8.0(1891年)
東北地方太平洋沖
M9.0(2011年3月11日)
[東日本大震災]
駿河トラフ
三宅島
伊豆諸島
相模トラフ
関東
M7.9(1923年9月1日)
[関東大震災]
東南海
M7.9(1944年)
八丈島
約10cm
伊豆・小笠原海溝
太平洋プレート
プレート
152°
40°
36°
2 東日本大震災の被害
震度の分布
震度7
震度6
震度5
震度4
震度3以下
津波の被害
津波の被害を受けた海岸
最初に津波が発生した海域
〔気象庁資料，ほか〕
青森
秋田
盛岡
山形
仙台
震源
新潟
福島
宇都宮
前橋
水戸
さいたま
千葉
甲府
横浜
東京
1：11,000,000
0 200km

地形図から読み取る浸水被害
-茨城県常総市三坂町付近-
東弘寺
東野原
大房
南石下駅
堤防が決壊した場所
山口
上三坂
平内
収納谷
川の流れる方向
沖三坂
中三坂
1：25,000
15mの等高線
推定浸水範囲
2015年9月11日午前10時00分
2015年9月16日午前10時20分
〔電子地形図25000「石下」平成31年1月調製より作成〕

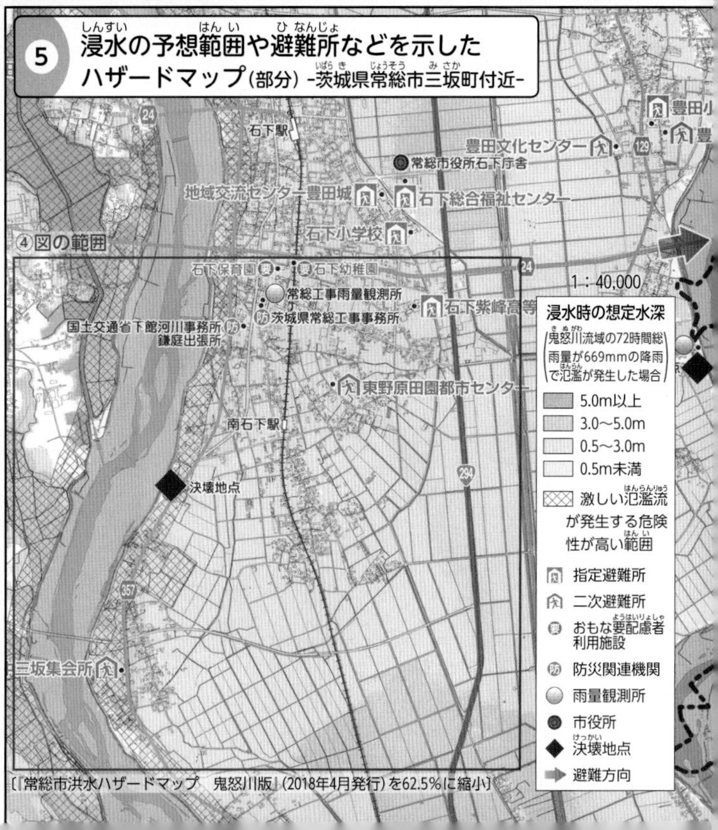

5 浸水の予想範囲や避難所などを示したハザードマップ(部分) -茨城県常総市三坂町付近-
石下駅
豊田文化センター
常総市役所石下庁舎
地域交流センター豊田城
石下総合福祉センター
石下小学校
④図の範囲
石下保育園
石下幼稚園
常総工事雨量観測所
石下紫峰高等
国土交通省下館河川事務所鎌庭出張所
茨城県常総工事事務所
東野原田園都市センター
南石下駅
決壊地点
三坂集会所
1：40,000
浸水時の想定水深
鬼怒川流域の72時間総雨量が669mmの降雨で氾濫が発生した場合
5.0m以上
3.0〜5.0m
0.5〜3.0m
0.5m未満
激しい氾濫流が発生する危険性が高い範囲
指定避難所
二次避難所
おもな要配慮者利用施設
防災関連機関
雨量観測所
市役所
決壊地点
避難方向
〔「常総市洪水ハザードマップ　鬼怒川版」(2018年4月発行)を62.5％に縮小〕

世界と日本の人口

学習課題 世界と日本の人口分布にはどのような特徴(とくちょう)があり，今後どのように推移していくだろうか。

1 世界の人口と人口密度

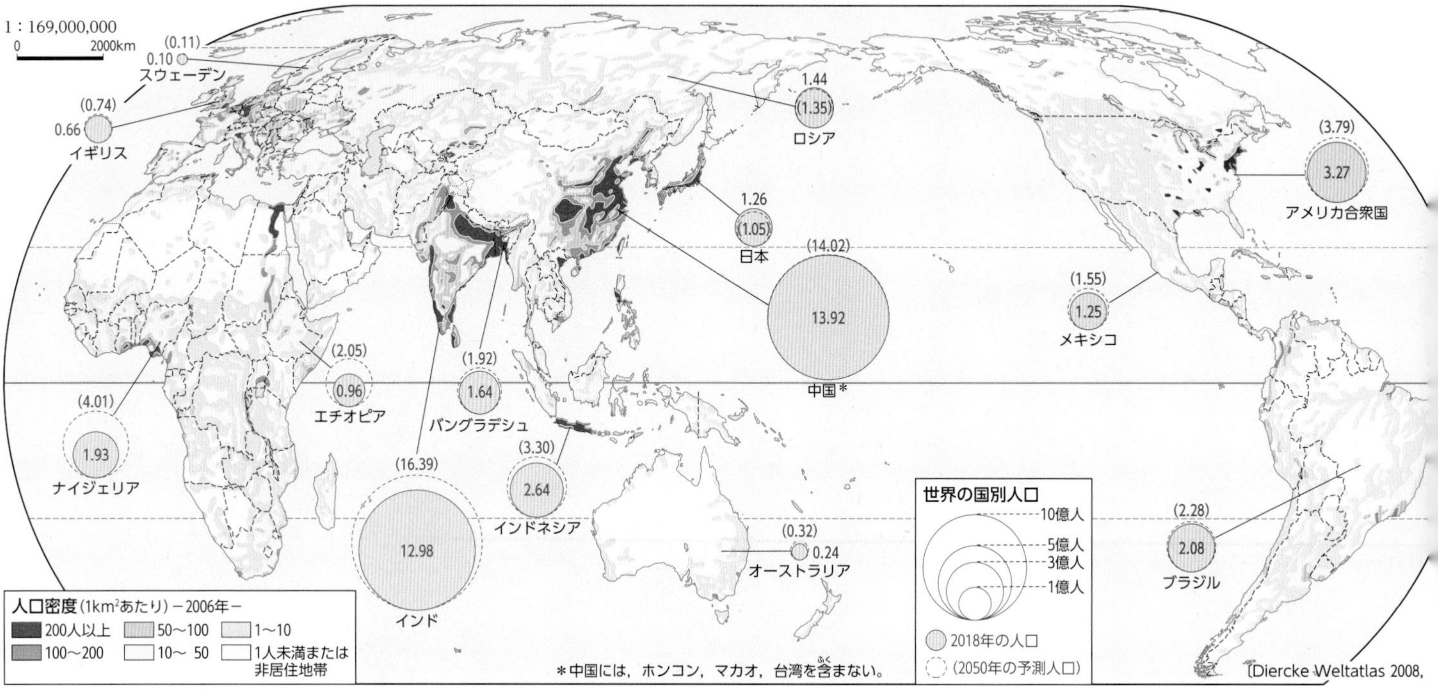

＊中国には，ホンコン，マカオ，台湾を含(ふく)まない。

〔Diercke Weltatlas 2008,

ア おもな国の人口ピラミッド

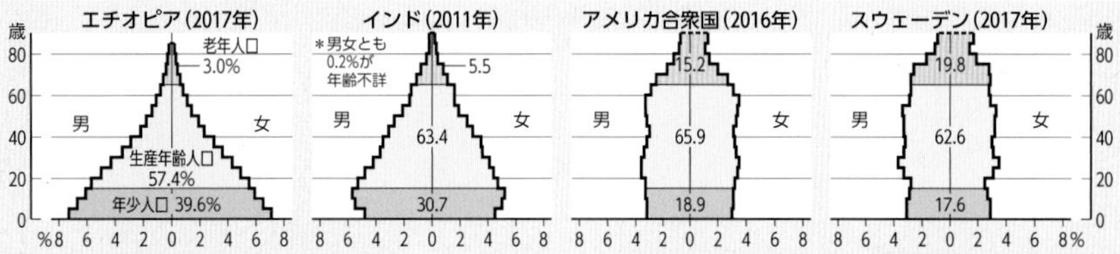

〔Demographic Yearbook 2017〕

イ 日本の人口ピラミッド

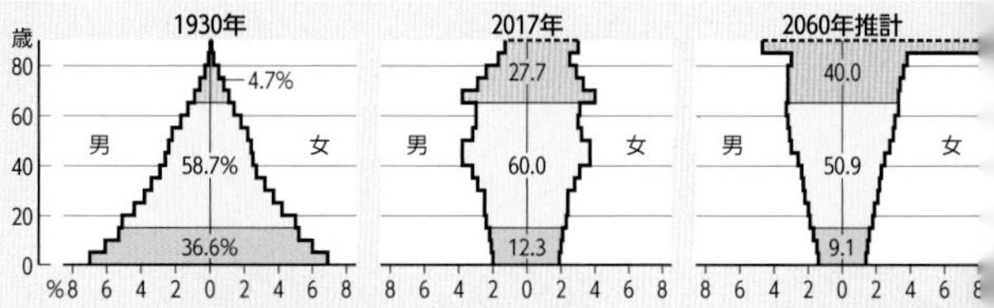

〔2019 人口の動向,

2 世界の人口増加率

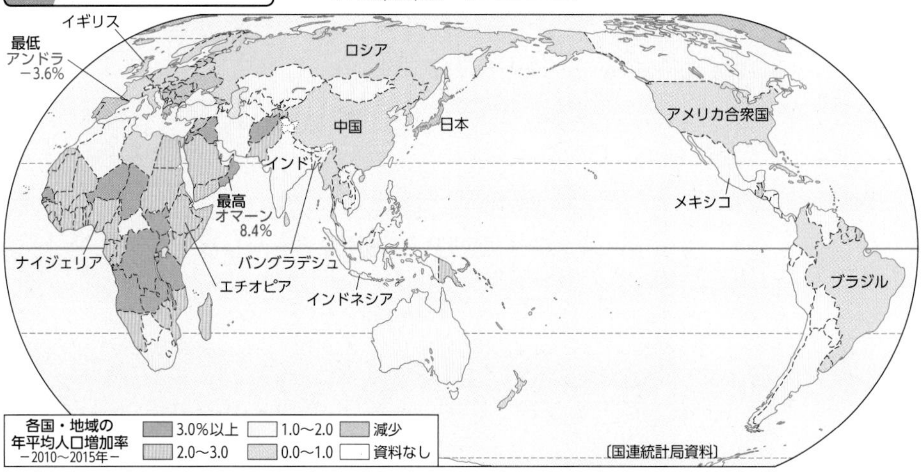

〔国連統計局資料〕

3 世界の老年人口の割合

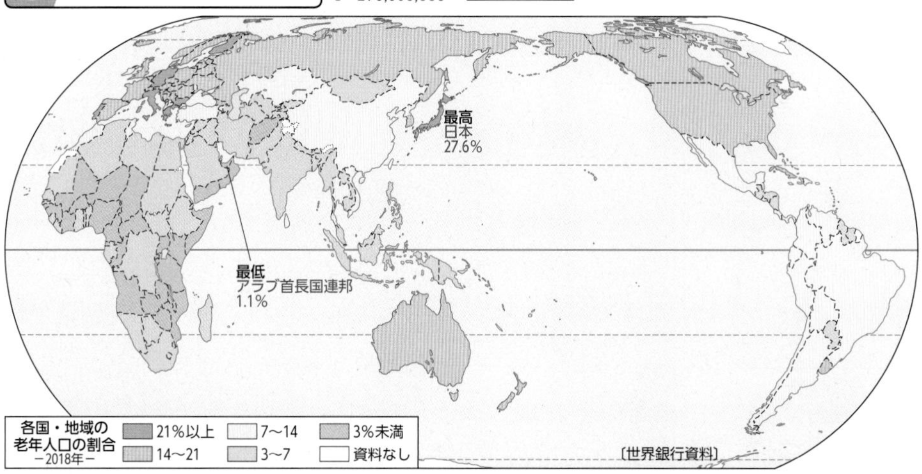

〔世界銀行資料〕

4 増え続ける世界の人口

＊1 ロシアを含(ふく)む。
＊2 メキシコ以南の地域。

地図活用

②図で人口増加が著(いちじる)しいアフリカの国々の人口構成の特徴(とくちょう)を，ア・③図から考え，説明しよう。

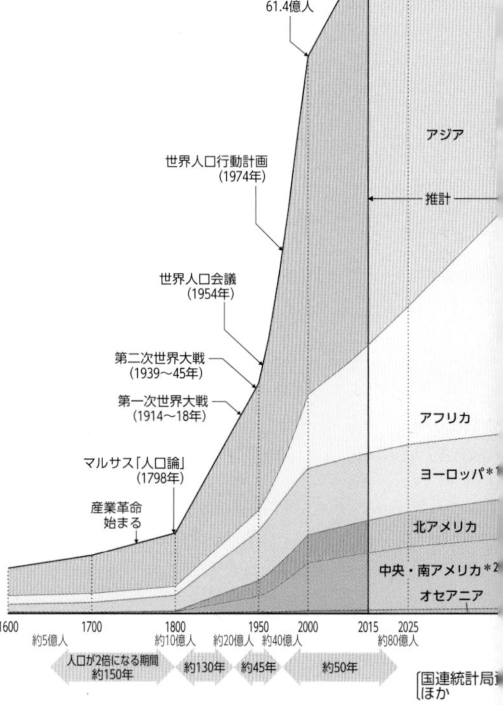

〔国連統計局ほか

日本の人口の推移

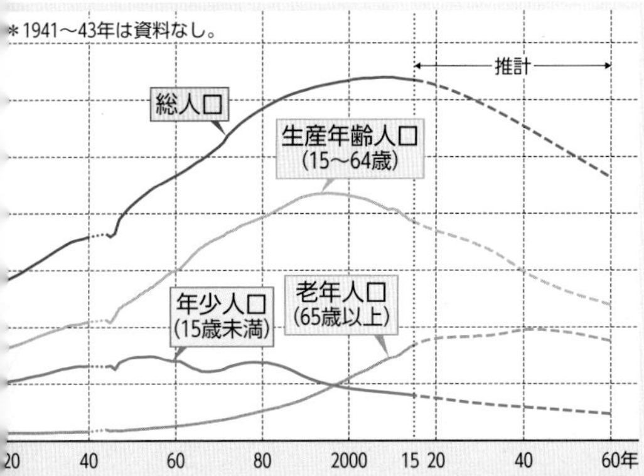

6 人口密度(市町村別)

地図活用

⑦図で人口が増加している都道府県は，老年人口の割合にどのような特徴がみられるか，⑨図を参考にして答えよう。

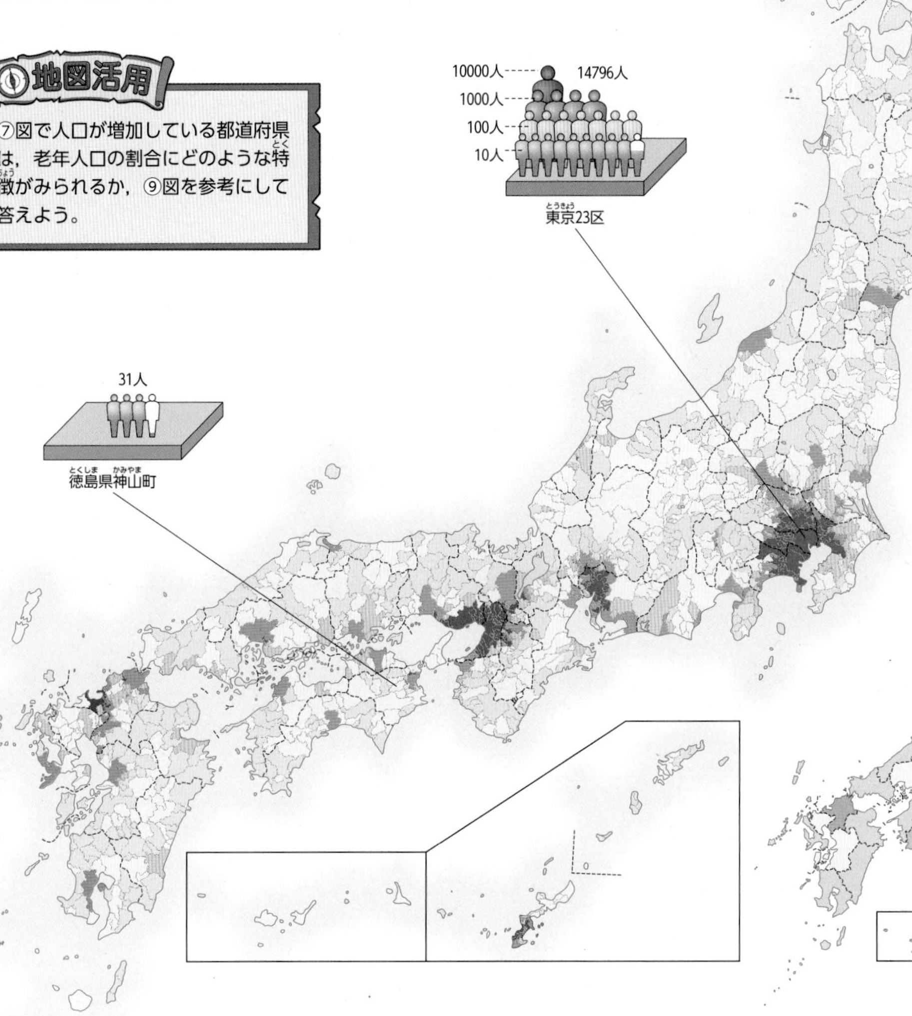

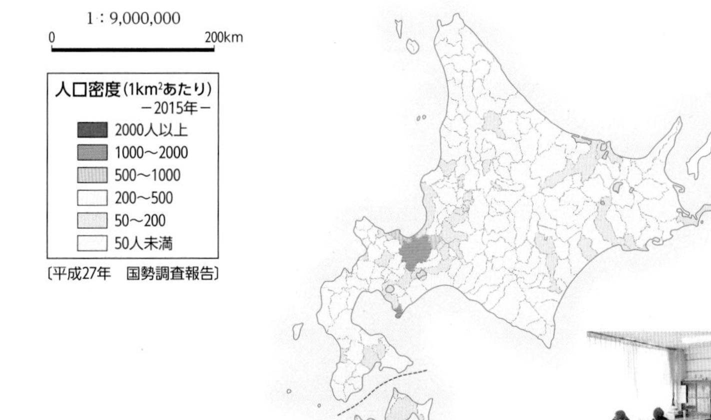

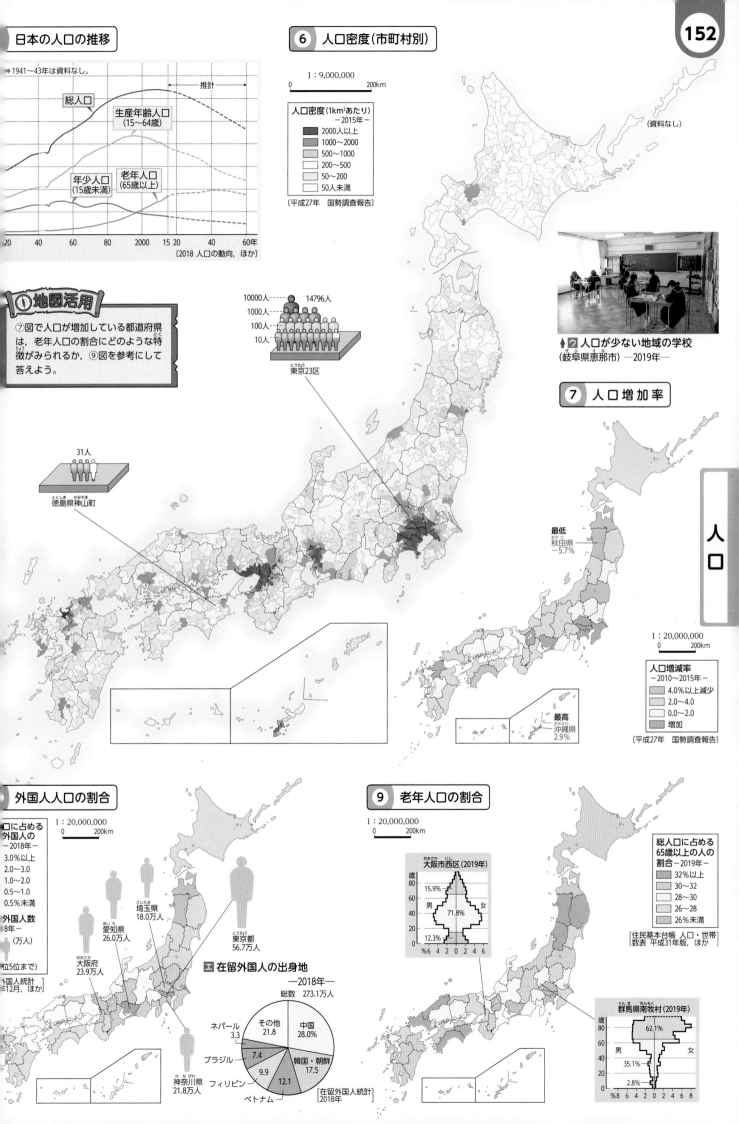

ウ 人口が少ない地域の学校(岐阜県恵那市)　―2019年―

7 人口増加率

外国人人口の割合

エ 在留外国人の出身地

9 老年人口の割合

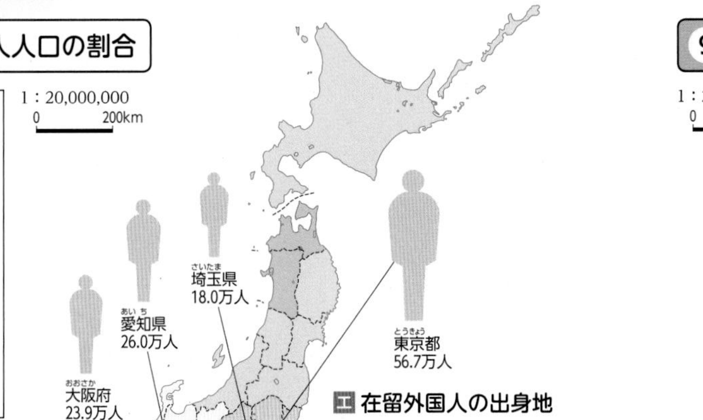

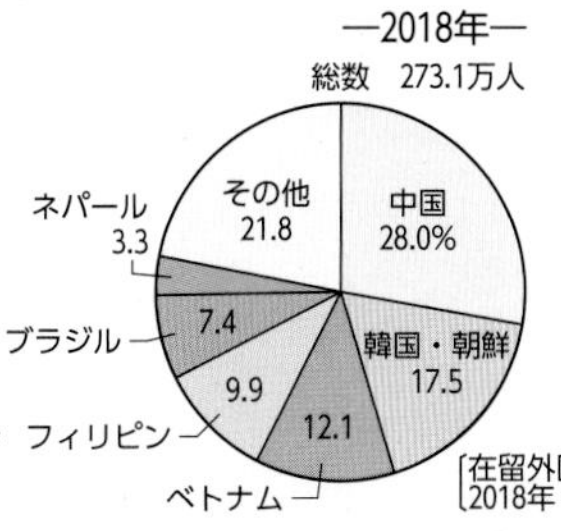

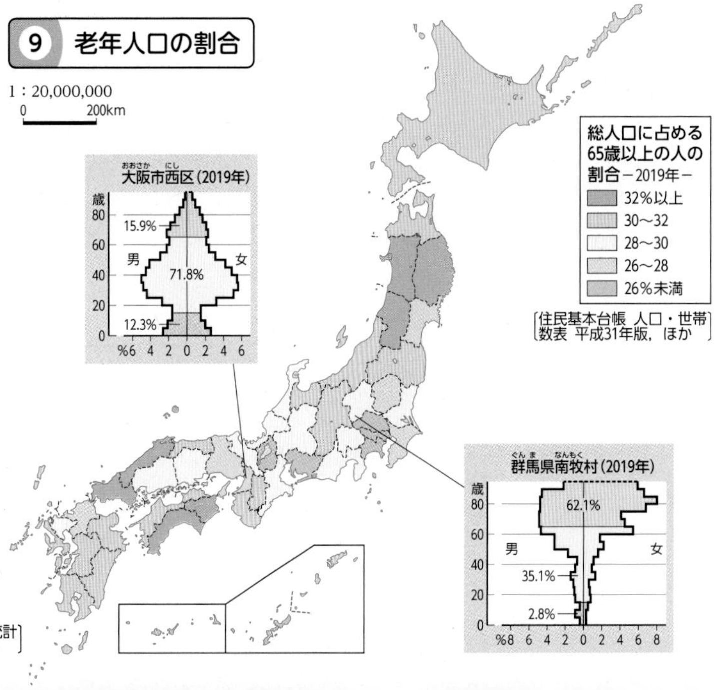

世界と日本の鉱産資源

? 学習課題 〉 世界の鉱産資源の分布と移動，日本の発電にはどのような特徴(とくちょう)があるだろうか。

1 エネルギー資源の分布と移動

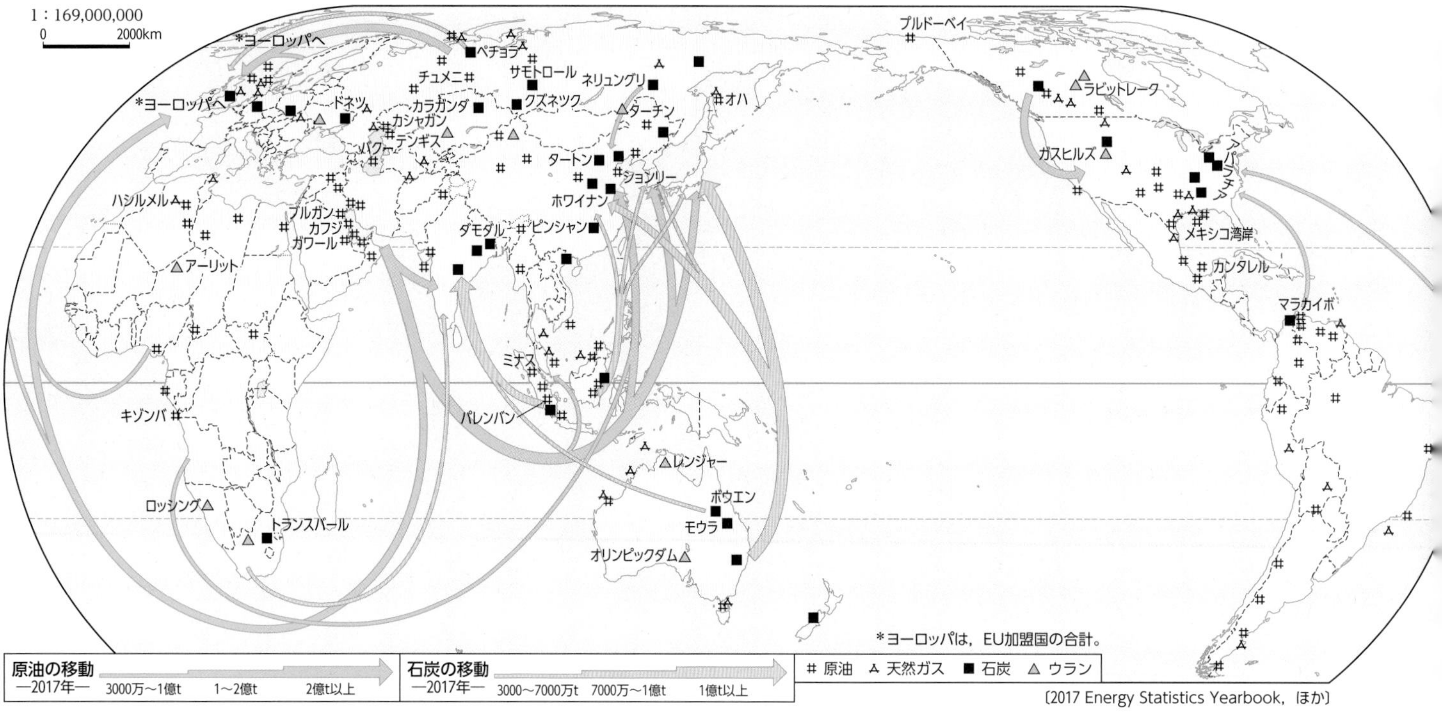

〔2017 Energy Statistics Yearbook，ほか〕

2 エネルギー供給(消費)量

—2016年—

品目							
原油 45億4830万t	アメリカ合衆国 19.6%	中国 12.9	インド 4.8	日本 4.2	サウジアラビア 3.8	ロシア 3.4	その他 51.3
石炭 64億409万t	中国 59.1%	インド 13.5	アメリカ合衆国 4.3	日本 2.9	南アフリカ共和国 2.9	ロシア 2.3	その他 15.0
天然ガス 3兆5429億m³	アメリカ合衆国 22.0%	ロシア 11.0	中国 5.9	イラン 5.7	日本 3.1	サウジアラビア 3.1	その他 49.2

〔BP資料，ほか〕

3 日本の資源輸入

—2019年—

ア エネルギー資源

品目							
原油 1億7386万kL	サウジアラビア 35.8%	アラブ首長国連邦 29.7	カタール 8.8	クウェート 8.5	ロシア 5.4	アメリカ合衆国 2.2	その他 9.6
石炭 1億8618万t	オーストラリア 58.7%	インドネシア 15.1	ロシア 10.8	アメリカ合衆国 7.1	カナダ 5.5	その他 2.8	
天然ガス 7733万t	オーストラリア 38.9%	マレーシア 12.1	カタール 11.3	ロシア 8.3	インドネシア 5.6	ブルネイ 5.4	その他 18.4

〔財務省貿易統計〕

生産量 原油 石炭 天然ガス ➡p.170④

イ 鉱産資源

品目							
鉄鉱石 1億1956万t	オーストラリア 57.3%	ブラジル 26.3	カナダ 6.2	南アフリカ共和国 2.9	その他		
銅鉱 479万t	チリ 45.8%	ペルー 16.9	オーストラリア 9.9	アメリカ合衆国 8.7	カナダ 7.3	そ… 1…	
アルミニウム*(地金) 284万t	中国 16.7%	オーストラリア 16.3	ロシア 15.3	アラブ首長国連邦 11.7	ニュージーランド 6.7	サウジアラビア	その他 28.8

*ボーキサイトを原料にして作られる。〔財務省貿易統

生産量 鉄鉱石 銅鉱石 アルミニウム→ボーキサイト ➡p.170④

4 鉱産資源の分布と移動

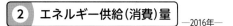

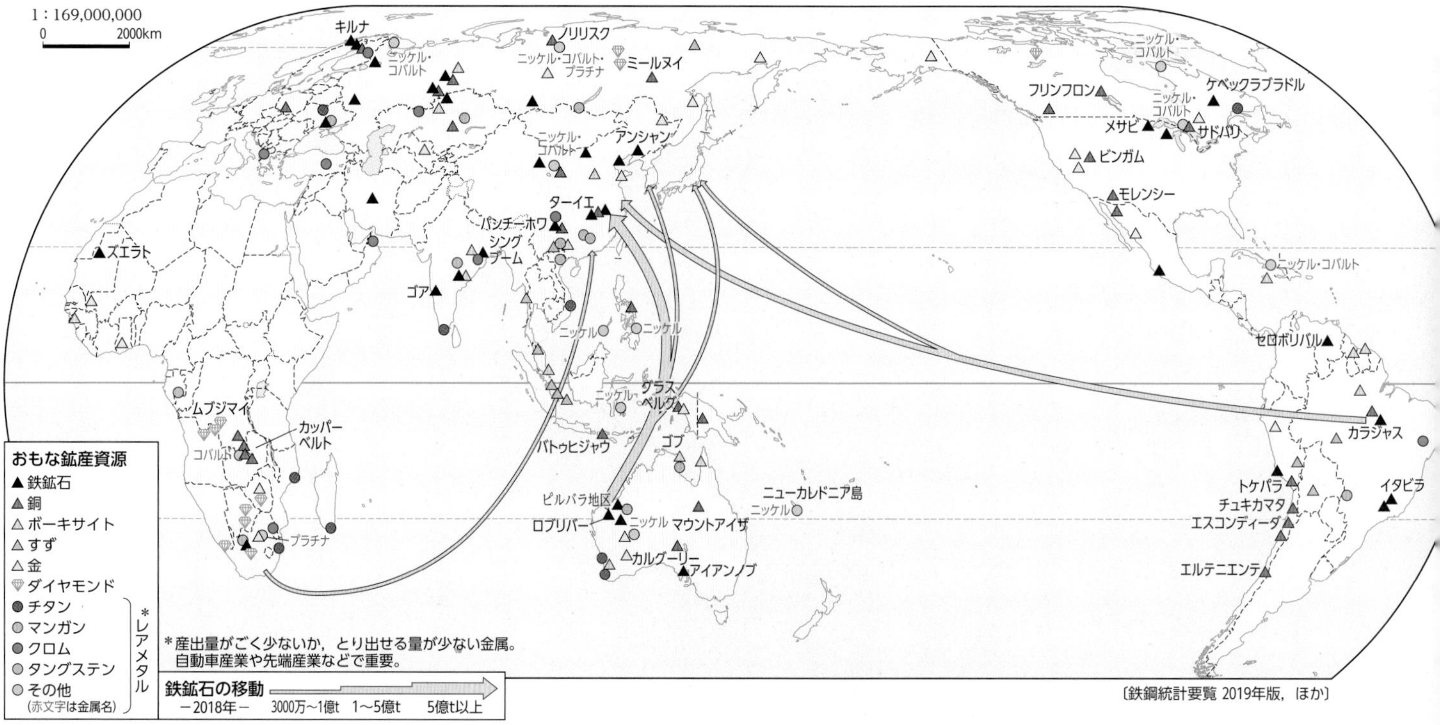

〔鉄鋼統計要覧 2019年版，ほか〕

おもな国の電力源 —2017年—

日本 ～74億kWh	火力 85.5%	原子力 3.1	水力 8.9	地熱・風力など 2.5
中国 ～349億kWh	70.5%	17.9	3.7	7.9
アメリカ合衆国 ～864億kWh	62.8%	7.6	19.6	10.0
ブラジル ～94億kWh	18.1%	62.9	2.7	16.3

〔World Energy Statistics 2019，ほか〕

ノルウェー デンマーク ドイツ フランス ➡p.52オ

地図活用

⑥図で明るいところは夜に光源が多いところである。日本の陸上で明るいところはどのような場所か，p.152 ⑥図と比べながら考え，答えよう。

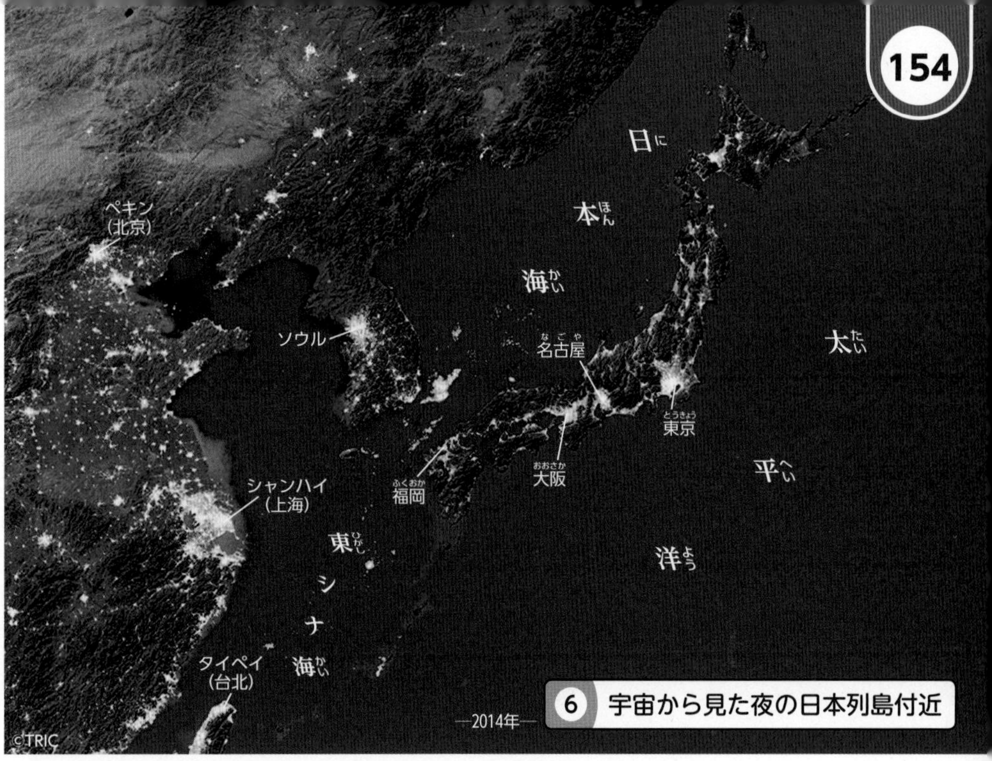

—2014年— 6 宇宙から見た夜の日本列島付近

日本のおもな発電所 —2017年—

おもな発電所の最大出力（50万kW以上）
500万kW
200万kW
50万kW
水力発電所
火力発電所
原子力発電所＊
電力会社別供給区域
〔2017年度版　電気事業便覧，ほか〕

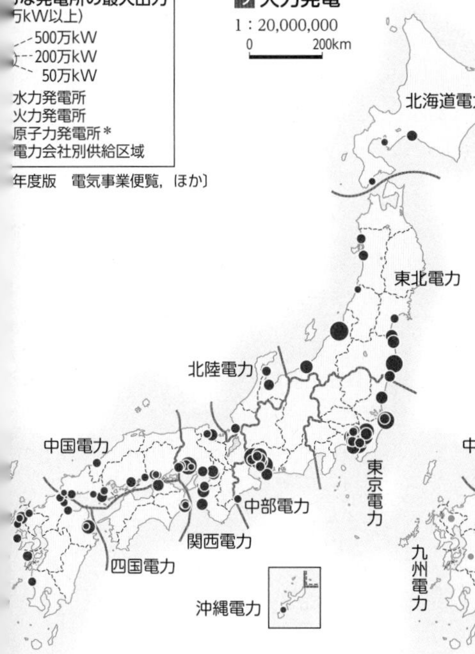

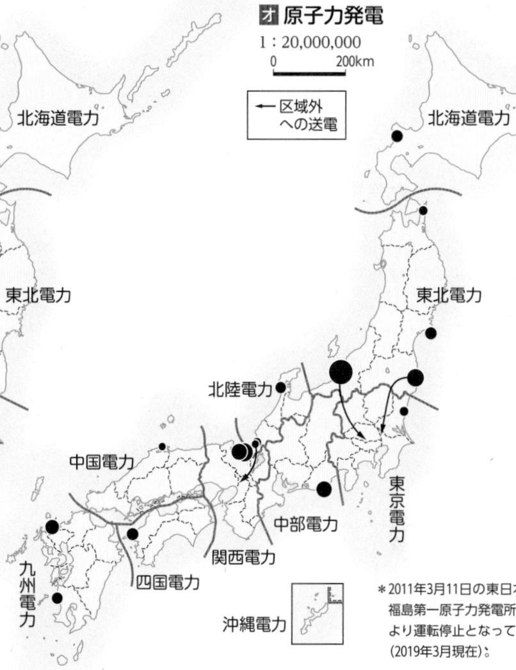

＊2011年3月11日の東日本大震災による福島第一原子力発電所の事故の影響により運転停止となっているものも含む（2019年3月現在）。

注目される新たなエネルギー

再生可能エネルギー —2017年—

キ 風力発電所（島根県出雲市）

〔2017年度版　電気事業便覧，ほか〕

ク 太陽光発電所（岡山県瀬戸内市）

ケ 日本近海の海底資源

〔JOGMEC資料，ほか〕

➡コ メタンハイドレート
メタンと水からなり，高圧・低温で氷のようになっている。500mより深い海底の下などに存在する。

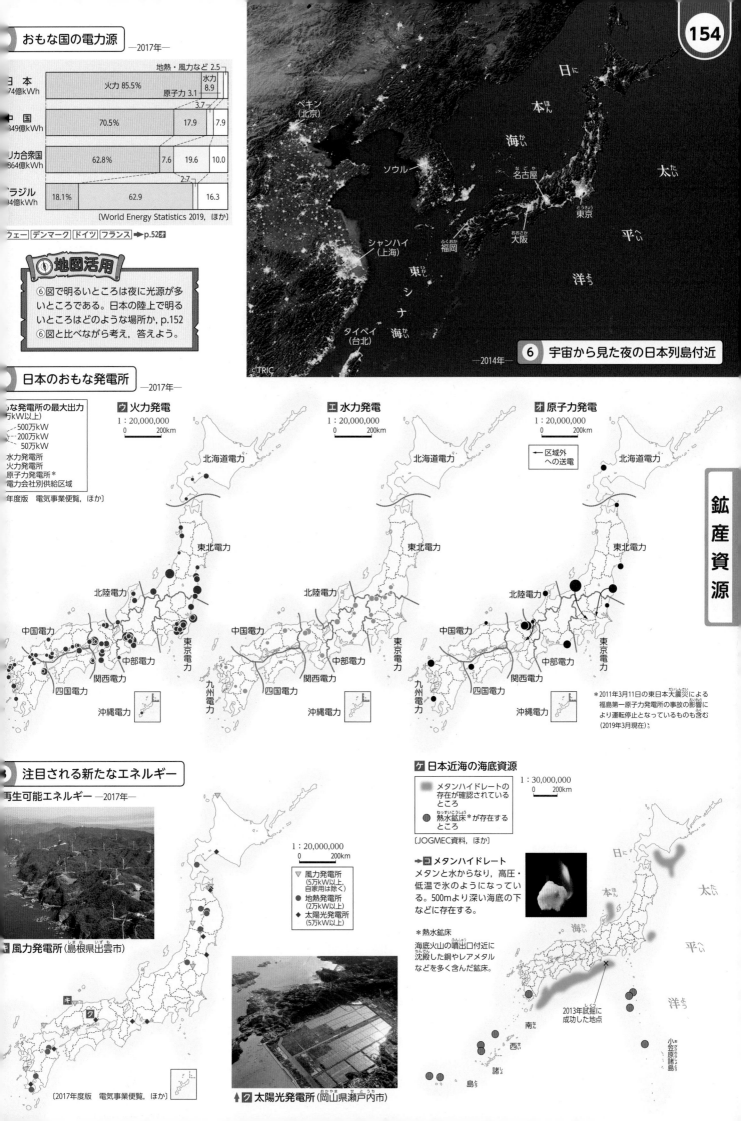

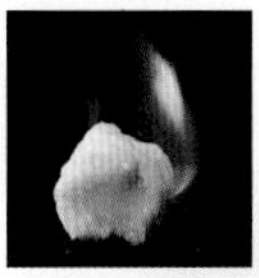

＊熱水鉱床
海底火山の噴出口付近に沈殿した銅やレアメタルなどを多く含んだ鉱床。

? 学習課題 〉 日本の工業には，どのような特色があり，どのような分布がみられるだろうか。

1 日本の工業原料・製品の輸出と輸入

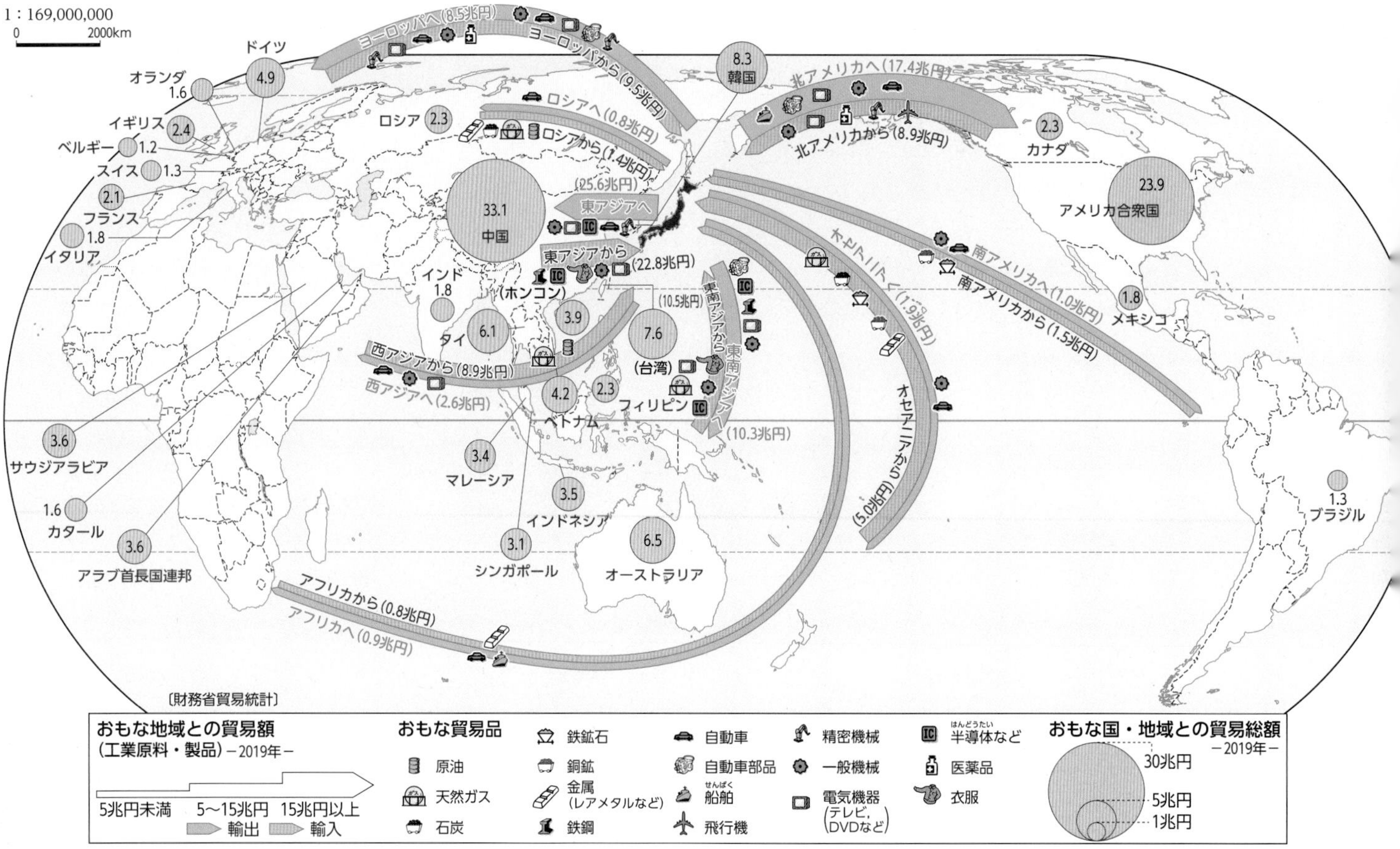

〔財務省貿易統計〕

ア 貿易相手国の変化

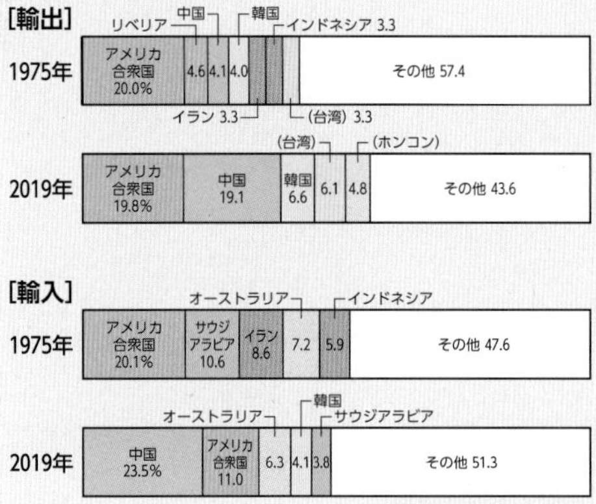

〔財務省貿易統計，ほか〕

イ 鉱工業品の貿易の変化

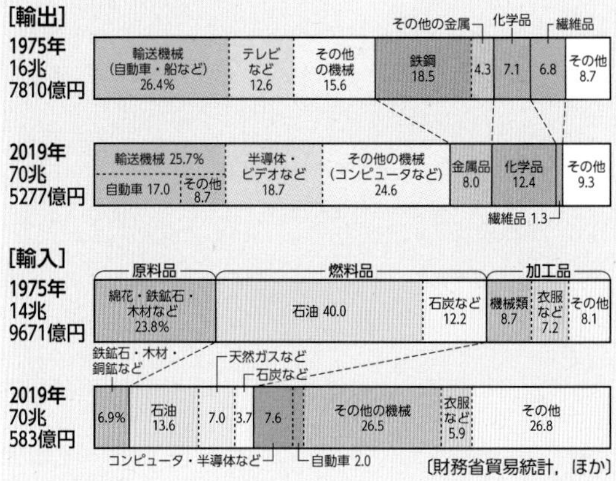

〔財務省貿易統計，ほか〕

2 工業製品以外の輸出品 -アニメーション-

ウ 海外売上額の変化

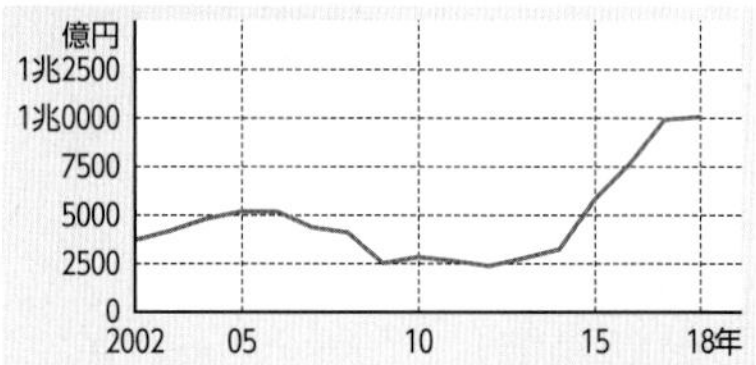

エ 海外契約先の割合 —2018年—

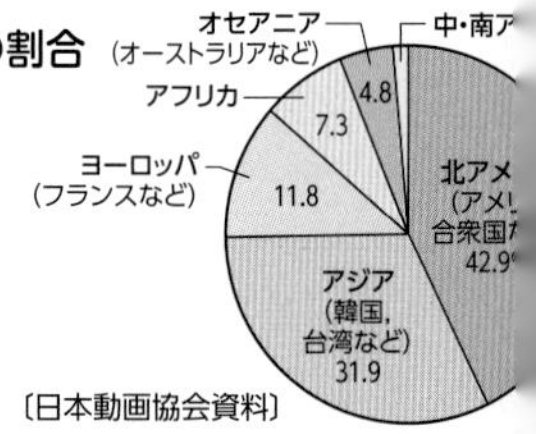

〔日本動画協会資料〕

3 日本企業の自動車工場の海外進出

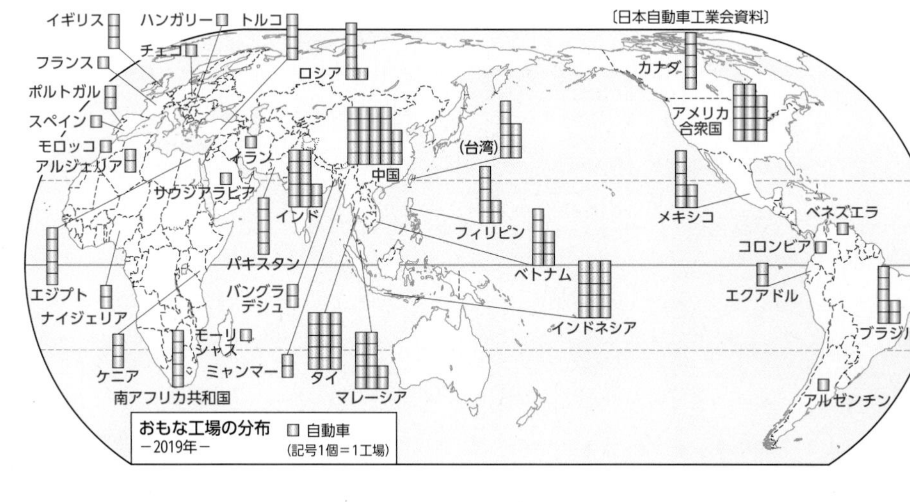

〔日本自動車工業会資料〕

7 鉄鋼業

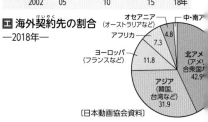

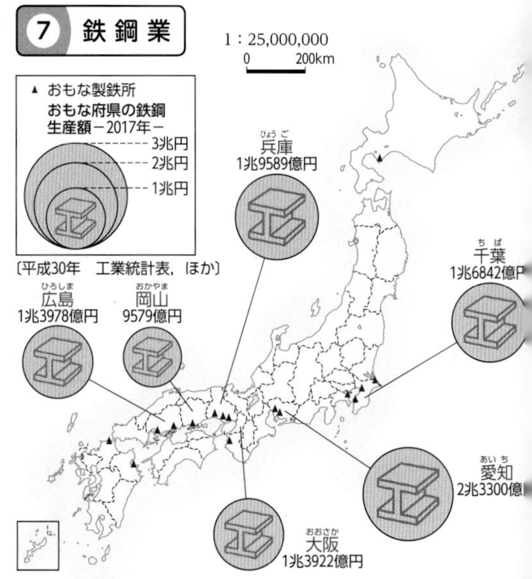

〔平成30年 工業統計表，ほか〕

4 日本の工業の変化

オ 工業生産(出荷額)の内訳の変化

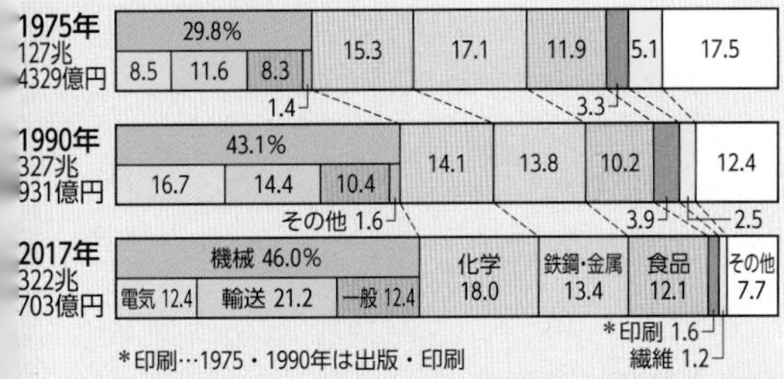

＊印刷…1975・1990年は出版・印刷

〔平成30年　工業統計表，ほか〕

カ 工業地域別出荷額の割合の変化

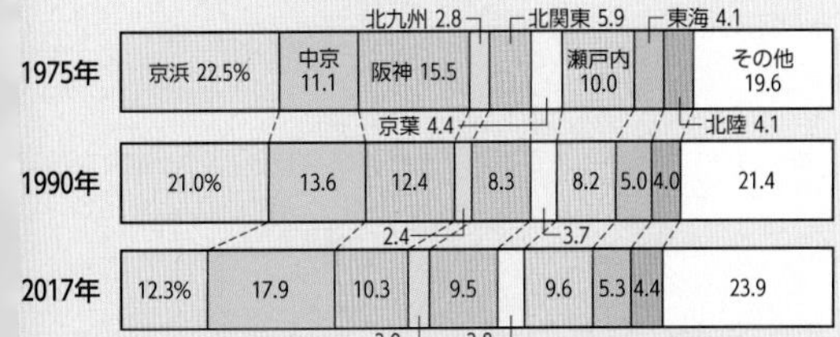

〔平成30年　工業統計表，ほか〕

キ おもな工業地域の生産(出荷額) ―2017年―

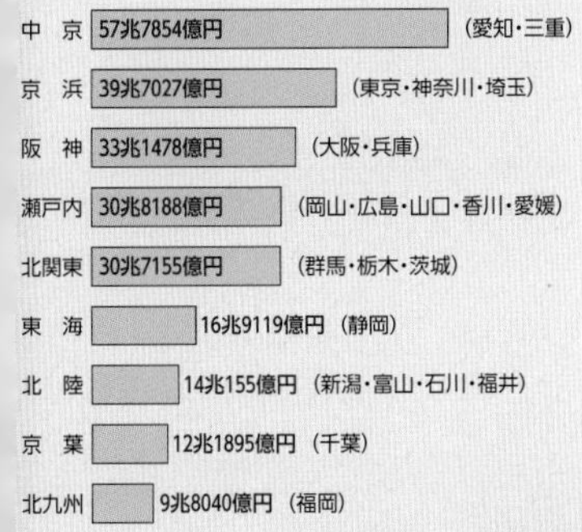
中京 57兆7854億円 (愛知・三重)
京浜 39兆7027億円 (東京・神奈川・埼玉)
阪神 33兆1478億円 (大阪・兵庫)
瀬戸内 30兆8188億円 (岡山・広島・山口・香川・愛媛)
北関東 30兆7155億円 (群馬・栃木・茨城)
東海 16兆9119億円 (静岡)
北陸 14兆155億円 (新潟・富山・石川・福井)
京葉 12兆1895億円 (千葉)
北九州 9兆8040億円 (福岡)

〔平成30年　工業統計表〕

5 工業地域の分布

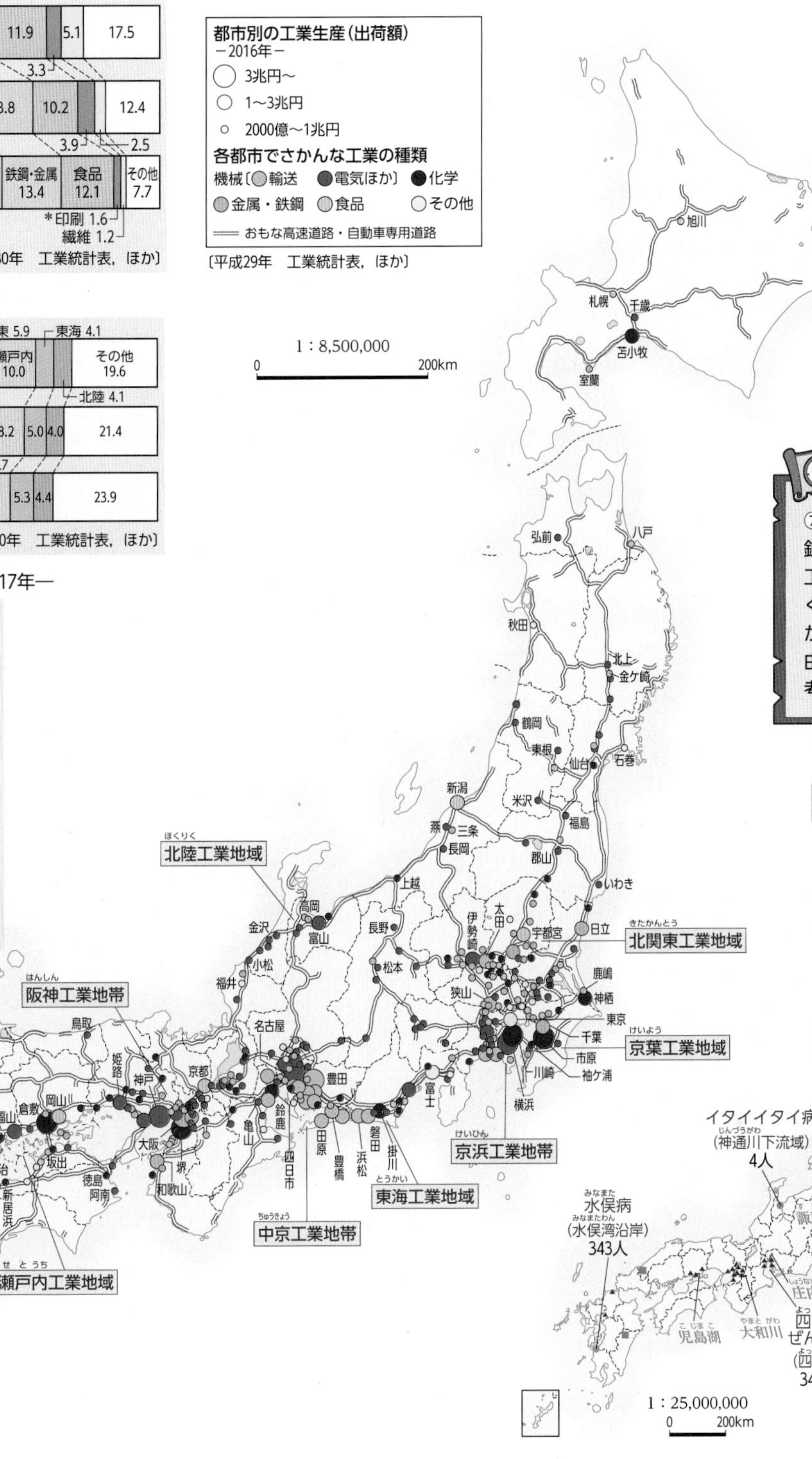

地図活用

⑦～⑨の地図を比べて，製鉄所，自動車組立工場，IC工場のうち，臨海部に数多く立地している工場はどれか答えよう。また，その理由を①図やp.153①図から考えて，説明しよう。

6 日本の公害

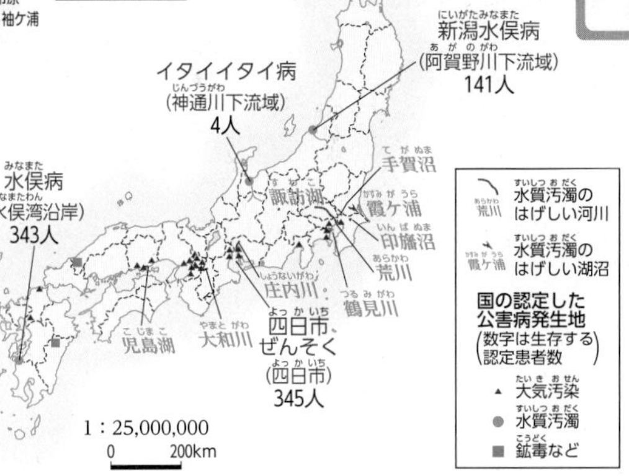

8 自動車工業

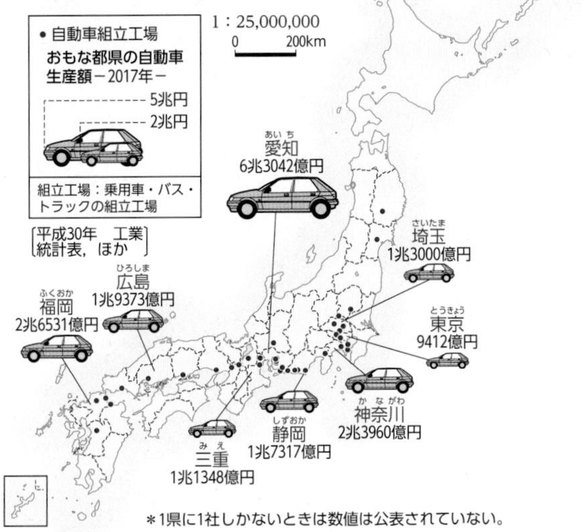

＊1県に1社しかないときは数値は公表されていない。

9 電子工業

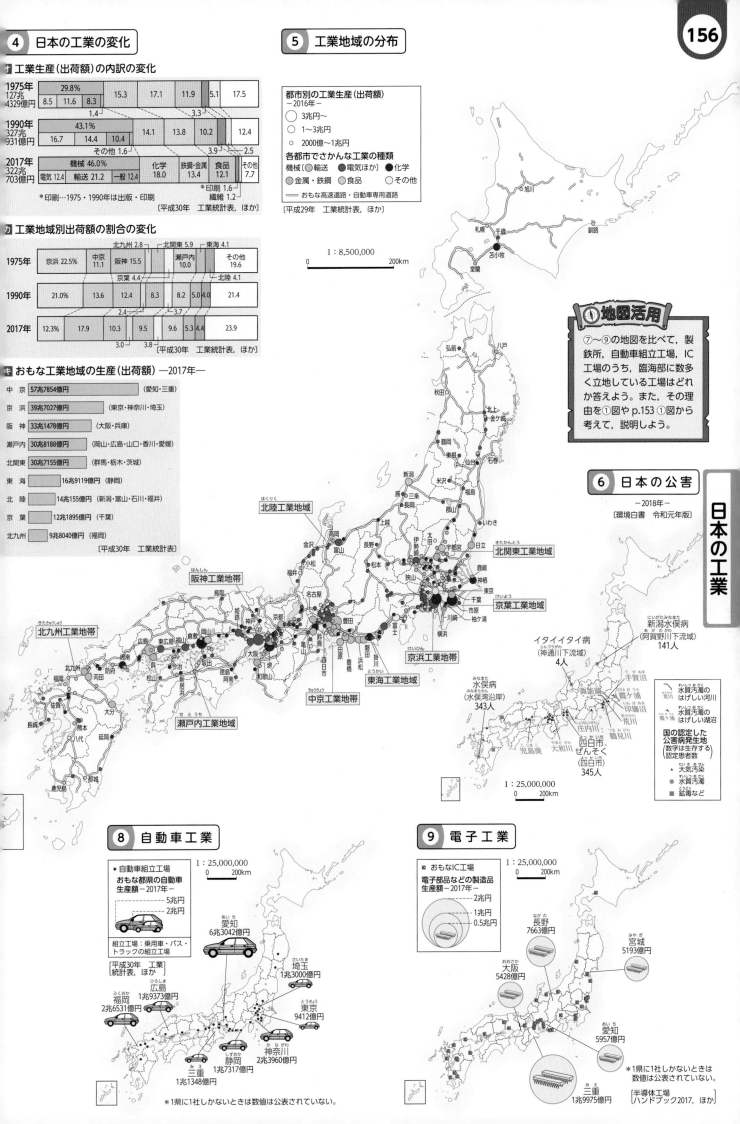

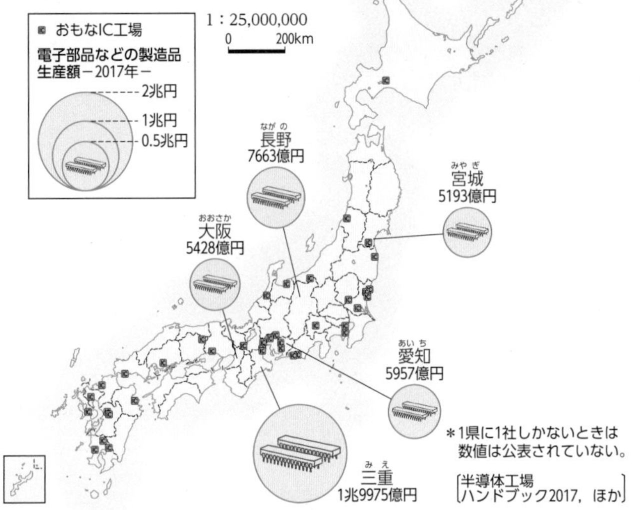

＊1県に1社しかないときは数値は公表されていない。

〔半導体工場ハンドブック2017，ほか〕

日本の農業・水産業

学習課題　日本の農業には，どのような特色があり，どのような分布がみられるだろうか。

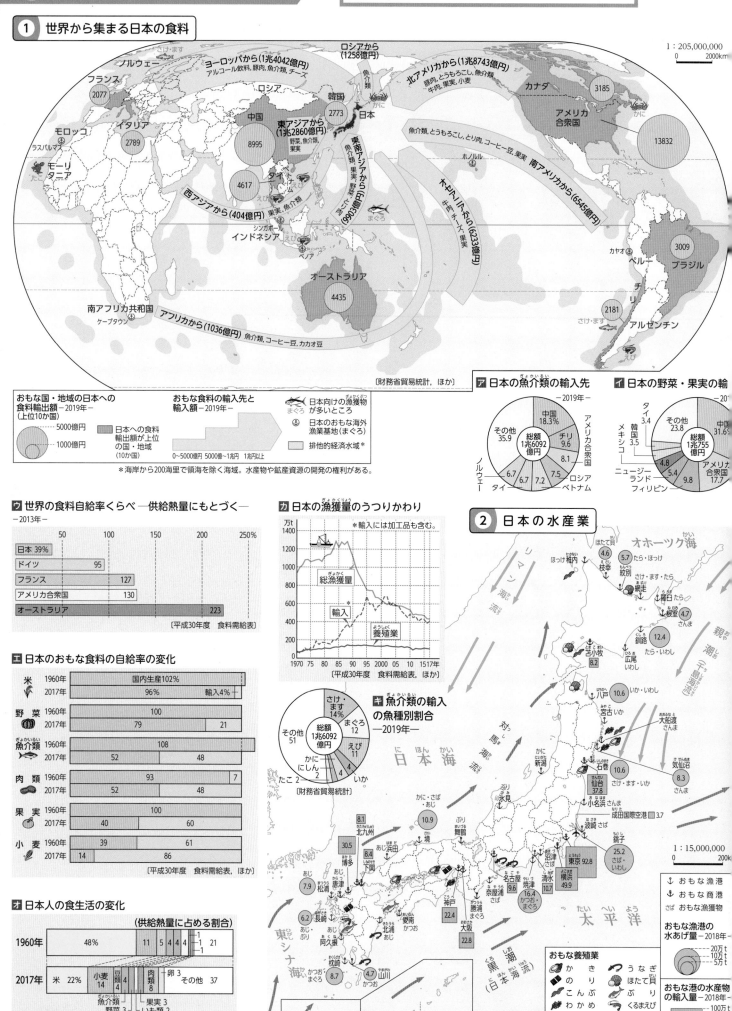

1 世界から集まる日本の食料

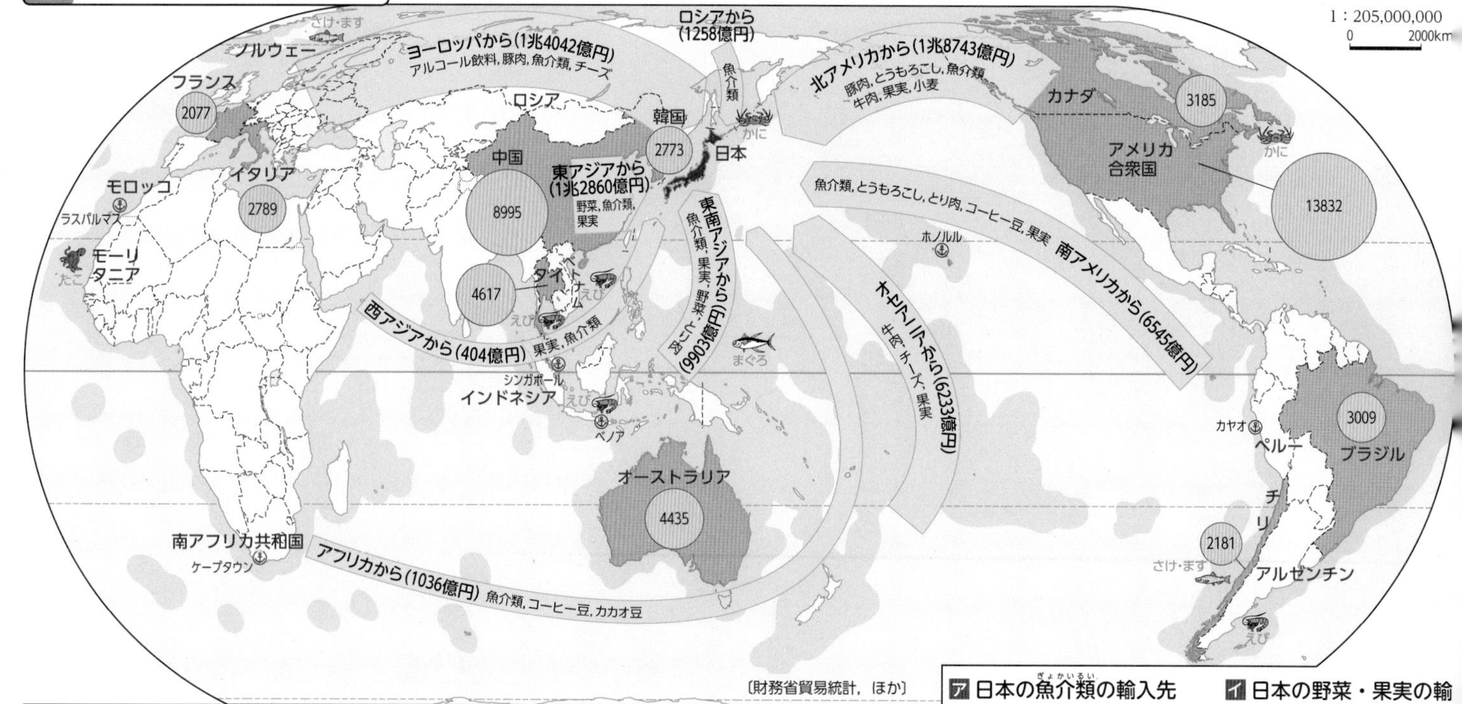
1：205,000,000
0 2000km
ヨーロッパから（1兆4042億円）
アルコール飲料，豚肉，魚介類，チーズ
ロシアから（1258億円）
魚介類
北アメリカから（1兆8743億円）
豚肉，とうもろこし，魚介類
牛肉，果実，小麦
東アジアから（1兆2860億円）
野菜，魚介類，果実
東南アジアから（1兆9903億円）
魚介類，果実，野菜，とり肉
西アジアから（404億円）
果実，魚介類
オセアニアから（6233億円）
牛肉，チーズ，果実
南アメリカから（6545億円）
魚介類，とうもろこし，とり肉，コーヒー豆，果実
アフリカから（1036億円）
魚介類，コーヒー豆，カカオ豆
ノルウェー
さけ・ます
フランス
2077
イタリア
2789
モロッコ
ラスパルマス
モーリタニア
たこ
ロシア
中国
8995
韓国
2773
日本
かに
タイ
4617
えび
シンガポール
インドネシア
ベノア
まぐろ
オーストラリア
4435
南アフリカ共和国
ケープタウン
ホノルル
カナダ
3185
アメリカ合衆国
13832
カヤオ
ペルー
ブラジル
3009
チリ
2181
アルゼンチン
〔財務省貿易統計，ほか〕
おもな国・地域の日本への食料輸出額 －2019年－ （上位10か国）
5000億円
1000億円
日本への食料輸出額が上位の国・地域（10か国）
おもな食料の輸入先と輸入額 －2019年－
0～5000億円 5000億～1兆円 1兆円以上
日本向けの漁獲物が多いところ
日本のおもな海外漁業基地（まぐろ）
排他的経済水域＊
＊海岸から200海里で領海を除く海域。水産物や鉱産資源の開発の権利がある。

ア 日本の魚介類の輸入先

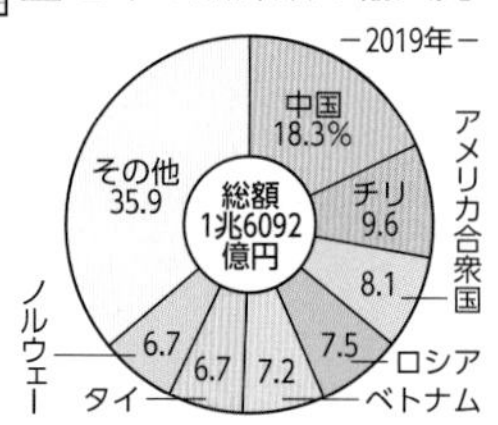
－2019年－
総額 1兆6092億円
中国 18.3%
チリ 9.6
アメリカ合衆国 8.1
ロシア 7.5
ベトナム 7.2
タイ 6.7
ノルウェー 6.7
その他 35.9

イ 日本の野菜・果実の輸

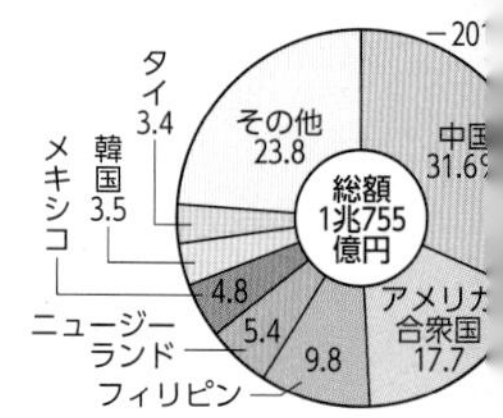
総額 1兆755億円
中国 31.6
アメリカ合衆国 17.7
フィリピン 9.8
ニュージーランド 5.4
メキシコ 4.8
韓国 3.5
タイ 3.4
その他 23.8

ウ 世界の食料自給率くらべ ―供給熱量にもとづく―

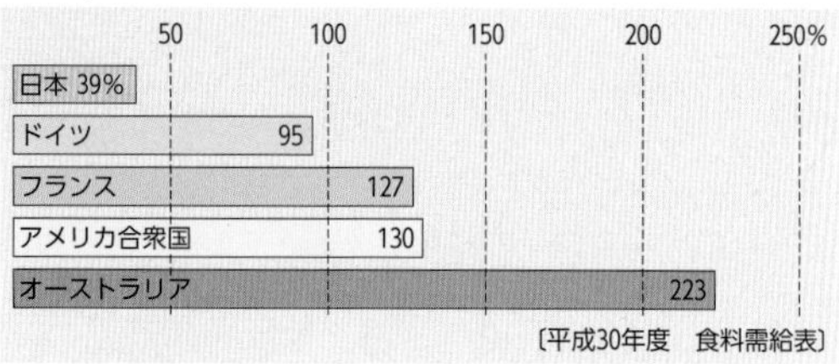
－2013年－
50 100 150 200 250%
日本 39%
ドイツ 95
フランス 127
アメリカ合衆国 130
オーストラリア 223
〔平成30年度　食料需給表〕

エ 日本のおもな食料の自給率の変化

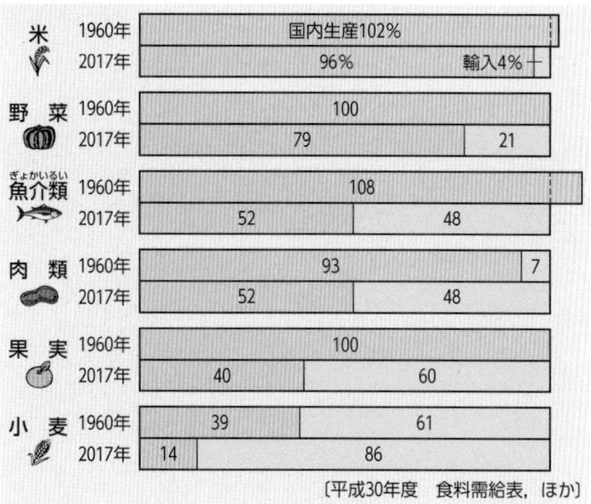
米 1960年 国内生産102%
2017年 96% 輸入4%
野菜 1960年 100
2017年 79 21
魚介類 1960年 108
2017年 52 48
肉類 1960年 93 7
2017年 52 48
果実 1960年 100
2017年 40 60
小麦 1960年 39 61
2017年 14 86
〔平成30年度　食料需給表，ほか〕

オ 日本人の食生活の変化

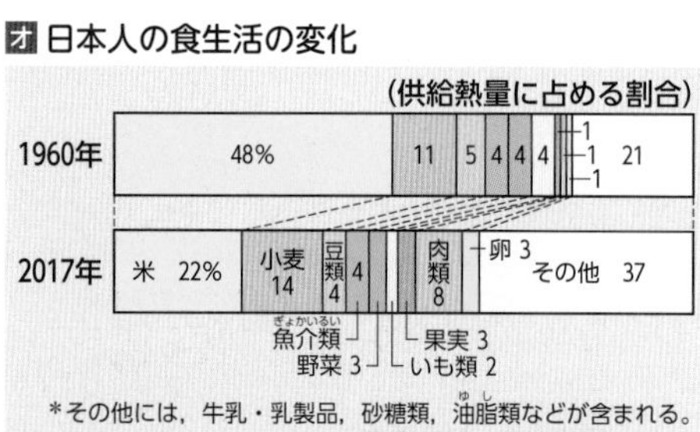
（供給熱量に占める割合）
1960年 48% 11 5 4 4 4 1 1 1 21
2017年 米 22% 小麦 14 豆類 4 4 肉類 8 卵 3 その他 37
魚介類 野菜 3 果実 3 いも類 2
＊その他には，牛乳・乳製品，砂糖類，油脂類などが含まれる。
〔平成30年度　食料需給表，ほか〕

カ 日本の漁獲量のうつりかわり

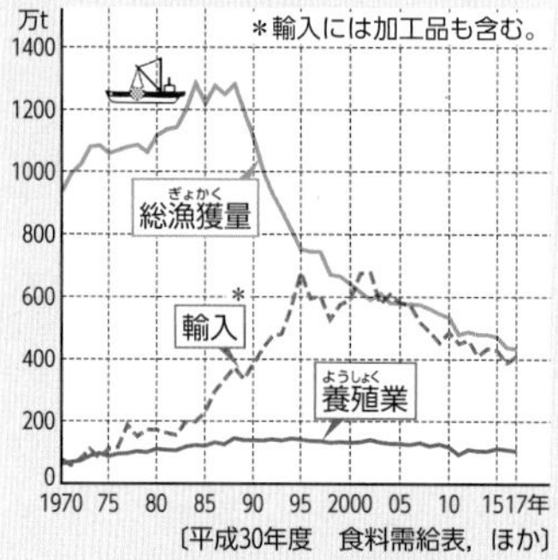
万t
＊輸入には加工品も含む。
総漁獲量
輸入＊
養殖業
1970 75 80 85 90 95 2000 05 10 15 17年
〔平成30年度　食料需給表，ほか〕

キ 魚介類の輸入の魚種別割合 ―2019年―

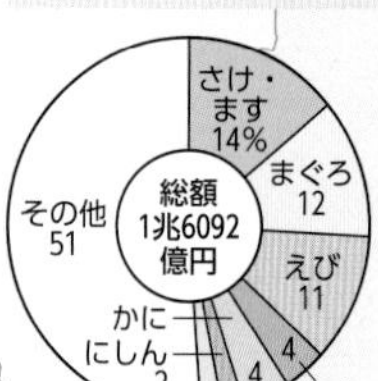
総額 1兆6092億円
さけ・ます 14%
まぐろ 12
えび 11
いか 4
4
かに にしん 2
たこ 2
その他 51
〔財務省貿易統計〕

2 日本の水産業

オホーツク海
リマン海流
親潮（千島海流）
対馬海流
日本海
太平洋
黒潮（日本海流）
東シナ海
稚内 ほっけ ほたて貝 4.6
枝幸
紋別 5.7 たら・ほっけ
網走 さけ・ます・たら
羅臼 たら
根室 4.7 さんま
釧路 12.4 たら・いわし
広尾 いわし
苫小牧 8.2
八戸 10.6 いか・いわし
宮古 いか
大船渡 さんま
気仙沼 8.3 さんま
石巻 10.6 さけ・ます・いか
仙台 37.8
小名浜 さんま
成田国際空港 3.7
波崎 さば
銚子 25.2 さば・いわし
東京 92.8
横浜 49.9
清水 10.7
沼津 さば
焼津 16.4 かつお・まぐろ
名古屋 9.6
奈屋浦 さば
勝浦 まぐろ
大阪 22.8
神戸 22.4
舞鶴 ぶり
境 10.9 かに・さば・あじ
浜田 あじ
氷見 ぶり
新潟 かに
下関 8.4
北九州 8.1
博多 30.5
唐津 あじ
松浦 7.9 あじ
長崎 6.2 あじ・ぶり
阿久根 あじ
枕崎 8.7 かつお・まぐろ
山川 4.7 かつお
愛南 かつお
北浦 あじ
1：15,000,000
0 200km
おもな漁港
おもな商港
さば おもな漁獲物
おもな漁港の水あげ量 －2018年－
20万t 10万t 5万t
おもな港の水産物の輸入量 －2018年－
100万t 50万t 10万t 5万t
おもな養殖業
かき うなぎ のり ほたて貝 こんぶ ぶり わかめ くるまえび
おもな海流
暖流 寒流
〔水産物流通調査，ほか〕

米の生産

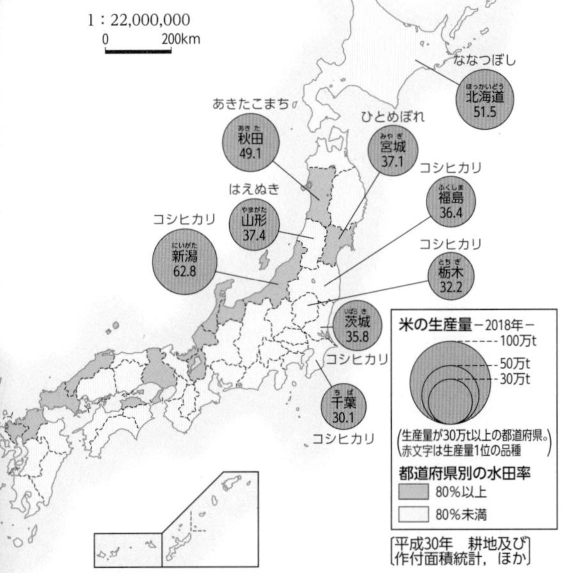
1：22,000,000
0 200km
ななつぼし
北海道
51.5
あきたこまち
秋田
49.1
ひとめぼれ
宮城
37.1
コシヒカリ
福島
36.4
はえぬき
山形
37.4
コシヒカリ
新潟
62.8
コシヒカリ
栃木
32.2
茨城
35.8
コシヒカリ
千葉
30.1
コシヒカリ
米の生産量－2018年－
100万t
50万t
30万t
（生産量が30万t以上の都道府県。赤文字は生産量1位の品種）
都道府県別の水田率
80％以上
80％未満
〔平成30年　耕地及び作付面積統計，ほか〕

4 各地の農業生産

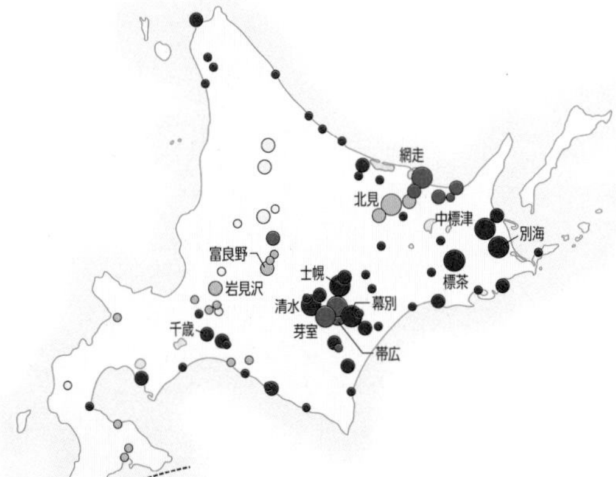

1：8,500,000
0 100km
市町村別の農業産出額
－2016年－
200億円以上
100～200億円
50～100億円
各市町村でさかんな農業の種類
米
野菜
果実
畜産
その他
〔農林水産省資料，ほか〕
網走
北見
中標津
別海
富良野
標茶
士幌
岩見沢
清水
幕別
千歳
芽室
帯広
つがる
三沢
弘前
十和田
二戸
大仙
横手
奥州
酒田
一関
栗原
鶴岡
登米
東根
大崎
新発田
新潟
福島
長岡
上越
那須塩原
大田原
小美玉
富山
前橋
鉾田
行方
坂井
高山
松本
香取
深谷
坂東
銚子
旭
鳥取
横浜
成田
出雲
笛吹
富士宮
南房総
庄原
岡山
東近江
神戸
浜松
山口
三豊
南あわじ
津
田原
豊橋
観音寺
五條
阿波
有田川
唐津
久留米
高知
八幡浜
鳴門
西予
八女
竹田
菊池
雲仙
南島原
熊本
八代
西都
小林
川南
出水
宮崎
都城
曽於
志布志
南九州
大崎
鹿屋
名護
南城

地図活用

日本を7地方に分けた際，稲作，野菜栽培，畜産の各農業がさかんな市町村が多い地方はどこか，それぞれ2地方ずつ答えよう。

5 野菜の生産

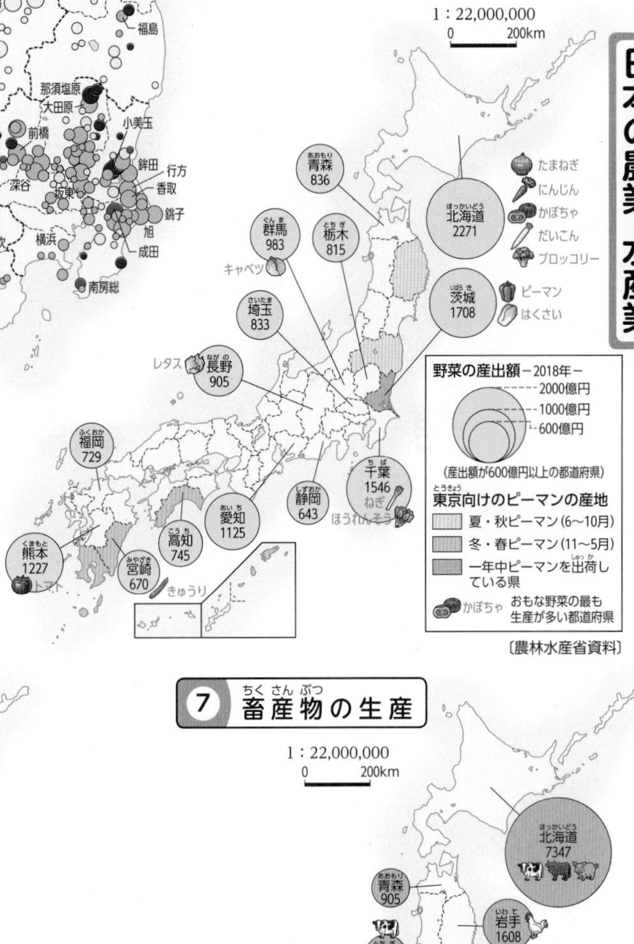
1：22,000,000
0 200km
青森
836
北海道
2271
たまねぎ
にんじん
かぼちゃ
だいこん
ブロッコリー
群馬
983
栃木
815
キャベツ
茨城
1708
ピーマン
はくさい
埼玉
833
レタス
長野
905
福岡
729
千葉
1546
ねぎ
ほうれんそう
静岡
643
愛知
1125
高知
745
熊本
1227
トマト
宮崎
670
きゅうり
野菜の産出額－2018年－
2000億円
1000億円
600億円
（産出額が600億円以上の都道府県）
東京向けのピーマンの産地
夏・秋ピーマン（6～10月）
冬・春ピーマン（11～5月）
一年中ピーマンを出荷している県
かぼちゃ おもな野菜の最も生産が多い都道府県
〔農林水産省資料〕

6 果実の生産

1：22,000,000
0 200km
青森
828
りんご
山形
709
りんご
りんご
長野
714
福島
255
りんご
福岡
229
岡山
245
ぶどう
山梨
629
ぶどう
佐賀
203
みかん
みかん
愛知
202
静岡
298
みかん
みかん
和歌山
748
みかん
愛媛
530
みかん
熊本
327
みかん
果実の産出額－2018年－
800億円
500億円
200億円
（産出額が200億円以上の都道府県）
りんご 各都道府県で収穫量が最も多い果実
〔農林水産省資料〕

7 畜産物の生産

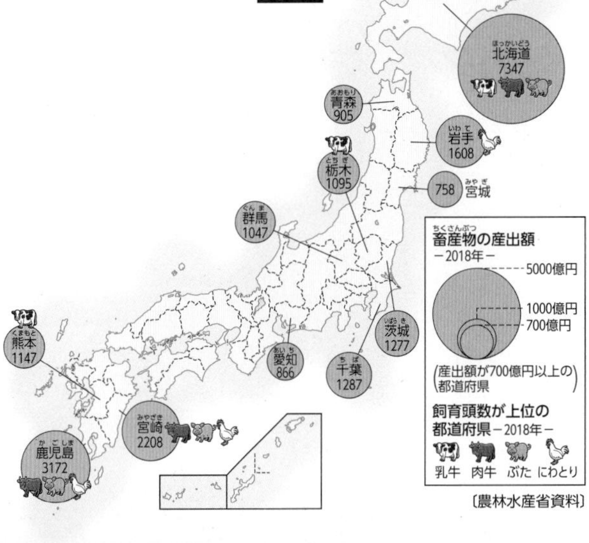
1：22,000,000
0 200km
北海道
7347
青森
905
岩手
1608
栃木
1095
758
宮城
群馬
1047
畜産物の産出額
－2018年－
5000億円
1000億円
700億円
（産出額が700億円以上の都道府県）
飼育頭数が上位の都道府県－2018年－
乳牛
肉牛
ぶた
にわとり
熊本
1147
茨城
1277
愛知
866
千葉
1287
宮崎
2208
鹿児島
3172
〔農林水産省資料〕

世界と日本の交通・通信

学習課題 日本の交通網には，どのような特徴があるだろうか。

① 世界の航空路と東京からの距離

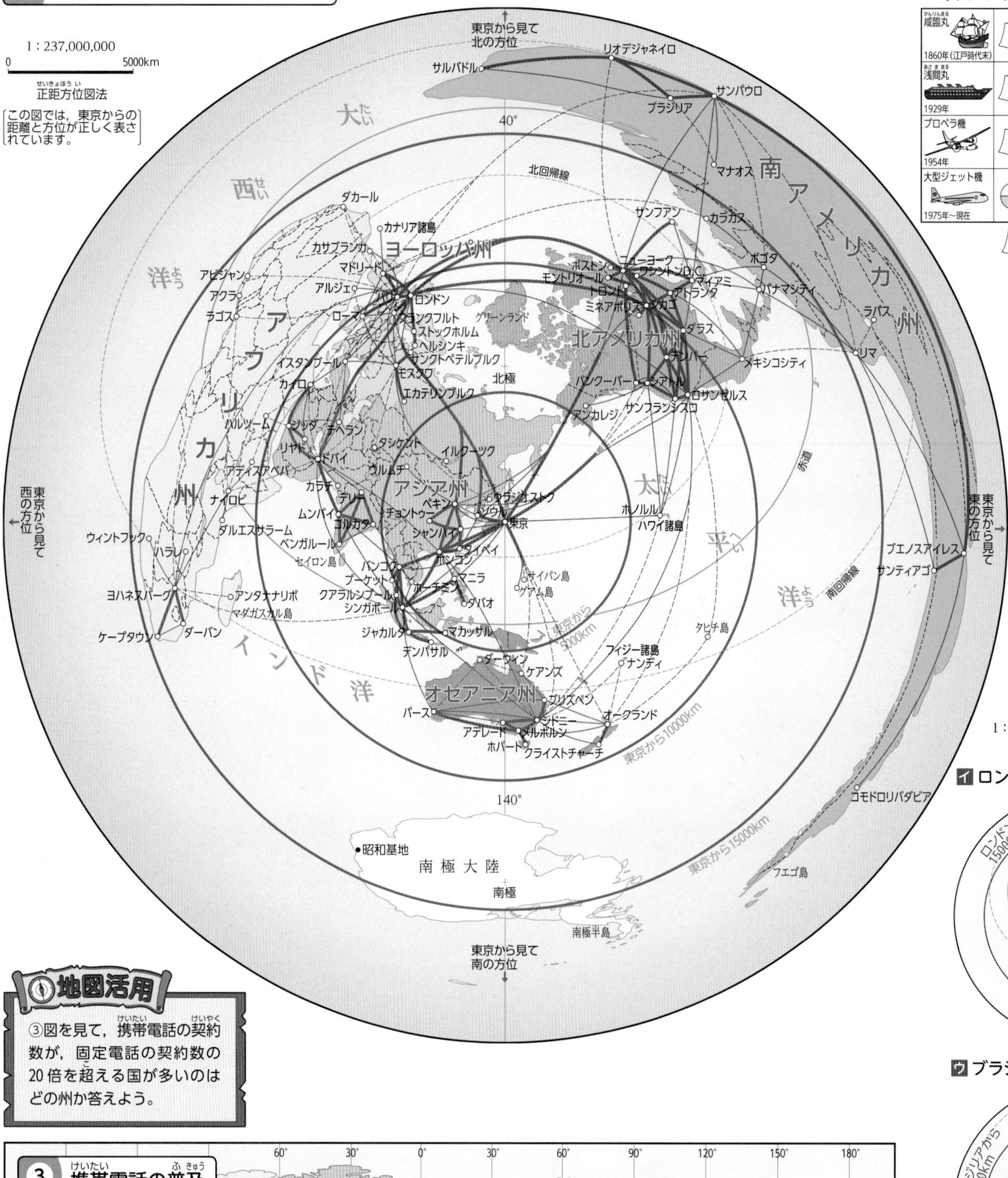

ア 日本からの所要時間の変化（サンフランシスコまで）

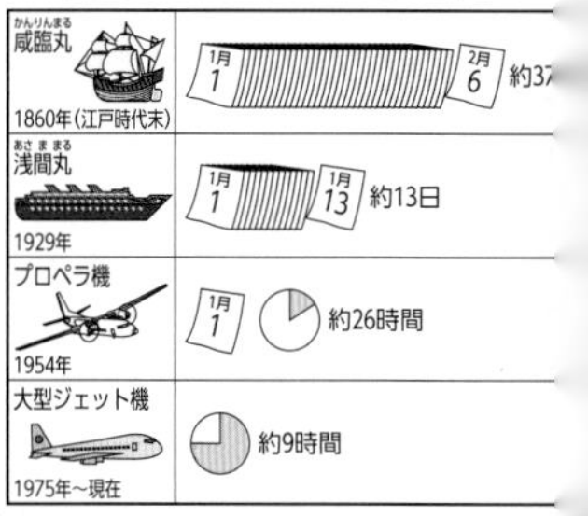

1月1 は1日を表します。 は12時間を表します。

おもな航空路(便数は片道)－2015年－	
週100便以上	
週30～100便	
週30便未満	

〔OAG Flight Guide 2015〕

② おもな都市の距離と方位

1：1,000,000,000
0 10000km

イ ロンドン中心の正距方位図法

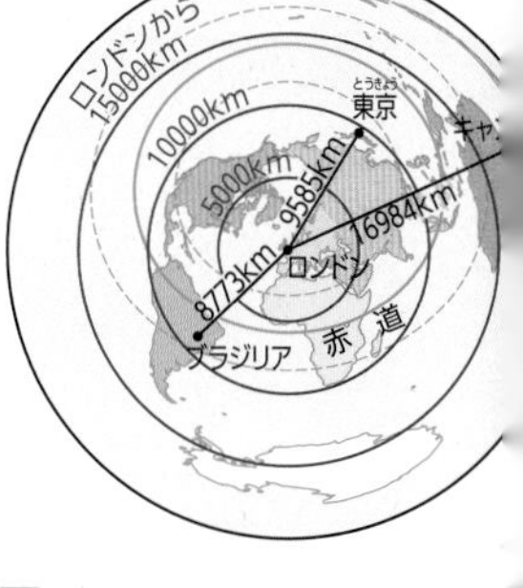

ウ ブラジリア中心の正距方位図法

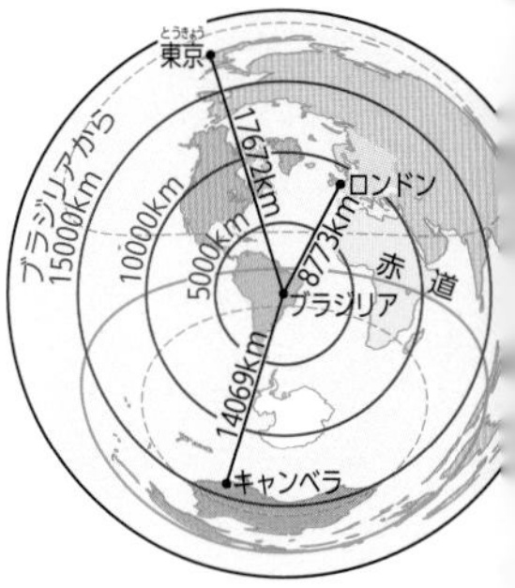

エ キャンベラ中心の正距方位図法

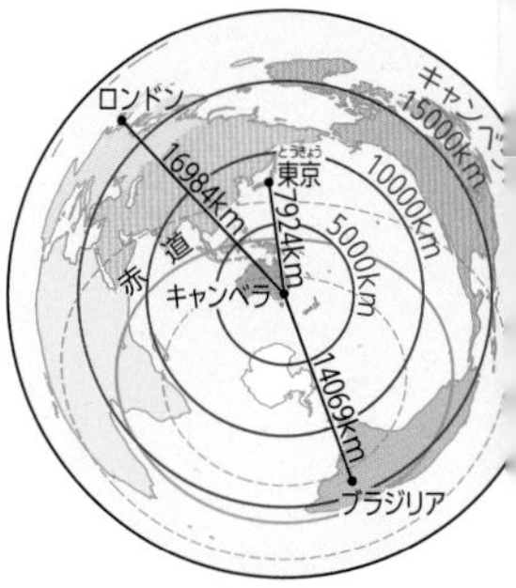

地図活用
③図を見て，携帯電話の契約数が，固定電話の契約数の20倍を超える国が多いのはどの州か答えよう。

③ 携帯電話の普及

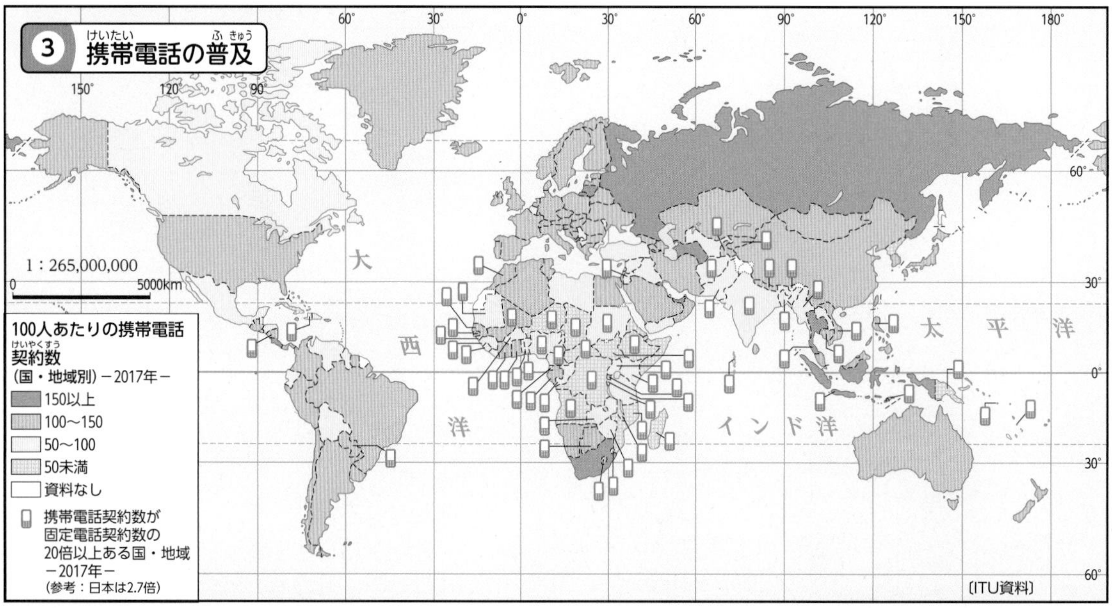

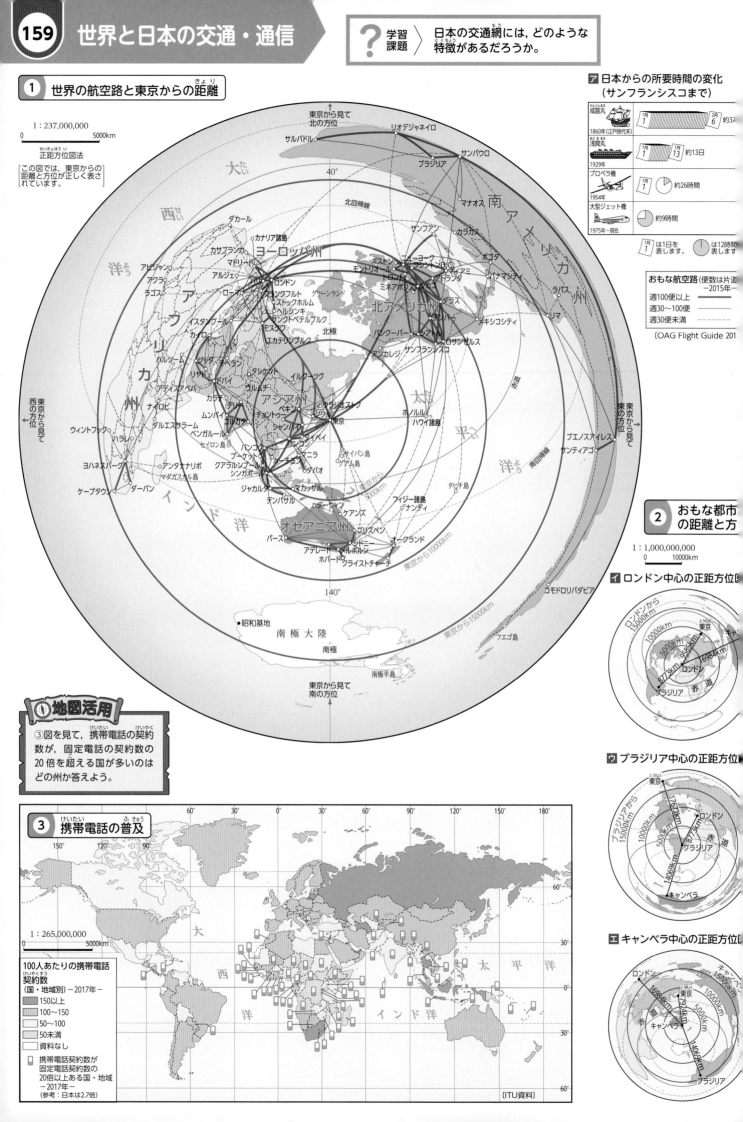

日本の航空路

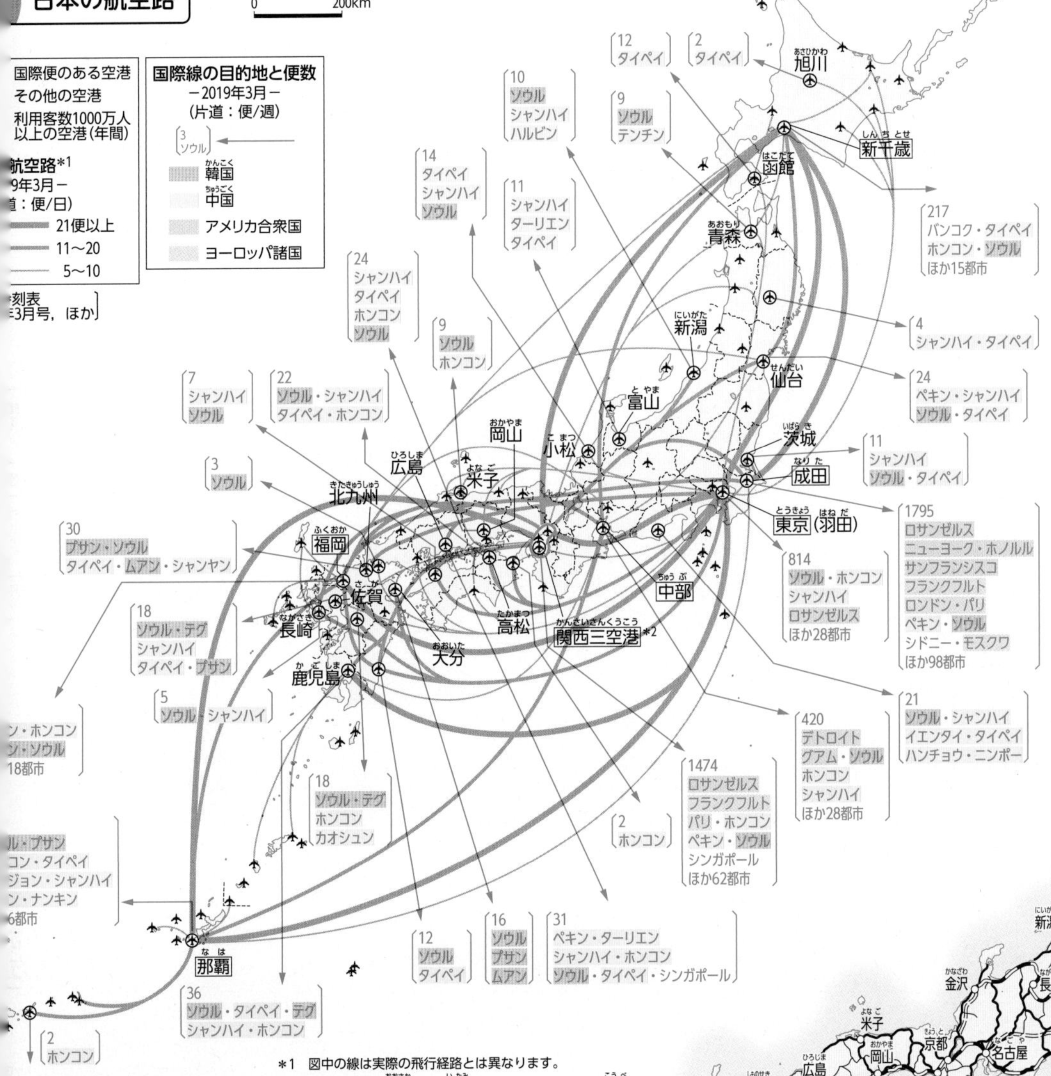

＊1　図中の線は実際の飛行経路とは異なります。
＊2　関西三空港は大阪国際(伊丹)空港，関西国際空港，神戸空港を合わせたものです。

地図活用

アジア，ヨーロッパ，北アメリカのうち，どの地域が日本の多くの空港と結びついているか答えよう。

5 日本の鉄道網

オ 青函トンネル

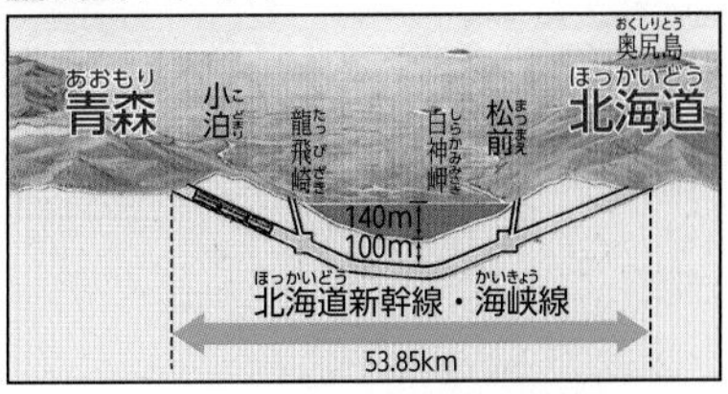

カ はやさの比較(最高時速)

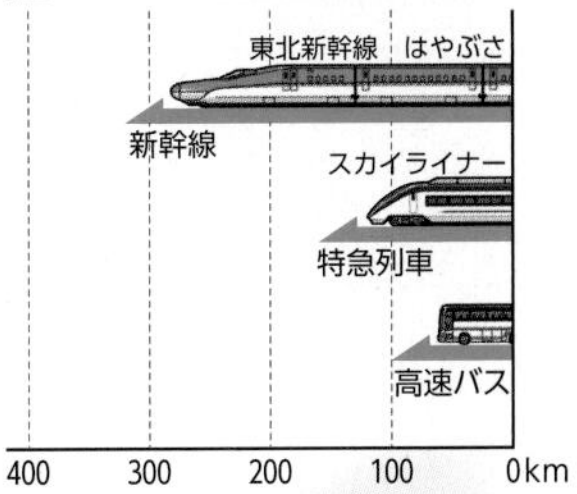

6 高速道路網の発達

7 鉄道の発達による時間距離の変化

キ 東京と博多(福岡)間の所要時間の変化

1964年	新幹線ひかり・特急つばめ	東海道新幹線開通時 12時間30分
1975年	新幹線ひかり	山陽新幹線全通時 6時間55分
2020年4月現在	新幹線のぞみ	4時間46分

〔JTB時刻表 2020年4月号，ほか〕

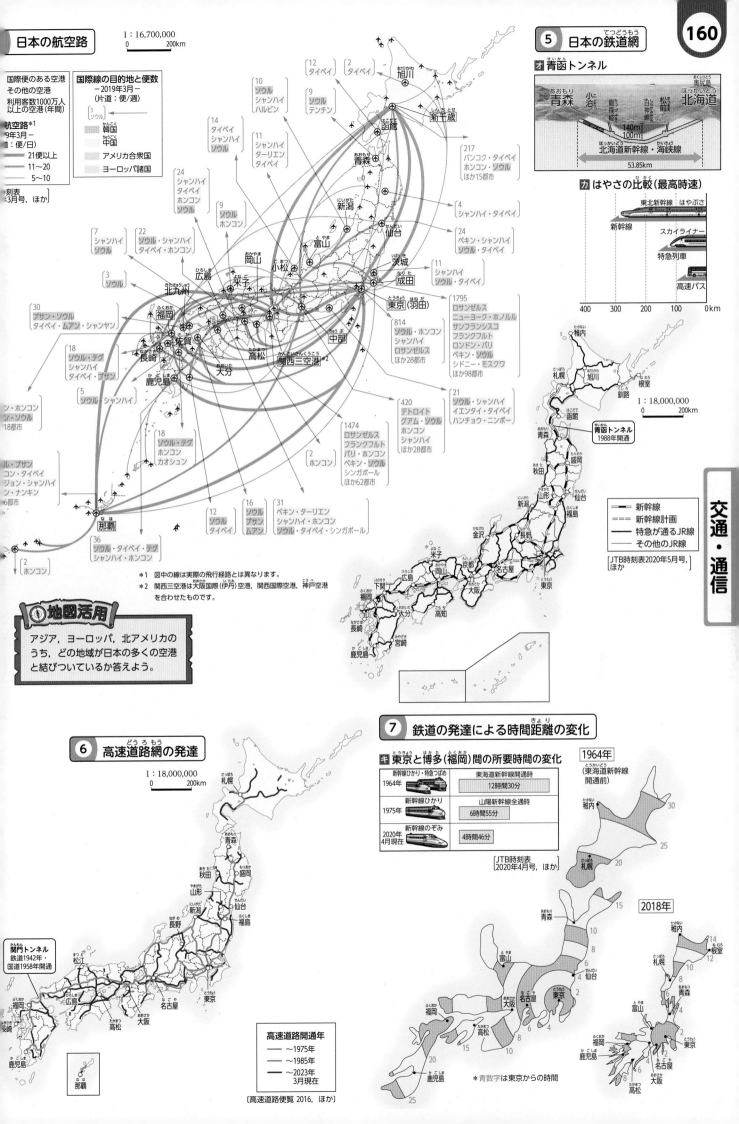

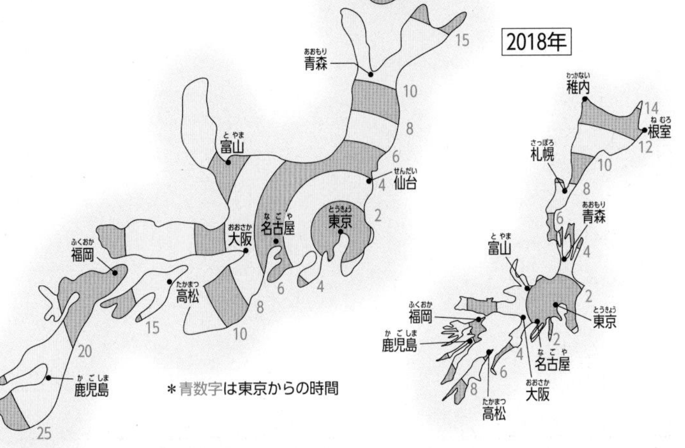

観光・スポーツ

1 国際旅行者到着数　―おもに2018年―

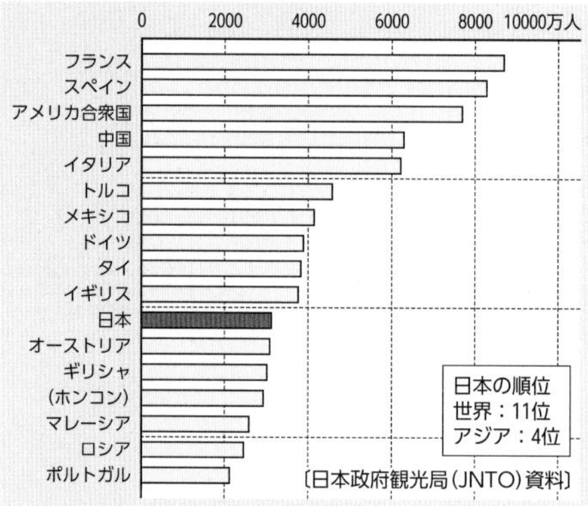

2 訪日外国人数の推移

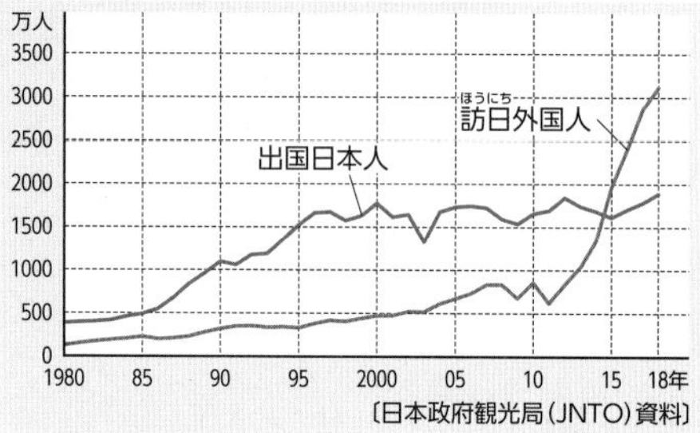

ア 訪日外国人の国・地域別割合
―2018年―

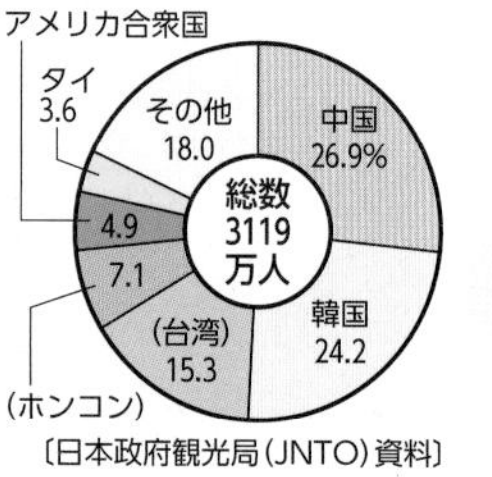

3 外国人旅行者の訪問地

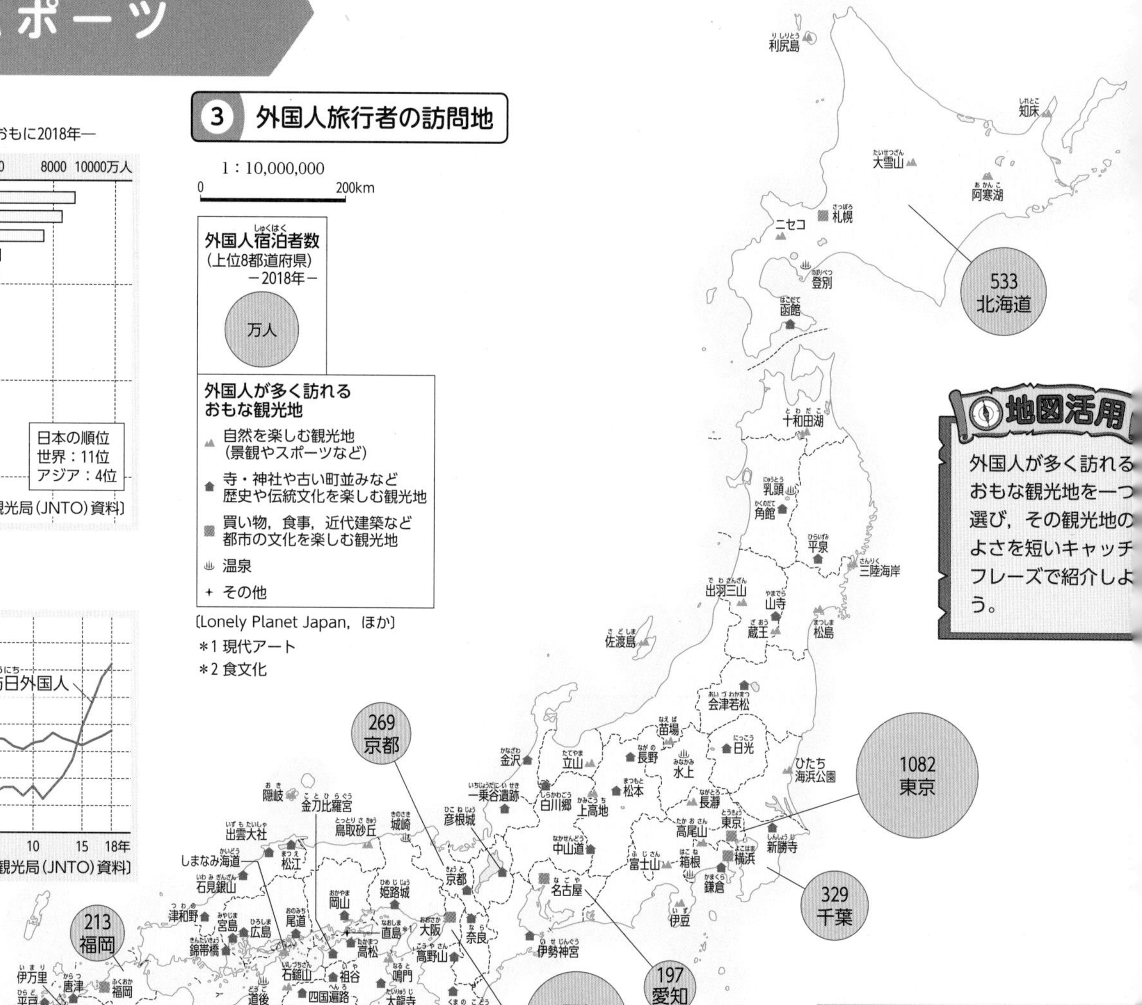

地図活用

外国人が多く訪れるおもな観光地を一つ選び，その観光地のよさを短いキャッチフレーズで紹介しよう。

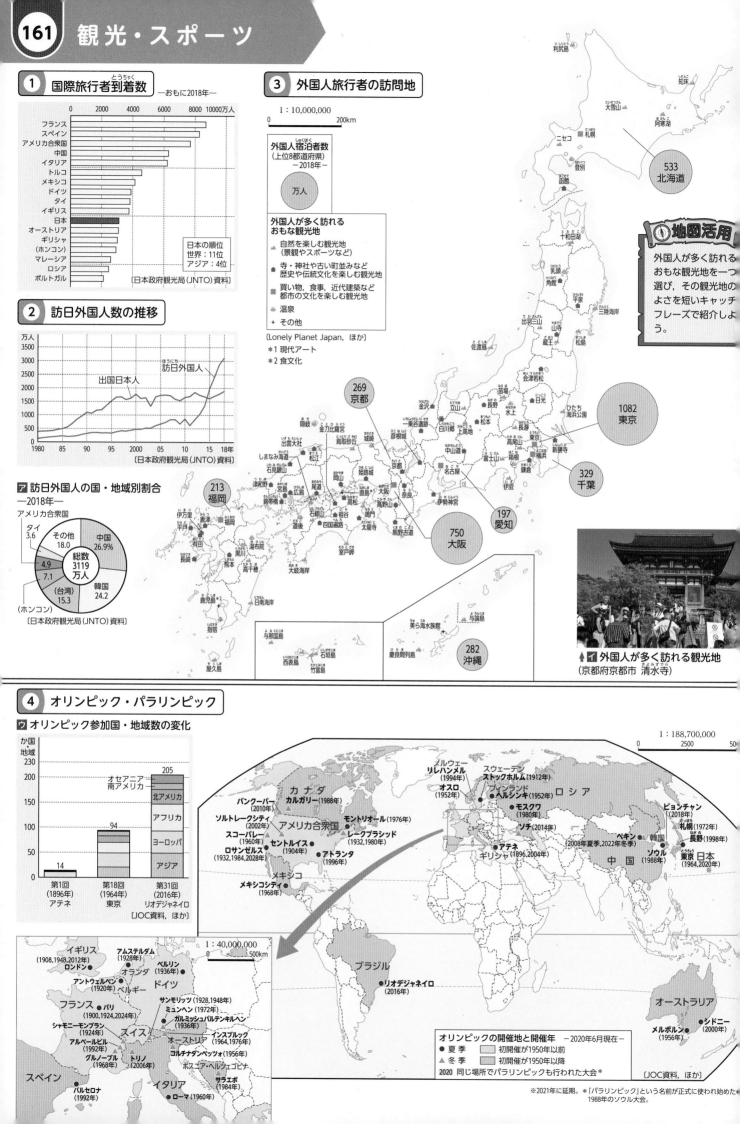

イ 外国人が多く訪れる観光地
(京都府京都市 清水寺)

4 オリンピック・パラリンピック

ウ オリンピック参加国・地域数の変化

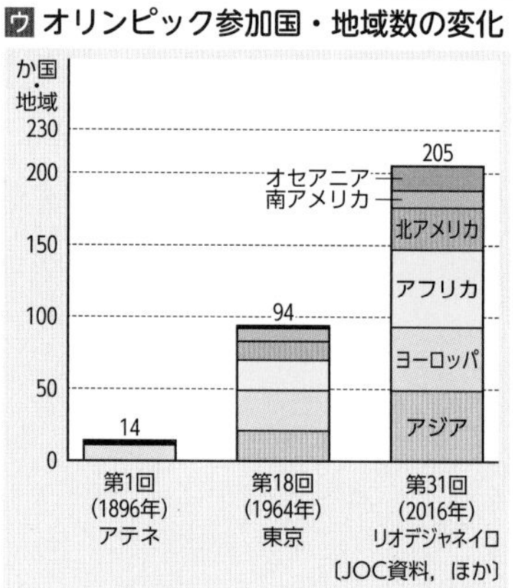

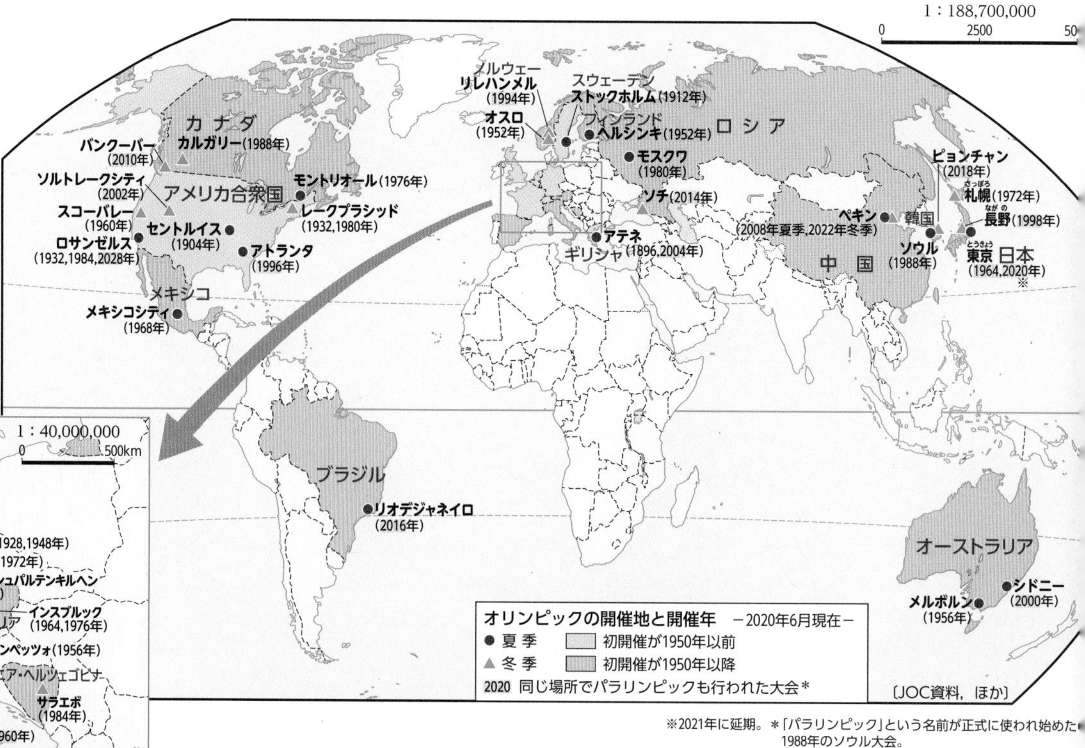

※2021年に延期。＊「パラリンピック」という名前が正式に使われ始めた1988年のソウル大会。

日本の世界文化遺産と史跡

富士山 ➡ p.108④

富士山(静岡県・山梨県)　古くから人々
まれ，信仰や芸術の対象となりました。

⬆イ 五稜郭(北海道函館市)　戊辰戦争の舞台になりました。

原爆ドーム(広島県広島市)　原爆による
と平和の大切さを現在へ伝えています。

⬆エ 姫路城(兵庫県姫路市)　法隆寺とともに，日本で初めて世界文化遺産に登録されました。

大浦天主堂(長崎県長崎市)
に建てられ，潜伏キリシタンが
を告白しました。

ケ 京都・奈良・大阪付近

⬆ク 百舌鳥古墳群(大阪府堺市)　日本最大の古墳 大仙(大山)古墳があります。

学習課題
日本には，どのような世界文化遺産や史跡があるだろうか。また日本では，どのような地図がつくられてきただろうか。

⬆カ 中尊寺金色堂(岩手県平泉町)
奥州藤原氏によって建立されました。

⬆キ 富岡製糸場(群馬県富岡市)　西洋の製糸技術を導入した官営工場でした。

⬆コ 吉野山(奈良県吉野町)　後醍醐天皇によって南朝の拠点が置かれました。

正確になる日本地図

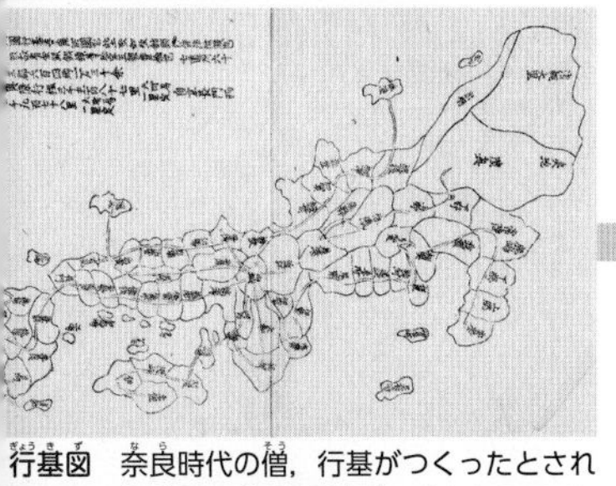
行基図　奈良時代の僧，行基がつくったとされ
図です。行基図は位置関係がよくわかるので，
が活躍してから約1000年間，江戸時代まで使わ
した。

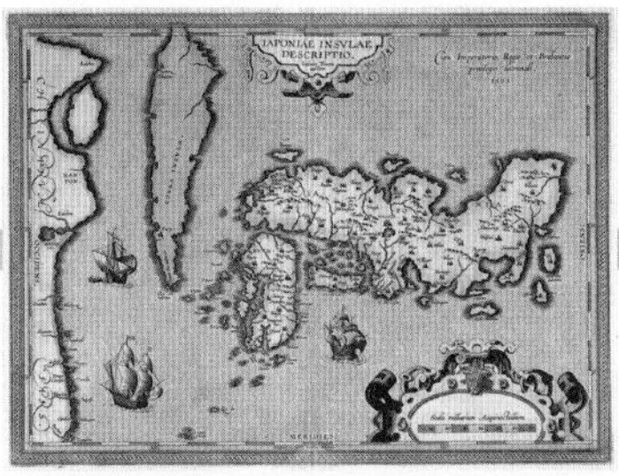
⬆シ 外国人が描いた日本地図　戦国時代にポルトガル人のキリスト教の宣教師がつくりました。

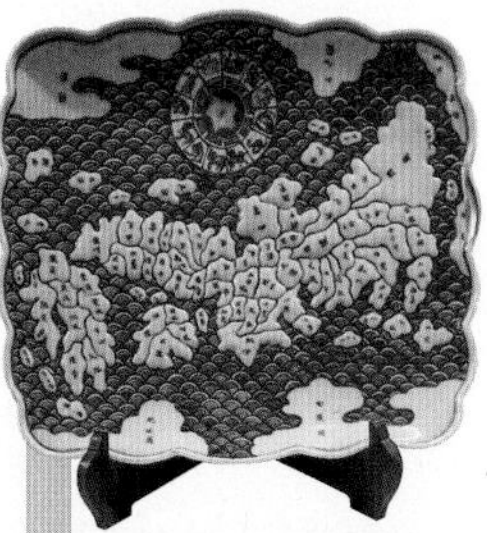
⬆ス 日本地図が描かれた皿　江戸時代につくられた有田焼の皿です。

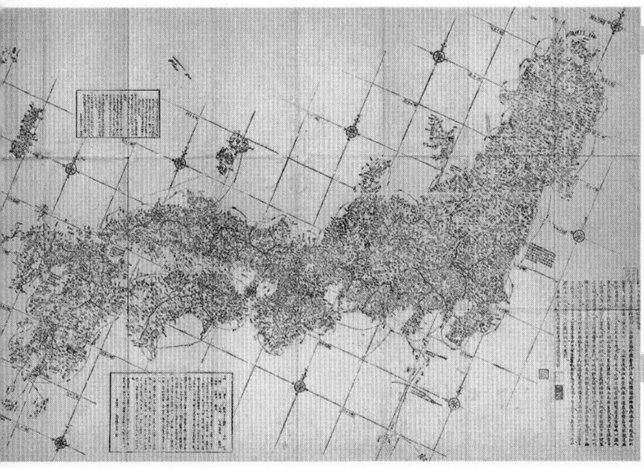
⬅セ 赤水図　江戸時代に長久保赤水がつくった地図です。写真ソの伊能図より約40年早くつくられました。伊能図は幕府が一般に公開しなかったため，一般の人はこの地図を頼りにしました。
〈『改正日本輿地路程全図』〉

⬅ソ 伊能図　江戸時代に伊能忠敬が，約17年かけて自分の足で日本各地を歩いて測量を行いつくった地図です。日本で初めてとなる測量に基づいてつくられた地図で，日本の地図の発展に貢献しました。〈『大日本沿海輿地全図 小図』〉

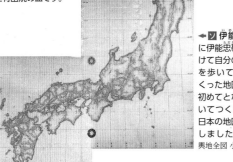

学習課題 日本の伝統的な生活や文化には，どのような特色があるだろうか。

1 伝統的な町並みの保存

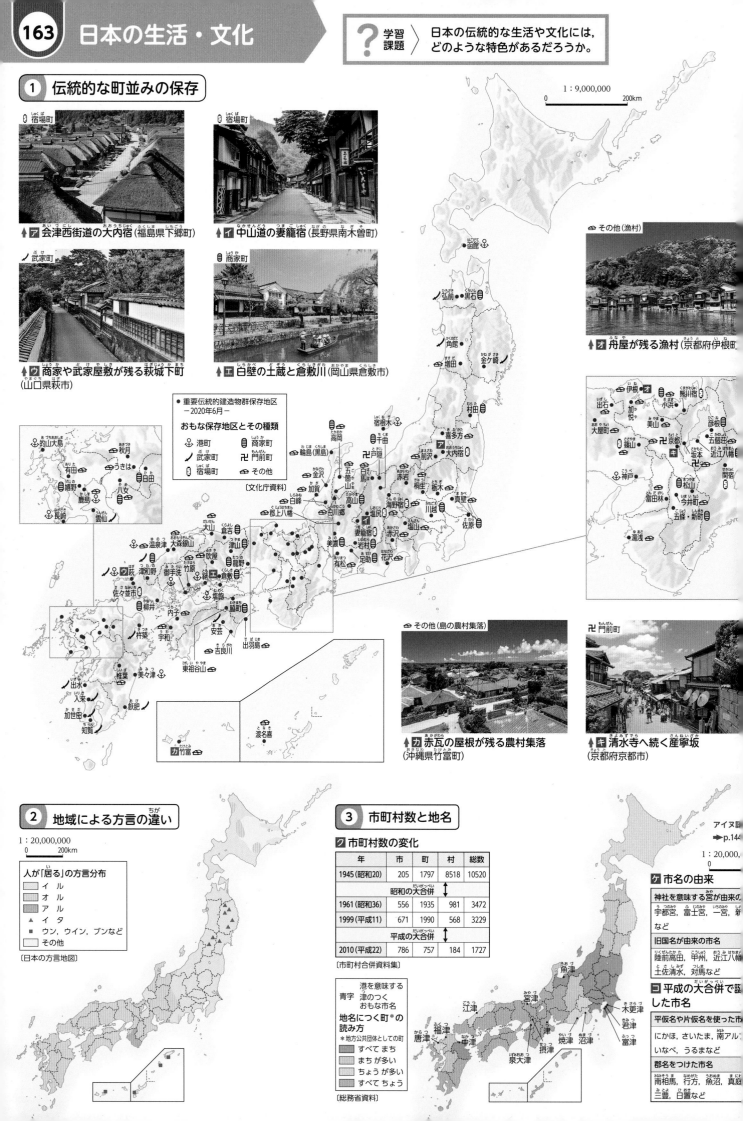

宿場町

▲ア 会津西街道の大内宿（福島県下郷町）

宿場町

▲イ 中山道の妻籠宿（長野県南木曽町）

武家町

▲ウ 商家や武家屋敷が残る萩城下町（山口県萩市）

商家町

▲エ 白壁の土蔵と倉敷川（岡山県倉敷市）

その他（漁村）

▲オ 舟屋が残る漁村（京都府伊根町）

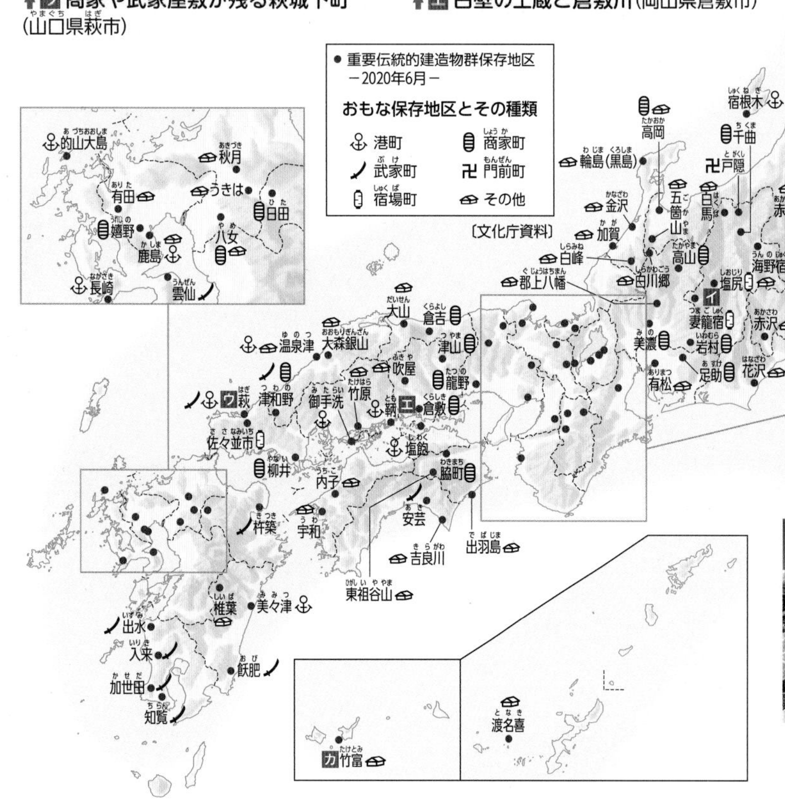
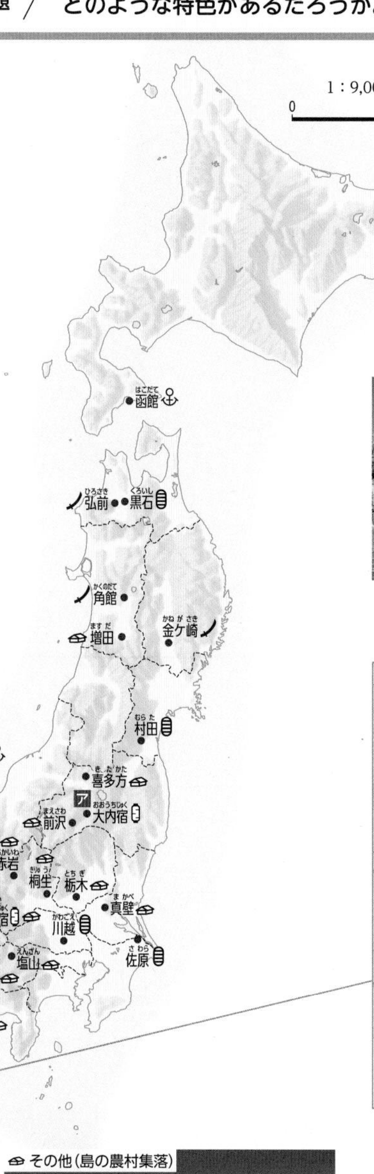
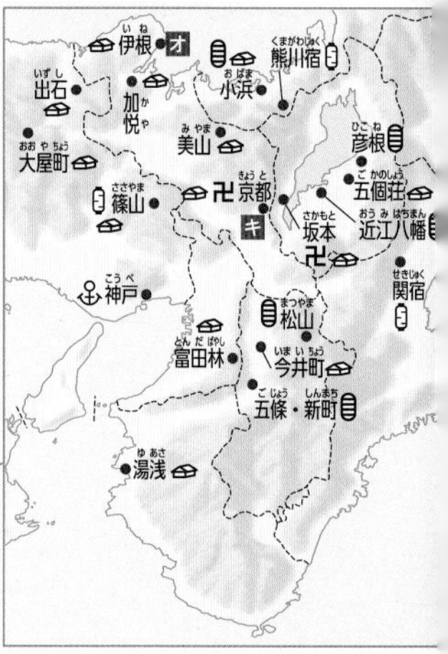

その他（島の農村集落）

▲カ 赤瓦の屋根が残る農村集落（沖縄県竹富町）

門前町

▲キ 清水寺へ続く産寧坂（京都府京都市）

2 地域による方言の違い

3 市町村数と地名

ク 市町村数の変化

年	市	町	村	総数
1945（昭和20）	205	1797	8518	10520
昭和の大合併 ↕				
1961（昭和36）	556	1935	981	3472
1999（平成11）	671	1990	568	3229
平成の大合併 ↕				
2010（平成22）	786	757	184	1727

〔市町村合併資料集〕

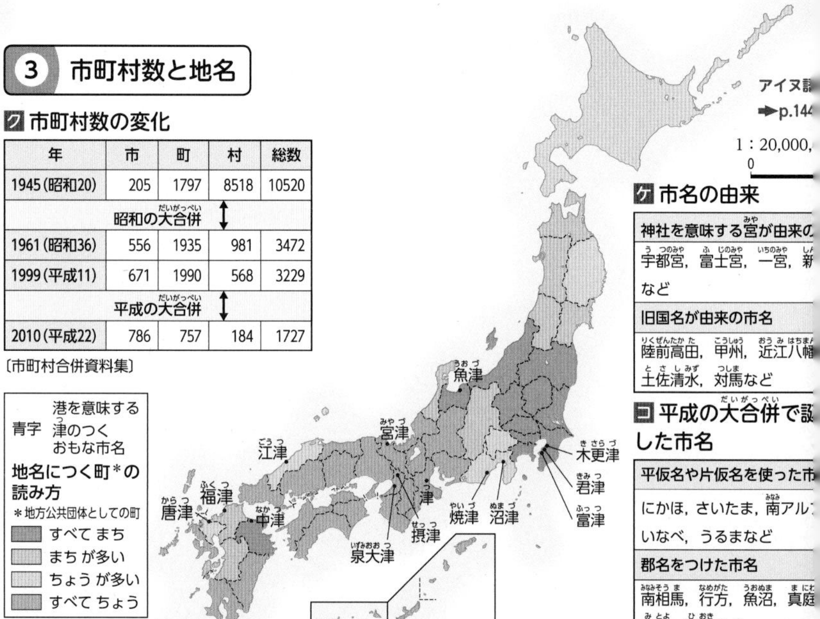

ケ 市名の由来

神社を意味する宮が由来の
宇都宮，富士宮，一宮，新 など
旧国名が由来の市名
陸前高田，甲州，近江八幡，土佐清水，対馬など

コ 平成の大合併で誕生した市名

平仮名や片仮名を使った市
にかほ，さいたま，南アル いなべ，うるまなど
郡名をつけた市名
南相馬，行方，魚沼，真庭 三豊，日置など

各地方の特色のある祭り・行事

山車*が登場する祭り

*祭りの時に飾り物をつけて引いたり担いだりする車。地域によって山鉾，山笠，屋台など，さまざまな呼び名がある（水色文字は山車の呼び名）。

秩父夜祭◆
（埼玉県秩父市）

❷高山祭◆
（岐阜県高山市）
屋台

❸犬山祭◆
（愛知県犬山市）
車山

❹祇園祭◆
（京都府京都市）
山鉾

❺博多祇園山笠◆
（福岡県福岡市）
山笠

◆ 無形文化遺産に登録された祭りや行事
❶～㉒は祭り・行事の位置を示す

〔文化庁資料，ほか〕
※「祭り」「祭」「まつり」は開催する団体が発表する表記

農耕に関わる祭り・行事

緑文字は行事の内容

チャグチャグ馬コ
（岩手県滝沢市・盛岡市）
…に欠かせない馬に
…る祭り

⓫磯部の御神田
（三重県志摩市）
伊勢神宮の御料田で行われる豊作・豊漁を祈る神事

那智の田楽◆
（和歌山県那智勝浦町）
…の田楽のようすを今
…，豊作を祈る神事

⓭壬生の花田植◆
（広島県北広島町）
稲作の無事と豊作を祈願する行事

外国の影響を受けた祭り

紫文字は外国との関係

唐子踊
（岡山県瀬戸内市）
…通信使の影響
…たともいわ
…踊り

⓲長崎くんち
（長崎県長崎市）
江戸時代に交易していた中国やオランダの影響を受けている

⓳那覇ハーリー
（沖縄県那覇市）
中国から伝わったとされるハーリーを用いる

その他の祭り

青文字は祭りの特徴

さっぽろ雪まつり
（北海道札幌市）
…や氷像の展示

㉑阿波おどり
（徳島県徳島市）
連とよばれる踊り手のグループが踊り歩く

よさこい祭り
（高知県高知市）
…とよばれる音の出る
…を手に持って踊る

シ 東北地方の夏祭り

茶色文字は祭りが行われる期間

❻青森ねぶた祭
（青森県青森市）
8月2日～7日

❼秋田竿燈まつり
（秋田県秋田市）
8月3日～6日

❽山形花笠まつり
（山形県山形市）
8月5日～7日

❾仙台七夕まつり
（宮城県仙台市）
8月6日～8日

セ 神社の祭り

赤文字は祭りを行う神社

⓮三社祭
（東京都台東区）
浅草神社

⓯御柱祭
（長野県諏訪市）
諏訪大社

⓰天神祭
（大阪府大阪市）
大阪天満宮

地図活用

角もちと丸もち以外にも，食文化の分布に地域差がみられるものがないか，図書館の本などを調べ，調べた食文化の分布の特徴をクラスで発表しよう。

5 日本の伝統的な料理

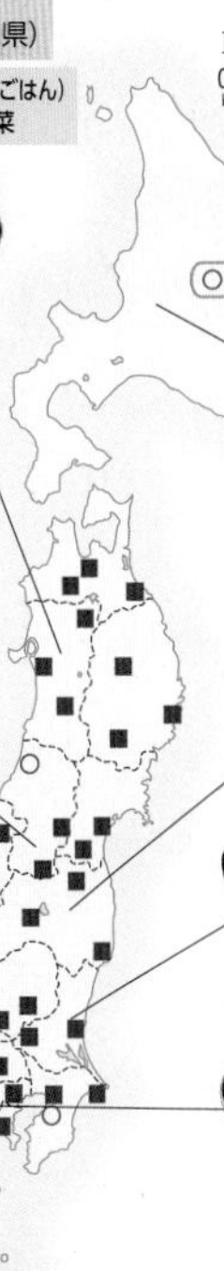

郷土料理	雑煮のもち
山・川の幸	■ 角もち
海の幸	○ 丸もち
魚 おもな材料	○■ 明治以降広まったため混在

〔奥村彪生氏による，ほか〕

きりたんぽ鍋（秋田県）
・きりたんぽ（棒につけ焼いたごはん）・とり肉 ・せり ・野菜

石狩鍋（北海道）
・さけ ・野菜 ・豆腐 ・みそ

いも煮（山形県）
・さといも ・牛肉 ・ねぎ

こづゆ（福島県）
・干し貝柱 ・糸こんにゃく ・野菜

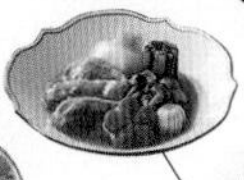

治部煮（石川県）
・鴨肉 ・ふ ・野菜

かき鍋（広島県）
・かき ・魚 ・野菜 ・みそ

がめ煮（筑前煮）（福岡県）
・とり肉 ・にんじん ・ごぼう ・たけのこ

あんこう鍋（茨城県）
・あんこう ・野菜

ほうとう鍋（山梨県）
・ほうとう（手打ちうどん） ・かぼちゃ ・だいこん ・みそ

ソーキそば（沖縄県）
・ぶた肉（骨つき） ・そば

みそ煮込みうどん（愛知県）
・うどん ・とり肉 ・野菜 ・みそ

たい飯（愛媛県）
・たい ・米

さつま汁（鹿児島県）
・とり肉（骨つき） ・野菜 ・みそ

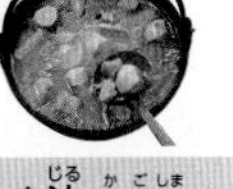

1 地球の大きさ

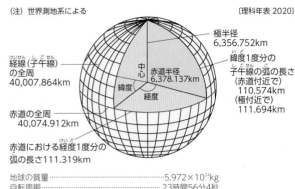

(注) 世界測地系による　〔理科年表 2020〕

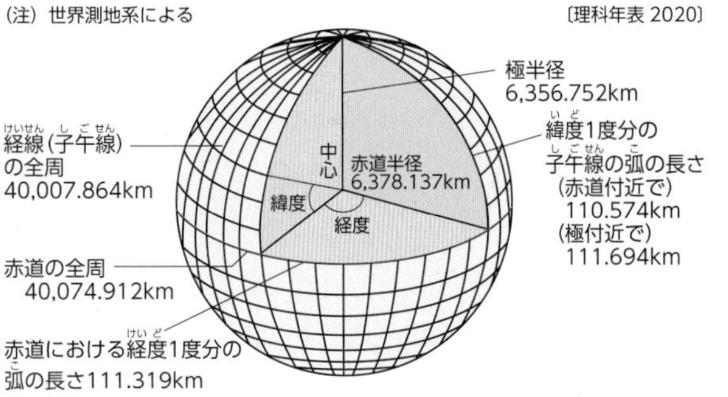

地球の質量……5.972×10^24kg
自転周期……23時間56分4秒
公転周期……365.2422日
地球の表面積……510,066,000km²
地球の陸地の面積……147,244,000km²
地球の海の面積……362,822,000km²
地球の体積……1,083,847,550,000km³
北回帰線・南回帰線の緯度……23°26′21.406″
(赤道面と軌道面の傾き)

緯度と経度

・緯度とは，地球の中心から地表を見たときに地球を南北に分ける角度のことで，赤道を緯度０度として，北極と南極までそれぞれ90度に分かれます。
・赤道より北側を北緯，南側を南緯といい，同じ緯度を結ぶ線を緯線といいます。
・経度とは，地球の中心から地表を見たときに地球を東西に分ける角度のことで，北極からイギリスのロンドンを通り南極までを結ぶ線を経度０度として，東西にそれぞれ180度に分かれます。
・経度０度より東側を東経，西側を西経といい，同じ経度を結ぶ線を経線といいます。

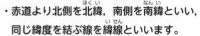

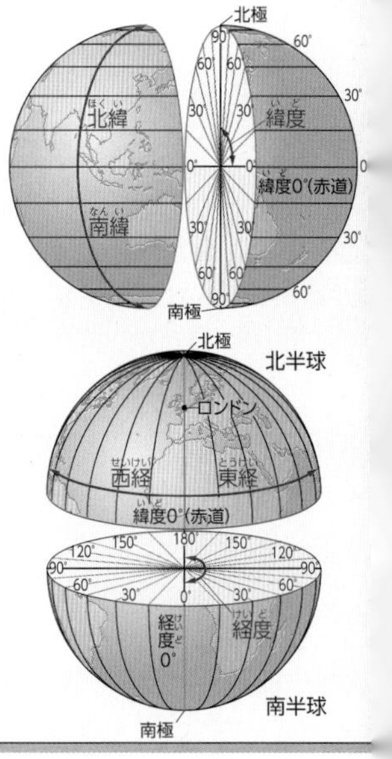

2 おもな山

世界　▲は火山

山名	所在地	高さ(m)
アジア		
エベレスト山(チョモランマ，サガルマータ)	ヒマラヤ山脈	8 848
K2(ゴッドウィンオースティン山)	カラコルム山脈	8 611
カンチェンジュンガ山	ヒマラヤ山脈	8 586
マナスル山	ヒマラヤ山脈	8 163
ナンガパルバット山	ヒマラヤ山脈	8 126
アンナプルナ山	ヒマラヤ山脈	8 091
ハンテングリ山	テンシャン山脈	6 995
▲ダマバンド山	エルブールズ山脈	5 670
ヨーロッパ		
▲エルブルース山	カフカス山脈	5 642
モンブラン山	アルプス山脈	4 810
マッターホルン山	アルプス山脈	4 478
ユングフラウ山	アルプス山脈	4 158
アネト山	ピレネー山脈	3 404
▲エトナ山	シチリア島	3 330
▲ベズビオ山	イタリア半島	1 281
アフリカ		
▲キリマンジャロ山	タンザニア	5 895
▲キリニャガ山(ケニア山)	ケニア	5 199
ルウェンゾリ山	ウガンダ・コンゴ(民)	5 110
北アメリカ		
デナリ(マッキンリー)山	アラスカ山脈	6 190
▲オリサバ山	メキシコ	5 675
▲ポポカテペトル山	メキシコ	5 426
南アメリカ		
アコンカグア山	アンデス山脈	6 959
▲コトパクシ山	アンデス山脈	5 911
オセアニア		
ジャヤ峰	ニューギニア島	4 884
アオラキ(クック)山	ニュージーランド南島	3 724
▲タラナキ(エグモント)山	ニュージーランド北島	2 518
南極大陸		
ビンソンマッシーフ		4 897
▲エレバス山		3 794

日本　▲は火山

山名	所在地	高さ(m)
▲富士山	山梨・静岡	3 776
北岳	山梨	3 193
穂高岳(奥穂高)	長野・岐阜	3 190
間ノ岳	山梨・静岡	3 190
槍ケ岳	長野・岐阜	3 180
赤石岳	長野・静岡	3 121
▲御嶽山	長野・岐阜	3 067
▲乗鞍岳	長野・岐阜	3 026
立山(大汝山)	富山	3 015
剱岳	富山	2 999
駒ケ岳(甲斐駒)	長野・山梨	2 967
駒ケ岳(木曽駒)	長野	2 956
白馬岳	長野・富山	2 932
▲八ケ岳(赤岳)	長野・山梨	2 899
▲白山	石川・岐阜	2 702
▲浅間山	群馬・長野	2 568
▲男体山	栃木	2 486
▲妙高山	新潟	2 454
▲大雪山(旭岳)	北海道	2 291
▲鳥海山	秋田・山形	2 236
▲岩手山	岩手	2 038
▲吾妻山(西吾妻)	福島・山形	2 035
▲月山	山形	1 984
石鎚山(天狗岳)	愛媛	1 982
宮之浦岳	鹿児島(屋久島)	1 936
▲蔵王山(熊野岳)	山形・宮城	1 841
▲赤城山	群馬	1 828
▲磐梯山	福島	1 816
▲大山	鳥取	1 729
▲霧島山(韓国岳)	宮崎・鹿児島	1 700
▲阿蘇山(高岳)	熊本	1 592
▲箱根山(神山)	神奈川	1 438
▲三原山(三原新山)	東京(大島)	758
▲昭和新山	北海道	398

3 おもな川

世界

川名	長さ(km)	流域面積(100km²)
アジア		
長江(揚子江)	6 380	19 590
オビ川	①5 568	29 900
エニセイ川・アンガラ川	5 550	25 800
黄河	5 464	9 800
メコン川	4 425	8 100
アムール川	4 416	18 550
レナ川	4 400	24 900
ブラマプトラ川	2 840	16 210 (ブラマプトラ川・ガンジス川)
ガンジス川	2 510	
ユーフラテス川	2 800	7 650
エーヤワディー川	1 992	4 300
ヨーロッパ		
ボルガ川	3 688	13 800
ドナウ川	2 850	8 150
ドン川	1 870	4 300
ライン川	1 230	2 240
セーヌ川	780	778
テムズ川	365	136
アフリカ		
ナイル川	②6 695	33 490
コンゴ川	4 667	37 000
ニジェール川	4 184	18 900
ザンベジ川	2 736	13 300
北アメリカ		
ミシシッピ川	③5 969	32 500
ユーコン川	3 185	8 550
セントローレンス川	3 058	14 630
リオグランデ川	3 057	5 700
コロラド川	2 333	5 900
南アメリカ		
アマゾン川	6 516	70 500
ラプラタ川	④4 500	31 000
オリノコ川	2 500	9 450
オセアニア		
マリー川	⑤3 672	10 580

①イルティシ川源流から　②カゲラ川源流から　③ミズーリ川源流から
④パラナ川源流から　⑤ダーリング川源流から

日本

川名	長さ(km)	流域面積(km²)
北海道		
石狩川	268	14 3
天塩川	256	5 5
十勝川	156	9 0
東北		
北上川	249	10 1
阿武隈川	239	5 4
最上川	229	7 0
雄物川	133	4 7
関東		
利根川	322	16 8
荒川	173	2 9
多摩川	138	1 2
中部		
信濃川	367	11 9
木曽川	229	9 1
天竜川	213	5 0
阿賀野川	210	7 7
大井川	168	1 2
富士川	128	3 9
九頭竜川	116	2 9
近畿		
熊野川	183	2 3
紀の川	136	1 7
淀川	75	8 2
中国・四国		
四万十川	196	2 2
江の川	194	3 9
吉野川	194	3 7
旭川	142	1 8
仁淀川	124	1 5
高梁川	111	2 6
九州		
筑後川	143	2 8
球磨川	115	1 8
大淀川	107	2 2

4 おもな島

世界

島名	所属	面積(km²)
グリーンランド	デンマーク	2 175 600
ニューギニア	インドネシア・パプアニューギニア	771 900
カリマンタン(ボルネオ)	インドネシア・マレーシア・ブルネイ	736 600
マダガスカル	マダガスカル	590 300
バッフィン	カナダ	512 200
スマトラ	インドネシア	433 800
本州	日本	227 942
グレートブリテン	イギリス	217 800
スラウェシ	インドネシア	179 400
南島	ニュージーランド	150 500
ジャワ	インドネシア	126 100
キューバ	キューバ	114 500
北島	ニュージーランド	114 300
ニューファンドランド	カナダ	110 700
ルソン	フィリピン	105 700

日本

島名	所属	面積(km²)
本州		227 942
北海道		77 984
九州		36 782
四国		18 297
択捉島	北海道	3 167
国後島	北海道	1 489
沖縄島	沖縄	1 207
佐渡島	新潟	855
大島(奄美大島)	鹿児島	712
対馬	長崎	696
淡路島	兵庫	593
天草下島	熊本	575
屋久島	鹿児島	504
種子島	鹿児島	444
福江島	長崎	326
西表島	沖縄	290
色丹島	北海道	248

5 おもな湖沼

世界

湖沼名	面積(km²)	最大水深(m)
カスピ海	374 000	1 025
スペリオル湖	82 367	406
ビクトリア湖	68 800	84
ヒューロン湖	59 570	228
ミシガン湖	58 016	281
タンガニーカ湖	32 000	1 471
バイカル湖	31 500	1 741
グレートベア湖	31 153	446
グレートスレーブ湖	28 568	625
エリー湖	25 821	64
ウィニペグ湖	23 750	36
マラウイ湖	22 490	706
オンタリオ湖	19 009	244
バルハシ湖	18 200	26
マラカイボ湖	13 010	60
アラル海	10 030	43
チチカカ湖	8 372	281

日本

湖沼名	面積(km²)	最大水深(m)
琵琶湖〔滋賀〕	669	10
霞ケ浦〔茨城〕	168	[illegible]
サロマ湖〔北海道〕	152	[illegible]
猪苗代湖〔福島〕	103	[illegible]
中海〔島根・鳥取〕	86	[illegible]
屈斜路湖〔北海道〕	80	1
宍道湖〔島根〕	79	[illegible]
支笏湖〔北海道〕	78	36
洞爺湖〔北海道〕	71	18
浜名湖〔静岡〕	65	[illegible]
小川原湖〔青森〕	62	[illegible]
十和田湖〔青森・秋田〕	61	32
北浦〔茨城〕	35	[illegible]
田沢湖〔秋田〕	26	42
諏訪湖〔長野〕	13	[illegible]
池田湖〔鹿児島〕	11	23
山中湖〔山梨〕	7	[illegible]

おもな都市の月平均気温・月降水量*

1. 単位は気温：℃　降水量：mm　2. **赤太文字**は最高，黒の *斜文字* および青の *斜文字* は最低を示す。
＊月平均気温・月降水量は，複数年の平均値

界

〔理科年表 2020，ほか〕

気候	都市（観測地点の高さ・m）〔国名〕		1月	2月	3月	4月	5月	6月	7月	8月	9月	10月	11月	12月	全年
（熱帯雨林気候）一年中雨が多く，暑い。	シンガポール (5)〔シンガポール〕	気温	*26.6*	27.2	27.6	28.0	**28.4**	**28.4**	27.9	27.8	27.7	27.7	27.0	*26.6*	27.6
		降水量	246	*114*	174	152	167	136	156	154	163	156	266	**315**	2199
	マカパ (15)〔ブラジル〕	気温	26.6	26.4	*26.2*	26.5	26.9	26.8	26.9	27.9	28.5	**28.8**	28.4	27.7	27.3
		降水量	303	353	368	**392**	340	246	196	97	*25*	31	57	160	2569
（サバナ気候）雨季と乾季があり，一年中暑い。	バンコク (3)〔タイ〕	気温	27.3	28.6	29.8	**30.9**	30.1	29.7	29.3	29.1	28.7	28.4	27.9	*26.6*	28.9
		降水量	15	18	39	87	246	162	171	208	**349**	302	48	*7*	1653
（ステップ気候）乾燥しているが，短い雨季がある。	カルグーリー (366)〔オーストラリア〕	気温	**26.0**	25.1	22.6	19.2	14.9	11.7	*10.9*	12.2	15.4	18.7	21.7	24.0	18.5
		降水量	25	**33**	32	23	26	24	23	24	*16*	17	17	23	283
（砂漠気候）一年中雨が少なく，樹木は育たない。	カイロ (116)〔エジプト〕	気温	*14.1*	14.8	17.3	21.6	24.5	27.4	28.0	**28.2**	26.6	24.0	19.2	15.1	21.7
		降水量	7.1	4.3	6.9	1.2	0.4	*0.0*	*0.0*	0.3	*0.0*	0.1	6.4	**7.9**	34.6
（地中海性気候）夏は雨が少なく，比較的暖かい。冬季に雨が降る。	ローマ (2)〔イタリア〕	気温	*8.4*	9.0	10.9	13.2	17.2	21.0	23.9	**24.0**	21.1	16.9	12.1	9.4	15.6
		降水量	74	74	61	60	34	21	*9*	33	74	**98**	93	86	717
（温暖湿潤気候）1年を通して雨が多く，四季の気温の差が大きい。	ニューヨーク (7)〔アメリカ合衆国〕	気温	*1.0*	2.0	5.9	11.6	17.1	22.4	**25.3**	24.8	20.8	14.7	9.2	3.7	13.2
		降水量	83	*68*	105	102	97	102	**111**	108	95	97	88	90	1145
	ブエノスアイレス (25)〔アルゼンチン〕	気温	**24.8**	23.4	21.8	17.8	14.6	11.8	*11.0*	12.9	14.6	17.7	20.5	23.2	17.8
		降水量	**145**	121	144	136	94	61	*60*	76	72	127	127	111	1273
（西岸海洋性気候）1年を通して雨が降り，四季の気温の差が少ない。	パリ (89)〔フランス〕	気温	*4.1*	5.1	7.9	11.0	14.8	18.3	**19.8**	19.7	16.1	12.1	7.4	4.3	11.7
		降水量	43	42	43	47	56	47	61	**66**	*40*	58	55	56	613
（冷帯）四季の区別ははっきりしている。冬は長く寒い。	モスクワ (156)〔ロシア〕	気温	−6.5	*−6.7*	−1.0	6.7	13.2	17.0	**19.2**	17.0	11.3	5.6	−1.2	−5.2	5.8
		降水量	52	43	*35*	36	50	80	**84**	82	67	71	55	50	707
（冷帯）冬が長く，きわめて寒い。	イルクーツク (469)〔ロシア〕	気温	*−17.7*	−14.4	−6.4	2.4	10.1	15.4	**18.3**	15.9	9.1	1.8	−7.9	−15.3	0.9
		降水量	14	*8*	11	19	36	79	**109**	93	52	21	21	16	479
（ツンドラ気候）短い夏には地表の氷がとけ，こけ類などが育つ。	ディクソン (47)〔ロシア〕	気温	−24.8	*−25.7*	−22.3	−17.4	−7.7	0.5	5.0	**5.5**	1.7	−7.5	−17.5	−22.7	−11.1
		降水量	36	29	26	*20*	21	33	34	41	**43**	36	28	38	384
（氷雪気候）一年中寒く，氷におおわれている。	昭和基地 (18)〔南極大陸〕	気温	**−0.7**	−2.9	−6.5	−10.1	−13.5	−15.2	−17.3	*−19.4*	−18.1	−13.5	−6.8	−1.6	−10.4
		降水量	—	—	—	—	—	—	—	—	—	—	—	—	—
…の気候	ラパス (4058)〔ボリビア〕	気温	9.0	8.7	8.9	8.5	7.9	6.8	*6.4*	7.7	8.5	9.7	**10.4**	9.7	8.5
		降水量	**242**	105	94	44	15	12	*11*	26	37	44	59	127	817

本

〔理科年表 2020〕

気候	都市（観測地点の高さ・m）〔都道府県名〕		1月	2月	3月	4月	5月	6月	7月	8月	9月	10月	11月	12月	全年
	網走 (37.6)〔北海道〕	気温	−5.5	*−6.0*	−1.9	4.4	9.4	13.1	17.1	**19.6**	16.3	10.6	3.7	−2.4	6.5
		降水量	55	*36*	44	52	62	54	87	101	**108**	70	60	59	788
	旭川 (119.8)〔北海道〕	気温	*−7.5*	−6.5	−1.8	5.6	11.8	16.5	20.2	**21.1**	15.9	9.2	1.9	−4.3	6.9
		降水量	70	51	54	*48*	65	64	109	**134**	131	104	117	97	1042
	根室 (25.2)〔北海道〕	気温	−3.7	*−4.3*	−1.3	3.4	7.3	10.6	14.2	**17.3**	15.7	11.3	5.3	−0.5	6.3
		降水量	36	*23*	53	67	102	91	122	121	**167**	106	85	50	1021
	札幌 (17.4)〔北海道〕	気温	*−3.6*	−3.1	0.6	7.1	12.4	16.7	20.5	**22.3**	18.1	11.8	4.9	−0.9	8.9
		降水量	114	94	78	57	53	*47*	81	124	**135**	109	104	112	1107
	青森 (2.8)〔青森〕	気温	*−1.2*	−0.7	2.4	8.3	13.3	17.2	21.1	**23.3**	19.3	13.1	6.8	1.5	10.4
		降水量	145	111	70	*63*	81	76	117	123	123	104	138	**151**	1300
	秋田 (6.3)〔秋田〕	気温	*0.1*	0.5	3.6	9.6	14.6	19.2	22.9	**24.9**	20.4	14.0	7.9	2.9	11.7
		降水量	119	*89*	97	113	123	118	**188**	177	160	157	186	160	1686
	上越（高田） (12.9)〔新潟〕	気温	*2.4*	*2.4*	5.4	11.5	16.6	20.6	24.6	**26.3**	22.0	16.0	10.2	5.3	13.6
		降水量	419	262	194	*96*	*96*	145	211	150	206	211	342	**423**	2755
	金沢 (5.7)〔石川〕	気温	*3.8*	3.9	6.9	12.5	17.1	21.2	25.3	**27.0**	22.7	17.1	11.5	6.7	14.6
		降水量	270	172	159	*137*	155	185	232	139	226	177	265	**282**	2399
	鳥取 (7.1)〔鳥取〕	気温	*4.0*	4.4	7.5	13.0	17.7	21.7	25.7	**27.0**	22.6	16.7	11.6	6.8	14.9
		降水量	202	160	142	*109*	131	152	201	117	**204**	144	159	194	1914
	宮古 (42.5)〔岩手〕	気温	*0.3*	0.4	3.3	8.7	13.0	16.0	19.8	**22.2**	18.8	13.3	7.8	3.1	10.6
		降水量	61	*60*	82	101	94	116	159	171	**214**	126	80	65	1328
	仙台 (38.9)〔宮城〕	気温	*1.6*	2.0	4.9	10.3	15.0	18.5	22.2	**24.2**	20.7	15.2	9.4	4.5	12.4
		降水量	*37*	38	68	98	110	146	179	167	**188**	122	65	*37*	1254
	福島 (67.4)〔福島〕	気温	*1.6*	2.2	5.3	11.5	16.6	20.1	23.6	**25.4**	21.1	15.1	9.2	4.4	13.0
		降水量	49	44	76	81	93	122	**160**	154	**160**	119	66	*42*	1166
	東京 (25.2)〔東京〕	気温	*5.2*	5.7	8.7	13.9	18.2	21.4	25.0	**26.4**	22.8	17.5	12.1	7.6	15.4
		降水量	52	56	118	125	138	168	154	168	**210**	198	93	*51*	1529
	静岡 (14.1)〔静岡〕	気温	*6.7*	7.3	10.3	14.9	18.8	22.0	25.7	**27.0**	24.1	18.9	13.9	9.0	16.5
		降水量	75	103	217	210	213	**293**	278	251	292	200	132	*63*	2325
	尾鷲 (15.3)〔三重〕	気温	*6.3*	6.9	9.9	14.6	18.4	21.7	25.4	**26.4**	23.6	18.3	13.4	8.6	16.1
		降水量	*101*	119	253	289	372	406	397	468	**692**	396	250	107	3849
	高知 (0.5)〔高知〕	気温	*6.3*	7.5	10.8	15.6	19.7	22.9	26.7	**27.5**	24.7	19.3	13.8	8.5	17.0
		降水量	59	106	190	244	292	346	328	283	**350**	166	125	*58*	2548
	福岡 (2.5)〔福岡〕	気温	*6.6*	7.4	10.4	15.1	19.4	23.0	27.2	**28.1**	24.4	19.2	13.8	8.9	17.0
		降水量	68	72	113	117	143	255	**278**	172	178	74	85	*60*	1612
	宮崎 (9.2)〔宮崎〕	気温	*7.5*	8.6	11.9	16.1	19.9	23.1	**27.3**	27.2	24.4	19.4	14.3	9.6	17.4
		降水量	64	91	182	213	239	**429**	309	290	355	182	95	*60*	2509
内陸	松本 (610.0)〔長野〕	気温	*−0.4*	0.2	3.9	10.6	16.0	19.9	23.6	**24.7**	20.0	13.2	7.4	2.3	11.8
		降水量	36	44	80	75	100	126	138	92	**156**	102	55	*28*	1031
瀬戸内	大阪 (23.0)〔大阪〕	気温	*6.0*	6.3	9.4	15.1	19.7	23.5	27.4	**28.8**	25.0	19.0	13.6	8.6	16.9
		降水量	45	62	104	104	146	**185**	157	91	161	112	69	*44*	1279
	広島 (3.6)〔広島〕	気温	*5.2*	6.0	9.1	14.7	19.3	23.0	27.1	**28.2**	24.4	18.3	12.5	7.5	16.3
		降水量	45	67	124	142	178	247	**259**	111	170	88	68	*41*	1538
	高松 (9.4)〔香川〕	気温	*5.5*	5.9	8.9	14.4	19.1	23.0	27.0	**28.1**	24.3	18.4	12.8	7.9	16.3
		降水量	38	48	83	76	108	**151**	144	86	148	104	60	*37*	1082
南西諸島	奄美（名瀬） (2.8)〔鹿児島〕	気温	*14.8*	15.2	17.1	19.8	22.7	26.0	**28.7**	28.4	26.8	23.7	20.2	16.5	21.6
		降水量	200	162	233	229	259	**410**	202	268	303	235	180	*157*	2838
	那覇 (28.1)〔沖縄〕	気温	*17.0*	17.1	18.9	21.4	24.0	26.8	**28.9**	28.7	27.6	25.2	22.1	18.7	23.1
		降水量	107	120	161	166	232	247	141	241	**261**	153	110	*103*	2041

世界の統計（1）

1 世界の国別統計

赤太文字は1位，赤文字は2位から5位までの国を示す。
青文字は下位5か国を示す。（貿易額を除く）
面積・人口密度は居住不可能な極地・島を除く。
17）は2017年を示す。

	正式国名	首都	人口（万人）2018年	面積（万km²）2018年	人口密度（人/km²）2018年	貿易額（百万ドル）2018年 輸出	輸入	おもな輸出品	穀物自給率(%) 2017年	エネルギー自給率(%) 2017年	1人あたりの国民総所得(ドル) 2018年	おもな宗教	おもな言語
アジア 47か国	アゼルバイジャン共和国	バクー	993	9	115	19,459	11,459	原油，天然ガス	64	380	4,050	イスラム教	アゼルバイジャン
	アフガニスタン・イスラム共和国	カブール	3,007	65	46	1,769	14,813	ナッツ類，植物性原材料，干しぶどう	63	–	550	イスラム教	ダリー語，パシュトゥー
	アラブ首長国連邦	アブダビ	17) 930	7	131	387,910	244,646	原油，機械類，石油製品	0	339	41,010	イスラム教，ヒンドゥー教	アラビア語
	アルメニア共和国	エレバン	297	3	100	2,383	4,850	銅鉱石，たばこ，衣類	39	32	4,230	キリスト教	アルメニア語
	イエメン共和国	サヌア	17) 2,817	53	53	15) 510	15) 6,573	魚介類，自動車，機械類	10	54	960	イスラム教	アラビア語
	イスラエル国	エルサレム	888	2	402	61,906	76,584	ダイヤモンド，機械類，医薬品	5	39	40,850	ユダヤ教，イスラム教	ヘブライ語，アラビア
	イラク共和国	バグダッド	3,784	44	87	16) 43,774	14) 37,064	原油	42	388	5,030	イスラム教	アラビア語，クルド
	イラン・イスラム共和国	テヘラン	8,208	163	50	17) 105,844	17) 51,612	原油，石油製品	62	162	17) 5,470	イスラム教	ペルシア語
	インド	デリー	129,804	329	395	322,492	507,616	石油製品，機械類，ダイヤモンド	107	63	2,020	ヒンドゥー教，イスラム教	ヒンディー語，英
	インドネシア共和国	ジャカルタ	26,416	191	138	180,215	188,711	石炭，パーム油，機械類	92	184	3,840	イスラム教，キリスト教	インドネシア語
	ウズベキスタン共和国	タシケント	3,265	45	73	10,919	17,314	金，天然ガス，繊維品	73	150	2,020	イスラム教	ウズベク語
	オマーン国	マスカット	460	31	15	17) 32,904	17) 26,435	原油，石油製品，液化天然ガス	6	295	15,110	イスラム教	アラビア語
	カザフスタン共和国	アスタナ	1,827	272	7	61,109	33,658	原油，鉄鋼	154	212	7,830	イスラム教，キリスト教	カザフ語，ロシア
	カタール国	ドーハ	276	1	237	84,288	31,696	液化天然ガス，原油，石油製品	–	522	61,190	イスラム教	アラビア語
	カンボジア王国	プノンペン	15) 1,540	18	85	16) 10,069	16) 12,371	衣類，はき物	108	58	1,380	仏教	カンボジア語
	キプロス共和国	ニコシア	86	0.9	93	5,065	10,813	船舶，石油製品，機械類	8	6	26,300	キリスト教，イスラム教	ギリシャ語，トルコ
	キルギス共和国	ビシュケク	632	20	32	1,835	5,292	金，衣類	76	54	1,220	イスラム教	キルギス語，ロシア
	クウェート国	クウェート	412	2	231	71,941	35,867	原油，石油製品	0	477	33,690	イスラム教	アラビア語
	サウジアラビア王国	リヤド	3,341	221	15	16) 207,572	135,211	原油，石油製品，プラスチック類	8	306	21,540	イスラム教	アラビア語
	ジョージア	トビリシ	373	7	54	3,354	9,123	銅鉱石，自動車，鉄鋼	33	28	4,130	キリスト教	ジョージア語
	シリア・アラブ共和国	ダマスカス	15) 1,799	19	97	10) 11,353	10) 17,562	原油，石油製品，繊維品	–	46	07) 1,820	イスラム教	アラビア語
	シンガポール共和国	シンガポール	563	0.07	7,804	411,743	370,504	機械類，石油製品	–	2	58,770	仏教	マレー語，中国語，英
	スリランカ民主社会主義共和国	スリジャヤワルダナプラコッテ	2,167	7	330	17) 11,741	17) 21,316	衣類，茶，ゴム製品	36	42	4,060	仏教，ヒンドゥー教	シンハラ語，タミル
	タイ王国	バンコク	6,570	51	128	252,485	249,174	機械類，自動車	148	55	6,610	仏教	タイ語
	大韓民国	ソウル	5,160	10	514	604,807	535,183	機械類，自動車，石油製品	25	17	30,600	キリスト教，仏教	韓国語
	タジキスタン共和国	ドゥシャンベ	893	14	63	17) 873	17) 2,390	アルミニウム，電力，綿花	54	78	1,010	イスラム教	タジク語
	中華人民共和国	ペキン	①142,443	①960	①148	2,494,230	2,134,983	機械類，衣類	97	80	9,470	道教，仏教	中国語
	朝鮮民主主義人民共和国	ピョンヤン	15) 2,518	12	209	222	2,320	鉱物性生産品，繊維品	75	101	–	仏教，キリスト教	朝鮮語
	トルクメニスタン	アシガバット	15) 556	49	11	17) 7,458	17) 4,571	天然ガス，原油，石油製品	53	278	6,740	イスラム教	トルクメン語
	トルコ共和国	アンカラ	8,133	78	104	168,023	223,039	自動車，機械類，衣類	104	25	10,380	イスラム教	トルコ語
	日本国	東京	②12,744	②38	②337	737,899	748,988	電気機械，一般機械，自動車	31	10	41,340	神道，仏教	日本語
	ネパール	カトマンズ	2,921	15	199	17) 741	17) 10,038	繊維品，衣類，鉄鋼	94	76	960	ヒンドゥー教，仏教	ネパール語
	パキスタン・イスラム共和国	イスラマバード	17) 20,777	80	261	23,631	60,163	繊維品，衣類，米	118	63	1,580	イスラム教	ウルドゥー語，英
	バーレーン王国	マナーマ	150	0.08	1,931	16) 12,892	17) 17,391	石油製品，原油，アルミニウム	–	160	21,890	イスラム教	アラビア語
	バングラデシュ人民共和国	ダッカ	16,460	15	1,115	15) 31,734	15) 48,059	衣類，繊維品	89	83	1,750	イスラム教，ヒンドゥー教	ベンガル語
	東ティモール民主共和国	ディリ	126	1.5	85	17) 24	17) 588	コーヒー，古着，植物性原材料	76	–	1,820	キリスト教	テトゥン語，ポルトガル
	フィリピン共和国	マニラ	10,659	30	355	67,488	115,038	機械類，バナナ	80	49	3,830	キリスト教	フィリピノ語，英
	ブータン王国	ティンプー	17) 72	4	19	12) 531	12) 992	鉄鋼，電力，無機化合物	–	–	3,080	仏教(チベット仏教)，ヒンドゥー教	ゾンカ語
	ブルネイ・ダルサラーム国	バンダルスリブガワン	44	0.6	77	6,574	4,164	液化天然ガス，原油	–	432	31,020	イスラム教	マレー語，英
	ベトナム社会主義共和国	ハノイ	9,466	33	286	17) 215,119	17) 213,215	機械類，衣類，はき物	117	85	2,400	仏教，キリスト教	ベトナム語
	マレーシア	クアラルンプール	3,238	33	98	247,324	217,358	機械類，石油製品	29	113	10,460	イスラム教，仏教	マレー語，英
	ミャンマー連邦共和国	ネーピードー	5,386	68	80	16,672	19,345	衣類，液化天然ガス，米	103	126	1,310	仏教	ミャンマー語
	モルディブ共和国	マレ	51	0.03	1,707	182	2,961	まぐろ・かつお類	0	–	9,310	イスラム教	ディベヒ語
	モンゴル国	ウランバートル	320	156	2	7,012	5,875	石炭，銅鉱石，原油	47	490	3,580	仏教(チベット仏教)	モンゴル語
	ヨルダン・ハシェミット王国	アンマン	1,030	9	115	7,750	20,310	衣類，化学肥料，機械類	3	4	4,210	イスラム教	アラビア語
	ラオス人民民主共和国	ビエンチャン	701	24	30	16) 3,124	16) 4,107	銅鉱石，精製銅，機械類	95	–	2,460	仏教	ラオ語
	レバノン共和国	ベイルート	15) 653	1	625	2,953	19,983	機械類，金，ダイヤモンド	9	2	7,690	イスラム教，キリスト教	アラビア語
アフリカ 54か国	アルジェリア民主人民共和国	アルジェ	17) 4,169	238	18	17) 35,191	17) 46,053	原油，天然ガス，石油製品	21	275	4,060	イスラム教	アラビア語，アマジグ語，フランス
	アンゴラ共和国	ルアンダ	2,925	125	23	15) 33,048	15) 16,758	原油，ダイヤモンド	62	626	3,370	キリスト教	ポルトガル語
	ウガンダ共和国	カンパラ	3,905	24	162	3,087	6,729	金，コーヒー豆，魚介類	99	–	620	キリスト教	英語，スワヒリ語
	エジプト・アラブ共和国	カイロ	9,714	100	97	29,384	80,992	石油製品，原油，機械類	56	84	2,800	イスラム教	アラビア語
	エスワティニ王国	ムババーネ	115	2	67	17) 1,802	17) 1,608	芳香油・香水，砂糖，化学品	28	–	3,850	キリスト教	スワティ語，英
	エチオピア連邦民主共和国	アディスアベバ	9,650	110	87	16) 1,724	16) 19,121	コーヒー豆，野菜，金	94	91	790	キリスト教，イスラム教	アムハラ語，英
	エリトリア国	アスマラ	329	12	27	03) 7	03) 433	魚介類，皮革類，サンゴ類	–	76	11) 720	イスラム教，キリスト教	ティグリニャ語，アラビア語，英
	ガーナ共和国	アクラ	2,961	24	124	17,100	11,880	金，原油，カカオ豆	66	146	2,130	キリスト教	英語，アサンテ語
	カーボベルデ共和国	プライア	54	0.4	135	76	813	魚介類加工品，まぐろ・かつお類，衣類	4	–	3,450	キリスト教	ポルトガル語
	ガボン共和国	リーブルビル	15) 194	27	7	09) 5,356	09) 2,501	原油，木材，マンガン鉱	17	285	6,800	キリスト教	フランス語
	カメルーン共和国	ヤウンデ	2,486	48	52	17) 3,264	17) 5,184	原油，木材，カカオ豆	72	122	1,440	キリスト教，イスラム教	フランス語，英語
	ガンビア共和国	バンジュール	214	1	190	17) 22	17) 549	落花生，魚介類，乳製品	49	–	700	イスラム教	英語，マンディンカ語
	ギニア共和国	コナクリ	1,188	25	48	15) 1,574	15) 2,139	金，ボーキサイト，切手類	84	–	830	イスラム教	フランス語
	ギニアビサウ共和国	ビサウ	158	4	44	05) 23	05) 112	カシューナッツ	65	–	750	イスラム教，キリスト教	ポルトガル語
	ケニア共和国	ナイロビ	4,784	59	81	6,050	17,377	茶，切花，石油製品	51	80	1,620	キリスト教	スワヒリ語，英語
	コートジボワール共和国	ヤムスクロ	2,519	32	78	17) 12,560	17) 9,605	カカオ豆，カシューナッツ，金	63	99	1,610	イスラム教，キリスト教	フランス語
	コモロ連合	モロニ	15) 77	0.2	348	13) 10	13) 115	クローブ，バニラ，芳香油・香水	–	–	1,320	イスラム教	コモロ語，アラビア語，フランス
	コンゴ共和国	ブラザビル	520	34	15	17) 8,148	17) 4,553	船舶，原油	8	559	1,640	キリスト教	フランス語，リンガラ語
	コンゴ民主共和国	キンシャサ	15) 7,624	234	33	17) 10,980	17) 10,820	ダイヤモンド，銅	–	101	490	キリスト教	フランス語，スワヒリ語
	サントメ・プリンシペ民主共和国	サントメ	20	0.1	209	12	148	カカオ豆	5	–	1,890	キリスト教	ポルトガル語
	ザンビア共和国	ルサカ	1,688	75	22	9,052	9,462	銅	118	88	1,430	キリスト教	英語，ベンバ語
	シエラレオネ共和国	フリータウン	15) 709	7	98	17) 103	17) 1,074	自動車，カカオ豆，機械類	71	–	500	イスラム教，キリスト教	英語，メンデ語
	ジブチ共和国	ジブチ	15) 91	2	39	09) 364	09) 648	自動車，機械類，ゴム製品	0	–	2,180	イスラム教	フランス語，アラビア語
	ジンバブエ共和国	ハラレ	1,484	39	38	4,037	6,259	金，ニッケル鉱，たばこ	47	90	1,790	キリスト教	英語，ショナ語
	スーダン共和国	ハルツーム	16) 3,964	185	21	17) 4,241	17) 10,277	金，羊，原油	70	93	1,560	イスラム教	アラビア語，英語
	赤道ギニア共和国	マラボ	135	3	48	17) 6,118	17) 2,577	石油製品，木材	–	–	7,050	キリスト教	スペイン語，フランス語
	セーシェル共和国	ビクトリア	9	0.05	212	847	1,137	まぐろ・かつお類調製品，船舶，石油製品	–	–	15,600	キリスト教	クレオール語，英語，フランス語
	セネガル共和国	ダカール	1,572	20	80	3,623	8,071	金，石油製品，魚介類	42	38	1,410	イスラム教	フランス語，ウォロフ語
	ソマリア連邦共和国	モガディシュ	15) 1,379	64	22	14) 819	14) 3,482	家畜，バナナ，皮革類	–	–	–	イスラム教	ソマリ語，アラビア語
	タンザニア連合共和国	ダルエスサラーム	5,419	95	57	17) 4,178	8,554	金，カシューナッツ，たばこ	102	88	1,020	キリスト教，イスラム教	スワヒリ語，英語

ンコン，マカオ，台湾を含む。②日本国の人口，面積，人口密度は 2019 年。③サンマリノ，バチカンを含む。④リヒテンシュタインを含む。⑤スバールバ島などの海外領土を除く。⑥オーランド諸島を含む。⑦フランス海外県（ギアナ，マルティニーク，グアドループ，レユニオン，マヨット）を含む。フランス：人口 6,476 万人，面積 55 万㎢，人口密度 117 人 /㎢。⑧モナコを含む。⑨国連の統計による（五大湖などの水域面積を含む）。

〔Demographic Yearbook 2018，ほか〕

正式国名	首都	人口 (万人) 2018年	面積 (万km²) 2018年	人口密度 (人/km²) 2018年	貿易額（百万ドル）2018年 輸出	輸入	おもな輸出品	穀物自給率(%) 2017年	エネルギー自給率(%) 2017年	1人あたりの国民総所得 (ドル) 2018年	おもな宗教	おもな言語
チャド共和国	ンジャメナ	1,516	128	12	17) 2,464	17) 2,160	原油，家畜，綿花	101	−	670	イスラム教，キリスト教	フランス語，アラビア語
中央アフリカ共和国	バンギ	15) 449	62	7	17) 197	17) 419	自動車，木材	88	−	480	キリスト教	サンゴ語，フランス語
チュニジア共和国	チュニス	1,155	16	71	17) 14,200	17) 20,618	機械類，衣類	32	49	3,500	イスラム教	アラビア語，フランス語
トーゴ共和国	ロメ	744	6	131	17) 749	17) 1,615	セメント，綿花，プラスチック製品	85	79	650	キリスト教，伝統信仰	フランス語
ナイジェリア連邦共和国	アブジャ	16) 19,339	92	209	62,400	43,012	原油，液化天然ガス	81	159	1,960	イスラム教，キリスト教	英語，ハウサ語，ヨルバ語
ナミビア共和国	ウィントフック	241	82	3	7,488	8,289	ダイヤモンド，銅，船舶	30	25	5,250	キリスト教	英語，アフリカーンス語
ニジェール共和国	ニアメ	16) 1,986	127	16	16) 927	16) 1,861	ウラン鉱，石油製品，米	92	103	380	イスラム教	フランス語，ハウサ語
ブルキナファソ	ワガドゥグー	17) 1,963	27	72	17) 2,790	17) 3,717	金，綿花，亜鉛	84	−	660	イスラム教，キリスト教	フランス語，モシ語
ブルンジ共和国	ブジュンブラ	1,177	3	423	169	794	金，コーヒー豆，茶	−	−	280	キリスト教	ルンディ語，フランス語
ベナン共和国	ポルトノボ	1,149	11	100	952	3,278	綿花，カシューナッツ，機械類	46	54	870	キリスト教，イスラム教	フランス語
ボツワナ共和国	ハボローネ	230	58	4	6,573	6,169	ダイヤモンド	6	65	7,750	キリスト教	英語，ツワナ語
マダガスカル共和国	アンタナナリボ	2,493	59	42	17) 2,847	17) 3,654	バニラ，衣類，ニッケル	71	−	440	キリスト教，伝統信仰	マダガスカル語，フランス語
マラウイ共和国	リロングウェ	1,756	12	149	17) 884	17) 2,547	たばこ，茶，大豆飼料	103	−	360	キリスト教	英語，チェワ語
マリ共和国	バマコ	16) 1,834	124	15	17) 1,903	17) 4,337	金，綿花，牛	98	−	830	イスラム教	フランス語，バンバラ語
南アフリカ共和国	プレトリア	5,772	122	47	93,570	92,579	自動車，プラチナ，機械類	106	120	5,720	キリスト教	英語，アフリカーンス語
南スーダン共和国	ジュバ	1,232	66	19	−	−	原油	−	854	16) 460	キリスト教，伝統信仰	英語，アラビア語
モザンビーク共和国	マプト	17) 2,886	80	36	5,196	6,786	石炭，アルミニウム，電力	46	185	440	キリスト教，イスラム教	ポルトガル語
モーリシャス共和国	ポートルイス	126	0.2	639	1,988	5,669	衣類，魚介類，砂糖	0	15	12,050	ヒンドゥー教，キリスト教	英語，フランス語，クレオール語
モーリタニア・イスラム共和国	ヌアクショット	16) 378	103	4	17) 1,989	17) 3,522	魚介類，鉄鉱石，金	37	−	1,190	イスラム教	アラビア語，フランス語
モロッコ王国	ラバト	3,522	45	79	17) 25,624	17) 45,039	機械類，自動車，衣類	63	9	3,090	イスラム教	アラビア語，アマジグ語
リビア	トリポリ	15) 616	168	4	10) 36,440	10) 17,674	原油，天然ガス，炭化水素	−	404	6,330	イスラム教	アラビア語，アマジグ語
リベリア共和国	モンロビア	15) 447	11	40	17) 261	17) 1,166	天然ゴム，木材，鉄鉱石	45	−	600	キリスト教	英語
ルワンダ共和国	キガリ	1,209	3	459	16) 622	16) 1,778	石油製品，金，茶	58	−	780	キリスト教	キニヤルワンダ語，フランス語，英語
レソト王国	マセル	16) 200	3	66	17) 673	17) 2,066	衣類，機械類，羊毛	52	−	1,380	キリスト教	ソト語，英語
アイスランド	レイキャビク	34	10	3	5,561	7,686	アルミニウム，魚介類	6	88	17) 60,740	キリスト教	アイスランド語
アイルランド	ダブリン	483	7	69	167,018	106,931	医薬品，有機化合物，機械類	59	36	59,360	キリスト教	アイルランド語，英語
アルバニア共和国	ティラナ	287	3	100	2,876	5,941	衣類，はき物	64	69	4,860	イスラム教	アルバニア語
アンドラ公国	アンドララベリャ	7	0.05	160	129	1,609	機械類，自動車	−	−	13) 40,650	キリスト教	カタルーニャ語
イタリア共和国	ローマ	6,048	30	200	543,467	499,340	機械類，自動車，医薬品	62	③22	33,560	キリスト教	イタリア語
ウクライナ	キーウ(キエフ)	4,238	60	70	47,335	57,187	鉄鋼，機械類，ひまわり油	310	66	2,660	キリスト教	ウクライナ語，ロシア語
エストニア共和国	タリン	131	5	29	17,197	18,561	機械類，石油製品，木材	233	101	20,990	キリスト教	エストニア語，ロシア語
オーストリア共和国	ウィーン	882	8	105	176,992	184,195	機械類，自動車，医薬品	90	36	49,250	キリスト教	ドイツ語
オランダ王国	アムステルダム	1,718	4	414	585,623	521,452	機械類，石油製品，医薬品	9	56	51,280	キリスト教	オランダ語
北マケドニア共和国	スコピエ	207	3	81	6,906	9,052	機械類，化学品，鉄鋼	63	43	5,450	キリスト教，イスラム教	マケドニア語，アルバニア語
ギリシャ共和国	アテネ	1,074	13	81	39,491	65,141	石油製品，機械類	69	31	19,540	キリスト教	ギリシャ語
グレートブリテン及び北アイルランド連合王国	ロンドン	6,627	24	273	487,069	669,640	機械類，自動車，金	94	68	41,330	キリスト教	英語
クロアチア共和国	ザグレブ	410	6	73	17,210	28,113	機械類，石油製品，医薬品	128	48	13,830	キリスト教	クロアチア語
コソボ共和国	プリシュティナ	179	1	165	17) 428	17) 3,223	鉱物性生産品，革製品	−	70	4,230	イスラム教	アルバニア語，セルビア語
サンマリノ共和国	サンマリノ	3	61km²	566	11) 3,827	11) 2,551	建築用石材	−	−	08) 51,810	キリスト教	イタリア語
スイス連邦	ベルン	848	4	205	④310,524	④278,666	医薬品，金，機械類	44	47	83,580	キリスト教	ドイツ語，フランス語，イタリア語
スウェーデン王国	ストックホルム	1,012	44	23	165,926	170,154	機械類，自動車，石油製品	132	73	55,070	キリスト教	スウェーデン語
スペイン王国	マドリード	4,665	51	92	328,528	376,185	自動車，機械類，石油製品	53	27	29,450	キリスト教	スペイン語
スロバキア共和国	ブラチスラバ	544	5	111	94,196	93,485	機械類，自動車	198	38	18,330	キリスト教	スロバキア語
スロベニア共和国	リュブリャナ	206	2	102	36,471	36,267	機械類，自動車，医薬品	69	53	24,670	キリスト教	スロベニア語
セルビア共和国	ベオグラード	700	8	90	19,239	25,883	機械類，自動車，鉄鋼	132	67	6,390	キリスト教	セルビア語
チェコ共和国	プラハ	1,061	8	135	202,522	184,924	機械類，自動車	163	64	20,250	キリスト教	チェコ語
デンマーク王国	コペンハーゲン	579	4	135	107,969	101,636	機械類，医薬品	121	92	60,140	キリスト教	デンマーク語
ドイツ連邦共和国	ベルリン	8,279	36	232	1,562,547	1,292,833	機械類，自動車，医薬品	113	37	47,450	キリスト教	ドイツ語
ノルウェー王国	オスロ	⑤529	⑤32	⑤16	122,636	87,440	原油，天然ガス，魚介類	65	717	80,790	キリスト教	ノルウェー語
バチカン市国	バチカン	0.06	0.44km²	1,398	−	−	切手類	−	−	−	キリスト教	ラテン語，イタリア語
ハンガリー	ブダペスト	977	9	105	123,958	117,382	機械類，自動車，医薬品	193	43	14,590	キリスト教	ハンガリー語
フィンランド共和国	ヘルシンキ	⑥554	⑥34	⑥16	75,258	78,352	機械類，紙・同製品，石油製品	102	55	47,820	キリスト教	フィンランド語，スウェーデン語
フランス共和国	パリ	⑦6,697	⑦64	⑦105	⑧568,536	⑧659,375	機械類，自動車，航空機	171	⑧53	41,070	キリスト教	フランス語
ブルガリア共和国	ソフィア	705	11	64	33,787	37,928	機械類，銅，石油製品	257	63	8,860	キリスト教	ブルガリア語
ベラルーシ共和国	ミンスク	949	21	46	33,726	38,409	石油製品，機械類，塩化カリウム	98	15	5,670	キリスト教	ベラルーシ語，ロシア語
ベルギー王国	ブリュッセル	1,139	3	373	468,643	454,714	自動車，医薬品，機械類	34	27	45,430	キリスト教	オランダ語，フランス語，ドイツ語
ボスニア・ヘルツェゴビナ	サラエボ	17) 351	5	69	7,182	11,630	機械類，家具，金属製品	57	69	5,690	イスラム教，キリスト教	ボスニア語，セルビア語
ポーランド共和国	ワルシャワ	3,797	31	121	261,815	267,700	機械類，自動車，家具	124	62	14,150	キリスト教	ポーランド語
ポルトガル共和国	リスボン	1,029	9	112	74,136	95,629	機械類，自動車，石油製品	23	23	21,680	キリスト教	ポルトガル語
マルタ共和国	バレッタ	47	0.03	1,510	3,869	7,204	石油製品，機械類，医薬品	9	3	26,220	キリスト教	マルタ語，英語
モナコ公国	モナコ	16) 3	2.02km²	18,469	−	−	切手類	−	−	08) 186,080	キリスト教	フランス語
モルドバ共和国	キシナウ	270	3	80	2,707	5,764	機械類，衣類，果実	157	21	2,990	キリスト教	モルドバ語，ロシア語
モンテネグロ	ポドゴリツァ	62	1.4	45	466	3,003	アルミニウム，電力，木材	5	62	8,400	キリスト教，イスラム教	モンテネグロ語，セルビア語
ラトビア共和国	リガ	193	6	30	15,033	18,613	機械類，木材，木製品	322	59	16,880	キリスト教	ラトビア語，ロシア語
リトアニア共和国	ビリニュス	280	7	43	33,335	36,501	機械類，石油製品，家具	275	27	17,360	キリスト教	リトアニア語，ロシア語
リヒテンシュタイン公国	ファドーツ	3	0.02	239	−	−	精密機械	−	−	09) 116,430	キリスト教	ドイツ語
ルクセンブルク大公国	ルクセンブルク	60	0.3	233	15,148	23,119	機械類，鉄鋼，自動車	78	5	77,820	キリスト教	ルクセンブルク語，ドイツ語
ルーマニア	ブカレスト	1,953	24	82	80,078	97,878	機械類，自動車	204	77	11,290	キリスト教	ルーマニア語
ロシア連邦	モスクワ	15) 14,409	1,710	8	17) 359,152	240,226	原油，石油製品，天然ガス	149	195	10,230	キリスト教，イスラム教	ロシア語
アメリカ合衆国	ワシントンD.C.	32,716	⑨983	33	1,665,303	2,611,432	機械類，自動車，石油製品	118	92	62,850	キリスト教	英語，スペイン語
アンティグア・バーブーダ	セントジョンズ	9	0.04	215	26	569	金，蒸留酒，衣類	0	−	15,810	キリスト教	英語
エルサルバドル共和国	サンサルバドル	664	2	316	5,904	11,726	衣類，繊維品，機械類	56	50	3,820	キリスト教	スペイン語
カナダ	オタワ	3,705	⑨998	4	450,278	459,866	原油，自動車，機械類	179	176	44,860	キリスト教	英語，フランス語
キューバ共和国	ハバナ	1,121	11	102	06) 2,980	06) 10,174	医薬品，たばこ	23	48	15) 7,230	キリスト教	スペイン語
グアテマラ共和国	グアテマラシティ	1,731	11	159	17) 11,011	17) 18,378	衣類，果実，砂糖	51	69	4,410	キリスト教	スペイン語
グレナダ	セントジョージズ	17) 11	0.03	322	08) 31	09) 282	小麦粉，機械類，紙・同製品	0	−	9,780	キリスト教	英語
コスタリカ共和国	サンホセ	500	5	98	17) 11,297	17) 16,352	精密機械，バナナ，パイナップル	11	48	11,510	キリスト教	スペイン語

地域	正式国名	首都	人口（万人）2018年	面積（万km²）2018年	人口密度（人/km²）2018年	貿易額（百万ドル）2018年 輸出	輸入	おもな輸出品	穀物自給率（%）2017年	エネルギー自給率（%）2017年	1人あたりの国民総所得（ドル）2018年	おもな宗教	おもな言語
北アメリカ 23か国	ジャマイカ	キングストン	272	1	248	17) 1,310	17) 5,818	アルミナ，石油製品，アルコール飲料	0	13	4,990	キリスト教	英語
	セントクリストファー・ネービス	バセテール	15) 5	0.03	196	17) 33	17) 309	機械類，切手類，金属製品	0	–	18,640	キリスト教	英語
	セントビンセント及びグレナディーン諸島	キングスタウン	11	0.04	284	44	354	小麦粉，鉄鋼，ビール	4	–	7,940	キリスト教	英語
	セントルシア	カストリーズ	17	0.05	332	17) 142	17) 664	自動車，機械類，貴金属	0	–	9,460	キリスト教	英語
	ドミニカ共和国	サントドミンゴ	1,026	5	211	17) 8,856	17) 19,524	金，機械類，精密機械	34	13	7,370	キリスト教	スペイン語
	ドミニカ国	ロゾー	15) 7	0.08	95	12) 37	12) 212	石けん，切手類，機械類	0	–	7,210	キリスト教	英語
	トリニダード・トバゴ共和国	ポートオブスペイン	135	0.5	265	15) 10,756	15) 9,298	液化天然ガス，石油製品，アンモニア	5	195	16,240	キリスト教，ヒンドゥー教	英語
	ニカラグア共和国	マナグア	646	13	50	5,014	7,351	衣類，機械類，牛肉	64	56	2,030	キリスト教	スペイン語
	ハイチ共和国	ポルトープランス	1,141	3	411	17) 980	17) 3,618	衣類，カカオ豆，マンゴー	32	76	800	キリスト教	フランス語，ハイチ
	パナマ共和国	パナマシティ	415	8	55	672	13,233	魚介類，バナナ，鉄くず	31	22	14,370	キリスト教	スペイン語
	バハマ国	ナッソー	38	1.4	27	15) 443	15) 3,161	プラスチック類，石油製品，ロブスター	4	–	17) 30,210	キリスト教	英語
	バルバドス	ブリッジタウン	15) 27	0.04	638	458	1,600	石油製品，ラム酒，医薬品	0	–	17) 15,240	キリスト教	英語
	ベリーズ	ベルモパン	39	2	17	241	958	砂糖，オレンジジュース，魚介類	93	–	4,720	キリスト教	英語，スペイン
	ホンジュラス共和国	テグシガルパ	901	11	80	17) 4,970	17) 8,612	コーヒー豆，機械類，魚介類	44	50	2,330	キリスト教	スペイン語
	メキシコ合衆国	メキシコシティ	12,532	196	64	450,532	464,268	機械類，自動車，原油	70	92	9,180	キリスト教	スペイン語
南アメリカ 12か国	アルゼンチン共和国	ブエノスアイレス	4,449	278	16	61,558	65,441	大豆飼料，自動車，とうもろこし	253	87	12,370	キリスト教	スペイン語
	ウルグアイ東方共和国	モンテビデオ	350	17	20	7,498	8,893	肉類，木材，乳製品・鶏卵	230	62	15,650	キリスト教	スペイン語
	エクアドル共和国	キト	1,702	26	66	21,606	23,020	原油，魚介類，バナナ	63	207	6,120	キリスト教	スペイン語
	ガイアナ共和国	ジョージタウン	17) 74	21	3	1,487	3,998	金，自動車，ボーキサイト	147	–	4,760	キリスト教，ヒンドゥー教	英語
	コロンビア共和国	ボゴタ	4,983	114	44	41,832	51,231	原油，石炭，石油製品	37	322	6,190	キリスト教	スペイン語
	スリナム共和国	パラマリボ	17) 58	16	4	1,503	1,527	金，木材	148	271	4,990	キリスト教，ヒンドゥー教	オランダ語，英語，スリナム
	チリ共和国	サンティアゴ	1,855	76	25	75,482	74,187	銅鉱石，銅，魚介類	53	34	14,670	キリスト教	スペイン語
	パラグアイ共和国	アスンシオン	705	41	17	9,042	13,336	大豆，電力，牛肉	208	118	5,680	キリスト教	スペイン語，グアラニー
	ブラジル連邦共和国	ブラジリア	20,849	852	24	239,888	181,230	大豆，原油，鉄鉱石	112	101	9,140	キリスト教	ポルトガル語
	ベネズエラ・ボリバル共和国	カラカス	3,167	93	34	13) 87,961	13) 44,952	原油，石油製品	29	302	14) 13,080	キリスト教	スペイン語
	ペルー共和国	リマ	3,216	129	25	47,894	43,123	銅鉱石，金，石油製品	46	101	6,530	キリスト教	スペイン語，ケチュア語，アイマラ
	ボリビア多民族国	ラパス	1,130	110	10	9,065	10,045	天然ガス，亜鉛鉱，金	57	235	3,370	キリスト教	スペイン語，ケチュア語，アイマラ
オセアニア 16か国	オーストラリア連邦	キャンベラ	2,499	769	3	17) 230,163	235,519	鉄鉱石，石炭，液化天然ガス	347	319	53,190	キリスト教	英語
	キリバス共和国	タラワ	15) 11	0.07	152	16) 11	16) 117	コプラ油，魚介類，石油製品	0	–	3,140	キリスト教	キリバス語，英語
	クック諸島	アバルア	16) 1	0.02	74	11) 3	11) 109	果実・野菜ジュース，サンゴ類	–	–	–	キリスト教	英語，ラロトンガ語
	サモア独立国	アピア	19	0.3	70	46	363	魚介類，石油製品，果実・野菜ジュース	0	–	4,190	キリスト教	サモア語，英語
	ソロモン諸島	ホニアラ	66	3	23	569	601	木材，魚介類	3	–	2,000	キリスト教	英語，ピジン語
	ツバル	フナフティ	16) 1	26km²	423	05) 0.1	08) 27	機械類，切手類，液化石油ガス	–	–	5,430	キリスト教	ツバル語，英語
	トンガ王国	ヌクアロファ	16) 10	0.07	134	14) 19	14) 218	魚介類，野菜，石油製品	–	–	4,300	キリスト教	トンガ語，英語
	ナウル共和国	ヤレン	16) 1	21km²	524	13) 125	16) 65	りん鉱石	–	–	11,240	キリスト教	ナウル語，英語
	ニウエ	アロフィ	17) 0.17	0.03	7	04) 0.2	04) 9	ココナッツクリーム，コプラ	–	–	–	キリスト教	ニウエ語，英語
	ニュージーランド	ウェリントン	488	27	18	39,839	43,736	乳製品，木材，肉類	55	77	40,820	キリスト教	英語，マオリ語
	バヌアツ共和国	ポートビラ	16) 27	1	22	11) 64	11) 281	コプラ，野菜，魚介類	4	–	2,970	キリスト教	ビスラマ語，英語，フランス
	パプアニューギニア独立国	ポートモレスビー	16) 815	46	18	12) 4,518	12) 8,341	プラチナ，パーム油，銅鉱石	–	–	2,530	キリスト教	英語，ピジン英語
	パラオ共和国	マルキョク	1	0.05	40	9	154	魚介類	–	–	16,910	キリスト教	パラオ語，英語
	フィジー共和国	スバ	17) 88	2	48	1,041	2,720	石油製品，魚介類，清涼飲料水	9	–	5,860	キリスト教，ヒンドゥー教	英語，フィジー語，ヒンディー
	マーシャル諸島共和国	マジュロ	15) 5	0.02	317	15) 47	16) 104	コプラ，ココナッツオイル，魚介類	–	–	4,740	キリスト教	マーシャル語，英語
	ミクロネシア連邦	パリキール	10	0.07	149	15) 40	15) 168	魚介類	–	–	3,580	キリスト教	英語
	世界合計（197か国）		763,109	13,009	59	–	–		–	100	11,101		

2 世界のおもな都市の人口

赤文字は首都名　（　）内は調査年次，（19）は2019年の意味　　＊大ロンドン（Greater London）〔各国資料，ほか

都市名	国名	人口（万人）	都市名	国名	人口（万人）	都市名	国名	人口（万人）	都市名	国名	人口（万人）	都市名	国名	人口（万人）
アクラ	ガーナ	207(10)	クアラルンプール	マレーシア	180(17)	ダッカ	バングラデシュ	703(11)	ブエノスアイレス	アルゼンチン	306(18)	ムンバイ	インド	1,244(11)
アディスアベバ	エチオピア	421(17)	ケープタウン	南アフリカ共和国	400(16)	ダマスカス	シリア	178(11)	ブカレスト	ルーマニア	183(16)	メキシコシティ	メキシコ	844(18)
アテネ	ギリシャ	66(11)	コナクリ	ギニア	165(14)	ターリエン	中国	398(16)	プサン	韓国	347(18)	メルボルン	オーストラリア	485(17)
アビジャン	コートジボワール	439(14)	コペンハーゲン	デンマーク	77(18)	ダルエスサラーム	タンザニア	436(12)	ブダペスト	ハンガリー	174(18)	モガディシュ	ソマリア	165(14)
アムステルダム	オランダ	84(17)	コルカタ(カルカッタ)	インド	449(11)	チュニス	チュニジア	63(14)	プノンペン	カンボジア	124(08)	モスクワ	ロシア	1,234(18)
アルジェ	アルジェリア	236(08)	サヌア	イエメン	197(09)	テヘラン	イラン	869(16)	ブラザビル	コンゴ共和国	137(07)	モンテビデオ	ウルグアイ	130(11)
アンカラ	トルコ	516(18)	サラエボ	ボスニア・ヘルツェゴビナ	31(12)	デリー	インド	1,103(11)	ブラジリア	ブラジル	297(18)	モントリオール	カナダ	177(17)
アンタナナリボ	マダガスカル	133(14)	サンクトペテルブルク	ロシア	535(18)	トビリシ	ジョージア	112(18)	プラハ	チェコ	129(18)	モンロビア	リベリア	101(08)
アンマン	ヨルダン	181(15)	サンティアゴ	チリ	561(17)	トリポリ	リビア	94(12)	ブリュッセル	ベルギー	119(18)	ヤウンデ	カメルーン	287(16)
イスタンブール	トルコ	1,506(18)	サントドミンゴ	ドミニカ共和国	96(10)	トロント	カナダ	292(17)	プレトリア	南アフリカ共和国	327(16)	ヤンゴン	ミャンマー	516(14)
ウィーン	オーストリア	189(19)	サンパウロ	ブラジル	1,217(18)	ナイロビ	ケニア	310(10)	ベイルート	レバノン	40(16)	ヨハネスバーグ	南アフリカ共和国	494(16)
ウェリントン	ニュージーランド	21(18)	サンフランシスコ	アメリカ合衆国	88(17)	ナポリ	イタリア	96(18)	ベオグラード	セルビア	168(17)	ラパス	ボリビア	75(12)
エルサレム	イスラエル	90(17)	シーアン	中国	629(16)	ニューヨーク	アメリカ合衆国	862(17)	ペキン	中国	1,362(16)	ラバト	モロッコ	57(14)
エレバン	アルメニア	107(18)	シェンヤン	中国	586(16)	バクー	アゼルバイジャン	226(18)	ヘルシンキ	フィンランド	64(18)	リオデジャネイロ	ブラジル	668(18)
オスロ	ノルウェー	67(18)	シカゴ	アメリカ合衆国	271(17)	バグダッド	イラク	615(11)	ベルリン	ドイツ	361(17)	リスボン	ポルトガル	50(17)
オタワ	カナダ	99(17)	シドニー	オーストラリア	513(17)	パナマシティ	パナマ	47(17)	ベルン	スイス	13(17)	リマ	ペルー	1,019(17)
オデーサ	ウクライナ	101(19)	ジャカルタ	インドネシア	1,037(16)	ハノイ	ベトナム	231(09)	ベンガルール	インド	844(11)	リヤド	サウジアラビア	518(10)
カイロ	エジプト	774(06)	シャンハイ	中国	1,450(16)	ハバナ	キューバ	212(17)	ボゴタ	コロンビア	816(18)	ルアンダ	アンゴラ	676(14)
カサブランカ	モロッコ	335(14)	ジュネーブ	スイス	20(17)	バマコ	マリ	181(09)	ホーチミン	ベトナム	588(09)	ルサカ	ザンビア	174(10)
カブール	アフガニスタン	396(17)	シンガポール	シンガポール	563(18)	バーミンガム	イギリス	113(17)	ホンコン	中国	748(18)	ロサンゼルス	アメリカ合衆国	399(17)
カラカス	ベネズエラ	208(15)	ストックホルム	スウェーデン	94(17)	ハラレ	ジンバブエ	148(12)	マドリード	スペイン	318(17)	ロッテルダム	オランダ	63(17)
カラチ	パキスタン	1,491(17)	ソウル	韓国	999(18)	パリ	フランス	219(16)	マニラ	フィリピン	178(15)	ローマ	イタリア	287(18)
カンパラ	ウガンダ	156(16)	ソフィア	ブルガリア	126(17)	バルセロナ	スペイン	162(17)	マプト	モザンビーク	110(17)	ロンドン*	イギリス	882(17)
キーウ(キエフ)	ウクライナ	295(19)	タイペイ	（台湾）	266(19)	ハルツーム	スーダン	141(08)	マルセイユ	フランス	86(16)	ワガドゥグー	ブルキナファソ	191(12)
キト	エクアドル	179(17)	ダカール	セネガル	264(13)	バンコク	タイ	568(17)	ミュンヘン	ドイツ	145(17)	ワシントンD.C.	アメリカ合衆国	69(17)
キンシャサ	コンゴ民主共和国	841(10)	タシケント	ウズベキスタン	239(16)	ピョンヤン	北朝鮮	258(08)	ミンスク	ベラルーシ	198(18)	ワルシャワ	ポーランド	176(18)

世界のおもな農林水産物・食料品の生産

〔FAOSTAT，ほか〕

品目	生産量	年	内訳
米(もみ)	7億8200万t	2018年	中国 27.1%，インド 22.1，インドネシア 10.6，バングラデシュ 7.2，ベトナム 5.6，タイ 4.1，その他 23.3
小麦	7億3518万t	2018年	中国 17.9%，インド 13.6，ロシア 9.8，アメリカ合衆国 7.0，フランス 4.9，カナダ 4.3，その他 42.5
とうもろこし	11億4769万t	2018年	アメリカ合衆国 34.2%，中国 22.4，ブラジル 7.2，アルゼンチン 3.8，ウクライナ 3.1，その他 29.3
ライ麦	1127万t	2018年	ドイツ 19.5%，ポーランド 19.2，ロシア 17.0，中国 9.3，ベラルーシ 4.5，デンマーク 4.3，その他 26.2
じゃがいも	3億6825万t	2018年	中国 24.5%，インド 13.2，ウクライナ 6.1，ロシア 6.1，アメリカ合衆国 5.6，その他 44.5
さとうきび	19億702万t	2018年	ブラジル 39.2%，インド 19.8，中国 5.7，タイ 5.5，パキスタン 3.5，その他 26.3
大豆	3億4871万t	2018年	アメリカ合衆国 35.5%，ブラジル 33.8，アルゼンチン 10.8，中国 4.1，インド 4.0，その他 11.8
バナナ	1億1574万t	2018年	インド 26.6%，中国 9.7，インドネシア 6.3，ブラジル 5.8，エクアドル 5.6，フィリピン 5.3，その他 40.7
オレンジ	1億993万t	2018年	中国 25.6%，ブラジル 16.1，インド 7.6，アメリカ合衆国 5.1，メキシコ 5.1，スペイン 4.8，その他 35.7
ぶどう	7919万t	2018年	中国 16.9%，イタリア 10.8，アメリカ合衆国 8.7，スペイン 8.4，フランス 7.8，トルコ 5.0，その他 42.4
トマト	1億8226万t	2018年	中国 33.8%，インド 10.6，アメリカ合衆国 6.9，トルコ 6.7，エジプト 3.6，イラン 3.6，その他 34.8
オリーブ	2156万t	2018年	スペイン 45.5%，イタリア 8.7，モロッコ 7.2，トルコ 7.0，ギリシャ 5.0，シリア 4.2，その他 22.4
パーム油	5733万t	2014年	インドネシア 51.1%，マレーシア 34.3，タイ 3.2，その他 11.4
天然ゴム	1434万t	2018年	タイ 33.1%，インドネシア 25.3，ベトナム 7.9，インド 6.8，中国 5.7，マレーシア 5.5，その他 15.7
綿花	2616万t	2014年	インド 23.7%，中国 23.6，アメリカ合衆国 13.7，パキスタン 9.1，ブラジル 5.4，ウズベキスタン 4.2，その他 20.3
茶	634万t	2018年	中国 41.2%，インド 21.2，ケニア 7.8，スリランカ 4.8，ベトナム 4.3，トルコ 4.3，その他 16.4
コーヒー豆	1030万t	2018年	ブラジル 34.5%，ベトナム 15.7，インドネシア 7.0，コロンビア 7.0，ホンジュラス 4.7，エチオピア 4.6，その他 26.5
カカオ豆	525万t	2018年	コートジボワール 37.4%，ガーナ 18.0，インドネシア 11.3，ナイジェリア 6.3，カメルーン 5.9，ブラジル 4.6，その他 16.5
羊毛(あぶら付)	200万t	2014年	中国 23.8%，オーストラリア 17.5，ニュージーランド 7.7，イギリス 3.2，イラン 3.2，その他 44.6
牛肉	6736万t	2018年	アメリカ合衆国 18.1%，ブラジル 14.7，中国 8.6，アルゼンチン 4.6，オーストラリア 3.3，その他 50.7
ぶた肉	1億2088万t	2018年	中国 44.7%，アメリカ合衆国 9.9，ドイツ 4.4，スペイン 3.7，ベトナム 3.2，ブラジル 3.1，その他 31.0
チーズ	2265万t	2014年	アメリカ合衆国 24.7%，ドイツ 12.1，フランス 8.3，イタリア 5.5，オランダ 3.4，ポーランド 3.3，その他 42.7
ビール	1億9106万kL	2018年	中国 20.4%，アメリカ合衆国 11.2，ブラジル 7.4，メキシコ 6.3，ドイツ 4.9，ロシア 4.1，その他 45.7
ワイン	2911万t	2014年	イタリア 16.5%，スペイン 15.8，フランス 14.8，アメリカ合衆国 11.3，中国 5.8，アルゼンチン 5.1，その他 30.7
木材(丸太)	39億7087万㎥	2018年	アメリカ合衆国 1.0%，インド 8.9，中国 8.6，ブラジル 7.1，ロシア 5.9，カナダ 3.8，その他 54.7
漁獲量	9363万t	2017年	中国 16.8%，インドネシア 7.2，インド 5.8，アメリカ合衆国 5.4，ロシア 5.2，ペルー 4.5，ベトナム 3.5，日本 3.5，その他 48.1

ア 綿花

イ コーヒー豆

ウ カカオ

世界のおもな鉱産資源の生産

〔BP資料，ほか〕 プラチナ→p.44カ　コバルト→p.44カ　クロム→p.44カ

品目	生産量	年	内訳
原油	44億7430万t	2018年	アメリカ合衆国 15.0%，サウジアラビア 12.9，ロシア 12.6，カナダ 5.7，イラク 5.1，イラン 4.9，その他 43.8
石炭	62億6643万t	2016年	中国 54.4%，インド 10.6，インドネシア 7.3，オーストラリア 6.6，ロシア 4.7，その他 16.4
天然ガス	3兆8679億㎥	2018年	アメリカ合衆国 21.5%，ロシア 17.3，イラン 6.2，カナダ 4.8，カタール 4.5，その他 45.7
鉄鉱石	15億t	2017年	オーストラリア 36.5%，ブラジル 17.9，中国 14.9，インド 8.3，ロシア 4.1，その他 18.3
銅鉱石	1910万t	2015年	チリ 30.2%，中国 9.0，ペルー 8.9，アメリカ合衆国 7.2，コンゴ民主共和国 5.3，オーストラリア 5.1，その他 34.3
ボーキサイト	3億800万t	2017年	オーストラリア 28.5%，中国 22.7，ギニア 15.0，ブラジル 12.5，インド 7.4，その他 13.9
ニッケル鉱石	204万t	2016年	フィリピン 17.0%，ロシア 12.4，カナダ 11.6，オーストラリア 10.0，(ニューカレドニア) 10.0，インドネシア 9.8，中国 4.8，その他 24.4
金鉱石	3230t	2017年	中国 13.2%，オーストラリア 9.3，ロシア 8.4，アメリカ合衆国 7.3，カナダ 5.1，その他 56.7
ダイヤモンド	1億3400万カラット	2016年	ロシア 30.1%，コンゴ民主共和国 17.3，ボツワナ 15.3，オーストラリア 10.4，カナダ 9.7，アンゴラ 6.7，南アフリカ共和国 6.2，その他 4.3
レアアース	13万t	2016年	中国 81.4%，オーストラリア 11.6，ロシア 2.2，その他 4.8
チタン	962万t	2016年	オーストラリア 17.7%，中国 14.6，モザンビーク 14.0，南アフリカ共和国 9.8，カナダ 9.4，その他 34.5
タングステン	8万t	2017年	中国 81.6%，ベトナム 8.0，その他 10.4

エ 原油

オ 石炭

カ 鉄鉱石

キ 銅鉱石

ク ボーキサイト

ケ ニッケル鉱石

世界のおもな工業製品の生産

〔世界自動車統計年報 2019，ほか〕

品目	生産量	年	内訳
自動車	9730万台	2017年	中国 29.8%，アメリカ合衆国 11.5，日本 10.0，ドイツ 5.8，インド 4.9，韓国 4.2，その他 33.8
航空機(ジェット)	1764機	2018年	ボーイング(アメリカ合衆国) 45.7%，エアバス(フランス) 45.4，エンブラエル(ブラジル) 5.1，ボンバルディア(カナダ) 1.9，その他 1.9
造船	5783万総t	2018年	中国 40.0%，日本 25.1，韓国 24.8，その他 10.1
薄型テレビ	2億2722万台	2015年	中国 46.3%，マレーシア 4.0，タイ 3.0，(ヨーロッパ) 19.2，(北アメリカ) 11.8，その他 15.7
パソコン	2億7544万台	2015年	中国 98.2%，日本 1.3，その他 0.5
携帯電話*	17億7487万台	2015年	中国 78.6%，ベトナム 10.7，韓国 3.6，その他 7.1
工作機械	810億ドル	2016年	中国 28.3%，ドイツ 15.4，日本 15.0，アメリカ合衆国 7.3，イタリア 6.8，韓国 5.3，その他 21.9
鉄鋼(粗鋼)	18億833万t	2018年	中国 51.3%，インド 5.9，日本 5.8，アメリカ合衆国 4.8，その他 32.2
セメント	41億4000万t	2016年	中国 58.2%，インド 7.0，アメリカ合衆国 2.1，その他 32.7
化学肥料(窒素肥料)*	1億1963万t	2017年	中国 29.2%，インド 11.2，アメリカ合衆国 9.5，ロシア 8.4，インドネシア 3.2，その他 38.5
紙・板紙	4億884万t	2018年	中国 25.5%，アメリカ合衆国 17.5，日本 6.4，ドイツ 5.5，インド 4.2，その他 40.9
綿糸	5044万t	2014年	中国 72.3%，インド 7.6，パキスタン 6.3，トルコ 3.3，その他 10.5

*携帯電話：スマートフォンを含む。
*化学肥料：窒素含有量

171 日本の統計（1）

1 都道府県別の統計

赤太文字は1位，赤文字は2位から5位までの都道府県を示す。米，野菜，果実，畜産の割合(%)は，農業出額に占める割合。

県番号	都道府県	都道府県庁の所在地	人口(万人) 2019年	面積(km²) 2019年	人口密度(人/km²) 2019年	産業別人口の割合(%) 2015年			耕地面積(km²) 2018年	水田率(%) 2018年	農業産出額(億円) 2018年	米(水・陸稲) 2018年		野菜 2018年		果実 2018年		畜産 2018年	
						第1次産業	第2次産業	第3次産業				(億円)	(%)	(億円)	(%)	(億円)	(%)	(億円)	(%)
1	北海道	札幌	530	83,424	64	7.4	17.9	74.7	11,450	19.4	12,593	1,122	8.9	2,271	18.0	54	0.4	7,347	58
2	青森	青森	129	9,646	134	12.4	20.4	67.2	1,510	52.8	3,222	553	17.2	836	25.9	828	25.7	905	28
3	岩手	盛岡	125	15,275	82	10.8	25.4	63.8	1,501	62.8	2,727	582	21.3	303	11.1	126	4.6	1,608	59
4	宮城	仙台	230	・7,282	316	4.5	23.4	72.1	1,269	82.7	1,939	818	42.2	277	14.3	26	1.3	758	39
5	秋田	秋田	100	11,638	86	9.8	24.4	65.8	1,476	87.5	1,843	1,036	56.2	308	16.7	72	3.9	359	19.
6	山形	山形	109	・9,323	117	9.4	29.1	61.5	1,177	79.0	2,480	835	33.7	472	19.0	709	28.6	361	14.
7	福島	福島	190	13,784	138	6.7	30.6	62.7	1,408	70.5	2,113	798	37.8	488	23.1	255	12.1	455	21.
	東北合計(平均)		884	66,948	(132)	—	—	—	8,341	—	14,324	4,622	(32.3)	2,684	(18.7)	2,016	(14.1)	4,446	(31.0
8	茨城	水戸	293	6,097	482	5.9	29.8	64.3	1,660	58.4	4,508	868	19.3	1,708	37.9	112	2.5	1,277	28.
9	栃木	宇都宮	197	6,408	308	5.7	31.9	62.4	1,232	78.2	2,871	714	24.9	815	28.4	80	2.8	1,095	38.
10	群馬	前橋	198	6,362	311	5.1	31.8	63.1	684	38.2	2,454	166	6.8	983	40.1	83	3.4	1,047	42.
11	埼玉	さいたま	737	・3,798	1,943	1.7	24.9	73.4	748	55.3	1,758	370	21.0	833	47.4	61	3.5	261	14.
12	千葉	千葉	631	・5,158	1,224	2.9	20.6	76.5	1,252	58.9	4,259	728	17.1	1,546	36.3	157	3.7	1,287	30.
13	東京	東京	1,374	・2,194	6,263	0.4	17.5	82.1	68	3.8	240	1	0.4	134	55.8	33	13.8	20	8.
14	神奈川	横浜	918	2,416	3,803	0.9	22.4	76.7	191	19.5	697	36	5.2	360	51.6	82	11.8	146	20.
	関東合計(平均)		4,351	32,433	(1,342)	—	—	—	5,835	—	16,787	2,883	(17.2)	6,379	(38.0)	608	(3.6)	5,133	(30.6
15	新潟	新潟	225	・12,584	180	5.9	28.9	65.2	1,701	88.7	2,462	1,445	58.7	350	14.2	77	3.1	478	19.
16	富山	富山	106	・4,248	250	3.3	33.6	63.1	584	95.5	651	451	69.3	58	8.9	21	3.2	89	13.
17	石川	金沢	114	4,186	274	3.1	28.5	68.4	412	83.3	545	288	52.8	108	19.8	31	5.7	90	16.
18	福井	福井	78	4,191	188	3.8	31.3	64.9	402	90.8	470	305	64.9	87	18.5	10	2.1	46	9.
19	山梨	甲府	83	・4,465	186	7.3	28.4	64.3	237	33.2	953	63	6.6	112	11.8	629	66.0	77	8.
20	長野	長野	210	・13,562	155	9.3	29.2	61.5	1,067	49.5	2,616	473	18.1	905	34.6	714	27.3	287	11.
21	岐阜	岐阜	204	・10,621	192	3.2	33.1	63.7	560	76.6	1,104	219	19.8	318	28.8	51	4.6	427	38.
22	静岡	静岡	372	・7,777	479	3.9	33.2	62.9	653	34.0	2,120	194	9.2	643	30.3	298	14.1	464	21.
23	愛知	名古屋	756	・5,173	1,462	2.2	33.6	64.2	749	56.7	3,115	296	9.5	1,125	36.1	202	6.5	866	27.
	中部合計(平均)		2,152	66,807	(322)	—	—	—	6,365	—	14,036	3,734	(26.6)	3,706	(26.4)	2,033	(14.5)	2,824	(20.1
24	三重	津	182	・5,774	316	3.7	32.0	64.3	589	75.9	1,113	287	25.8	137	12.3	69	6.2	434	39.
25	滋賀	大津	142	・4,017	353	2.7	33.8	63.5	517	92.3	641	369	57.6	114	17.8	8	1.2	112	17.
26	京都	京都	255	4,612	554	2.2	23.6	74.2	303	77.9	704	174	24.7	256	36.4	18	2.6	144	20.
27	大阪	大阪	884	1,905	4,644	0.6	24.3	75.1	128	70.5	332	73	22.0	150	45.2	67	20.2	20	6.
28	兵庫	神戸	557	8,401	663	2.1	26.0	71.9	738	91.3	1,544	479	31.0	355	23.0	32	2.1	604	39.
29	奈良	奈良	136	3,691	369	2.7	23.4	73.9	205	70.7	407	111	27.3	104	25.6	71	17.4	62	15.
30	和歌山	和歌山	96	4,725	204	9.0	22.3	68.7	324	29.4	1,158	75	6.5	161	13.9	748	64.6	51	4.
	近畿合計(平均)		2,254	33,126	(681)	—	—	—	2,804	—	5,899	1,568	(26.6)	1,277	(21.6)	1,013	(17.2)	1,427	(24.2
31	鳥取	鳥取	56	3,507	161	9.1	22.0	68.9	344	68.0	743	145	19.5	211	28.4	70	9.4	277	37.
32	島根	松江	68	6,708	102	8.0	23.0	69.0	368	80.7	612	204	33.3	99	16.2	37	6.0	242	39.
33	岡山	岡山	191	・7,114	269	4.8	27.4	67.8	646	78.3	1,401	320	22.8	214	15.3	245	17.5	567	40.
34	広島	広島	283	8,480	335	3.2	26.8	70.0	548	74.8	1,187	263	22.2	234	19.7	165	13.9	474	39.
35	山口	山口	138	6,113	226	4.9	26.1	69.0	472	82.4	654	228	34.9	158	24.2	43	6.6	176	26.
	中国合計(平均)		738	31,922	(231)	—	—	—	2,378	—	4,597	1,160	(25.2)	916	(19.9)	560	(12.2)	1,736	(37.8
36	徳島	徳島	75	4,147	181	8.5	24.1	67.4	290	67.6	981	134	13.7	371	37.8	93	9.5	265	27.
37	香川	高松	98	・1,877	526	5.4	25.9	68.7	302	83.1	817	126	15.4	234	28.6	64	7.8	337	41.
38	愛媛	松山	138	5,676	243	7.7	24.2	68.1	485	46.4	1,233	168	13.6	201	16.3	530	43.0	245	19.
39	高知	高知	71	7,104	101	11.8	17.2	71.0	274	75.5	1,170	117	10.0	745	63.7	114	9.7	80	6.
	四国合計(平均)		383	18,803	(204)	—	—	—	1,351	—	4,201	545	(13.0)	1,551	(36.9)	801	(19.1)	927	(22.1
40	福岡	福岡	513	・4,987	1,029	2.9	21.2	75.9	814	80.0	2,124	429	20.2	729	34.3	229	10.8	408	19.
41	佐賀	佐賀	82	2,441	340	8.7	24.2	67.1	516	82.0	1,277	281	22.0	325	25.5	203	15.9	351	27.
42	長崎	長崎	136	4,131	331	7.7	20.1	72.2	466	45.7	1,499	135	9.0	439	29.3	149	9.9	562	37.
43	熊本	熊本	178	・7,409	240	9.8	21.1	69.1	1,116	61.5	3,406	391	11.5	1,227	36.0	327	9.6	1,147	33.
44	大分	大分	116	・6,341	183	7.0	23.4	69.6	554	71.3	1,259	248	19.7	328	26.1	116	9.2	454	36.
45	宮崎	宮崎	110	・7,735	143	11.0	21.1	67.9	664	53.8	3,429	178	5.2	670	19.5	129	3.8	2,208	64.
46	鹿児島	鹿児島	164	・9,187	179	9.5	19.4	71.1	1,171	31.6	4,863	211	4.3	556	11.4	106	2.2	3,172	65.
47	沖縄	那覇	147	2,281	647	4.9	15.1	80.0	380	2.2	988	6	0.6	158	16.0	60	6.1	449	45.
	九州合計(平均)		1,448	44,512	(326)	—	—	—	5,681	—	18,845	1,879	(10.0)	4,432	(23.5)	1,319	(7.0)	8,751	(46.4
	全国合計(平均)		12,744	377,975	(337)	(4.0)	(25.0)	(71.0)	44,200	(54.4)	91,283	17,513	(19.2)	23,212	(25.4)	8,406	(9.2)	32,589	(35.7

2 日本のおもな農・水産物の生産

〔農林水産省資料〕

米　778万t　—2018年—

新潟	北海道	秋田	山形	宮城	福島	茨城	その他
8.1%	6.6	6.3	4.8	4.8	4.7	4.6	60.1

小麦　76万t　—2018年—

北海道	福岡	佐賀	その他
61.6%	7.2	4.8	26.4

大豆　21万t　—2018年—

北海道	宮城	佐賀	福岡	秋田	新潟	山形	その他
38.9%	7.6	6.4	6.1	4.9	3.8	3.1	29.2

じゃがいも　226万t　—2018年—

北海道	鹿児島	長崎	その他
77.1%	4.3	4.1	14.5

さつまいも　80万t　—2018年—

鹿児島	茨城	千葉	宮崎	徳島	その他
34.9%	21.8	12.5	11.3	3.5	16.0

きゅうり　55万t　—2018年—

宮崎	群馬	埼玉	福島	千葉	高知	茨城	その他
11.3%	10.0	8.3	7.1	6.4	4.6	4.4	47.9

なす　30万t　—2018年—

高知	熊本	群馬	福岡	茨城	栃木	愛知	その他
13.1%	10.6	8.6	7.0	5.5	4.9	4.0	46.3

トマト　72万t　—2018年—

熊本	北海道	愛知	茨城	千葉	栃木	その他
18.9%	7.6	6.5	6.4	5.1	5.0	50.5

ピーマン　14万t　—2018年—

茨城	宮崎	高知	鹿児島	岩手	大分	その他
23.8%	18.9	9.6	9.0	5.4	4.3	29.0

キャベツ　147万t　—2018年—

群馬	愛知	千葉	茨城	鹿児島	神奈川	長野	その他
18.8%	16.7	8.5	7.5	5.2	4.9	4.7	33.7

はくさい　89万t　—2018年—

茨城	長野	群馬	北海道	栃木	大分	埼玉	その他
26.5%	25.4	3.7	2.9	2.7	2.7	2.7	33.4

レタス　59万t　—2018年—

長野	茨城	群馬	長崎	兵庫	静岡	その他
35.7%	15.3	7.9	5.8	4.9	4.2	26.2

たまねぎ　116万t　—2018年—

北海道	佐賀	兵庫	その他
62.1%	10.2	8.3	19.4

いちご　16万t　—2018年—

栃木	福岡	熊本	静岡	長崎	愛知	茨城	その他
15.4%	10.1	6.9	6.7	6.3	6.0	5.7	42.9

みかん　77万t　—2018年—

和歌山	静岡	愛媛	熊本	長崎	佐賀	愛知	その他
20.1%	14.8	14.7	11.7	6.4	6.3	3.8	22.2

りんご　76万t　—2018年—

青森	長野	岩手	山形
58.9%	18.8	6.3	5.5

ぶどう　17万t　—2018年—

山梨	長野	山形	岡山	福岡	北海道	大阪	その他
23.9%	17.8	9.2	8.8	4.2	3.0	2.8	30.3

もも　11万t　—2018年—

山梨	福島	長野	山形	和歌山	岡山
34.8%	21.4	11.7	7.1	6.6	5.3

さくらんぼ　1.8万t　—2018年—

山形	山梨	北海道
78.5%	6.0	5.1

日本なし　23万t　—2018年—

千葉	茨城	栃木	福島	鳥取	長野	その他
13.1%	10.3	8.8	7.4	6.9	5.9	47.6

きく　14億2400万本　—2018年—

愛知	沖縄	福岡	鹿児島	長崎	奈良	静岡	その他
31.8%	17.9	6.7	6.0	4.1	3.1	3.1	27.3

さとうきび　120万t　—2018年—

沖縄	鹿児島
62.1%	37.9

茶(荒茶)　9万t　—2018年—

静岡	鹿児島	三重	宮崎	京都
38.7%	32.6	7.2	4.4	3.6

1）面積の項の北海道には歯舞群島95km²，色丹島248km²，国後島1,489km²，択捉島3,167km²を含み，島根県には竹島0.2km²を含む。全国計にも含む。
2）面積の項の・印のある県は，県界に境界未定地域があるため，総務省統計局で推定した面積を記載している。
3）第1次産業人口→農林，水産業など，第2次産業人口→鉱・工業，建設業など，第3次産業人口→商業，運輸・通信業など。
4）・印のある都道府県の数値は一部の業種を含まないが，全国計には含む。

〔農林水産省資料，ほか〕

業生産量(万t) 2018年	工業生産（出荷額）2017年 総額(億円)	機械工業(億円)	金属工業(億円)	化学工業(億円)	繊維工業(億円)	食品工業(億円)	小売業年間販売額(億円) 2015年	1人あたり県民所得(千円) 2016年	65歳以上人口割合(%) 2019年	合計特殊出生率 2018年	おもな伝統的工芸品・特産物（青文字は伝統的工芸品）	都道府県	県番号
100.5	62,126	・8,791	6,922	12,143	287	24,208	65,815	2,617	30.9	1.27	アットゥシ織，てんさい，じゃがいも，あずき，バター	北海道	1
18.0	19,361	・6,577	4,956	・670	235	4,801	14,715	2,558	31.9	1.43	津軽塗，りんご，にんにく	青森	2
12.8	25,432	・13,752	・2,487	・1,627	338	4,012	14,089	2,737	32.2	1.41	岩谷堂たんす，南部鉄器，りんどう，わかめ	岩手	3
26.7	44,953	・18,897	・4,633	7,335	213	8,167	29,008	2,926	27.2	1.30	こけし，雄勝すずり，さめ，養殖かき	宮城	4
0.7	13,898	・7,417	・1,382	・1,215	393	1,435	11,563	2,553	35.8	1.33	かば細工，川連漆器，じゅんさい，はたはた	秋田	5
0.4	29,215	・14,398	・1,907	・3,658	546	3,890	11,979	2,758	32.5	1.48	天童将棋駒，置賜紬，さくらんぼ，西洋なし	山形	6
5.1	51,571	24,837	6,011	9,690	427	4,479	21,840	3,005	30.1	1.53	会津塗，大堀相馬焼，もも，さやいんげん	福島	7
63.6	184,430	・85,878	・21,376	・24,195	2,151	26,783	103,195	—	—	—			
26.3	123,377	・43,284	22,618	・25,405	600	20,113	31,621	3,116	28.2	1.44	結城紬，笠間焼，れんこん，くり，ピーマン	茨城	8
0.1	92,793	・42,720	11,656	・14,280	627	15,923	22,958	3,318	27.7	1.44	結城紬，益子焼，いちご，かんぴょう	栃木	9
0.04	90,985	52,261	8,544	・12,578	553	11,705	22,426	3,098	28.8	1.47	伊勢崎かすり，桐生織，こんにゃくいも，梅，キャベツ	群馬	10
0.0004	137,066	52,438	17,138	25,733	942	20,724	71,529	2,958	25.9	1.34	人形，桐たんす，ねぎ，茶	埼玉	11
14.0	121,895	・15,916	26,183	・51,996	262	19,230	64,055	3,020	26.7	1.34	房州うちわ，落花生，なし，しょうゆ，びわ	千葉	12
4.7	79,116	42,700	5,829	5,766	668	8,362	205,744	5,348	22.6	1.20	村山大島紬，江戸切子，うど，こまつな，くさや	東京	13
3.4	180,845	85,684	17,297	・47,767	465	・20,327	93,767	3,180	24.8	1.33	鎌倉彫，箱根寄木細工，かまぼこ	神奈川	14
48.6	826,077	・335,003	109,266	・183,525	4,118	・116,383	512,101	—	—	—			
3.1	49,200	17,967	8,391	8,455	817	8,157	26,031	2,826	31.5	1.41	小千谷ちぢみ，塩沢紬，金属洋食器，まいたけ	新潟	15
4.2	38,912	・12,251	9,677	・9,296	693	2,228	12,065	3,295	31.4	1.52	高岡銅器，彫刻，チューリップの球根，ほたるいか	富山	16
6.4	30,649	・18,485	・2,512	・2,440	2,051	2,067	13,406	2,908	28.8	1.54	加賀友禅，輪島塗，九谷焼，金箔	石川	17
1.2	21,394	8,302	2,922	4,028	2,465	713	8,838	3,157	29.4	1.67	越前漆器，越前和紙，めがねわく	福井	18
0.1	25,564	・16,434	・1,615	・1,536	401	3,806	9,272	2,873	29.7	1.53	甲州手彫印章，水晶細工，ぶどう，もも	山梨	19
0.2	62,316	41,383	5,116	3,209	168	7,399	23,561	2,882	30.8	1.57	木曽漆器，和紙，寒天，まつたけ	長野	20
0.1	57,062	24,572	8,392	・8,676	1,487	4,442	22,182	2,803	29.2	1.52	美濃焼，春慶塗，ちょうちん	岐阜	21
20.1	169,119	・87,355	13,111	・27,020	1,176	23,162	40,900	3,300	29.0	1.50	駿河竹千筋細工，茶，さくらえび，みかん	静岡	22
7.8	472,303	341,337	44,563	38,685	3,995	21,166	88,648	3,633	24.5	1.54	瀬戸焼，常滑焼，きく，キャベツ	愛知	23
43.0	926,518	・568,087	96,297	・103,344	13,253	73,140	244,902	—	—	—			
15.6	105,552	・59,669	9,801	23,748	560	5,744	19,897	3,155	28.8	1.54	万古焼，伊賀くみひも，養殖しんじゅ，茶	三重	24
0.04	78,229	・36,214	6,948	・18,394	2,232	5,013	14,452	3,181	25.4	1.55	信楽焼，仏壇，はかり	滋賀	25
1.2	58,219	22,989	3,916	4,025	1,292	14,716	29,759	2,926	28.7	1.29	西陣織，京友禅，茶，丹後ちりめん，清酒	京都	26
0.9	173,490	57,967	37,712	43,358	3,021	15,204	103,252	3,056	26.7	1.35	堺打刃物，桐たんす，水なす	大阪	27
12.1	157,988	64,422	30,973	28,529	1,350	21,259	57,265	2,896	27.9	1.44	播州そろばん，たまねぎ，線香，清酒	兵庫	28
0.002	21,181	8,877	・2,202	・3,576	713	2,637	12,477	2,522	30.3	1.37	奈良筆，高山茶せん，かき，くず	奈良	29
1.9	26,913	・4,925	7,967	9,030	735	2,275	9,817	2,949	31.9	1.48	紀州漆器，紀州たんす，梅，かき，みかん	和歌山	30
31.7	621,572	・255,063	・99,520	・130,661	9,902	66,848	246,919	—	—	—			
8.5	8,102	・3,596	・572	・298	165	1,830	6,304	2,407	31.0	1.61	和紙，らっきょう，日本なし，松葉がに	鳥取	31
11.8	11,841	・6,095	2,475	・706	341	886	7,067	2,619	33.4	1.74	雲州そろばん，石州和紙，しじみ	島根	32
2.6	76,409	21,564	12,851	26,841	2,214	6,856	20,931	2,732	29.5	1.53	備前焼，ぶどう，マッシュルーム	岡山	33
12.3	102,356	・56,618	20,371	10,842	1,292	7,330	33,097	3,068	28.6	1.55	熊野筆，福山琴，養殖かき，レモン	広島	34
2.7	61,307	・13,742	・9,464	30,603	573	2,900	14,889	3,048	33.6	1.54	赤間すずり，萩焼，大内塗，ふぐ	山口	35
38.0	260,016	・101,615	・45,733	・69,290	4,585	19,801	82,288	—	—	—			
2.2	17,935	・6,095	・1,092	・6,229	288	1,798	7,571	2,973	32.2	1.52	和紙，すだち，れんこん，わかめ	徳島	36
4.3	26,106	6,908	6,447	・4,719	444	・3,948	11,694	2,945	30.4	1.61	香川漆器，丸亀うちわ，オリーブ，うどん	香川	37
13.8	42,008	・9,242	・9,239	10,703	1,927	3,930	15,286	2,656	31.8	1.55	砥部焼，みかん，キウイフルーツ，養殖しんじゅ	愛媛	38
9.4	5,919	1,763	・632	・218	148	1,116	7,534	2,567	34.2	1.48	和紙，しょうが，にら，なす，ピーマン	高知	39
29.8	91,969	・24,008	・17,410	・21,868	2,807	・10,792	42,084	—	—	—			
6.9	98,040	・45,712	15,993	・10,457	474	16,609	58,640	2,800	26.9	1.49	博多人形，久留米がすり，たけのこ，いちご，茶	福岡	40
7.8	18,790	・6,497	・2,544	・2,822	242	3,933	8,432	2,509	29.2	1.64	伊万里焼，有田焼，大麦，たまねぎ，養殖のり	佐賀	41
31.4	18,478	・12,621	・961	・366	282	3,303	14,784	2,519	31.4	1.68	三川内焼，波佐見焼，びわ，養殖しんじゅ	長崎	42
6.9	28,574	・13,964	・2,692	・3,780	242	4,961	17,785	2,517	30.2	1.69	ぞうがん，い草，トマト，すいか，メロン	熊本	43
5.5	41,094	・13,063	10,695	・12,069	201	2,978	12,353	2,605	31.9	1.59	竹細工，かぼす，干ししいたけ	大分	44
12.0	17,102	・4,668	・661	・3,400	865	5,584	11,548	2,407	31.1	1.72	手紬，都城大弓，マンゴー，らっきょう，ピーマン	宮崎	45
12.2	20,990	5,389	・919	・492	153	11,010	16,530	2,414	30.9	1.70	大島紬，薩摩焼，養殖うなぎ，かつおぶし	鹿児島	46
3.9	4,929	・170	・793	・230	48	2,642	13,661	2,273	21.3	1.89	琉球かすり，琉球紅型，さとうきび，パイナップル	沖縄	47
86.8	247,996	・102,085	・35,258	・33,616	2,507	51,019	153,734	—	—	—			
442.1	3,220,703	1,481,119	431,944	578,718	39,610	388,978	1,451,038	(3,217)	(27.6)	(1.42)		全国合計（平均）	

乳用牛　133万頭　—2019年—

北海道	栃木	熊本	岩手	群馬	千葉	その他
60.1%	3.9	3.3	3.2	2.6	2.2	24.7

肉用牛　250万頭　—2019年—

北海道	鹿児島	宮崎	熊本	岩手	宮城	栃木	長崎	その他
20.5%	13.5	10.0	5.0	3.5	3.2	3.2	3.2	37.9

ぶた　916万頭　—2019年—

鹿児島	宮崎	北海道	群馬	千葉	茨城	栃木	岩手	その他
13.9%	9.1	7.6	6.9	6.6	5.1	4.4	4.4	42.0

にわとり（肉用）　1億3823万羽　—2019年—

宮崎	鹿児島	岩手	青森	北海道	徳島	佐賀	その他
20.4%	20.2	15.7	5.0	3.6	3.1	2.8	29.2

はまち（養殖（ようしょく））　10万t　—2018年—

鹿児島	大分	愛媛	宮崎	高知	長崎	香川	その他
28.1%	17.0	13.4	9.4	7.7	7.2	5.4	11.8

うなぎ（養殖（ようしょく））　2万t　—2018年—

鹿児島	愛知	宮崎	静岡	その他
42.2%	22.9	16.8	9.6	8.5

かき（養殖（ようしょく））　18万t　—2018年—

広島	宮城	岡山	兵庫	岩手	北海道	三重	その他
58.9%	14.8	8.8	4.9	4.9	2.3	2.0	3.4

ほたて貝（養殖（ようしょく））　17万t　—2018年—

北海道	青森	その他
48.8%	48.4	2.8

3　日本のおもな工業製品の生産

〔平成30年　工業統計表〕

輸送用機械器具　68兆3716億円　—2017年—

愛知	静岡	神奈川	群馬	広島	福岡	埼玉	その他
38.8%	6.3	6.0	5.4	5.3	4.9	3.7	29.6

電気機械器具　17兆3574億円　—2017年—

愛知	静岡	兵庫	大阪	栃木	茨城	東京	滋賀	神奈川	その他
13.0%	12.7	8.7	6.2	5.6	4.4	4.4	4.2	4.0	36.8

電子部品など　15兆9613億円　—2017年—

三重	長野	愛知	大阪	宮城	山形	その他
12.5%	4.8	3.7	3.4	3.3	3.2	69.1

情報通信機器　6兆7136億円　—2017年—

長野	神奈川	東京	福島	兵庫	静岡	埼玉	その他
15.4%	10.3	8.6	8.5	6.5	6.1	4.5	40.1

鉄鋼　17兆7607億円　—2017年—

愛知	兵庫	千葉	広島	大阪	岡山	福岡	茨城	その他
13.1%	11.0	9.5	7.9	7.8	5.4	5.2	4.3	35.8

プラスチック製品　12兆5697億円　—2017年—

愛知	大阪	茨城	埼玉	滋賀	静岡	栃木	群馬	その他
12.2%	6.3	6.2	5.6	5.3	5.3	4.7	4.4	50.0

医薬品製剤（せいざい）　6兆9645億円　—2017年—

埼玉	滋賀	兵庫	静岡	大阪	栃木	徳島	富山	その他
10.9%	10.2	9.1	9.0	6.9	6.3	5.7	5.1	36.8

パルプ・紙・紙加工品　7兆4432億円　—2017年—

静岡	愛媛	埼玉	愛知	北海道	大阪	その他
11.2%	7.7	6.5	5.7	5.3	4.7	58.9

印刷・同関連製品　5兆2378億円　—2017年—

東京	埼玉	大阪	愛知	京都	福岡	その他
15.5%	14.2	9.3	6.3	4.6	3.7	46.4

産業用ロボット　1兆190億円　—2017年—

山梨	愛知	福岡	長野	静岡	兵庫	その他
45.5%	14.5	10.9	5.1	4.6	4.5	14.9

食卓用・厨房（ちゅうぼう）用陶磁器（とうじき）　496億円　—2017年—

岐阜	佐賀	長崎	三重	愛知	その他
48.4%	14.9	11.2	7.3	4.0	14.2

漆器（しっき）　242億円　—2017年—

福井	石川	福島	和歌山	長野	秋田	その他
31.9%	22.1	10.6	6.1	5.3	4.7	19.3

包丁　207億円　—2017年—

岐阜	新潟	大阪	その他
56.5%	28.9	7.4	7.2

清酒　4553億円　—2017年—

兵庫	京都	新潟	秋田	山口	埼玉	その他
25.8%	13.4	10.9	4.0	3.5	3.4	39.0

食パン　3364億円　—2017年—

大阪	愛知	神奈川	東京	埼玉	千葉	兵庫	岡山	その他
13.8%	11.3	10.4	8.0	7.9	7.0	5.0	4.5	32.1

4 日本の市と人口 (2019年)

赤文字は都道府県庁所在地　●は政令指定都市[*1]，○は中核市[*2]

＊1 政令指定都市　政令で指定する人口50万人以上の市で，ほぼ道府県なみの行政権・財政権をもっている。
＊2 中核市　人口20万人以上の市で，保健衛生や都市計画で政令指定都市に準じた事務が都道府県から委譲される。
※この表については，2019年の統計数値を用いたため，2020年以降に市制施行・合併・編入する市は掲載していない。

〔住民基本台帳 人口・世帯数表　平成31年

都市名	人口(万人)
北海道	
●札幌	195.5
○旭川	33.7
○函館	25.8
苫小牧	17.1
釧路	17.0
帯広	16.6
江別	11.8
北見	11.7
小樽	11.6
千歳	9.7
室蘭	8.4
岩見沢	8.1
恵庭	6.9
北広島	5.8
石狩	5.8
登別	4.8
北斗	4.6
滝川	4.0
網走	3.5
伊達	3.4
稚内	3.4
名寄	2.7
根室	2.5
紋別	2.2
富良野	2.1
美唄	2.1
留萌	2.1
深川	2.0
士別	1.8
砂川	1.7
芦別	1.3
赤平	1.0
三笠	0.8
夕張	0.8
歌志内	0.3
青森	
○青森	28.4
○八戸	23.0
弘前	17.2
十和田	6.1
むつ	5.7
五所川原	5.4
三沢	4.0
黒石	3.3
つがる	3.2
平川	3.1
岩手	
○盛岡	29.0
一関	11.7
奥州	11.7
花巻	9.6
北上	9.2
滝沢	5.5
宮古	5.2
大船渡	3.6
久慈	3.5
釜石	3.3
遠野	2.7
二戸	2.7
八幡平	2.5
陸前高田	1.9
宮城	
●仙台	106.2
石巻	14.4
大崎	13.0
登米	7.9
名取	7.8
栗原	6.8
気仙沼	6.3
多賀城	6.2
塩竈	5.4
富谷	5.2
岩沼	4.4
東松島	4.0
白石	3.4
角田	2.9
秋田	
○秋田	30.9
横手	9.0
大仙	8.1
由利本荘	7.7
大館	7.2
能代	5.3
湯沢	4.5
潟上	3.2
北秋田	3.2
鹿角	3.1
男鹿	2.7
仙北	2.6
にかほ	2.4
山形	
○山形	24.6
鶴岡	12.7
酒田	10.2
米沢	8.0
天童	6.2
東根	4.7
寒河江	4.1
新庄	3.5
南陽	3.1
上山	3.0
長井	2.6
村山	2.4
尾花沢	1.6
福島	
○いわき	32.4
○郡山	32.4
○福島	27.9
会津若松	11.9
須賀川	7.6
白河	6.1
伊達	6.0
南相馬	6.0
二本松	5.5
喜多方	4.7
田村	3.7
相馬	3.5
本宮	3.0
茨城	
水戸	27.2
つくば	23.3
日立	18.0
ひたちなか	15.9
古河	14.3
土浦	14.2
取手	10.7
筑西	10.5
神栖	9.5
牛久	8.5
龍ケ崎	7.7
笠間	7.6
石岡	7.5
鹿嶋	6.7
守谷	6.7
常総	6.3
那珂	5.4
坂東	5.4
結城	5.2
常陸太田	5.2
つくばみらい	5.1
小美玉	5.1
鉾田	4.9
下妻	4.3
北茨城	4.3
かすみがうら	4.2
常陸大宮	4.2
桜川	4.2
稲敷	4.1
行方	3.5
高萩	2.8
潮来	2.8
栃木	
○宇都宮	52.2
小山	16.7
栃木	16.1
足利	14.8
佐野	11.8
那須塩原	11.7
鹿沼	9.7
日光	8.2
真岡	8.0
大田原	7.1
下野	6.0
さくら	4.4
矢板	3.2
那須烏山	2.6
群馬	
○高崎	37.4
○前橋	33.7
太田	22.4
伊勢崎	21.3
桐生	11.2
渋川	7.7
館林	7.6
藤岡	6.5
安中	5.8
みどり	5.0
富岡	4.8
沼田	4.8
埼玉	
●さいたま	130.2
○川口	60.3
○川越	35.3
所沢	34.4
○越谷	34.2
草加	24.8
春日部	23.4
上尾	22.8
熊谷	19.7
新座	16.5
久喜	15.3
狭山	15.1
入間	14.8
深谷	14.3
三郷	14.1
朝霞	14.0
戸田	13.9
鴻巣	11.8
ふじみ野	11.4
加須	11.3
富士見	11.1
坂戸	10.1
八潮	9.0
東松山	9.0
和光	8.2
行田	8.1
飯能	7.9
本庄	7.8
志木	7.6
桶川	7.5
蕨	7.5
吉川	7.2
鶴ヶ島	7.0
北本	6.6
秩父	6.2
蓮田	6.1
日高	5.6
羽生	5.5
白岡	5.2
幸手	5.1
千葉	
●千葉	97.0
○船橋	63.9
松戸	49.6
市川	48.7
○柏	42.0
市原	27.6
八千代	19.8
流山	19.0
佐倉	17.5
習志野	17.3
浦安	16.9
野田	15.4
木更津	13.5
成田	13.3
我孫子	13.2
鎌ケ谷	10.9
印西	10.1
四街道	9.4
茂原	8.9
君津	8.4
香取	7.6
八街	7.0
旭	6.5
白井	6.3
袖ケ浦	6.3
銚子	6.1
東金	5.9
山武	5.1
富里	5.0
大網白里	4.9
館山	4.6
富津	4.4
南房総	3.8
いすみ	3.8
匝瑳	3.6
鴨川	3.3
勝浦	1.7
東京	
東京(23区)	948.6
○八王子	56.2
町田	42.8
府中	26.0
調布	23.5
西東京	20.2
小平	19.3
三鷹	18.7
日野	18.5
立川	18.3
東村山	15.0
多摩	14.8
武蔵野	14.6
青梅	13.4
国分寺	12.3
小金井	12.1
東久留米	11.6
昭島	11.3
稲城	9.0
東大和	8.5
狛江	8.2
あきる野	8.0
国立	7.6
清瀬	7.4
武蔵村山	7.2
福生	5.8
羽村	5.5
神奈川	
●横浜	374.5
●川崎	150.0
●相模原	71.8
藤沢	43.3
○横須賀	40.5
平塚	25.7
茅ヶ崎	24.3
大和	23.7
厚木	22.5
小田原	19.1
鎌倉	17.6
秦野	16.1
海老名	13.3
座間	13.0
伊勢原	10.0
綾瀬	8.5
逗子	5.9
三浦	4.3
南足柄	4.2
新潟	
●新潟	79.2
長岡	27.1
上越	19.3
三条	9.8
新発田	9.7
柏崎	8.4
燕	7.9
村上	6.0
南魚沼	5.7
佐渡	5.5
十日町	5.3
五泉	5.0
糸魚川	4.2
阿賀野	4.2
見附	4.0
魚沼	3.6
小千谷	3.5
妙高	3.2
胎内	2.9
加茂	2.7
富山	
○富山	41.7
高岡	17.1
射水	9.3
南砺	5.1
砺波	4.8
氷見	4.7
魚津	4.2
黒部	4.1
滑川	3.3
小矢部	3.0
石川	
○金沢	45.3
白山	11.3
小松	10.8
加賀	6.7
七尾	5.2
野々市	5.2
能美	5.0
かほく	3.5
輪島	2.7
羽咋	2.1
珠洲	1.4
福井	
○福井	26.4
坂井	9.2
越前	8.3
鯖江	6.9
敦賀	6.6
大野	3.3
小浜	2.9
あわら	2.8
勝山	2.3
山梨	
○甲府	18.8
甲斐	7.5
南アルプス	7.1
笛吹	6.9
富士吉田	4.9
北杜	4.7
山梨	3.4
甲州	3.1
中央	3.0
都留	3.0
韮崎	2.9
大月	2.4
上野原	2.3
長野	
○長野	37.8
○松本	23.9
上田	15.8
飯田	10.1
佐久	9.9
安曇野	9.7
伊那	6.8
塩尻	6.7
千曲	6.0
茅野	5.6
須坂	5.0
岡谷	4.9
諏訪	4.9
中野	4.4
小諸	4.2
駒ヶ根	3.2
東御	3.0
大町	2.7
飯山	2.1
岐阜	
○岐阜	40.9
大垣	16.1
各務原	14.8
多治見	11.1
可児	10.2
関	8.9
高山	8.8
中津川	7.8
羽島	6.7
土岐	5.8
美濃加茂	5.6
瑞穂	5.4
恵那	5.0
郡上	4.1
瑞浪	3.7
海津	3.4
本巣	3.4
下呂	3.2
山県	2.7
飛騨	2.4
美濃	2.0
静岡	
●浜松	80.4
●静岡	70.2
富士	25.4
沼津	19.5
磐田	17.0
藤枝	14.5
焼津	13.9
富士宮	13.2
掛川	11.7
三島	11.0
島田	9.8
御殿場	8.8
袋井	8.8
伊東	6.9
湖西	5.9
裾野	5.2
伊豆の国	4.8
菊川	4.8
牧之原	4.5
熱海	3.7
御前崎	3.2
伊豆	3.0
下田	2.1
愛知	
●名古屋	229.4
○豊田	42.5
○岡崎	38.7
一宮	38.5
○豊橋	37.7
春日井	31.2
安城	18.9
豊川	18.6
西尾	17.2
小牧	15.2
刈谷	15.1
稲沢	13.7
瀬戸	12.9
半田	11.9
東海	11.4
江南	10.0
大府	9.2
日進	9.0
あま	8.8
北名古屋	8.6
知多	8.5
尾張旭	8.3
蒲郡	8.0
犬山	7.4
碧南	7.3
知立	7.2
清須	6.9
豊明	6.8
愛西	6.3
津島	6.2
田原	6.2
みよし	6.1
常滑	5.9
長久手	5.8
高浜	4.8
岩倉	4.8
新城	4.6
弥富	4.4
三重	
四日市	31.2
津	27.9
鈴鹿	20.0
松阪	16.4
桑名	14.2
伊勢	12.6
伊賀	9.2
名張	7.8
志摩	5.0
亀山	4.9
いなべ	4.5
鳥羽	1.8
尾鷲	1.7
熊野	1.7
滋賀	
○大津	34.2
草津	13.3
長浜	11.8
東近江	11.4
彦根	11.3
甲賀	9.0
守山	8.3
近江八幡	8.2
栗東	6.9
湖南	5.5
野洲	5.1
高島	4.8
米原	3.9
京都	
●京都	141.2
宇治	18.7
亀岡	8.9
舞鶴	8.2
長岡京	8.1
福知山	7.8
木津川	7.7
城陽	7.6
八幡	7.1
京田辺	6.9
向日	5.7
京丹後	5.5
綾部	3.3
南丹	3.1
宮津	1.8
大阪	
●大阪	271.4
●堺	83.7
○東大阪	49.0
○豊中	40.6
○枚方	40.2
吹田	37.1
○高槻	35.2
茨木	28.2
○八尾	26.6
○寝屋川	23.3
岸和田	19.5
和泉	18.6
守口	14.3
箕面	13.8
門真	12.2
大東	12.0
松原	12.0
羽曳野	11.1
富田林	11.1
河内長野	10.5
池田	10.3
泉佐野	10.0
貝塚	8.6
摂津	8.5
交野	7.7
泉大津	7.4
柏原	6.9
藤井寺	6.4
泉南	6.2
大阪狭山	5.8
高石	5.7
四條畷	5.5
阪南	5.4
兵庫	
●神戸	153.8
○姫路	53.7
○西宮	48.5
○尼崎	46.3
○明石	30.3
加古川	26.5
宝塚	23.4
伊丹	20.3
川西	15.8
三田	11.2
芦屋	9.6
高砂	9.1
豊岡	8.2
三木	7.7
たつの	7.6
丹波	6.4
小野	4.8
赤穂	4.7
南あわじ	4.7
加西	4.4
淡路	4.4
洲本	4.4
丹波篠山	4.1
西脇	4.0
加東	4.0
宍粟	3.8
朝来	3.0
相生	2.9
養父	2.3
奈良	
○奈良	35.7
橿原	12.2
生駒	12.0
大和郡山	8.6
香芝	7.9
天理	6.5
大和高田	6.5
桜井	5.7
葛城	3.7
五條	3.0
宇陀	3.0
御所	2.5
和歌山	
○和歌山	36.8
田辺	7.4
橋本	6.3
紀の川	6.2
岩出	5.3
海南	5.1
新宮	2.8
有田	2.8
御坊	2.3
鳥取	
○鳥取	18.8
米子	14.8
倉吉	4.7
境港	3.4
島根	
○松江	20.2
出雲	17.5
浜田	5.4
益田	4.6
安来	3.8
雲南	3.8
大田	3.4
江津	2.3
岡山	
●岡山	70.9
○倉敷	48.2
津山	10.1
総社	6.9
玉野	5.9
笠岡	4.8
真庭	4.5
赤磐	4.4
井原	4.0
瀬戸内	3.7
備前	3.4
浅口	3.4
高梁	3.0
新見	2.9
美作	2.7
広島	
●広島	119.6
○福山	46.9
○呉	22.4
東広島	18.7
尾道	13.7
廿日市	11.7
三原	9.4
三次	5.2
府中	3.9
庄原	3.5
安芸高田	2.8
大竹	2.7
竹原	2.5
江田島	2.3
山口	
○下関	26.3
山口	19.2
宇部	16.5
周南	14.3
岩国	13.5
防府	11.6
山陽小野田	6.3
下松	5.7
光	5.1
萩	4.7
長門	3.4
柳井	3.2
美祢	2.4
徳島	
徳島	25.4
阿南	7.3
鳴門	5.7
吉野川	4.1
小松島	3.8
阿波	3.7
美馬	2.9
三好	2.6
香川	
○高松	42.8
丸亀	11.3
三豊	6.5
観音寺	6.0
坂出	5.3
さぬき	4.8
善通寺	3.2
東かがわ	3.0
愛媛	
○松山	51.3
今治	16.0
新居浜	11.9
西条	10.9
四国中央	8.7
宇和島	7.5
大洲	4.3
西予	3.8
伊予	3.7
八幡浜	3.3
東温	3.3
高知	
○高知	33.0
南国	4.7
四万十	3.4
香南	3.3
土佐	2.7
香美	2.6
須崎	2.2
宿毛	2.0
安芸	1.7
土佐清水	1.3
室戸	1.3
福岡	
●福岡	154.0
●北九州	95.5
○久留米	30.6
飯塚	12.9
大牟田	11.5
春日	11.3
筑紫野	10.3
糸島	10.1
大野城	10.0
宗像	9.7
行橋	7.3
太宰府	7.1
柳川	6.6
福津	6.4
八女	6.3
小郡	5.9
古賀	5.9
直方	5.6
朝倉	5.3
那珂川	5.0
筑後	4.9
田川	4.7
中間	4.2
嘉麻	3.8
みやま	3.7
大川	3.4
うきは	2.9
宮若	2.8
豊前	2.5
佐賀	
佐賀	23.3
唐津	12.2
鳥栖	7.3
伊万里	5.5
武雄	4.[illegible]
小城	4.[illegible]
神埼	3.[illegible]
鹿島	2.[illegible]
嬉野	2.[illegible]
多久	1.[illegible]
長崎	
○長崎	42.[illegible]
○佐世保	25.[illegible]
諫早	13.[illegible]
大村	9.[illegible]
南島原	4.[illegible]
島原	4.[illegible]
雲仙	4.[illegible]
五島	3.[illegible]
平戸	3.[illegible]
対馬	3.[illegible]
西海	2.[illegible]
壱岐	2.[illegible]
松浦	2.[illegible]
熊本	
●熊本	73.[illegible]
八代	12.[illegible]
天草	8.[illegible]
玉名	6.[illegible]
合志	6.[illegible]
宇城	5.[illegible]
荒尾	5.[illegible]
山鹿	5.[illegible]
菊池	4.[illegible]
宇土	3.[illegible]
人吉	3.[illegible]
上天草	2.[illegible]
阿蘇	2.[illegible]
水俣	2.[illegible]
大分	
○大分	47.[illegible]
別府	11.[illegible]
中津	8.4
佐伯	7.1
日田	6.5
宇佐	5.6
臼杵	3.8
豊後大野	3.5
由布	3.4
杵築	2.9
国東	2.8
豊後高田	2.2
竹田	2.1
津久見	1.7
宮崎	
○宮崎	40.3
都城	16.5
延岡	12.3
日向	6.1
日南	5.3
小林	4.5
西都	3.0
えびの	1.9
串間	1.8
鹿児島	
○鹿児島	60.4
霧島	12.5
鹿屋	10.3
薩摩川内	9.5
姶良	7.7
出水	5.3
日置	4.8
奄美	4.3
指宿	4.1
曽於	3.6
南九州	3.5
南さつま	3.4
志布志	3.1
いちき串木野	2.8
伊佐	2.6
枕崎	2.1
阿久根	2.0
西之表	1.5
垂水	1.4
沖縄	
○那覇	32.2
沖縄	14.2
うるま	12.3
浦添	11.4
宜野湾	9.8
豊見城	6.4
名護	6.3
糸満	6.1
宮古島	5.4
石垣	4.9
南城	4.3

―さくいんの引き方―

例

地名の種類 ／ 地名（五十音順） ／ ページ ／ 経線間の記号（列） ／ 緯線間の記号（行） ／ 枠内の位置

枠内の位置
北寄り＝N (North)
南寄り＝S (South)
中央 ＝なし

世界 ◉ ロンドン …………………… 45 E 5 S

日本 ○ ちづ 智頭［鳥取］…………… 90 H 3

都道府県

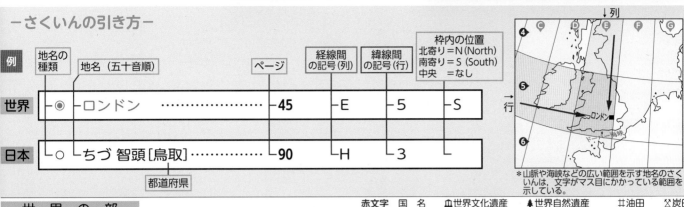

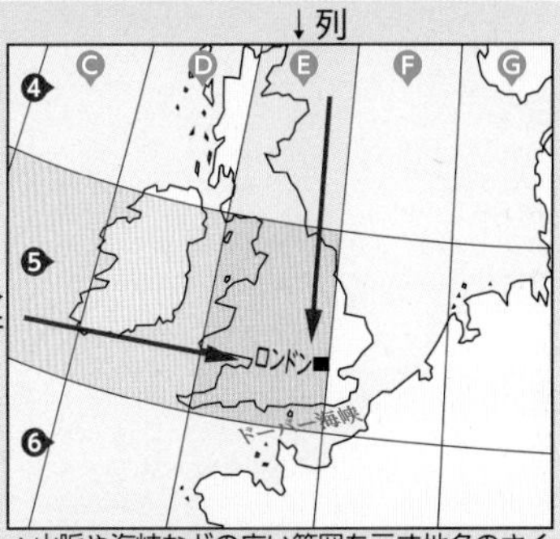

＊山脈や海峡などの広い範囲を示す地名のさくいんは，文字がマス目にかかっている範囲を示している。

世 界 の 部

赤文字 国 名　　🏛世界文化遺産　　🌲世界自然遺産　　♯油田　　⛏炭田
◉青文字 首都名　　◈世界複合遺産　　◆歴史地名・事項　　⚒鉱山

さくいん

日本の部

赤文字　都道府県名　◉市　●村　🏛世界文化遺産　◆歴史地名・事項
◉青文字　都道府県庁所在地　○町・東京都の区　●字・旧市町村　🌲世界自然遺産

【い】

【う】

【え】

【お】

さくいん

—日本の動き—

☆おもな鉄道の開通
北陸新幹線
金沢～敦賀　125km　2024年3月16日

☆おもな鉄道の廃止
JR北海道　根室本線
富良野～新得　81.7km　2024年4月1日

☆おもな道路の開通
日本海東北自動車道
遊佐比子I.C.～遊佐鳥海I.C.　6.5km
2024年3月23日
中部縦貫自動車道
勝原I.C.～九頭竜I.C.　9.5km
2023年10月28日
山陰自動車道
大田中央・三瓶山I.C.～仁摩・石見銀山I.C.　12.9km
2024年3月9日
九州中央自動車道
山都中島西I.C.～山都通潤橋I.C.　10.4km
2024年2月11日

[地図の出典]

＊自然地域名称とふりがな　標準地名集（国土地理院），ほか
＊山の高さ　日本：2.5万分の1などの地形図，日本の主な山岳標高（ともに国土地理院），ほか
世界：理科年表，ほか
＊市町村名　国土行政区画総覧（国土地理協会）
＊国名・首都名　外務省資料，ほか
「測量法に基づく国土地理院長承認（使用）R 1JHs 1283」

[写真・イラスト]

アフロ，アマナイメージズ，有田焼染付地図皿　羽柴博幸，アルトグラフィックス，井上千裕，今泉俊文ほか編「活断層詳細デジタルマップ（新編）」東京大学出版会 2018年，印刷博物館，エダりつこ，尾鷲市水産農林課，岸並千珠子，気象庁，九州大学　竹村俊彦教授，共同通信社，黒澤達矢，ゲッティイメージズ，（公財）海上保安協会，時事通信フォト，静岡県立中央図書館歴史文化情報センター，静岡市役所，常総市防災危機管理課　ゼンリン製作，市立函館博物館所蔵，杉下正良，高橋悦子，滝澤瑠里，中尊寺，東海大学情報技術センター（TRIC），東京国立博物館 TNM Image Archives，東京都建設局河川部，東京都建設局道路管理部，（公財）東洋文庫蔵，富岡市，内閣府，NASA，西村昌実，はこだてフィルムコミッション，バージョン，PPS通信社，姫路市，広島市，三菱UFJ銀行貨幣資料館，武蔵野種苗園，山﨑たかし，ユニフォトプレス

監修者
金坂 清則　京都大学名誉教授

別記著作者
荒井 良雄　東京大学名誉教授
岩本 廣美　奈良教育大学名誉教授
梶田　真　東京大学教授
小原 文明　法政大学教授
澤田 康徳　東京学芸大学准教授
須貝 俊彦　東京大学教授
田部 俊充　日本女子大学教授
寺本　潔　東京成徳大学特任教授
太田　弘　慶應義塾普通部元教諭
岡本　利　香川県公立中学校元教諭
佐藤　洋　東洋大学京北中学高等学校教諭

編集協力者
井寄 芳春　大阪府立咲くやこの花中学校校長
須藤 由子　東北生活文化大学高等学校教諭
立石 昌文　福岡県公立中学校元教諭
戸田 佳孝　愛知県名古屋市立瑞穂ヶ丘中学校校長

特別支援教育に関する監修・校閲者
柏倉 秀克　桜花学園大学教授
青松 利明　筑波大学附属視覚特別支援学校主幹教諭
丹治 達義　筑波大学附属視覚特別支援学校教諭

中学校社会科地図
令和6年10月10日　印刷
令和6年10月15日　発行
定価　1,650円（本体1,500円＋税）
ISBN978-4-8071-6738-8 C6025 ¥1500E

著作者　帝国書院編集部
代表者　佐藤　清　ほか11名（別記）
発行所　株式会社　帝国書院
〒101-0051 東京都千代田区神田神保町3の29
振替口座 00180-7-67014番
電話 03(3262)4795(代)

印刷者　新村印刷株式会社
代表者　小田島隆太
東京都品川区大崎1の15の9
印刷者　株式会社　加藤文明社
代表者　加藤文男
東京都千代田区神田三崎町2の15の6

1 昔の国名と国境

1：14,000,000

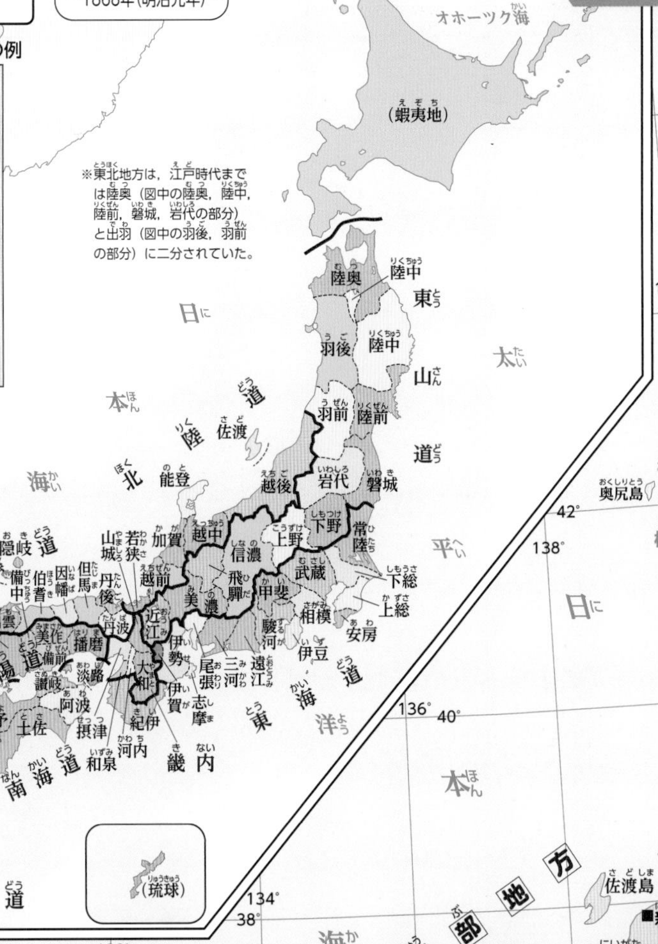

現在に残る昔の国名の例

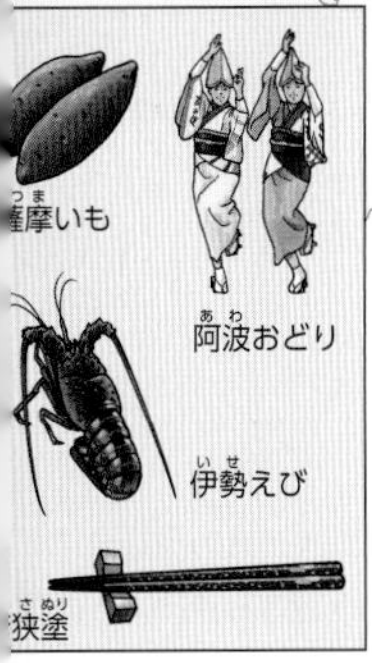

2 都道府県

1：8,500,000

3 手話で表してみよう

都道府県名や都道府県庁所在地の名称を手話で表すと，下のように表現されます。

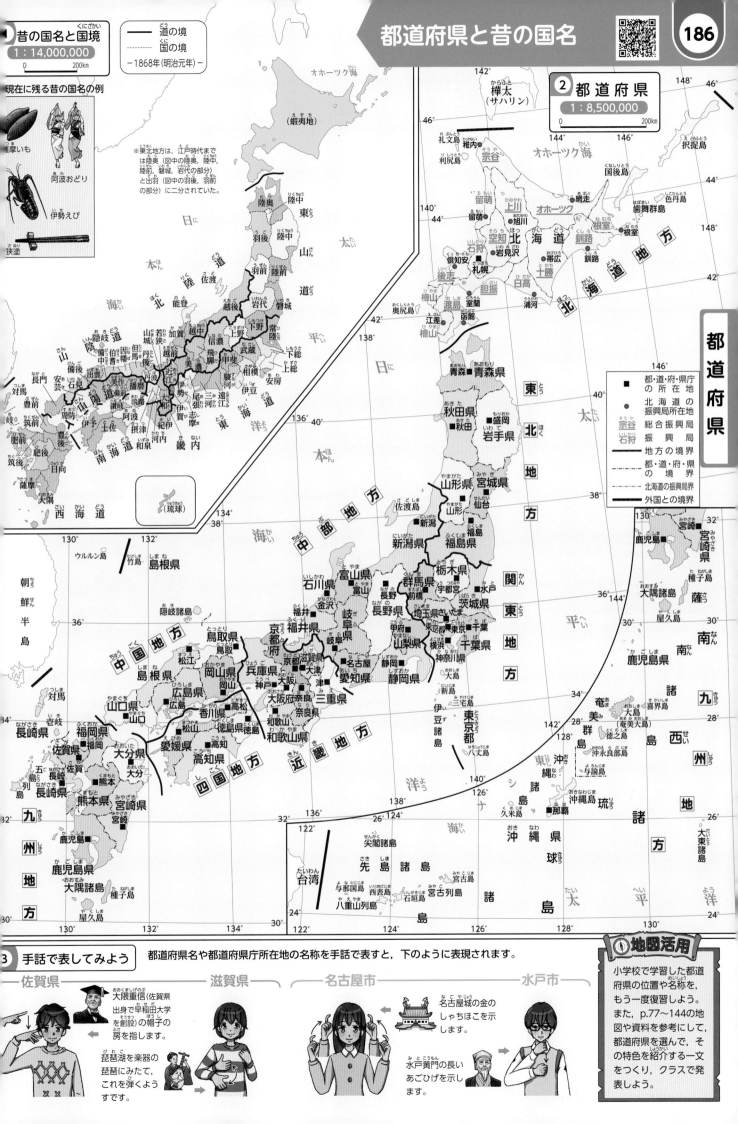

地図活用

小学校で学習した都道府県の位置や名称を，もう一度復習しよう。また，p.77～144の地図や資料を参考にして，都道府県を選んで，その特色を紹介する一文をつくり，クラスで発表しよう。

1 日本の領土とそのまわりの国々

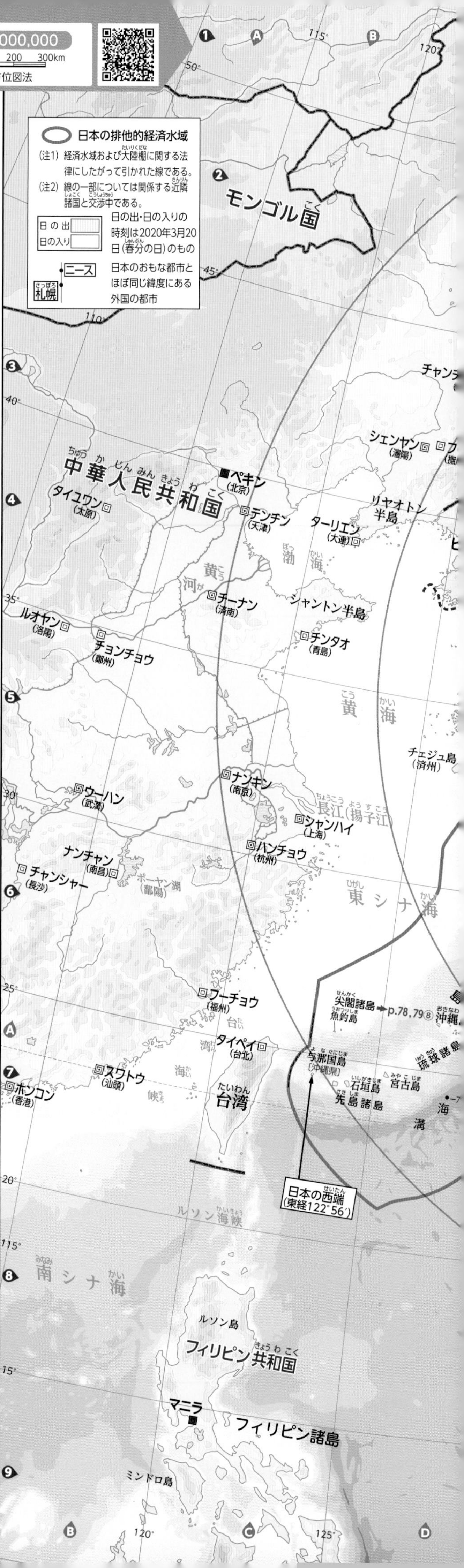

2 領土・領海・領空の範囲(模式図)

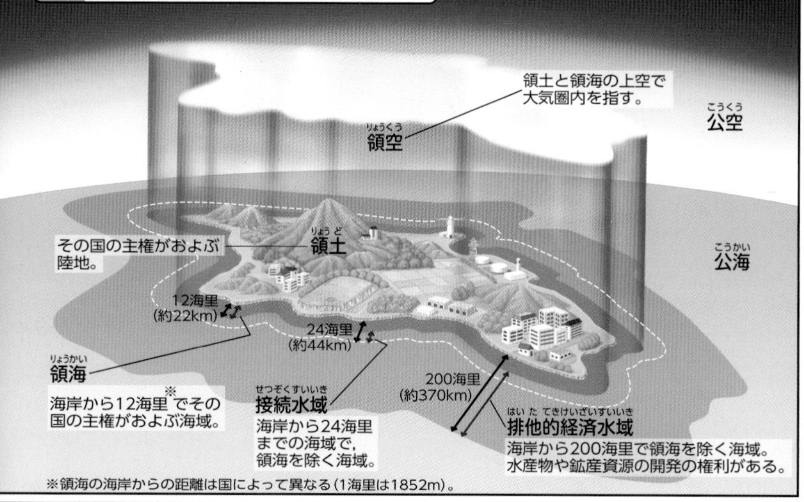

※領海の海岸からの距離は国によって異なる(1海里は1852m)。

3 おもな国の排他的経済水域の面積

〔2018 漁港漁場漁村ポケットブック，ほか〕

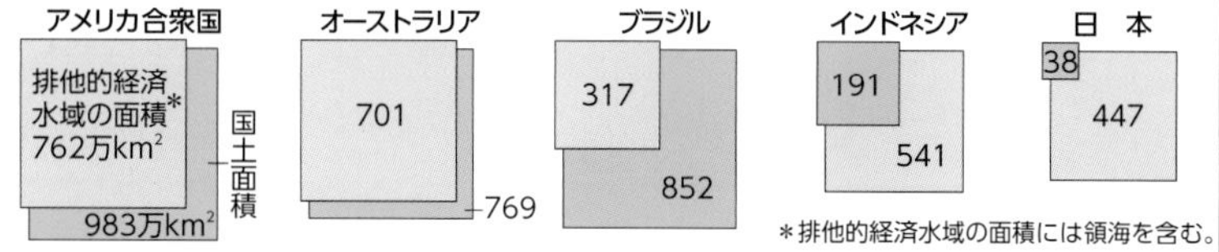

＊排他的経済水域の面積には領海を含む。

4 日本の東西南北端

写真の撮影場所・方向

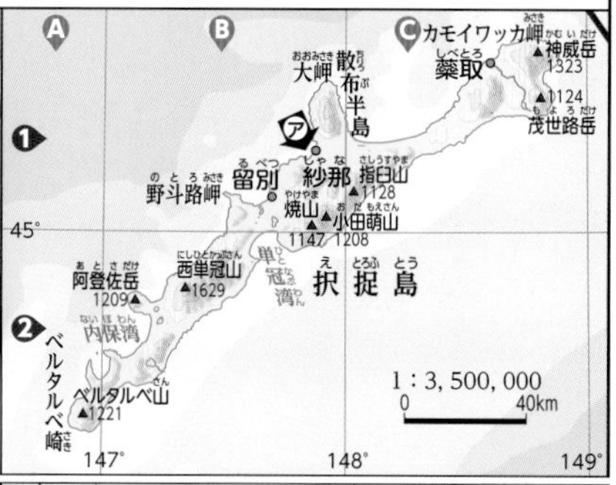

ア 日本の北端ー択捉島ー(北海道)

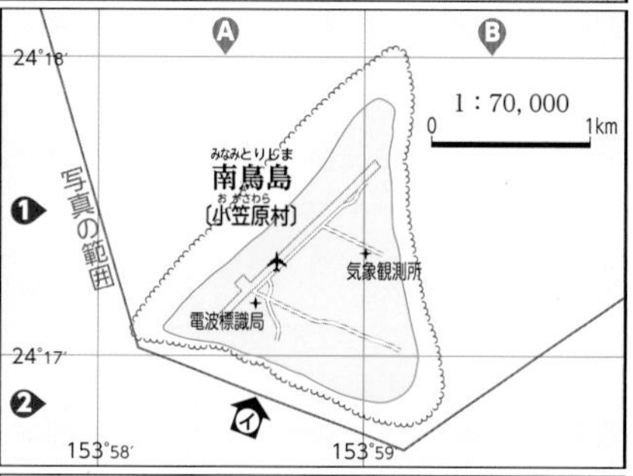

イ 日本の東端ー南鳥島ー(東京都)

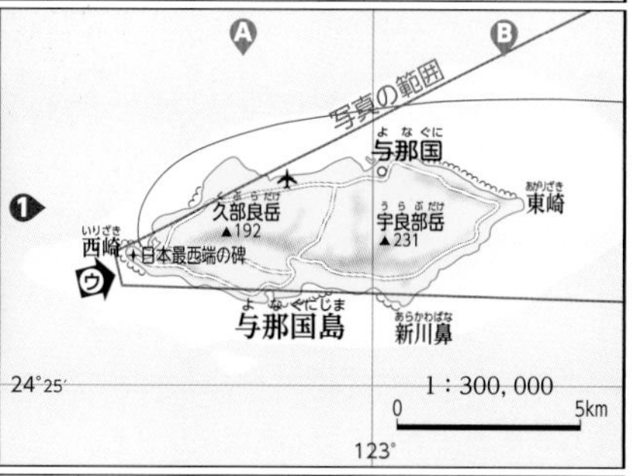

ウ 日本の西端ー与那国島ー(沖縄県)

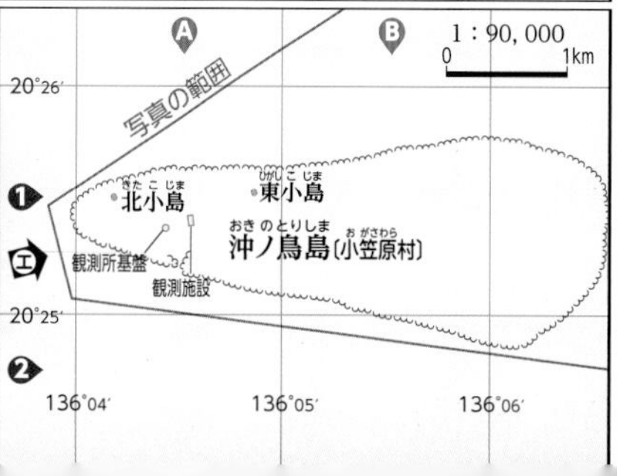

エ 日本の南端ー沖ノ鳥島ー(東京都)

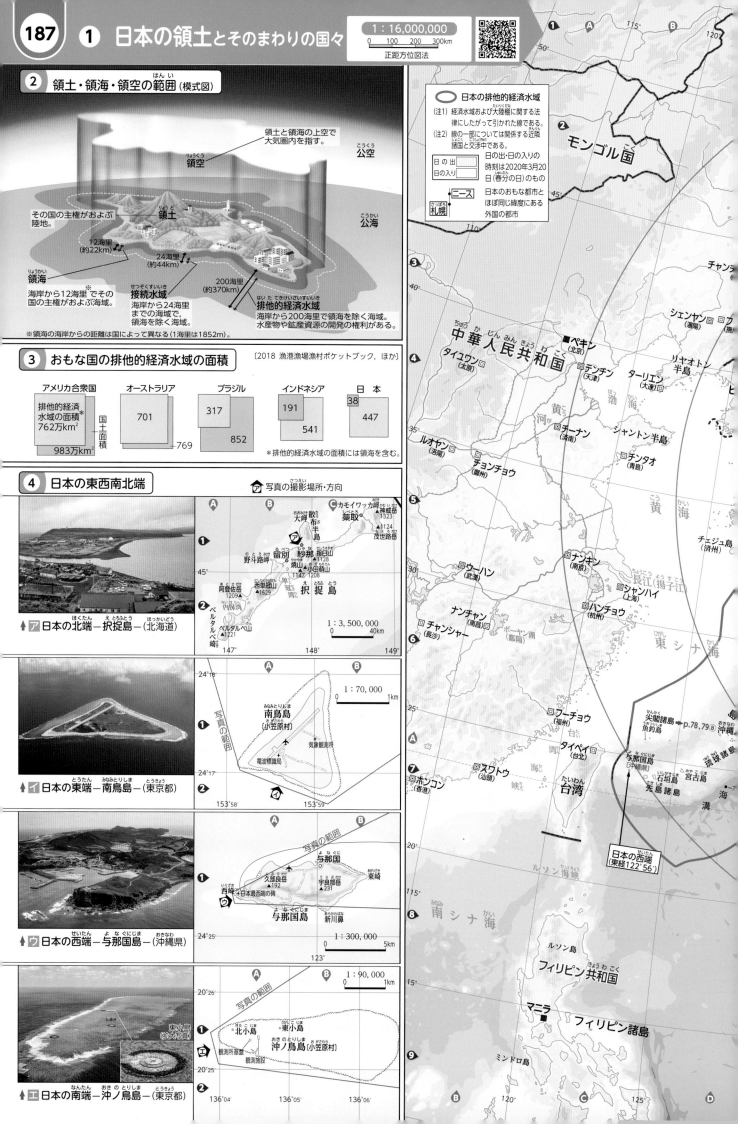